EL TEATRO Y SU CRITICA

MANUEL ALVAR - FERNANDO ARRABAL - ANGEL
BERENGUER - HERMANN BONNIN - ANTONIO
GALLEGO MORELL-LUCIANO GARCIA LORENZO
FRANCISCO GARCIA PAVON - GUIDO MANCINI
ILDEFONSO MANUEL GIL - LAURO OLMO
MARIA DEL PILAR PALOMO - CANDIDO PEREZ
GÁLLEGO - ANTONIO PRIETO - JOSE MARTIN
RECUERDA - JUAN CARLOS RODRIGUEZ - JOSE
MARIA RODRIGUEZ MENDEZ - ELENA ROMERO

EL TEATRO
Y SU CRITICA

REUNION DE MALAGA DE 1973

INSTITUTO DE CULTURA DE LA DIPUTACION PROVINCIAL DE MALAGA

Dep. Legal MA 220/75

ISBN 84-500-6686-7

Impreso en los Talleres Tipográficos de IMPRENTA MALAGA
Polígono Industrial EL VISO - 2.ª Fase - Parcela 32

I

TEORIA E HISTORIA

DINAMICA DEL PROCESO DRAMATICO

CÁNDIDO PÉREZ GÁLLEGO

Se puede hablar, en principio, de una dinámica para expresar la morfología del proceso dramático puesto que esa historia que se nos *cuenta* desde el escenario es un sistema en movimiento. Frente a la sensación de reposo de esa solemne escalera de piedra la sospecha de que ese signo verbal tendrá una función cambiante inmediata. Si hay una escalera es porque tendrá que subirse, si hay una puerta al fondo es porque por allí puede venir alguien. Pero esa visión arquitectónica del cuadro-escenario nos devolvería continuamente a Serlio, los estudios del *Globo* de C. Walter Hodges o el "teatro Firnese" de Parma. Nos llevaría a la consideración del teatro como "escénica". Pero, de repente, en ese silencio de las piedras y las cortinas, comienza a resonar una voz. Ese "sistema expresivo" nos remite inmediatamente a unos problemas inmediatos: Se habla con insistencia y preocupación de una rebelión en Francia, de un rey destronado, de unos ejércitos batiéndose, de la necesidad de tomar las armas, etc... y estos datos que están ocurriendo muy lejos se constituyen en foco que propone un sistema por resolver. Lo ocurrido ante nosotros (nuestro escenario) y aquel conflicto será el teatro. La agilidad del autor nos ayuda. Ahora ya estamos en Francia y asistimos con todo detalle a la preparación de una conjura contra la "sala" anterior. Ya tenemos a partir de este momento los dos polos y sabemos mucho más de lo que ellos saben: Estamos en el fiel de la balanza. El teatro será precisamente el conflicto de esas dos dinámicas, dar a esos dos lenguajes una unidad que se deberá resolver en un encuentro crucial entre ambos.

Hay por lo tanto una dinámica: Se ha establecido un código de constatación de fuerzas y valores. Los lenguajes de los oponentes se encuentran ante nosotros en un debate que tantas veces se somete a una dialéctica del bien contra el mal. Y así se va resolviendo, con continuos saltos en el tiempo y en el espacio esa "estructura de oposiciones" que es un drama y que sabe darnos de la vida los aspectos más conflictivos, con el lenguaje más expresivo. Esa manera retórica de hablar, esa expresividad que el autor sabe integrar en el escenario está buscando una respuesta, se dirige hacia un punto de resolución. Y contamos con "lo que falta", con esas escenas en

Francia que añaden hacia la escena anterior una especial compasión. Imaginado así el teatro, como "ver lo que ellos nunca podrán ver", oír lo que ellos nunca podrán oír", etc... se puede hablar de una teoría de la ausencia-presente, o del lenguaje de "lo restante" que, poco a poco, se hace ofensivo y real. Pero hay siempre escenas que no sabremos, hay siempre situaciones que nunca podremos llegar a aceptar. ("¡Cómo imaginar que las hijas tramaban matar al padre!"). Pero ese ceremonial de conspiración nos está señalando un teatro, como *King Lear*, donde Shakespeare sabe muy bien recoger todas las enseñanzas del teatro clásico y darle un mayor vigor. Pero el problema subsiste; estamos ante una ceremonia donde lo oculto se irá poco a poco "desnudando", y de ese modo ese crimen *tapado* se irá desvelando con el paso de unas escenas destinadas a "descubrir" lo que antes se había ido "cubriendo". Pero el mero hecho de que sea un lenguaje el que descubra nos señala que se está motivando en el interior del escenario una revolución de "conseguir la escena que falta por medio del diálogo". La estética se nos entrega como prueba de que "lo ignorado" tuvo este ambiente de lujo y colorido. De este modo podemos entrar en una percepción orgánica de "lo pensado por los demás" que nos llevaría a una lectura de Laing aplicando modelos, como los que da Frank George en su libro (1). Estas escenas componen una red de evoluciones, una red que se forma uniendo puntos y sujeta a una continua sensación de flujo. Entre esos puntos se está "programando" la frase "hijas quieren matar a su padre". Apoyados en Claude Flament (2) hablaríamos de un grafo, imaginado como ese proyecto que embarga todos los puntos de la escena, y que nos daría ese sistema de interconexiones de "los demás" en "nosotros". Ese sistema interpersonal (3) que explicado como línea hace que veamos el teatro como teoría de los logros, como un frío esquema de "llegada a un punto", "conquista de una frase", "adquisición de un esquema". Ese método de composición del lenguaje hacia unos fines *rima* en todo momento, está *coordinado*, con un ambiente circundante que es como el entramado donde el proyecto se pueda realizar.

Entendido así el problema podemos, ya desde ahora, adelantar algunos prejuicios de que el drama se *habla* como si fuera un siste-

---

(1) Para la programación de ese sistema es muy útil consultar: *Models of Thinking*, by Frank George. London: George Allen and Unwin, 1970, 164 pp.
(2) *Teoría de grafos y estructuras de grupo*, por Claude Flament. Madrid: Tecnos, 1972, 144 pp.
(3) *Interpersonal Perception*, by Mark Cook. Harmondsworth: Penguin Books, 1971, 168 pp.

ma lingüístico de "adquisición de metas". Qué duda cabe que en drama A quiere conseguir unas cosas, B quiere conseguir otras cosas, C quiere conseguir otras... y lo único que no saben es el *cómo*, el *modo*..., el camino retórico de hacerlo. Esas metas que están situadas en su destino (venganza, posesión amorosa, riqueza, palacio encantado...) se alzan como "interlocutores" y el diálogo-dinámico consiste en hacer un juego lingüístico de adquisición de esquemas válidos para conseguir lo deseado. William O. Hendricks ha hecho un curioso análisis (4) de cómo la frase en sí misma produce una "situación narrativa". Creemos que este método puede llevarse al campo de la novela del drama, es decir a lo externo al escenario. Cuando se nos cuentan "los años pasados en Valencia", qué duda cabe que se está haciendo una narración próxima en su estilística a un recuento novelístico. Pero cada situación tiene su propio "lenguaje" y en teatro no sabemos exactamente qué es lo básico de cada situación, pues se nos da cortado, segmentado, preparado. Ese espacio desgajado "explosivo de semántica" que nos hace en cinco minutos comprender el problema por un método de "expresar lo básico". Este sentimiento de prisa, no es sino otra manera de entender la dinámica. Este valor de que cada significado promoverá un eje escénico nos lleva a una "teoría de los grafos" alejada de esa visión romántica del teatro como "repetición de la vida" (5).

Repetición de unas escenas *llenas* de aquella historia novelada de A. Recreación de circunstancias adyacentes que contribuyeron a que aquello fuera así. En ese sentido sí que es correcto hablar siempre de una "representación", término que hasta Hendricks usa con fines analíticos en novela (6). Pero ese grafo implacable de que cada nuevo punto añadirá un nuevo *dilema* está dándonos ocasión a imaginar el drama como un mecanismo de resolución del primer

---

(4) *Methodology of Narrative Structural Analysis*, by William O. Hendricks. The Hague: Semiótica VII, 1973 núm. 2, pp. 163/184. *Les transformations narratives* par Tzvetan Todorov. París: *Poétique*, 1970, núm. 3, pp. 322/333.

(5) *Meanings and Situations*, by Arthur Brittan. London: Routledge and Kegan Paul, 1973, 215 pp.

(6) "The representation of underlying structure is close (but NOT identical) to a synopsis of the narrative. The primary difference between a preliminary synopsis and the resultant structural analysis is that the former is an inventory of elements ("extracted" from the text) that are merely juxtaposed, whereas the latter results from a "structuration" of this inventory; this operation involves uncovering relational principles, as well as inferring terms not explicitily present in the synopsis (or original text), and results in a condensation of the extracted elements". *Methodology of Narrative Structural Analysis*, ibidem, p. 165.

acto. Usando métodos lingüísticos —como los de E. Zierer (7)— se podría hablar de una mecánica para resolver esa situación tensa que se va haciendo cada vez más "irresoluble". Ese modo de avanzar en la dificultad, con una finalidad de mantener alerta la atención del espectador, está muy cerca de una "doctrina de los ciclos" que nos llevaría al mayor crítico actual. En *Anatomy of Criticism* se habla de la interconexión entre cada situación y la "clase" a la que pertenece. Se excinde la literatura en sus componentes básicos, de un lado espirituales, de otro ideológicos y hasta sociales. Pero el fondo bíblico de ese festival de religiosidad que es todo Northrop Frye (8) está señalando un camino a seguir. El que A sepa que su comportamiento es una "mitología" le releva de intentar mucha originalidad: Es preciso continuar dejándose llevar por una normativa que le va trazando un camino muy concreto.

Pero el insistente sentimiento de que "los demás pueden hablar" está señalando un esquema de inclusión de lo externo en lo interno. La línea resultante se puede entonces entender como un sistema "Lo hablado entre A y B", "Lo hablado entre A y C", "Lo hablado entre A y D"... que nos llevaría a imaginar en este esquema el comportamiento de una de las relaciones del escenario

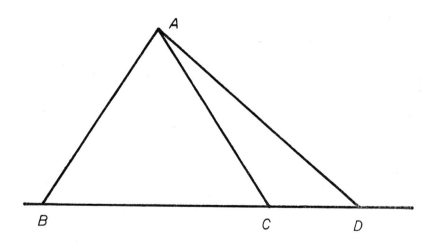

(7) *The Theory of Graphs in Linguistics*, by Ernesto Zierer. The Hague: Mouton, 1970, 62 pp.
(8) *Northrop Frye and the Problem of Spritual Authority*, by Charles F. Altieri. New York: *PMLA*, Oct. 1972, pp. 964/975.

y donde "ellos" parecieran ocupar una situación lateral, desde la que intentan irse colocando en el lugar de A. Pero la dinámica exige que ese esquema sea móvil y dé lugar a una interconexión total y absoluta entre todos esos puntos. De este modo el teatro se va haciendo un grafo.

Un grafo que recoge flexiblemente el proceso mediante el cual cada sistema se va sometiendo a cada situación. De este modo B, C, D, están implicados en un proyecto en el que A es "protagonista". Volviendo a esa historia de "lo ocurrido entre A y B" se puede llegar a pensar que tal texto estará en alguno de los sucesivos actos que se vayan programando. Al mundo de normas que aparece en el escenario se opone un deseo espontáneo de libertad, de proponer la razón ante la orden. El "discurso indicativo" está centrado en una hipótesis de que se consiga con las frases lo previsto. No habría así "obligaciones" puesto que en ese "estado ideal", la orden dada a B por A sería *discutible,* e incluso podría hacerse objeto de no aceptación. Este mundo de respuestas *reversibles* nos llevaría a una construcción sintáctica que tendría como base la contradicción antes que la aceptación. Aquí podríamos colocar el teatro de "no entendimiento", que hace que a pesar del lenguaje se establezca un canal de soledad entre sus héroes. De este modo se puede pensar que "la orden dada por A", no fuera cumplida. (Cuántas veces en Shakespeare, pensemos por ejemplo *Cymbeline,* no son obedecidas las órdenes cursadas. El tema del verdugo apiadado de su víctima aparece con frecuencia).

Pero el dilema de la "doble pertenencia" del espacio hablado, lleva más lejos. Por un lado se trata de un "espacio cerrado", de un recinto cuya imagen más cercana sea "la habitación", pero por otro estamos ante un mecanismo estético de amplia flexibilidad que se puede ir convirtiendo en lo que nos convenga: Ese "reducto" puede ser calle, campo de batalla, mar... Con ello estamos ante una idea más abstracta si cabe de la realidad ambiental. Estamos ante una flexibilidad que no alcanza a A ni B, que se mantiene en lo que son, a pesar del fluctuante disfraz, se repiten en su propia personalidad, sus frases les van limitando. Se saben poseedores de un "texto" que como si fuera su propio historial les va restringiendo. De este modo A no podrá dejar de ser lo que es. Y si quiere cambiar habrá de explicársenos con todo detalle ese proceso de "conversión". Quiere esto decir que ese margen de credibilidad estética que el espectador acepta frente a ese remo que se convierte en vestigio de tempestades no lo propone frente a ese cambio súbito de conducta, que sería inadmisible, que resultaría del todo improcedente. De aquí que la *elasticidad* del escenario opere en sus habitantes un sentimiento de temor. Ellos deben ser los "irreductibles", los "incambiables" frente a ese pulso dinámico de "dar lo que más puede conmovernos". Y de aquí que el sistema de frase sea ir cerrando, ir recomponiendo. Ir rellenando. Sabiendo que hay que añadir los objetos necesarios para que la frase se mantenga clavada entre dos puntos precisos. Pero esa ilusión de realidad, desde la pobreza de Artaud hasta el lujo de Craig pasando por el universalismo de Moholy-Nagy está señalando un doble esquema. Por un lado ese cuadrilátero objeto de nuestra atención tiene un esquema muy concreto alrededor y es el propio teatro. Pero a su vez en el lenguaje de la figuración dramática "debe tener" alrededor otros salones, un patio, un jardín, etc... Ambos esquemas se pueden llegar a superponer, son analógicos y nos deben dar la realidad inmediata. Por un lado el teatro *produce* espectáculo, por otro esa sala *genera* otros espacios contiguos. En todo caso hay una ley de "creación de espacios contiguos" que conviene estudiar desde una mentalidad informática. En ese punto M del escenario hay una *doble* realidad que debemos estudiar. Pero en cambio el punto N del primer esquema ya no es el mismo que en el segundo esquema. Todo ello nos lleva a pensar que existe una sintáctica de espacios, una normativa que hace que se vayan produciendo de acuerdo a la época y sus necesidades. Pero también tratando de crear un entramado de uso y logros. Por un lado mencionaríamos los ensayos de Shannon, por otro volveríamos a Max Bense (9).

	N			jardín	
	escenario 1	sala invitados	escenario 2	alcoba
	M				
	espectadores			sala regia	
	ESQUEMA I			*ESQUEMA II*	

(9) *Estética de la información*, por Max Bense. Madrid: Comunicación, serie B, 1972, 228 pp.

El diagrama de la realidad dramática está ya construido. Los esquemas I y II se comportan como el doble juego de limitaciones de unas frases que se mueven con pretensiones de crear "tensión". Esa arquitectura del teatro es algo insoslayable. El escenario 1 es una construcción patrocinada para el lenguaje con el espectador, mientras que el 2 es un punto de un sistema que nos lleva hacia una "red de espacios contiguos". Este modelo daría la autonomía espacial. Hay más. Dentro de 1 y 2 hay unos personajes que están hablando, que se mueven, que se increpan o perdonan, y están sujetos a una especial morfología social. A una oportunidad que las hace situadas precisamente en aquel lugar.

Meditemos más este punto: el lenguaje dramático, que merecería un estudio más amplio, tiene una normativa muy especial: Por un lado promueve una intensidad creciente, en su dilatada función expositiva. Se habla largamente y se van dando —a lo largo del "discurso"— unas *pistas* que serán recogidas por el interlocutor. Pero el espectador actúa de receptor en esta primera etapa. Esa "persona que no debe volver", ese "Matías que se escapó joven de casa", esa "penosa situación en casa de los Palmer" *golpea* insistentemente en el diálogo y nos promueve una especial curiosidad: ¿Cómo será el personaje que falta? Es así como teatro es incorporación de ausentes y motivación de un engranaje pregunta/respuesta que van produciendo un interés cada vez mayor hacia un punto: Ahora ya sabemos que el "centro" es la casa de la costa, la profesora de francés o el joven capitán. Y la incógnita se va desvaneciendo por su actividad "leída" y su presencia absoluta: Se van dando datos, se va completando el cuadro de su vocabulario y se hace así de un ausente un ser del todo engranado en ese sistema que empezó con una pregunta tan poco intensa cómo "¿Qué te pasa? ¿Por qué estás triste?". Esta pregunta produjo una revulsiva salida del escenario y para dar la explicación requerida fue necesario que se hiciera una descripción de un "mundo exterior" que lo mismo es pasado como futuro pero que supone un aislamiento lingüístico de este mundo de premiantes presentes en los que A y B se mueven. De tal manera que así se compone en rechazo del escenario, el odio a esta cárcel que congrega gestos de "lecciones de moral" para un público que sigue ese problema desde la habitación contigua, de unos espectadores que también se están preguntando por los datos que falta por incorporar. Este es el modo de inventar una emoción.

Hacer que la emoción se vaya dibujando como algo incompleto pero que debe llegar a constituirse como necesario. Que el sistema vaya juntando sus piezas dispersas hasta obtener un algo coherente. Cada entrada de una nueva voz añade algo, la historia queda mejor contada. Ahora ya sabemos mucho más del ausente, que cada vez se configura con una mayor precisión. Se continúa hablando. Llegan frases "crípticas" que resuenan de nuevo con un desafiante eco. ("Abigail tenía una aguja clavada en el vientre. Se la clavaron anoche"). Tal estado de cosas indica que ya formamos parte de la narración y que no podremos dejar de estar implicados. El plano lingüístico del drama se va "enrevesando" y dando unos giros inesperados. Cierto que para que A muera ha sido preciso que antes sepamos quién es A. Significa este mero aviso que en drama cada frase va dando ocasión a que luego sea "destruida". Si hemos oído (acto primero) "Juan es muy feliz con su familia", es que se podrá derivar hacia "Juan no es feliz con su familia". Ha habido entre ambos puntos una transformación que el espectador ha aceptado.

Este *progreso* (A busca a B. A ama a B)... (A odia a B) se resuelve en moldes lingüísticos y en "bloques dialogales". Es allí donde vemos "el paso del tiempo". Observamos los motivos que A tiene para *modificar* su actitud hacia B. Ese "cambio de sentimientos", base de un teatro nacido para asombrar, es la base de una sistemática del comportamiento humano que busca nuevas sendas de evasión desde su definición ética inicial. Y de tal manera se contrastan estas actuaciones héroe/medio que hasta es necesario que sepamos que el cambio que se produzca será porque ha habido una persona (Aquella fugaz frase de D) (Aquella carta del extranjero), que ha sido una señal que ha destruido un sistema básico inicial. Todo lo que se dice en teatro tiene un valor especial. Todo puede ser utilizado como "prueba". Hasta tal punto que el lenguaje teatral, montado entre un banal diálogo y un sistema de información trae consigo ese vago mecanismo de "informar ocultando" que le dará esa especial morfología flexible. La obra se va abriendo hacia márgenes inesperados. ¿Cómo haber podido sospechar que la escena siguiente sería precisamente en casa de esa persona? ¿Está justificado este nuevo lenguaje indiferente, cuando sabemos que debajo de él hay una nueva clave, es un mensaje cifrado? ¿Dónde nos puede llevar el futuro?

Esta idea de retorno continuo al escenario, que se convierte en una visión obligada e inevitable nos está empujando a que *veamos* precisamente en ese cuadrilátero un proceso de "lo que le está pasando a A". "Allí asistimos a su confesión en voz alta" ("Estoy desolado señora". "He aquí unas cuantas flores. Pero hacia medianoche traeré más". "¡Ah! Os lo ruego, no trabajéis tan ardorosamente", etc...). Esta conversación en voz forzada —ha de oírse mucho más lejos de donde debiera— se produce como un mecanismo que *genera* continuas respuestas y se vaya orientando como un sistema buscando una constación: No sabemos más que lo que se ve y lo que se ha dicho. Ignoramos el resto, o lo pensamos como una novela. Por eso abrir en esa caja líneas de comunicación con el exterior deberá ser una idea básica de nuestro análisis: Y que además del "entran/salen" se pueda hablar de una "repercusión" de lo dicho aquí en otros lugares (de la casa, de la ciudad, de Inglaterra, del mundo...). De ese modo se establece un misterioso equilibrio entre lo que tenemos delante, estos decorados insinuantes, y lo que se está desarrollando fuera, lo invisible que adquiere un valor de elemento activo, pese a su aparente pasividad. Los diálogos se están refiriendo continuamente a algo ocurrido "al otro lado de" esa zona permitida que actúa como foco inicial. Parece como que el autor quiera entregarnos de la trama lineal del argumento solo las partes de una mayor claridad visual, aquellas zonas que él piensa se constituyen en una mayor "plasticidad verbal".

Hasta tal punto que se puede pensar que esa frase que A acaba de proferir gritando, malhumorado, debe producir algo, tiene que ser causa de un efecto: Meditemos este juego:

1. La frase de A no produce nada: Soliloquio.
2. La frase de A produce una frase de B: Diálogo.
3. La frase de A produce un acto de B ("¡Marcharos!"). B sale.
4. La frase de A produce un cambio material ("¡Acercarme ese puñal!"). Objeto.

En este recuento de "lo conseguido con las palabras" se puede entender que la modificación se ha efectuado desde la frase y que se ha dirigido hacia algún lugar, como si fuera una línea que necesitara clavarse en algún punto de ese escenario que ya lo hemos imaginado como un texto en el cual solo se puede hacer entrar lo que se permita: Cada salón condiciona un palacio. Dada esta sala ya no se podrá prescindir de ella, ni se podrá cambiar de ambiente, pues siempre existirá, aunque la representemos con los más mínimos detalles. De esta forma los "ámbitos" que el escenario puede producir, pensemos en las cuevas de Shakespeare o en Calderón de la Barca, son como reducciones de objetos que se van poco a poco restringiendo al "mínimo necesario". Sobre este punto Abraham Moles ha escrito páginas muy notables. Pero no es solo el valorar los hechos como una informática entre los objetos: Es también entender el recinto escénico como un espacio tan sujeto a gramática como una frase: Si hay el objeto X en el escenario es porque puede encajarse en la frase:

"Nadie podrá verme pues me escaparé por esta X" (X=ventana)

Y de este modo el espacio va rellenando las frases que no podrían por sí mismas tener una "independencia" sin esa referencia a los objetos: Sillas, camas, ventanas, puertas, cortinas..., adquieren valor de nombre. Sólo podrán colocarse donde falte un nombre. Pero estos elementos no tienen el mismo valor informático: No vale la pena ahora insistir en cómo "puertas" tiene un valor fundamental en un arte que se ciñe a una habitación en la cual tendrán que entrar personas: Allí estará el nuevo mensaje, la carta inesperada, alguien tendrá que entrar, que romper ese pegajoso equilibrio que A y B habían formado. Tendrá que darse entrada a alguna "información" procedente del exterior: Es así como la puerta sabe que allí entrará algo, o allí saldrá alguien.

Esa puerta es la salida principal. Pero la movilidad interna del escenario se puede comparar a una "máquina de hacer reglas" donde se llegue a construir un modelo de cuantas dimensiones queramos. De tal forma que todo lo posible en el escenario sea lo posible entre A y B y que esa sala determina. Pero si solo fuera este problema la solución no será difícil de esbozar. Es que hay una gramática de todos los elementos que han intervenido. El hecho de que entre A y B exista *algo,* indica bien a las claras que entre ambos puede establecerse una vinculación sujeto-predicado que deje al descubierto ese verbo "corre, se abalanza, grita, acuchilla, susurra..." que es el verdadero motor de la acción. En nuestra *Morfonovelística* hablábamos del sistema "dijo, respondió" pero en teatro ese verbo no existe puesto que se está *viendo.* Pero esa ausencia de sistemas indicadores obliga a que la dinámica adquiera un valor mucho más vigoroso. Ese pesado "respondió ella" ha sido sustituido por una gesticulación con esa mano precisamente situada así, apoyada en la mesa donde descansa una carta y donde hasta el último latido de voz queda integrado en ese momento de visualidad. Así se redime el texto narrativo repitiendo ante nosotros "lo que ocurrió entonces" y tal y como ocurrió. Sin la menor variación, como lo reflejaría Roland Barthes (10).

Por un lado este respeto al pasado es mera arqueología: Por otro se está esbozando un arte de "representar la belleza" y conseguir que el ceremonial invada y destruya la prosa. Pues aunque Lukacs en su estética del adorno induzca a pensar que "todo sistema tiene un valor" cierto es que la dramática al prescindir progresivamente del adorno nos hace sospechar en un arte donde el decorado sean las palabras, donde el adorno sea el tono de voz,

---

(10) *Barthes,* par Guy de Mellac et Margaret Eberbach. París: Psychoteque, 1971, 137 pp.

el gesto. Pero no es éste el camino que queríamos seguir: Lo que importa ahora es advertir como hay una concordancia en el escenario: Entre sujeto y predicado se alza la lógica sintáctica de un sistema en perfecto equilibrio: Hasta la visualidad colabora con su armonía a que nada desentone: De este modo se puede hablar, siguiendo a Chomsky en una sistemática de la visualidad donde esa historia entre dos vaya a quedar *ramificada* con sucesivas interacciones de otros puntos que exijan su presencia. De ese modo se puede establecer dentro del drama "circuito narrativo" como ya hicimos con la novela y hasta se puede llegar a imaginar esa red que se consigue uniendo los puntos. Es decir colocando verbos, construyendo unos soportes que *rimen* ese Juan y ese Mario que están esperando simplemente el "susurró" (novelístico) que debe traducirse en gesto dramático.

Se repite el método expositivo. "Ocho días más tarde", "Años después", "A la mañana siguiente", dan un texto, que no soslaya añadir "Mary vencida por la emoción se echa a llorar" como "stage direction", nota indicativa, que precede este nuevo juego retórico:

ISABEL: ¡Mary! ¿Por qué lloras, hija?

MARY: ¡Van a ahorcar a la señora Osburn!

(*Movimiento de terror entre los Proctor*)

PROCTOR: ¿Ahorcarla? (*Acercándose a Mary y hablándola cara a cara*) ¿Has dicho "ahorcarla"?

MARY: (*Hablando entre sollozos*) Sí... Sí.

El sistema queda plasmado entre cuatro puntos: Por un lado, Isabel, Mary y John Proctor. Por otro la información relativa a un ausente (Sra. Osburn) pero que tiene una relación con ese triángulo. Esta escena de *Las brujas de Salem* nos puede servir para marcar la intensidad del método que estamos proponiendo. Arthur Miller añade cuantos datos "novelísticos" puede para que ese momento quede explicado, como si fuera narración. Es como si hubiera casi que pronunciar también las "stage directions". De ese modo la relación presentes-ausentes base de toda la teoría dramática se establece. Acaba de llegar una noticia del exterior, un dato nuevo, pero en el que estamos implicados (pues drama significa solidaridad), y ese dato ha conmocionado a tres personas que han reaccionado de modo distinto. El método de Mary es llorar preocupada. El de Isabel preguntar bondadosa. El de Proctor recabar esa pregunta. El drama está conseguido: El exterior, con sus implicaciones de acecho continuo, acaba de aparecer. El mecanismo que propone Miller puede ser "Igual que ella ha sido ahorcada pueden ahorcarte a tí". Pero es que en esa implicación del héroe central se está moviendo toda una teoría dramática de que todo lo externo sea una concatenación de lo ocurrido antes. Por eso esta escena íntima y temblorosa nos da la sensación de un momento clave para marcar el miedo en el que se debate una familia durante la caza de brujas de Salem en el siglo XVII. Y ese encuentro tiene una propia simbología. Las palabras dan un patetismo exacto. El diálogo vence cualquier obstáculo visual. Poco nos importa en este momento qué tipo de cortina hay sobre la ventana, o si la mesa tiene o no un jarrón con flores. El dramatismo ha destrozado de golpe toda la configuración de objetos y ha hecho de la "escenografía" algo gratuito e innecesario.

Por esta razón la estructura de la acción dramática se resuelve en una serie de diálogos, en una cadena de encuentros, que añade a la novela un componente de "evidencia binaria". Lo que ocurra entre Hamlet y Ophelia debe resolverse ante nuestros ojos, precisamente en esa sala que constituye la "pantalla" donde esas vidas entreguen su momento más significativo: De este modo hay un ritmo de "saberse observados" de entrar en un momento de "análisis de los demás", de apoyarse en la figura del público. Todo este *parlamento* de Hamlet no será lo que es si no hubiera un público, si no estuviera recitado para masas atentas de espectadores: El se sabe dueño de un silencio promovido por voz, y por tanto *declama* y hace un ceremonial próximo a la lírica. De aquí que un análisis del "afecto" que produjera un drama de Shakespeare pueda estar algunas veces más cerca de Spencer que de los "University Witts". Tuvo que existir un ceremonial de delectación por el recital poético, un culto a la pronunciación (11).

Pero a pesar de ese culto a la palabra (que aquí cubre el paisaje, apaga la belleza nostálgica del *illo tempore*) existe sin embargo un especial placer en saberse que hay unas metas por conseguir, que están a la vez en A y en el ánimo del espectador: parece como que todos, unificados en un teatro global, es absoluto que como lo pensara Meyerhold se han unificado por el lenguaje y la empresa que antes era de A ahora se ha convertido en una meta colectiva. De ese modo hay un sistema claro de "teoría de los logros" parece como que sea conveniente elegir ese camino dialéctico para llegar a ese punto. Y todavía más. Se consigue con la palabra un método para pasar de una situación a otra, en esa novela visual que despegada de la biografía se ha instalado en los momentos más líricos y activos de una realidad que se mueve entre *aventura* y *trabajo*. Es como si el texto dramático abandonara su condición de diálogo para abrirse en un "signo" de ser método para alcanzar un fin concre-

(11) *The Death of Tragedy*, by George Steiner. London: Faber and Faber, 1961, 355 pp.

to. Y lo sabe A. Y lo conoce el público que tantas veces sabe mucho más que alguien del escenario. Y se establece de esta manera un equilibrio funcional entre "frases habladas" y "metas conseguidas" en un horizonte que hace de los logros personales, un fin absoluto en sí mismo. Goldmann no aceptaría este enfoque. Veamos cómo se expresa en *Le Dieu caché*: "El Dios de la tragedia es un Dios siempre presente y siempre ausente. Su presencia indudablemente desvaloriza el mundo y le quita toda realidad, pero su no menos radical y permanente ausencia, por el contrario, hace del mundo la única realidad frente a la cual se encuentra el hombre y a la que puede y debe oponer su exigencia de realización de valores substanciales y absolutos" (12). Esta deducción de un "argumento sin centro" remite a planos inferiores una empresa de prescindir del mundo sobrenatural, un trabajo donde los logros sean, por ejemplo, meramente afectivos. De este modo se construye un teatro, como el de Chejov, pasivamente diluido entre la "conquista de la felicidad" y la "incapacidad de actuar". Esa especie de sensación de abatimiento y lejanía que se dibuja, por ejemplo, en *Tres hermanas*, con ese ritmo lento, que hace de lo entregado una especie de metáfora de lo posible. Y las frases que se exhalan se producen en un mundo sin ruidos, exaltadas a su valor máximo de modulación, integradas en un ambiente que hace de la palabra algo superior a la acción. De este modo se prescinde de Dios en Shakespeare: suplantado por una ética del bien que intenta dignificarlo simbólicamente, lo mismo en *Measure for Measure* como en *The Tempest*, pero en un ejercicio de soledad, que nos llevaría con Goldmann a imaginar un ambiguo mecanismo de inclusión/exclusión que añadiría al lenguaje abstracto de un Próspero una nota más de inseguridad de la misión dramática. Debajo están unas ideas de "conquista por medio del lenguaje". Hay un deseo de que el teatro sirva para algo.

Una intención de que las palabras señalen su triunfo. Desde un punto de vista lingüístico nos llevaría este oficio a un ensayo de William O. Hendricks (13) y a comprender cómo el sentido de la frase —si seguimos a J. L. Austin— puede ser esa "conclusión" de metas y valores. Y en el teatro del Siglo de Oro los valores se precipitan y remueven. Una obra como *La vida es sueño* se excinde en su propia intención de crear una "alocución", de ser programa de actuación de una religiosidad que reducida a Segismundo queda

---

(12) *El hombre y lo absoluto,* por Lucien Goldmann. Barcelona: Península, 1968 (1955), 67 p.

(13) *On the Notion "Beyond the Sentence",* by William O. Hendricks. The Hague: *Linguistics,* 37, pp. 15/21.

restringida y desfigurada. De ese modo, añadiendo los datos en los que ese lenguaje se produjo, restaurando la manera de proponerse esa "verbal construction" se puede imaginar que alrededor de los fines específicos de la obra escrita —de su sociología (14)— existe siempre un algo de complacencia en el estilo, de gozo en la lengua, de placer en la repetición de una retórica que se sabe capaz de mantener una atención. Y en ese punto la dramática no es narrativa, no podremos aplicar, por ejemplo, los postulados de Scholes y Kellog (15). La dramática produce a su alrededor una inactividad, una sensación de "repetición visual" que no tiene el texto narrado. Hay un goce de la belleza, que hasta ha llevado a Gordon Craig a usarlo como postulado de sus decorados. Conseguir un mundo de belleza en el escenario, todo lo contrario de lo que busca Grotowski. Un mundo donde se consiga una estética concebida para agradar.

Una estética que según cómo la consideremos es mera arquitectura. Esa reproducción bella del lujo de la época puede ser, en definitiva, el ámbito donde se desarrolle *Hamlet, Macbeth* o *King Lear*. La necesidad de crear un ámbito que se pueda descomponer en puertas, escaleras, ventanas, balcones, etc... goza de la mera sensación de "esquema analizable" desde los supuestos que nos daría Abraham Moles. Pero esa frialdad que en algo recordaría Propp nos está señalando la necesidad de configurar una gramática de "objetos míticos", inesperables y reiterados, que se pueden entroncar en el discurso como ya se ha hecho en alguna ocasión (16). De ese modo entre los objetos sobresale uno. De entre los nombres hay uno que destaca. De entre esos nombres propios A-B-C... hay uno que "le ocurren cosas" y parece como que oriente la necesidad argumental de los demás. Esta es la belleza, esta es la armonía: saber construir un mundo visual en el que no falte ni un solo dato para entender aquella *historia*. Y donde hasta el menor pliegue de la cortina o la más pequeña grieta de la columna sea, llegado el caso, símbolo, señal, prueba de que *aquello* tiene un valor para entender ese lenguaje velado.

Por eso que visión y perspectiva sean necesarios de citar en este momnto. Por un lado esa mirada continuada del espectador exigiendo un afán de verosimilitud, pero por otro un orden lógico

(14) *The Sociology of Literature,* by Diana T. Laurenson and Alan Swingewood. London: MacGibbon and Knee, 1971, 281 pp.

(15) *The Nature of Narrative,* by Robert Scholes and Robert Kellog. London: Oxford University Press, 1966, 326 pp.

(16) *Myth: A Symposium,* Edited by Thomas A. Sebeok. Bloomington: Indiana University Press, 1965, 180 pp.

de elementos, una disposición de objetos que nos añada un poco de "ilusión óptica". De lo contrario tendríamos un teatro sin adjetivos, plano y seco; desprovisto de alegoría y metáfora. Y hasta Milton cuando intenta en *Comus* repetir una mera historia de "pérdida en el bosque" se está doliendo de que aquello ya no es un paraíso, como en su historia de Adán y Eva, sino un "bosque", que es preciso sintetizar y convertir —lo ha visto muy bien N. Frye (17)— en simple jardín. Y es que después el jardín se convertirá en flores, o en única flor. De este modo el camino hacia una síntesis de lo plural a lo singular llevará al teatro a un punto de economía de signos. Y cuando en *Paradise Lost* veamos la grandiosidad cósmica de un poema teatralizado estaremos asistiendo a un mecanismo de incorporación de toda la fantasía verbal en los cauces líricos que conservan hasta el menor titubeo del vocabulario. Pero en *Comus,* como en *Sanson Agonistes* se opera la necesaria restricción de la simbología plural a un mundo singularizado. Ese mismo juego se opera en el drama con su necesidad apremiante de que el símbolo atenace la palabra, con su mandato de que la palabra se coloque en el lugar donde faltaba.

Pero la información está ahí. Hay ya unos datos y unos presupuestos que rigen este momento del escenario:

I.—A quiere a B. B está ausente

II.—A está enfermo

III.—A "quizá" se encuentra con C, en el extranjero

IV.—B envía cartas a A. B quiere a C

V.—A entristece. A muere.

Esta línea de sucesos nos lleva a que el proceso se haya configurado como una realidad absoluta. No es que queramos ahora insistir en ese tema isabelino del "brocken heart", que lleva a morir de dolor en el escenario. Importa más que repasemos cómo estas etapas que acabamos de destacar son como unas señales de un material narrativo que se está formando con toda precisión. La "love story" de A-B-C se puede, pues, llevar hacia otro ángulo: ¿Cómo se enteran A, B y C de "lo que está pasando"? De lo que está ocurriendo en esa sala que todo lo confluye, que actúa de foco generador.

---

(17) Hasta Northrop Frye en *Five Essays on Milton's Epics*. (London: Routledge and Kegan Paul, 1965, 158 pp.), reconoce una posibilidad de encajar lo simbólico en lo argumental. Sus palabras sobre "The garden within" intentan desbancar la visión de William Empson y hacer de la "temática" (Vid. Tomachevsky) un motivo de ordenación de símbolos.

No sabemos lo que B y C hacen en el extranjero sino que lo "novelamos" (lo imaginamos), pues lo ausente al escenario será novela. De ese modo apenas se traspone la puerta aparece la novela con toda su intensidad, y hasta el hecho de que "lleguen cartas" nos indica que viene del exterior la prueba escrita de una realidad narrada, no escénica. De esa forma esa manera de comportarse de A, ocupa el centro de la mirada *lectora* de un público, muy restringido en sus ambiciones, muy limitado que ni puede más que mirar hacia delante con una inseguridad óptica que le hace a veces ver mal, o desde lejos. Y la enumeración de hechos que ocurren en el escenario es antes de nada una "visualidad", del mismo modo que lo analiza el doctor Julián Gállego (18) en su *Visión y símbolos*. El espectador pasivo, maniatado frente a una realidad que se le está ofreciendo, asistiendo a un proceso elaborado —manipulado— de la vida, de acuerdo a una didáctica lógica de exposición en la que palabra-imagen formen una unidad concreta de interrelación. "A cada palabra, una imagen, un gesto, una situación, etc...". Este mecanismo que nos llevaría a otra máquina que produjera "A cada palabra que A *dice*, una imagen, un gesto, una situación...". Este método se basta a sí mismo. El hecho de que *se ve* lo que le pasa a A nos da ya una prueba de que existe a su alrededor un problema que se irá resolviendo por "zonas de acceso de la información", por una mecánica que prescinde de la totalidad y se centra en su propia sintáctica. Y esa tensión entre lo interno y lo externo se va produciendo de acuerdo a que cada vez "lo que había fuera" está más y más integrado en el escenario. De este modo se puede hablar de una problemática de la resolución de "lo que puede ocurrirle a A" y llevarnos hacia terrenos que ya hemos analizado al imaginar la teoría de la novela, en nuestra *Morfonovelística,* como una sociología de la visualidad imaginativa.

Por lo tanto la trayectoria que A sigue es solo una parte muy breve de su auténtico recorrido. Hay zonas enteras de A que nunca serán conocidas, que pertenecen a otros teatros a los que no tenemos acceso. Esa sensación de "no conocer el resto" añade a la ambigüedad del lenguaje de A unas notas especiales de reticencia. Esa sospecha de "hay otros teatros" donde se nos muestre lo que falta es una de las señales básicas de una teoría del "teatro plural" que podría llegar a esbozarse. En ese espectáculo nada quedaría oculto, bastaría, por ejemplo, con pulsar un botón para *verse* lo requerido. Pero ese teatro por ahora no existe, ni siquiera la verdad

---

(18) *Visión y símbolos en la pintura española del Siglo de Oro,* por Julián Gállego. Madrid: Aguilar, 1972 (1968), 354 pp.

que busca Grotowski (19) apunta en esta dirección. Ningún experimento de "multirreflexión" ha intentado añadir ese circuito cerrado que nos daría por completo algo más allá del texto, como sea "lo que hace por las noches". "Las conversaciones de C y D". "Aquel verano de D". Este material que debería incluirse en un texto del que el director de escena extrajera porciones válidas. Pero el esquema, por ahora, es imaginar un recinto de unión y unas dilatadas trayectorias de las que no tenemos la menor información. Sabemos mucho de un punto, nada de los demás. Tarea del crítico es recomponer, reconstruir el camino externo al escenario

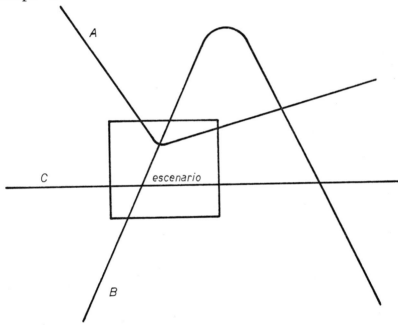

Ese ejercicio constituye la invención del resto (20). De aquí se puede pasar a una sistemática de cómo ha de ser lo no existente. Pero mientras tanto la voz de Hamlet suena, aunque faltan momen-

(19) *Hacia un teatro pobre,* por Jerzy Grotowski. México: Siglo XXI, 1971, 233 pp.

(20) Relacionar ese resto inventado con esas escenas donde el "teatro dentro del teatro" aparece con evidencia: Vid. *Shakespeare y la política,* Cándido Pérez Gállego. Madrid: Narcea, 1971, 246 pp. "Función del espacio cerrado en literatura", por Cándido Pérez Gállego. Madrid: *Arbor,* abril 1971, 35/45.

tos básicos que Shakespeare no quiso entregarnos. De aquí que esa labor "arqueológica" de ir excavando posibles comportamientos inéditos lleve a un éxito. Ya no estaremos en el nivel tautológico "La flor es bella", "El crimen es reprochable" sino que se hará un juego de desproveer a las palabras de su valor: Aquel crimen fue justificado, aquella flor nefasta. Llegar a ese punto es alcanzar un momento, como ocurre en Beckett o Ionesco, donde se una la desconfianza por el lenguaje y sus empleos posibles. Esta decepción de que "a pesar del lenguaje" (mal empleado) aquello fue así, nos lleva a una hipótesis donde todo fue posible. De este modo el teatro se hace juego absoluto, gama de fantasía, festival de posibles. Un español lo dijo: "retablo de maravillas".

Pero ese camino será arduo. Cuando pensamos en Chomsky y recordamos cómo un "componente transformacional" produce estructuras superficiales de otras profundas (21) estamos ante la imagen de un engranaje narrativo, que de unas bases posibles va esbozando unos caminos imposibles. Este juego de recorrer lo irreal será una base del teatro en cuanto se refiera a festival de asombros, de darnos la escena más imprevisible, de asombrarnos continuamente. El hecho teatral se hace de este modo una norma tan alejada de cualquier previsión que difícil será programarlo si no fuera buscando el continuo inesperado. De ese modo el recorrido —volvamos al esquema anterior que realiza A— está obligado de alguna forma a congregarse con los de B y C en ese lugar de conflicto y torneo llamado escenario. Como si solo fuera válido lo "dramatizado", como si el autor hubiera sacado de la nada, de las existencias no escénicas hasta el último componente de su sentido positivo: Solo vale, parece explicarnos el esquema anterior dramatizado, lo mismo que en novela —puede llegar a pensarse— aquel viaje a Suiza no pudo tener interés puesto que no fue narrado.

Arte de construcciones degradadas. Donde la escena no es más que un reto a lo que la imaginación ha supuesto que era. Donde a la vez esas cortinas no significan nada pero significan todo. Y unas voces que se alzan válidas ("Los culpables sufrirán el castigo que merecen"), como imperativas pero que se desvanecen si no van apoyadas por una especie de *conmoción semántica* del resto. Es preciso, insistimos que alguien se vea culpable, que sepamos en qué cabaña de Salem se alberga lo "injusto" para ver si hasta allí puede llegar la ley que ahora sometemos a crítica y la hacemos partícipe de nuestra más absoluta desconfianza. Pero la *norma* está lanzada. "Todo A que haya hecho X será muerto". Y los que se saben po-

---

(21) Vid nuestro estudio inédito, *Estructura profunda en Chomsky.*

seedores de ese castigo entonan su *Ars moriendi*. Aquí sí que el teatro es un arte de resultados y respuestas. En cuanto a englobar una moral colectiva que araña hasta los últimos rincones de la existencia humana. Por eso, cuando una obra empieza por destruirse en su primera frase, cuando algo tan magistral empieza "En esto veo, Melibea, la grandeza de Dios" es que la pericia sublime del autor de *La Celestina* sabía que ese punto de arranque (Melibea=belleza por la que luchar) tenía un sentido como para *llenar* muchos actos. Y que esa "contienda o batalla" merecía el apoyo de un engranaje económico que tamizado de refranes y voces populares dieran a la empresa de la posesión del sexo un valor (22). Por eso la primera frase de Melibea, "¿En qué, Calisto?", significa la más absoluta ignominia con el lenguaje anterior. Parece como que ya en su arranque, Rojas nos quiera dar una lección magistral de "teoría dramática". El resto será reincidir sobre el axioma, repetir, socavar más los límites semánticos de algo que no puede llegar a poseerse. Esa belleza=lenguaje que se escapa en cada momento, que se esconde y escinde, "in hac lacrimarum valle".

---

(22)　Esta posesión en autores como Christopher Marlowe es visible. Resaltemos cómo el plano sentimental inunda el escenario dramático con un lenguaje muy especial. Lo mismo en *La Celestina,* como en *King Lear* o *Tres hermanas.* Esa sensación de "poseer lo que va a perdernos" se mueve con una ironía mayor conforme avanza el tono de indiferencia por el lenguaje dramático. Vid, para entender mejor el tema del "pacto diabólico" para conseguir la belleza, al que nunca recurrió Calisto: *Niveles en el drama de Marlowe,* por Cándido Pérez Gállego. Granada: CSIC, 1969, 135 pp.

LA FUNCION MITICA EN «EL BURLADOR»

ANTONIO PRIETO

Estamos, por ejemplo, ante este fragmento narrativo actual:

> El mar dejaba que su intensidad en azul enmarcara tu pelo y se abrazaba en eternidad sobre tu piel. Fue cuando aprendí a llamarte *Iseo*, a pronunciar internamente y siempre tu nombre de *Iseo*.

Estamos, por ejemplo, ante la escena en que Don Diego Tenorio, *viejo*, advierte a su hijo el *riesgo* de su vida porque la muerte llegará. Don Juan, *joven*, le responde ante esta cita:

> ¿En la muerte
> ¿Tan largo me lo fiáis?
> De aquí allá hay gran jornada.

En el primer fragmento (narrativo) tenemos un nombre, *Iseo*, cuya función mítica, cuyo valor de mitema, está apoyado en el sintagma por términos como *mar, eternidad* y *siempre* que remiten a una salvación del tiempo como medida. En el segundo ejemplo no tenemos un nombre sino un sintagma, *Tan largo me lo fiáis,* que por su repetición en la obra y valor representativo adquiere una función de mitema, de unidad mítica.

Resulta obvio que los dos mitemas citados engendrarán *acciones* distintas. Pero ahora, en este comienzo, sólo quiero señalar dos *aspectos*:

1.º: Que un mitema o unidad mítica puede ser un nombre (*Iseo*, por ejemplo), que tiene un valor de producir evocación (asociación) en el receptor, actualizando un pasado, y que un mitema puede ser también un sintagma.

y 2.º: Que el mitema tiene un valor de enunciado, una función enunciativa que se desarrolla en una acción. Este enunciado, claro está, se comporta y es recogido distintamente en *Iseo* y en *Tan largo me lo fiáis.* (Luego se advertirá que de esta *individualización,* como productos literarios, viene mi discrepancia con las funciones de Propp, válidas para el folklore, y con la aplicación mítica en antropología).

Pero hay que partir (aunque someramente en este espacio) de ambas consideraciones. Porque la consideración mítica, como función y *forma* literarias, tiene en parte su actualidad desde que

Lévi-Strauss, en especial, aplicó teorías lingüísticas a lo antropológico, coincidiendo con el tardío conocimiento en Occidente de los estudios de Propp sobre las leyendas o cuentos populares (estudios que el último Sklovski rechaza con más o menos ironía).

Anticipo que trasladar conceptos y métodos míticos de la antropología a un plano de crítica literaria comporta unas dificultades de adaptación que apunto ya en tres oposiciones:

a) Frente a la anonimidad (y colectividad) mítica la obra literaria está impregnada por una personalidad (individualidad) de autor, que la *forma,* entendiendo por forma (estructura) el sistema *mediante* el cual un individuo intenta *disolver* su problema de comunicación artística.

b) Frente a la difusión de leyendas y mitos, de características etnográficas, que señalan un cierto primitivismo, en la obra literaria se tratan, generalmente, mitos clásicos o de aspiración a ellos como la *formación* de Nemoroso (Garcilaso) y Elisa (Isabel Freire) tras los mitos, en la égloga III, Dafnis-Apolo, Orfeo-Eurídice y Venus-Adonis.

c) El distinto *uso* en que se emplea el medio lingüístico como comunicación.

Partamos entonces (con esta advertencia), de una consideración antropológica general que entiende que el mito es tal mito cuando escapa de la individual para convertirse en colectivo. Ello implica unas ciertas precisiones:

1.º Que lo que realmente importa en el mito no es el lenguaje en sí, sino su mera función significativa. Esto es: no el uso del lenguaje ni cómo se *forma* en él un individuo, sino el asunto (colectivo) que se nos transmite.

2.º Que lo mítico adquiere su *efectividad* significativa porque entraña y juega con unas constantes humanas (colectividad) que le otorgan atemporalidad.

3.º Que el mito está fuertemente relacionado con el símbolo (en cuanto que el símbolo es relación conceptual que *representa* una pluralidad) y que esta relación crea una oposición en la que el símbolo tiende a desmitificar por un proceso intelectivo que se opone a la emotividad (irracionalidad o evasión) del mito.

Todo mito, por el hecho de constituirse en tal, es susceptible de ser estudiado partiendo de unas unidades (mitemas) relacionables con las unidades lingüísticas. Pero, como advierte Levi-Strauss en su *Antropología estructural,* esas unidades

> sólo pueden ser buscadas por encima del nivel habitual de la expresión lingüística, o dicho de otra manera: son de naturaleza más compleja que aquellas unidades que se encuentran en una expresión lingüística cualquiera.

Esa complejidad del mitema arranca de su valor asociativo y se inicia en cuanto que el mitema es el enunciado de una relación. Decir *Tristán* o *Amadís* o *Nausicaa* es estar apelando a una asociación (más allá de su significación nominal simple) en el emisor e implica, al mismo tiempo, un enunciado. Por ejemplo, que en una página actual un personaje lleve el nombre de *Amadís* supone la asociación de "leal amador" y/o "buscador de la gloria individual" y/o "ejemplo de aventura", etc. Pero, en cuanto que es un enunciado, será función engendradora de una *acción* que lo ratifique (con sus variantes), en su valor de enunciado. De este modo, el mitema (función ⟹ acción) lleva implícito la reiteración, de modo análogo a como en Tácito o en la prosa barroca de un Gracián se daban conjuntamente concisión y redundancia. *Amadís* es una concisión y la acción que engendra como función es un redundar ampliando lo enunciado.

En este proceso esquemáticamente apuntado hemos jugado con una carga culta en el receptor. Existe un mitema (*Amadís*), pero éste no puede ser jugado como tal si el receptor no sabe y/o puede *asociarlo,* encontrar o sentir su valor de enunciado. Se trata de un mitema culto. Recordemos entonces, en un área controlada por los antropólogos, que el mito es una *respuesta* que fue dada, en un tiempo *pasado,* a una realidad. Respuesta que tuvo carácter *individual,* pero valor representativo de una colectividad en base de unas constantes y unas aspiraciones (más o menos intuídas). El mito es aceptado como tal por ese valor representativo (colectivo) que va repitiéndose en una sucesión humana que, a su vez, lo repite en una vigencia mítica.

Se distingue, pues, el mitema en estos dos sistemas porque:

a), *antropológicamente,* el mundo al repetirse en unas constantes repite ciertos mitos en los que se interpreta o complementa, variando *accidentalmente* unos elementos secundarios en razón histórica, geográfica, etc., con los que acceder más fácilmente a un entendimiento colectivo.

b), *literariamente,* el mito culto es actualizado por el tiempo de *un* autor que lo carga con su individualidad, *transformándolo,* al tiempo que se transforma en el mito y *crea* un nuevo estado (tiempo y espacio) mítico.

En el primer caso, en *a,* el mito es accidentalmente modificado en favor de una aceptación colectiva para que no encuentre nada *extraño* (rechazable) en él. Por el contrario, en *b,* el mito es transformado por una personalidad más o menos necesitada de proyectarse (y *disolverse*) en el mito. En el primer caso es el cambio (sin alterar su función) del nombre de los protagonistas y localidad que presentan los cuentos folklóricos, mientras que en *b* tendríamos ese desplazarse (y modificar) el mito que apunta Alvaro Cunqueiro en *Las mocedades de Ulises* al señalar

> Este libro... son las mocedades que *uno hubiera querido para sí*, vagancias de libre primogénito en una tierra antigua, y acaso fatigada. (...) *Démosle* (A Ulises) fecundos días, poblados de naves, palabras, fuego y sed...

Tanto en *a* como en *b*, y Unamuno lo recordará para su creación, hay un proceso de evasión que comporta (con su denuncia) el quebrantamiento de una realidad lógica, de una medida racional y cronológica. En su *Antropología filosófica*, Cassirer nos señala que

> el mito, en su verdadero sentido y esencia, no es teórico, desafía nuestras categorías fundamentales del pensamiento.

Efectivamente, el mito porta una carga importante de afectividad, de emotividad, por la que el hombre escapa a una medida cotidiana. El hombre se aplica, *repite* el mito, porque el mito le permite completar una visión de sí mismo como unidad existente que no le proporciona la visión racionalista de la realidad. Se niega la realidad con el proceso de mitificación, análogamente a como en un tiempo pasado (y en otra vertiente) el hombre necesitó, frente a la exterioridad *coral* de la épica, la interioridad en aventura del *roman courtois,* donde en oposición a *una* verdad más o menos literal se levantaba una verdad formal o simbólica que pertenece a la categoría del arte y a la lógica de los sentimientos y emociones. Tristán, Lancelot o Amadís eran sobrenaturales frente a la caduca cotidianidad (aunque luego un pueblo *convirtiera* en mito a una figura como el Cid, por ejemplo, dentro de la ansiedad mítica popular).

Con el mito, pues, y tanto en *a* como *b*, estamos ante algo sobrenatural, representativo y colectivo. Es la mitificación que realiza el hombre hispanoportugués del siglo XVI con la muerte del rey Don Sebastián en Alcázarquivir, creando un sebastianismo análogo al mesianismo que sobrenaturalizaba a héroes de caballerías como Artus o Amadís. Pero es también la *Elegía* de un tan minoritario poeta como Fernando de Herrera por la *pérdida* no ya de un personaje histórico concreto sino de los ideales y época que *representa.*

El héroe mítico cabe considerarlo implícito en los relatos de las acciones realizadas por los dioses en un tiempo fabuloso en el que no existía el tiempo concreto como medida y cerco (lo opuesto al límite cuna-sepultura barroco). Es aspirar a un acronismo, a una salvación del tiempo fundiéndose (y creyéndose) en el mito.

Antropológicamente se trata de una evasión de *su* tiempo y espacio que realiza el hombre mediante la traslación de su personalidad a lo mítico. Ello comporta una aceptación y repetición mítica, al tiempo que explica la elevación a mitos que realiza una sociedad más o menos vacía de significado en sí. Pero, en el terreno literario, donde frente a la anonimidad colectiva del mito existe la individualidad creadora, el mito expresa en el emisor un fundirse con él mediante el que su *yo* se incorpora a un yo atemporal asegurándose también, por su discurrir temático, a un desarrollo o acción *universal* que salvó la cronología en que nació para llegar a hoy. En ambos casos, el mito es *reflejo* de unos receptores, de una sociedad que lo atiende y reitera por su *simpatía*, y de ahí el interés social de los antropólogos.

Levi-Strauss establecía una discutida oposición entre poesía y mito que Mary Douglas, en su reacción de antropóloga, nos recuerda:

> el mito debe colocarse en el extremo opuesto a la poesía en la escala de las expresiones lingüísticas... La poesía es un tipo de discurso que sólo puede traducirse a costa de graves distorsiones, mientras que el valor del mito se mantiene a través de la peor de las traducciones.

Levi-Strauss estaba pensando aquí en un mito conservado en tradiciones populares más o menos primitivas, donde lo importante es siempre la eficacia y simpatía de la argumentación mítica y no sistema o arte con que se nos transmite *individualmente*. Resulta obvio que en el campo literario es básico la individualidad, con su gramática, que transmite el mito, y que al considerar el mito, desde sus unidades, se precisa una acomodación (y transgresión) de la medida antropológica. En la relación (y pensamiento) humanos todo ser se determina en su individualidad por un *yo* que, más o menos conscientemente, opone a un *tu* y un *él*. Se trata de un comportamiento instintivo del hablante, que establece una distancia y distinción mediante el valor del pronombre que introduce a la persona (y la comunicación). Ahora bien, este *yo* (opuesto a *tu* y *él*), que gramaticalmente no varía, tiene una variación y no sólo temporal cada vez que se pronuncia. El *yo* mítico adquiere una distinción básica en su acogida por el receptor según que pertenezca a un valor anónimo y colectivo recogido por la antropología (o la meditación folklórica de Propp) o según que pertenezca a la aprehensión de un individuo que lo recree. En el primer caso, el receptor anónimo subsume su yo en el yo mítico, se autoanexiona por un determinado tiempo al mito y vive en el yo mítico (con su acción). En el segundo caso se da una reciprocidad entre un *yo* y otro *yo* cuya suma y permeabilización constituye un nuevo *yo*.

Ello procede porque, ante todo, los mitos significan el espíritu o personalidad que los incorpora (y a los que se incorpora). Quiero decir que el mito (en su carácter de enunciado) *refleja* ya a la persona que lo selecciona. No es lo mismo, ni muchísimo menos, *esta* persona que acepta y se incorpora en el mito de James Bond, la Cenicienta o un héroe futbolístico que *esta otra* persona (pongamos el poeta Luis Cernuda) que se refleja en el mito de Ganímedes y Júpiter. La dimensión y complejidad de uno y otro *yo*, oponiéndose a un *tu* y *él*, es muy distinta en su aprehensión y desplazamiento míticos. Desde la extensión a la intensidad opositiva a otros *tus* y *ellos*.

Pensemos brevemente en Mariano José de Larra. Cuando Larra recoge el nombre, el mito de Macías, tanto para su obra teatral como para su novela (y tenemos ya la reiteración del *disolverse* de un autor en personaje como figura de significado), Larra está ya *reflejando* su personalidad por su selección. Es el *yo* de Macías que se suma al *yo* de Larra debatiéndose en el imposible que lo traza en sus amores con Dolores Armijo. Tanto en su novela como en su teatro a Larra le falta poder creador, pero independientemente de su logro se advierte cómo Macías, en cuanto mitema (y enunciado) cede parte de su yo en favor del yo de Larra y viceversa. Se da así esa suma ya apuntada que crea un nuevo *yo* y que en Larra se desorienta un tanto porque su palabra no se *forma* en la intimidad necesaria.

Con el ejemplo de Larra (en su *Macías*, Teatro, y en *El doncel de don Enrique el Doliente*, novela) advertimos ya, en crítica literaria, la existencia de una relación íntima entre experiencia intelectual (*el saber* de Macías por Larra) y experiencia emotiva (su amor por Dolores Armijo) que se forman en un común plano mítico.

Esta relación del mito (=saber + vida) significa que el mito sufre una acomodación y un desplazamiento. Y se que da un equilibrio (de ahí su práctica en la *armonía* renacentista) entre experiencia intelectual y experiencia emotiva, representando la primera un *pasado* y la segunda una *actualidad* como tiempos que se suman en un tiempo acrónico (o que aspira a ello). El grave defecto de Larra, en su jugar mítico, es romper este equilibrio, en sacrificio de su actualidad, fijando excesivamente la cronología de Macías. ¿Por qué acude Larra o Macías? Es fácil responder que por *simpatía*. En la incorporación (o desplazamiento) mítica, el receptor halla unas constantes en las que explicarse y contenerse (intentando ese *disolverse* en obra que anima a todo autor problemático). En *Mito y realidad*, Mircea Eliade precisa:

> El mito garantiza al hombre que lo que se dispone a hacer *ha sido ya hecho*, ayudándole a borrar dudas.

El mito crea así un valor de *compañía* (y de ahí su aceptación en el predicar compañía del diálogo renacentista frente a la individualidad barroca antimítica). Larra sintió la compañía humana de Macías, aunque no supiera armonizarse en palabra creadora.

El mismo Éliade nos precisa más en este discurso del mito:

> El hombre se hace contemporáneo de las hazañas que los dioses llevaron a cabo *in illo tempore*. La rebelión contra la irreversibilidad del Tiempo ayuda al hombre a construir la realidad y, por otra parte, le libera del peso del Tiempo muerto, le da la seguridad de que es capaz de abolir el pasado, de recomenzar su vida y de recrear su mundo.

Está claro, en Mircea Eliade, la incitación al desplazarse que provoca la simpatía del mito. El *yo* del receptor se traslada y subsume en el *yo* mítico, en su ámbito sobrenatural por el que el receptor vive en una realidad ajena a las cuadrículas de su tiempo y espacio. En el caso literario, en la aceptación del mito por el escritor, esta amplitud mítica está identificada con aquella consideración de André Gidé afirmando que acaso lo que mayormente impulsaba al escritor a realizarse en obra era el impulso de poner algo a salvo de la muerte. El escritor intenta permanecer en obra literaria (sobrenaturalmente), *existir* en su palabra, análogamente a como el receptor del mito *existe*, está fuera de sí, por su desplazamiento al mito e integración en él. Se comprende entonces, como *forma,* que la poesía lírica (caso citado de Cernuda o de Leopardi con Safo), con su *yo* expresándose, es una forma idónea para la fusión mítica. Y que en el campo narrativo, la estructura lírica formada a través de un *yo* comunicándose (lo que no realizó Larra en el *él* de Macías) sea el sistema pronominal de mayor compenetración mítica.

Pero estamos en el teatro, en la representación, donde un autor (*yo*) se representa en distintos personajes opositivos gramaticalmente (*él, ellos*) que se comunican con unos receptores en forma personal de presente (*yo*). Es decir, frente al *yo* (mítico) + *yo* (actualidad del escritor) que se forma en el poema o en la novela de esencialidad estructural lírica, en el teatro tenemos un sistema de representación distinto que juega la sucesión *yo él yo* por la que el autor ve su *yo* representado en el *yo* de un(os) personaje(s), lo cual implica una distancia y alteración significada por ese *él* intermedio en la sucesión. En cierto modo es la distancia que sintió Unamuno como *agonía* (lucha) en su hacerse representación escénica a través de un teatro que tenía el mismo sentido (pero distinto sistema de comunicación) que su lírica o su narrativa.

En consecuencia, la fusión mítica (en cuanto *función* engendradora de una *acción*) pierde un bastante de su efectividad en el teatro por cuanto que éste es más eminentemente social (de *un* tiempo al acronismo mítico) que la novela o la poesía, cuyo entorno se crea en la imaginación de un receptor y no en las medidas y acotaciones de un escenario real en el que se representa. Es decir, que la función apelativa-drama (según las equivalencias lingüísticas de Bühler) comporta un acercamiento a la social del mito, pero un alejamiento de lo individual.

La conjunción y armonía señaladas de experiencia intelectual y experiencia emotiva tienen una proporción distinta en el teatro y en la novela (o en la lírica). En el teatro, con el *él* intermedio, existe un acercamiento de la experiencia emotiva a una experiencia colectiva de representatividad más amplia. Y ello se da, incluso, en el teatro de mayor acercamiento a una estructura lírica. Incluso en un teatro de *capricho* casi circense como el de Jean Cocteau, en el que sus personajes son como marionetas "cogidas" por un destino poético dentro de ese llegar Cocteau al teatro por la pantomima como *acción* poética. Antígona, Edipo y Orfeo son mitos que se prueban en ese juego de Cocteau. Y cuando se atiene al mito céltico, como en *Les chevaliers de la Table Ronde,* los personajes manifiestan una esencialidad de juego que enfrenta realidad y ficción o muerte y vida, con el sabio Merlín desdoblando a los personajes para el *enredo,* como a Bauvin y al falso Bauvin (distinguibles únicamente por su fonética). El *yo* de Cocteau se forma así a través de un *él* (por ejemplo Merlín) que representa en acto presente, en un yo, *moi,* que se opone a un *toi* y un *lui,* que también son *je* en el escenario que representa al *je-*Cocteau. Artur, Merlín, Lancelot, Galaad, Gauvain, etc., son un *yo,* en cuanto que hablan, que se oponen a un *otro (tu, él),* pero este *otro* se convierte en un *yo* en cuanto que habla, inicia su discurso. Creo que se comprende la distancia y amplitud social respecto a una lírica o a una narrativa en la que siempre, por su estructura y formarse, la comunicación es directa a través de un *yo* (la actualidad del novelista) que se fusiona con un *yo* mítico (Ulises, Tristán, Amadís, etc.), constituyendo el *yo* nuevo del narrador que se refiere y opone a un otro (otros) que no se encarnan en *yo.*

Este valor de representatividad (lo colectivo del mito) que se da distintamente en el teatro y la novela, y en el que no voy a insistir ahora, concede al teatro, frente a la *individualidad* lírica o narrativa, una mayor extensión social. De esta extensión social mayor apuntada (por unos personajes que actúan y se independizan como *yo),* señalo tres notas convenientes para mi aproximación a *El burlador de Sevilla.*

a) La intención contramítica que puede darse en el teatro por su tendencia objetiva a representar (más o menos socialmente) una realidad que es, en sí, lo opuesto al encantamiento mítico.

b) Sin contradicción con *a,* la incidencia en lo mítico por parte del dramaturgo, sin tratar (ni proponérselo) argumento o personajes míticos. Tender a lo mítico cuando instintivamente trata una acción o personaje sujetos a unos contantes de índole mítica.

c) El hallazgo del mito en la obra teatral por parte del receptor (incluso contra la intención del emisor), debido a esa apetencia (o necesidad) de lo mítico que han señalado los antropólogos certeramente. Lo que conduce, frecuentemente, a la mitificación de símbolos (cuando el símbolo se levantó *intelectualmente* contra la *emotividad* del mito).

Son tres notas que ejemplarizo inmediatamente con el discurrir de *El burlador* y que explican (creo), frente a una *incomprensión intelectual,* que los escenarios españoles se vistieran año tras año y con éxito para recibir el *Don Juan* de Zorrilla, olvidados del Burlador de Tirso de Molina.

Esta oposición (Tirso/Zorrilla), *sentida* por el receptor, se sitúa dentro del proceso encadenado que establece la sucesión *mito⟹símbolo⟹mitificación⟹desmitificación* en un acaecer histórico. Lo apunté ya en una edición mía de *El burlador.* Se da una leyenda, más o menos folklórica o popular, que se levanta anónimamente en mito, al cual viene a oponerse un símbolo (el *Don Juan* de Tirso), que es desposeído de su condena contra el mito para atenderse como mitificación que se intenta desmitificar intelectualmente a través de ensayos (los de Marañón, por ejemplo) o incluso por otras obras teatrales (el *Don Juan o el amor a la geometría,* de Max Frinch). Se advierte que en esta sucesión se alternan y contraponen unas etapas de valor emotivo y popular (*mito, mitificación*) a otras etapas de valor intelectual y minoritario (*símbolo, desmitificación*).

La oposición (como en *yo, tú, él* señalados) implica una tangencialidad, porque la oposición mito y símbolo ofrece aspectos comunes por su valor de representatividad y son frecuentemente socializados. Por ejemplo, el símbolo de la *balanza* representando y enunciando la justicia y su equilibrio. En un principio existió el mito de Astrea, hija de Zeus y de Temis, que habitó la tierra en su Edad Dorada y se retiró al Olimpo cuando se produjo la primera injusticia (el primer desequilibrio) sobre nuestro planeta. Los griegos *representaron* el mito, como símbolo, en una de las doce secciones del Zodíaco y nació *La Balanza.* Después surge la mitificación de la justicia, las proclamas de una autoridad que los más opuestos líderes esgrimen en la misma retórica, y sobreviene una desmitificación que representa la fragilidad de la balanza, el desequilibrio de sus platillos, con la simple presión, por ejemplo, de unas monedas o billetes que inclinan la balanza.

Intentemos ejemplarizar con la obra de Tirso, en su valor de símbolo y dentro de la sucesión planteada.

Recordemos en la obra (y en la sucesión a la que es incorporada), el valor de *eterna* juventud, de siempre presente en goce, que representa el personaje de don Juan Tenorio (donde está el *yo* de Zorrilla y el contra-yo de Tirso). Es su *simpatía*. Pensemos que de un viejo *carmina* la Universidad acoge como himno su *Gaudeamus Igitur,* cuya primera estrofa se siente en desplazamiento y compañía. Se canta:

Gaudeamus igitur
iuvenes dvm svmus
post ivcvndam iuventutem,
post molestam senectutem,
nos habebit hvmvs.

Tiene un bastante de canto renacentista, de abrirse en presente, como la *Canzona di Bacco* de Lorenzo de Médicis o el conocido soneto de Ronsard "Quand vous serez bien vieille" que se cierra en predicación:

Vivez, si m'en croyez, n'attendez à demain:
Cueillez dés aujourdhuy les roses de la vie.

Es decir, tenemos una constante: la juventud como presente, que se extiende a lo largo de la sucesión mito ⟹ símbolo ⟹ mitificación ⟹ desmitificación del donjuanismo, y en cuya función surgen distintas acciones. Y son acciones, por su área representativa de comunicación, que estarán distantes de la intimidad lírica o del fundir un *tu* y *moi* en la salvación de la palabra que alienta a un Petrarca o a un Garcilaso y por la que Ronsard cerraba el soneto IV *Sur la mort de Marie* con el preciso endecasílabo donde María vive en belleza por la palabra:

Afin que vif et mort ton corps ne soit que roses.

Intentemos conciliar (establecidas ya unas diferencias genéricas) las notas *a, b* y *c* con la sucesión en la que se encuentra, como símbolo, *El burlador de Sevilla.* Arranquemos de la leyenda popular o mito. Es una leyenda cuya popularidad se extiende en romances y narraciones breves (más o menos folklóricas), de simpatía colectiva, y a cuya transmisión tradicional y emotiva viene a unirse, en vía culta, la transmisión del *Collige, virgo, rosas* latino que acogen los poetas renacentistas en cualquier latitud.

Tenemos, pues, una transmisión anónima, colectiva, de emotividad, que se une a una vertiente culta, más o menos intelectual, que *es* presente en el Renacimiento. Se trata de una asociación o fusión análoga a esa suma de experiencia emotiva y experiencia intelectual que señalé líneas atrás.

Menéndez Pidal, entre otros, ha destacado los orígenes populares del *Convidado de piedra.* Los numerosos ejemplos aducidos por Menéndez Pidal insertan el tema del encuentro de un *joven* con una calavera, a la que invita, en un área mítica en la que lo importante no es el personaje sino la función que cumple, que hace invariante esa función y la inherente acción de los acontecimientos, en el análisis de Propp. Las distinciones geográficas o lingüísticas, las variantes, pertenecen, efectivamente, "al dominio del estudio accesorio" y lo que interesa, de acuerdo con Propp, es la función que cumplen los personajes. He subrayado *joven* porque es el punto de contacto con el presente y su goce en juventud del mundo renacentista apuntable en Garcilaso, Ronsard, Lorenzo o Sidney. El encuentro mítico entre el joven y la calavera invitada a la fiesta o cena es una *acción* que se realiza en función de ese carácter joven del personaje que le permite ver la muerte o el fin de una vida como algo muy lejano. Que Tirso convierta la *calavera* en *estatua* de piedra es "accesorio" porque su acción de acudir a la cita no cambia. Pero el carácter de *joven* subsiste en el personaje protagonista porque en función de esa juventud se provoca la acción. En ello, Tirso se halla dentro de un cauce mítico, ante el que reaccionará barrocamente (apelando a una voz popular) y recordando desencantadamente la fugacidad de la juventud.

En un romance de un pueblo de León, Curueña, limítrofe con Asturias, existía un romance reproducido por Menéndez Pidal en el que, como éste señala, el joven tiende ya a la figura de Don Juan en su mirar a las mozas "guapas y frescas". El romance se inicia:

Pa misa diba un galán
caminito de la iglesia;
no diba por oír misa
ni pa estar atento a ella.
Que diba por ver las damas,
las que van guapas y frescas.

Puede pensarse en un antecedente del *Don Juan* de Tirso, pero lo importante es que Tirso recoge de esta herencia popular, mítica, el encuentro entre un joven y una calavera (⟹ estatua), sosteniendo ese carácter esencial de juventud en cuya función se origina la invitación y encuentro (una acción argumental).

Esta leyenda popular (mítica), abundantemente extendida por su *simpatía,* va a unirse, precisamente por el nexo *juventud,* con el sentido mítico del goce en el presente (*di doman non c'è certezza*) que se esgrime como *virtù* renacentista y está predicada en humanistas como Lorenzo Valla. Se da así, en la juventud proclamada de Don Juan, una fusión mítica entre la leyenda popular y un estado renacentista (más o menos intelectual) que confiere nueva dimensión a un personaje que estaba ya apuntado, como síntoma social, en obras del mercedario como su *Santa Juana.*

El estado joven, como presente que en su goce no mira el pasar, es un estado (acronismo) mítico contra el que se resuelve Tirso creando su símbolo. Es la situación de Tirso, como hombre del Barroco, oponiéndose (y hasta burlándose) de la idealización y fusión mítica del Renacimiento. El Barroco anti-mítico que cobra la burla en la pluma de Quevedo o en los pinceles de Velázquez.

Decía poco atrás, con Propp, que en el mito no importaba quién era el personaje (su nombre), sino la función que cumplía. En *El Burlador*, Tirso va a mantener a su personaje en esa común área de representatividad por lo que, en cierta medida, mito y símbolo comportan una anonimidad en su valor de representar a varios o muchos (aunque para distinguirlos se les asigne un nombre). En la primera escena, cuando Isabela quiere saber el nombre de quién la ha poseído y con quién ha gozado, Don Juan le responde:

> ¿Quién soy? Un hombre sin nombre.

Lo que importa, ciertamente, es la función simbólica que cumple, no su nombre. Importa ahora como símbolo, no como *yo* particularizado, y el donjuanismo (la mitificación del nombre) vendrá después del símbolo y contra Tirso en su intencionalidad simbólica. Esa función que cumple, no su nombre, es lo que realmente acepta el personaje. Cuando Catalinón le proclama

> Guárdense todos de un hombre
> que a las mujeres engaña
> y es el burlador de España

el personaje le responde

> Tú me has dado gentil nombre

Tirso cuida, acordemente, que su obra lleve el título de la función simbólica del personaje (*El burlador*) y no su nombre (*Don Juan*) que en mítico romanticismo elevara Zorrilla contra la condena del símbolo. Desea representar el encuentro de ese símbolo con una realidad social femenina (sujeta a falsos cánones de preceptos y honra externa), y así manifestar cómo esa realidad se destruye o cede ante el contacto con el símbolo, al tiempo que condenará la fijación en un presente (la atemporalidad mítica) del símbolo.

Cuando don Diego Tenorio recrimina a su hijo recordándole que ese *su* presente (juventud mítica) tiene un final, está sujeto a la muerte, Don Juan exclama:

> ¿En la muerte?
> ¿Tan largo me lo fiáis?
> De aquí allá hay gran jornada.

Ese *Tan largo me lo fiáis* es un sintagma que actúa como mitema en la acción del personaje como simbólico. Tiene un valor de enunciado y confirmación que representa el siempre presente pensado por el personaje, el atrevimiento (función) del personaje *joven* de la leyenda o romance popular y que conecta con la predicación del presente renacentista y con el significativo título de otra obra de

Tirso, *Tan largo me lo fiáis,* que puede considerarse, temáticamente, como antecedente del *Burlador.* En ese orden de mitema, cada acción o aventura amorosa del protagonista es una acción que se desarrolla en función del mitema *Tan largo me lo fiáis.* Es así (como escribía al principio) un sintagma-mitema que, reiterándose, enuncia una acción que luego se desarrolla como confirmación y que va reiterándose para cumplirse (sin alterar su función) en distintos estamentos sociales que representan Isabela, Tisbea, Aminta... Cambian los personajes (los nombres, lo "accesorio"), pero no la función que cumplen de entregarse al símbolo, cualquiera que sea su espacio o medio.

Naturalmente, Tirso condena *su* símbolo extraido de un mito, condena el enunciado de una juventud mítica apostada en el *Tan largo me lo fiáis,* recurriendo a la voz anónima de un cantar (de otra leyenda). Es la respuesta barroca a un tiempo renacentista. Cuando *fatalmente* llega el final (el presente pasado), y Don Juan y el Convidado de piedra comparten la cena, la voz anónima se revuelve contra el símbolo y entona:

Mientras en el mundo viva,
no es justo que diga nadie:
¡qué largo me lo fiáis!
siendo tan breve el cobrarse.

El mitema se cierra con un contra-mitema que lo derrota. Entre ambos, contra la *simpatía* y desplazamiento míticos, el símbolo ha ido cumpliendo su función de contrastar una realidad que no tiene el final feliz de las comedias regidas por el carácter de las "discretas enamoradas". El contraste (para el que el símbolo fue arrancado de un tiempo pasado) es una realidad barroca femenina *representada* en distintas damas. Es una realidad afincada en una apariencia auspiciada por la prudencia (con su externo honor y honra), que se resquebrajará en contacto con el símbolo. El símbolo, en su correr intenso, va a desengañar, con su representación, lo que la discreción oculta tras sus cortinas.

Cuando esas cortinas se descorren para el espectador de *El burlador,* Isabela ha sido gozada (y gozó), no por un mito o un nombre, sino por un cuerpo. Sus primeras palabras

Duque Octavio, por aquí
podrás salir más seguro,

son palabras para cubrir con el *honor* barroco una actitud. Como Don Juan revela (cuando el Rey los sorprende y pregunta), se trata de

Un hombre y una mujer.

Y dentro de ello, la exclamación de Isabela: "¡Ay perdido honor!", es un abundar en la apariencia barroca que, más adelante, se consolará pensando (como sucederá) en la aceptación del Duque Octavio

> más no será el yerro tanto
> si el Duque Octavio lo enmienda.

Realmente, el símbolo no ha pervertido ni engañado a Isabela. Sencillamente la ha manifestado, exteriorizado, desengañando una posición ante el *espectador,* porque ese símbolo necesita un público que lo convierta en mito. Al tiempo, pues, que el símbolo se exterioriza también aquello en lo que contrata, y que en ese caso serán unas mujeres cuidadoras de su apariencia barroca porque (como dirá Batricio):

> son como la campana
> que se estima por el son.

Del palacio del rey de Nápoles, Don Juan desciende a la playa de Tarragona. De Isabela, a la pescadora Tisbea. El símbolo-pasión se pregunta dónde se encuentra, tras el naufragio, y Tisbea responde:

> ya podéis ver:
> en brazos de una mujer

No es el símbolo quien enciende la pasión, sino la propia Tisbea quien se ejecuta en cuanto el símbolo llega a las puertas de su cabaña. Le anima:

> y si mojado abrasáis,
> estando enjuto, ¿qué haréis?
> Mucho fuego prometéis.

Es una incitación que se repite:

> Por más helado que estéis
> tanto fuego en vos tenéis,
> que en este mío os ardéis.

Y como en palacio Isabela, Tisbea prepara el encuentro cerca del mar:

> Ven, y será la cabaña
> del amor que me acompaña
> tálamo de nuestro fuego.
> Entre estas cañas te escondes
> hasta que tenga lugar.

En ambiente de pescadores, Tisbea está explicando en ella lo que fue el encuentro con Isabela. Es una repetición ajena al tiempo del amor, que iguala a ambas en la entrega al placer que se les ofrece en el símbolo. Porque, como se repetirá con Aminta, Tisbea ya le señala a Don Juan la imposibilidad de un matrimonio:

> Soy desigual
> a tu ser.

Después, cuando el abandono del símbolo se produzca (de acuerdo con su carácter de intensidad en novedad), Tisbea ("la que hacía siempre/de los hombres burla tanto") caminará en busca de reparación para su honor. Caminará hacia Sevilla y precisamente en compañía (como servidora) de su par Isabela, quien en la obediencia barroca le confiesa

> A Sevilla
> llévame a ser esposa
> contra mi voluntad.

Desde sí mismas (en cuanto que se produjo el contacto con el símbolo) Isabela y Tisbea han probado el desengaño y se prestan a cubrir su honor, a continuar en esa apariencia tan lejana al tiempo de amor que redime la Margarita de *Quien no cae*.

Análogamente, Don Juan se acerca como rebeldía ante la imposición de matrimonios de una sociedad discreta respecto a Ana de Ulloa y Aminta. Apenas el Rey se entera de que Don Gonzalo de Ulloa tiene una hija, le advierte en lisonja

> Pues yo os la quiero casar
> de mi mano.

Y el padre (que será piedra) acepta:

> Como sea
> tu gusto; digo, señor
> que yo lo acepto por ella.
> Pero ¿quién es el esposo?

No puede extrañar el des-engaño en una sociedad que empadrona el amor en la acomodación barroca de ser discreto. Doña Ana, en la carta que intercepta Don Juan, se queja de esta sumisión:

> Mi padre infiel,
> en secreto me ha casado
> sin poderme resistir;
> no sé si podré vivir,
> porque la muerte me ha dado.

Por ello, como contrapunto positivo, doña Ana opone su rebeldía a lo que el símbolo representa contra un estado, y en el encuentro de ambos comienza la caída de Don Juan. No importa que después (en otro tiempo) el símbolo se encienda en mito. Aquí, en el tiempo barroco, doña Ana puede rechazar al símbolo (como hubieran hecho Marta o la Estela de *El amor y la amistad*) porque también es interna rebeldía contra una imposición social que presiona a la mujer. Es una salvación individual femenina dentro del individualismo barroco, que está contrastada con la entrega de Aminta.

Porque Aminta, desposada con Batricio, no participa de esa rebeldía. Su matrimonio (no consumado) es una acomodación barroca que se quiebra en cuanto el símbolo lo roza. Es un escenario bucólico, de villanos (en la amplitud representativa del *Burlador*), donde Don Juan juega con el concepto de honor barroco sobre Batricio:

> Con el honor le vencí,
> porque siempre los villanos
> tienen su honor en las manos
> y siempre miran por sí
> que por tantas falsedades,
> es bien que se entienda y crea
> que el honor se fue a la aldea
> huyendo de las ciudades.

Cuando Aminta, en la noche, espera a su esposo, llega Don Juan. Su apelación a las "romanas Emilias" y a las "Lucrecias vengativas" son apelaciones de una retórica llegada al pueblo sin eficacia evocativa. El orden de ayuntamiento que le ofrece el símbolo (y ella acepta) es el inverso al seguido por Batricio. Preguntas y respuestas se suceden en la rapidez de la pasión, del placer del instante que es lo contrario de la morosidad acordada de Batricio), y ella pregunta al símbolo:

> ¿Y quién nos casó?
> DON JUAN: Tus ojos.
> AMINTA: ¿Con qué poder?
> DON JUAN: Con la vista.

Aminta (que sabe las distancias sociales, como Tisbea) no cree en las palabras de Don Juan. Las palabras que preceden a su entrega con un tenue y falso velo para cubrir su honor. Un velo que caerá rápidamente y que después intentará remediarse en la apariencia barroca (en profundo contraste, porque no hubo amor, con otras villanas de Tirso).

No hay ninguna mujer del *Burlador* (ni siquiera Tisbea, que se acerca) que sienta en amor la pérdida de Don Juan. El hecho, en su representatividad, es lógico porque se trata de un símbolo que se aproxima (desde un pasado renacentista) a una actualidad, para manifestarla en su debilidad frente a la acción auténtica. Esta actualidad, con su desengaño, Tirso la siente en tiempo barroco (no en el renacentismo del "doman non c'è certezza") y a la dualidad del símbolo y una realidad, el mercedario encadena la dualidad de Vida y Muerte que llegan a oponerse al final, cuando el símbolo, ya deshecho, está escalando el mito en otro tiempo. Es el poderoso contraste entre la pasión, o el placer en el instante, y la eternidad de la Muerte, en cuya ayuda no entra el amor para redimir un tiempo que fue. Y entre esos polos, casi como un símbolo de la tibieza del espectador (y nunca de los tibios será nada importante), la figura de Catalinón, temiendo la realidad y recordando la Muerte, entre gracias y severidad, como la figura más compleja de los servidores barrocos porque sirve en símbolo de actualidad barroca al símbolo mayor que perturba una realidad para en ella hacerse mito.

Todo este contraste y oposición, mediante el símbolo, a una educación, resulta obvio que sujetan al protagonista a un tiempo (e incluso espacio) determinados. Y el mito, como señalaba al principio, se mueve en acronismo. Junto a esta denuncia de cómo un símbolo en realidad perturba el sistema social estabecido en su punto más conflictivo: la pérdida de la *honra* individual, podrían establecerse otros sentidos dentro de la ambigüedad y polisemia del teatro barroco. Podría, por ejemplo, verse en *El Burlador*.

a) Un signo de acusación social dirigido hacia una clase dirigente que, sintomáticamente, ha ido desfilando por la anterior producción tirsista, hasta acuñarse aquí en los célebres versos de

> La desvengüenza en España
> se ha hecho caballería.

b) La trayectoria de un rebelde a la llamada de la Gracia que desoye, como el Enrico de *El condenado por desconfiado,* los avisos del cielo, en significativo testimonio de *educación* contrarreformista.

La intención de Tirso, como creador del símbolo está en la pluridimensionalidad de estos sentidos y por ello acude a una demostración contramítica que se opone al encantamiento mítico. Pero en el discurrir de su símbolo, el personaje ha sido la representación de una juventud mítica (su simpatía) demasiado fuerte para ser derrotada con la condena final. Es el atractivo de Don Juan, el hallazgo en él del mito por parte de unos receptores que se desplazan a él y en él viven un presente. Ya en el siglo XVII todo un conjunto de receptores *sintieron* esta apetencia e iniciaron la mitificación del símbolo porque desde muy antiguo y en distintas lenguas se entonaba el

> Gaudeamus igitur
> iuvenes dum sumus

Esos receptores del siglo XVII *separaban* ya de la intención simbólica de Tirso a su personaje para construirlo en las constantes apetecidas (mito) de un eterno presente que montaban sobre la *juventud* del personaje, expreso en el mitema *Tan largo me lo fiáis* que caracterizaba Unanumo. Esos receptores se anticipaban a Zorrilla en su recoger el donjuanismo y, desligando al personaje de su autor, depositaban en la juventud de Don Juan una carga de afectividad, de emotividad, "desafiando las categorías fundamentales del pensamiento". Se procedía instintivamente contra una realidad lógica, de medida racional, utilizada barrocamente por Tirso y gritaba en el pasar del tiempo que proclama la voz anónima del cantar en la cena final de Don Juan. El receptor que mitifica el símbolo no escucha la voz ni la condena del símbolo y se queda entonces con una acción en presente (que no pasa) que habita el goce y representa una experiencia apetecida que es sentida como compañía, como algo que "garantiza al hombre que lo que se dispone a hacer (o aspira a sentir como realizado) ha sido ya hecho". En ese desplazamiento y compañía míticas es lógico (como consecuencia de práctica) que se rechace un final cuya condena *niega* la atemporalidad del presente: Zorrilla (que amplía los estados del amador con la novicia) *salva* en emotividad mítica al personaje castigado con el pasar por Tirso.

Realmente Zorrilla fue el receptor que *escribió* la recepción que otros muchísimos recibían en *El Burlador*, y pudo *escribirla* (como otros la recepcionaron) porque entre los sentidos levantados por el símbolo de Tirso subyacía su origen mítico y un comportamiento en juventud mitificable. Zorrilla pierde *emotivamente* los otros sentidos del *Burlador* y construye el mito del donjuanismo con los elementos míticos que sostenían al símbolo. Y no importa, para los nuevos receptores del mito (y como señalaba al principio de estas páginas) que el sistema de comunicación, poéticamente, no sea ejemplar. La sonoridad basta y un público, en la simpatía mítica, aplaudirá el *Don Juan* y se olvidará del símbolo (con su dificultad asociativa).

Después, vigente el mito, vendrá el proceso de desmitificación como *otra* etapa y en otros medios. Es la reacción *intelectual* (siempre minoritaria) frente a la emotividad y desplazamiento populares. Pero aún después de los ensayos de Gregorio Marañón, desmitificando, Don Juan siguió enamorando a Doña Inés y contando la aventura de su presente en juventud que era *salvado* como esperanza de la entrega frente al pasar. El mito *vive* contra la razón.

«ESTADO ARBITRO», «ESCENA ARBITRO»

(Notas sobre el desarrollo del teatro desde el siglo XVIII a nuestros días)

JUAN CARLOS RODRIGUEZ

DEPARTAMENTO DE LITERATURA
UNIVERSIDAD DE GRANADA

A.—PRIMERA PARTE: Presupuestos generales (las claves de la literatura dieciochesca y sus contradicciones).

Vamos a tratar de plantear únicamente un cierto número de cuestiones que consideramos básicas respecto a la existencia de un peculiar teatro burgués a partir del siglo XVIII, un teatro cuyas líneas infraestructurales no serían por lo demás esencialmente distintas a las que hoy puedan considerarse como realmente determinantes respecto a la escena moderna. Y este planteamiento a la vez concebido como una explicitación global de la íntima relación que existe entre la "Teoría del Estado" y la "Teoría del Teatro" (desde el siglo XVIII en adelante) en el interior de esta misma problemática ideológica burguesa, refiriéndonos alternativamente tanto al caso europeo en general como al caso español en particular.

Sentemos pues una serie de precisiones básicas al respecto:

1.—En primer lugar: el problema del teatro español en el siglo XVIII responde necesariamente a una serie de estructuras determinantes que podemos ver reflejadas paralelamente en unos cuantos síntomas muy significativos. Como hemos dicho en otra parte, lo que nos sorprende en la literatura europea del período de la Transición a las formaciones capitalistas (entre el XV y el XVII aproximadamente) es la aparición de una serie de discursos que no habían existido nunca antes: básicamente todos los discursos derivados de la poética del "alma subjetiva" (la *obra* concebida como segregación directa del *alma* propia, desde Petrarca a Garcilaso), o bien toda la nueva "representación" de la "escena pública", esa nueva escena determinada por la aparición del *público* y de la ideología de *lo público* (de lo político), etc. Del mismo modo, los elementos más característicos del siglo XVIII los constituyen para nosotros una serie de fenómenos literarios que tampoco habían existido nunca hasta que se dieron las condiciones precisas en este momento; esta serie de fenómenos literarios son básicamente los siguientes: a) El *drama,* por utilizar el término que le dio Diderot;

51

esto es, la configuración de la nueva escena a partir de la Ilustración, es un hecho única y exclusivamente perteneciente a las condiciones de la nueva burguesía racionalista. b) El *ensayo* como expresión de unas características especiales de la estructura ilustrada, y que tampoco ha existido nunca antes; digamos, por poner una fecha, que la aparición de este discurso se puede fijar de Montaigne a Locke. c) La aparición de la "novela". d) La aparición de un nuevo tipo poético que podríamos denominar como la poética del *subjetivismo sensualista* que aparece también a partir de este momento. Los nombres más sintomáticos de cada caso pueden ser por supuesto los de Moratín, Feijoo, respecto a la poesía Meléndez Valdés (y respecto a la novela, nadie, porque por la peculiar evolución de la ideología racionalista en España, hasta mediados del XIX no aparecerá en España la novela burguesa).

2.—En segundo lugar: la llamada época del XVIII no es una "Epoca" ni es un "Siglo"; lo que se trata de designar bajo el término *historicista* de "Siglo XVIII" es aquel período de las formaciones sociales europeas durante el cual se llevan a cabo las diversas revoluciones burguesas; éstas a su vez ni son de un solo tipo ni tienen una misma cronología: la burguesía inglesa se puede decir que a mitad del siglo XVII ha realizado ya su revolución; la burguesía francesa la realizará a partir de una lucha política directa que se inicia con la toma de la Bastilla; en Norteamérica el triunfo de las relaciones burguesas coincide cronológicamente con su constitución como nación, su independencia; en España la burguesía no hará nunca su revolución política e ideológica (lo que no quiere decir que no haya hecho su revolución a nivel económico y amparándose —por diversas causas— en otra ideología que no es la suya; otro tanto ha ocurrido en Alemania y en Italia.

Esto significa que: a) Si bien el objeto de nuestro estudio es claro y delimitado (la literatura —el teatro— que vamos a estudiar en los siglos XVIII y XIX no es otra cosa que la expresión de estas condiciones de la Ilustración, el liberalismo, el racionalismo, etc.: no hay esencialmente otra literatura en España en ese momento porque los escritores, en un noventa por ciento son representantes de esas ideologías); sin embargo: b) Pensemos que hay que analizar a la vez el proceso perfectamente contradictorio que tales ideologías sufren en nuestro país, puesto que a pesar de su dominio sobre el ámbito de la literatura, la filosofía, etc., esta ideología, esta nueva estructura mental, no llegará a triunfar nunca plenamente en España (en el siglo XVIII o XIX porque la burguesía no puede imponer *masivamente* su nueva ideología; en el siglo XX porque no "quiere", porque las condiciones de las relaciones burguesas en su última fase han cambiado, y así también su ideología). Vamos pues a estudiar una literatura teatral dominada en exclusiva por una lógica interna que a su vez no consigue dominar en el nivel masivo de la estructura ideológica social más amplia.

Dos principios teóricos básicos necesitamos implantar también aquí: a) La necesidad de tener siempre en cuenta la radical historicidad de la literatura, historicidad radical que no hay que confundir con el reconocimiento de un nivel llamado "Historia" sin más, que influiría, como *contenido* o *contexto,* en otro nivel —ajeno— llamado "Literatura". La radical historicidad de la literatura significa por ejemplo que así como antes del XVI no existe el "soneto", antes del XVIII no existe el "drama", esto es: que hay que buscar siempre (y "entender" siempre) los textos desde este punto de vista radicalmente histórico: cuáles son las causas, las circunstancias, las condiciones que se han dado para que aparezca este tipo de discurso en este momento dado —y no en otro—. Y de esta pregunta arranca nuestro segundo punto básico: b) Por qué se da este discurso y no otro; cómo funciona en estricto cada texto; qué lo produce, cuáles son las leyes que lo determinan, cuál es la lógica interna que lo ha producido así y no de diversa manera. Estudiar la radical historicidad de la literatura supone pues a la vez entender que tal historicidad hay que enfocarla desde el enclave mismo de la lógica interna de cada obra (dejando a un lado cualquier tipo de polémica acerca de los supuestos "formalismos" y "sociologismos" en literatura). Considerar la literatura como un producto histórico es considerarla pues en sí misma, en las leyes que la rigen y en las condiciones que la estructuran.

3.—Evidentemente debemos acercarnos al horizonte literario propio del siglo XVIII con una cierta precaución· Todo nos induce al equívoco apriorístico, a las malinterpretaciones. Todo menos nuestra indubitable constatación de que tal literatura surge en medio —a la par— de una plena revolución ideológica en todos los niveles: el famoso triunfo del Racionalismo, del Empirismo, de la Ilustración, no es más que el triunfo del inconsciente burgués en cualquier sentido y en cualquiera de sus variantes. Como se trata de una situación durísima de lucha (la burguesía contra la nobleza, el capitalismo contra el feudalismo) necesariamente las contradicciones se multiplican: cualquier intento de interpretación del siglo XVIII considerándolo como *un todo lineal y homogéneo* estará abocado al fracaso de antemano (y mucho más, por supuesto, por lo que hace al caso español): desniveles, desequilibrios, oposiciones, se amontonan y se acentúan durante el período. Si nos atuviéramos a la imagen *epocal* estricta (id est: la propia del "historicismo fenomenológico" al que aludíamos) cuestiones tan simples como el hecho de que *El sí de las niñas* se representara en 1806 por primera vez o como la pervivencia —muy adentro del XVIII— de círculos y academias aristocráticas con su consiguiente cultivo de una poética de tipo feudalizante ("organicista", "barroca" o como quiera llamársele: cfr. por ejemplo, los casos de Porcel, de Torrepalma, la aparición de una tercera Soledad continuación de las gongorinas, etc.), la refundición continua de las *Comedias* más típicas del XVII, todas estas cuestiones, digo, y otras más por el estilo, se convertirían en obstáculos casi insalvables para nosotros. Partiendo por el contrario de esta concepción —de desequilibrio y lucha— de la literatura del XVIII, el planteamiento varía por completo, no sólo en torno a la contradicción principal (ideología feudal *versus* ideología burguesa) sino también en torno a las contradicciones secundarias (por ejemplo las inscritas en el interior mismo de las nuevas perspectivas ilustradas), etc.

Digamos así finalmente que lo que suele considerarse como la característica más esencial de la literatura de la época, el famoso teoricismo dieciochesco, la tan manoseada expresión de los manuales acerca de que el siglo XVIII habría hecho mucha teoría pero muy pocas obras, no es más que una absoluta falacia: el pensamiento ilustrado del XVIII no hace más teoría que la que necesita para justificarse a sí mismo, así como los escritores más o menos feudalizantes, escolásticos, del XVII hacen toda la teoría necesaria para justificar su ideología. Lo que resulta chocante para la historiografía literaria habitual es que surja súbitamente toda esa cantidad de críticas y ensayos sobre literatura; pero es que se trata de una nueva literatura, un nuevo universo expresivo y mental, una nueva manera (distinta, cuando no enemiga, de la anterior) de concebir el mundo, las relaciones humanas en general; una nueva manera de concebir el mundo que se diferencia tanto de la anterior como las relaciones económicas capitalistas se diferencian de las feudales, es decir, *radicalmente*. Y toda ideología, toda estructura ideológica global, segrega directamente sus propias categorías teóricas, su propia autoafirmación discursiva, por lo que no debe extrañar en absoluto que los ilustrados, de este modo, se legitimen. Lo cual no significa que no produzcan obras literarias, significa tan sólo —y entre otras cosas— que producen "otro tipo" de literatura. Solamente en la imagen evolucionista habitual puede cerrarse un capítulo con Calderón y abrir el siguiente con Meléndez Valdés sin problemas; pues, en rigor, la poesía de Meléndez Valdés no tiene nada que ver con la de Calderón: es otra su lógica interna, otros sus procesos determinantes, otra la idea que los propios autores tienen de lo que hacen y deben hacer; por tanto, enjuiciar la literatura del XVIII tomando como paradigma a Calderón o a Lope es una verdadera aberración teórica. Hay que leer los textos del XVIII según la lógica interna que los engendró, y esta lógica interna está regida ante todo por esos dos niveles básicos: 1) la necesidad de legitimar teóricamente la nueva ideología burguesa, necesidad que es la que provoca la aparición de toda esa serie de textos teóricos que comentábamos; 2) la necesidad de "inventarse" los nuevos tipos expresivos, la nueva estructura literaria correspondiente a la lógica interna de la nueva ideología.

B.—SEGUNDA PARTE. Planteamientos y polémicas a propósito del teatro.

Presentadas así las cosas, el paso posterior de nuestro trabajo será averiguar cuáles son los mecanismos expresivos de esos nuevos tipos ideológicos que aparecen ahora.

1.—La ideología de lo público.

Por lo que hace a la *producción literaria en estricto,* no cabe duda de que en el XVIII europeo el fenómeno más interesante, más importante, lo constituye por supuesto la aparición del *drama.* Haciendo un poco de historia, diremos que hasta el XVIII tres son los términos empleados para designar el hecho teatral. Estos términos corresponden literalmente en gran medida a los difundidos por parte de los comentaristas (italianos y no italianos) del XVI a través de determinados enunciados de Aristóteles a propósito del tema; tragedia y comedia son por supuesto enunciados aristotélicos aunque a veces también se puedan extraer de otros autores, de Horacio en el XVII o de Séneca y Terencio en el XVI. Pero lo que importa no es nunca el término en sí mismo ya que estos enunciados adquieren un sentido distinto según el horizonte ideológico en que se inscriben: no es lo mismo lo que significa el término "tragedia" o "comedia" para Boileau en el XVII francés que lo que significan los mismos términos para Lope en el XVII español, y no es lo mismo el significado de estos términos cuando los usan determinados autores clasicistas del XVI español como Fernán Pérez de Oliva, etc.; podemos resumir la cuestión diciendo que, en realidad, y a pesar de toda esta serie de planteamientos diversos en torno a los términos tragedia y comedia, son evidentes dos cosas: en primer lugar, que si bien responden en cada caso a la estructura ideológica en que se emplean (es decir, bien al racionalismo postcartesiano en Francia, bien al organicismo feudalizante en España) sin embargo estos términos enuncian siempre una cuestión de base: *los diversos aspectos o temas del "espacio público"*. Como decíamos al principio, la aparición del teatro en sentido moderno es inseparable de la aparición del espacio público en las sociedades europeas de transición a partir del XVI: es entonces cuando nace verdaderamente el teatro, con Shakespeare en Inglaterra, y con Lope y el grupo de Valencia en España, con Corneille en Francia, antes con la llamada Commedia dell'Arte en las ciudades italianas. En el feudalismo no existe un espacio público propiamente dicho: es sólo a partir del XVI cuando éste aparece, o mejor cuando aparece la escisión, el corte, entre dos elementos que a partir de ahí se van a llamar lo privado y lo público, escisión que se produce además por la influencia de dos fenómenos esenciales: la aparición plena de las relaciones sociales mercantiles, que a partir de entonces se designarán como el espacio de lo privado (relaciones económicas, familiares, cualquier tipo de relaciones individuales), y, por otro lado, por la influencia de la aparición del estado absolutista: la aparición con él —por primera vez— de un nivel político autónomo (tematizado por Maquiavelo) respecto de los demás niveles sociales, y la designación de este nivel político y de su funcionamiento en general bajo el nombre de espacio de lo público.

La aparición del espacio de lo público supone correlativamente la aparición de un fenómeno nuevo también, y también producto de las contradicciones de las nuevas sociedades: este fenómeno nuevo es ni más ni menos que *el público*. Solamente cuando existe el mercado en general y el reconocimiento público del mercado, solamente entonces se hace posible el hecho de que un individuo que compre algo en el mercado pueda juzgar sobre su calidad o no calidad, sólo entonces se hace posible para un individuo pagar una cosa llamada "entrada", en un elemento llamado "teatro" y que eso le permita juzgar sobre lo que está viendo. Para simplificar: ante los ojos de un medieval este hecho sería tan asombroso como que nosotros viéramos ahora no sólo que se pagara una entrada para asistir a una misa, sino que eso diera incluso permiso para "juzgarla". El llamado teatro medieval no existe en absoluto, en primer lugar porque no existe el espacio de lo público y, en segundo lugar, porque consiguientemente no existe el público como "*juez*": los asistentes a los espectáculos medievales eran esencialmente "fieles", como es "fiel" el que asiste a una misa. No hay *distancia* entre lo representado y el que asiste a la representación, y es esa distancia (que va a establecerse con la aparición del espacio público) la que va a permitir precisamente la aparición del teatro.

El teatro a partir del XVI es así tanto *ideología pública* —ideología representada públicamente— como *ideología de lo público*: el teatro del XVI al XVIII no toca otro tema que el político en sentido amplio. Por una razón obvia: la escena pública será básicamente el "aparato" encargado de crear y tematizar los valores morales, los de conducta, existencia, etc., de ese nuevo espacio que ahora ha aparecido y que no tenía nombre: el espacio de la política o de la vida pública. Todas las obras de la escena Isabelina y de Shakespeare no son así otra cosa hoy ya para nosotros que variaciones en torno al problema de cómo se debe vivir en la vida pública; todas las obras de Corneille y Racine no son otra cosa que variaciones en torno a la *virtud* (la virtud pública, política de Maquiavelo), siempre teniendo en cuenta que por lo general se produce en todas estas obras un enfrentamiento tácito, evidente, entre los valores del espacio público y el privado (aparece este enfrentamiento en *Hamlet* y culmina en la *Phèdre* de Racine) pero también que siempre el elemento escénico determinante lo constituyen en cualquier sentido los valores del espacio público. Igual por lo que respecta al caso español, sólo que aquí tales valores no son "autónomos" como en Francia o Inglaterra. En España no existe una moral autónoma de la política (una *virtus*); aunque existe el espacio público, éste está controlado por el poder nobiliario y por tanto la moral política que aquí se desarrolla será ante todo una moral básicamente sacralizada como ocurría en el feudalismo. *Sacralización* que puede verse por lo demás tanto en la Inquisición como en cualquier otro de los aparatos políticos del momento y, por lo que respecta al teatro, en los dos temas claves de nuestra escena: *la sangre* y *el honor*, temas evidentemente feudales donde los haya; pero no es que el absolutismo de España sea diferente al de los otros países, no es que aquí no haya aparecido un espacio político autónomo, sino que al estar ese espacio relleno por los contenidos de la ideología nobiliaria, la escena no tematizará sino estos valores morales enfocados desde el prisma del honor, la sangre, etc., prisma característico del inconsciente sacralizador nobiliario.

Con el triunfo del horizonte burgués a partir del XVIII las cosas cambiarán radicalmente. No sólo la política desaparece de la escena, sino que, más aún, será a partir de entonces cuando se establezca ese axioma tan oído en boca de nuestros más conspicuos esteticistas: una obra es mala si trata de política. ¿Qué ha ocurrido, por qué de pronto la escena se va a practicar de una manera radicalmente distinta? La explicación nos la da mejor que nadie Diderot en su "Paradoja del comediante" y en sus demás escritos sobre teatro.

2.—El primer síntoma del cambio: la prohibición de los autos.

La cuestión del teatro es pues crucial, constituye el elemento más significativo a la hora de considerar la nueva perspectiva, la nueva óptica con que se enfocarán los problemas literarios del XVIII. Realmente el teatro se convierte en el verdadero caballo de batalla de todas las polémicas de la época, y así continuará hasta el siglo XIX, como podemos verlo en hechos tan diversamente sintomáticos como los estrenos famosos del *Don Alvaro* de Rivas o del *Hernani* de Hugo, en toda la actitud teórica de Larra (que puede seguirse, rastrearse, a lo largo de sus artículos teatrales) o finalmente, en la gran conmoción artística que a fines de siglo van a representar Wagner y su ópera (como Verdi y su ópera la representarán respecto al nacionalismo italiano: cuando estaba prohibido decir "Viva el Rey" se escribía "Verdi" en las paredes vaticanas) pero especialmente Wagner, repito, puesto que con su teoría artística y política y con su práctica operística será quien logre llevar a su culminación toda esta larga serie de polémicas, de apasionamientos, que el teatro había representado desde el XVIII.

También en España lo primero que la mentalidad ilustrada trata de conseguir es un "replanteamiento" del teatro. Ante todo recuperando, reescribiendo, la historia de los textos españoles, como hace Moratín, luego, luego teorizando sobre las condiciones que la escena debe tener y escribiendo nuevas obras de acuerdo con los nuevos planteamientos y, finalmente, polemizando con los representantes de la mentalidad tradicional que, como García de la Huerta, solían (pero no necesariamente) refugiarse en la práctica de la tragedia neoclásica. Siempre teniendo en cuenta que el verdadero punto de sublimación de esta polémica es precisamente la cuestión de la prohibición o no prohibición de los Autos Sacramentales. Hay muchas circunstancias concretas que rodean el espinoso asunto de la prohibición de los Autos, muchos detalles que indican la falta de conciencia, la ambigüedad que los propios ilustrados tenían aún en España. Digamos por ejemplo que Moratín esgrime —como tantos ilustrados— como argumento para prohibir los Autos la falta de dignidad religiosa que supone la representación pública de temas sagrados (con la consiguiente pérdida de respeto en su tratamiento y en su interpretación por parte de los actores). Y recordemos que éste había sido un argumento utilizado ya por los jesuitas en el XVII para intentar que Felipe IV prohibiera las comedias en general y las de santos en particular; poseemos documentos muy significativos al respecto en los que estos censores eclesiásticos del teatro señalan cómo las obras de mayor éxito son aquellas en las que interviene la Magdalena, único personaje que podía representarse medio desnudo, o cómo la representación de obras sobre la Virgen daba lugar a que cuando una muy célebre actriz decía aquello de "no he conocido varón" estallaran las carcajadas del público. He aquí, pues, que aparentemente Moratín parece usar el mismo argumento que los escolásticos del XVII, y no olvidemos que las comedias se prohíben efectivamente en España —y con gran duración— dos veces: 1) a fines del reinado de Felipe II, por guardar un luto oficial la corte, los teatros se cierran y no vuelven a abrirse: Lope se ve obligado a escribir sus famosos poemas largos para vivir; y 2) a la muerte de Felipe IV, el momento en que los ataques escolásticos llegan al máximo, y con tal fuerza, que entonces empieza a circular manuscrito, sin permiso para editar, y con carácter de folleto subversivo, una famosísima defensa del teatro en contra de tales detractores, el título *Teatro de los Teatros,* de Bances Candamo, texto donde Bances se atreve a escribir estrictamente que los eclesiásticos no tienen por qué meterse con el teatro porque el teatro nada tiene que ver con la teología. Y recordemos asimismo que hacia mitad del XVII la prohibición del teatro es un hecho tanto en Francia como en Inglaterra: en 1640, en plena ebullición de las luchas entre la burguesía y la nobleza inglesa, el Parlamento, representante por excelencia de la burguesía revolucionaria, prohíbe las representaciones teatrales en Londres y, por las mismas fechas, en la Francia de Luis XIV, Bossuet está haciendo todo lo posible para que el Rey prohíba los teatros (los que se dan en la calle, no los cortesanos). Y anotemos para terminar que Molière, el hombre de teatro preferido por la corte francesa, mimado por ella, está de hecho excomulgado como cualquier otro actor del XVII (y de ahí que se produjera la bien conocida historia de su entierro: sólo mediante dispensas y sobornos se consigue que Molière sea enterrado en sagrado, pero de noche, para evitar la posible comprobación efectiva de que por fin un actor había podido dejar de ser un hombre maldito).

Se trata pues de distinguir de nuevo las diversas posturas que también aquí, en el hecho de la prohibición de los teatros, se nos aparecen representadas. No entenderíamos absolutamente nada si pensáramos que tal prohibición respondía siempre a los mismos enfoques y circunstancias: como puede pensarse fácilmente el enfoque "burgués-puritano" del Parlamento de Londres no tiene nada que ver con el enfoque "feudalizante-sacralizado" de Bossuet; y por la misma razón, no podemos pensar que la prohibición de los Autos Sacramentales en España responda al mismo planteamiento con que se había enfocado la prohibición de las comedias en el XVII. La prohibición de los Autos es en todo un resultado de la nueva mentalidad ilustrada y del influjo que esta mentalidad ilustrada va a tener ahora sobre las acciones del estado y sobre el espacio público en general. Y no puede entenderse de otra manera.

Tenemos pues que trazar una línea de demarcación entre unas perspectivas ideológicas y otras, no considerar que es esa prohibición de los Autos el hecho a investigar en sí mismo, sino considerar que el hecho a investigar es siempre el siguiente: ¿Qué se entiende bajo el término "teatro" desde una perspectiva ideológica y desde otra?; ¿qué es, por tanto, lo que lleva a una perspectiva ideológica a pretender prohibir todo lo que ella entiende por teatro (como ocurre con la mentalidad tradicional) y qué es lo que lleva a la otra perspectiva ideológica (esto es, a la mentalidad ilustrada) a impedir que aparezca como teatro lo que ella no considera que sea teatro? La mentalidad ilustrada considera que el teatro debe estar constituido por una serie de elementos específicos y que los Autos Sacramentales no corresponden en absoluto a ese paradigma de lo que el teatro deba ser. En concreto: los Autos corresponden a una estructura pública, "sacralizada", y si se trata de "desacralizar" al Estado (al nivel político en general) se tratará también en consecuencia, y por la misma vía, de desacralizar a la escena. Si el teatro burgués deberá ser siempre "privado" y nunca "público", como veremos inmediatamente, ello supone igualmente que mucho menos se podría admitir, dentro de ese teatro, una lógica representativa no sólo "pública" —id est: hablando de *una verdad* situada por encima de la verdad individual— sino además, y esto es lo básico, directamente "sacralizadora", esto es, pretendiendo mostrar que el orden del mundo no es convencional y meramente humano, sino reflejo expreso del orden divino en todos sus aspectos. Ni siquiera en el nuevo marco religioso que la burguesía acepta (la religión como cuestión propia sólo de la moral individual) ni siquiera ahí puede tampoco aceptarse la idea de la religión como verdad pública, en tanto que manifestación visible del orden divino que subyacería en todas las cosas. Los argumentos de los ilustrados en nombre del decoro religioso apuntan pues por ahí y no por otro lado: es decir, son argumentos que se hacen en nombre de esa nueva concepción de lo religioso como moral íntima. De cualquier modo, se argumente como se argumente, la cuestión básica que determina la polémica de los Autos es siempre esa que decimos: la lucha burguesa en contra de cualquier tipo de ideología sacralizadora, feudalizante, y es en el ámbito de esta lucha como se comprende que los Autos tuvieran que ser necesariamente prohibidos.

3.—LA ESCENA COMO CONTRATO SOCIAL.

En efecto: si la problemática teatral es el primer punto importante dentro de las polémicas surgidas en torno a la literatura del XVIII, no cabe duda, sin embargo, de que toda esa serie de polémicas y de enfrentamientos no son otra cosa, como acabamos de ver, que el resultado de una infraestructura ideológica muy específica: la nueva lógica interna que se deriva del horizonte burgués y racionalista. Podemos resumir todo el problema en una sola noción ya esbozada: la noción de *lo privado* o de *la privatización*. Ya habíamos indicado también cómo durante los siglos XVI y XVII la escena era no sólo ideología públicamente representada sino también tematización de los valores de lo público, de la moral y de la virtud política, con los diversos matices que el caso tenía en Francia, en España o en Inglaterra. ¿Quiere esto decir que dentro de la ideología de la ilustración lo público va a desaparecer? En absoluto, por supuesto. Lo que ocurre es que *con el triunfo de las relaciones burguesas lo público va a ser concebido como una "transcripción directa" de lo privado*. Esta es la base de las teorías de Diderot acerca del "Drama familiar", pero es también la base de todas las teorías políticas que giran en torno a la idea del *contrato social*. Teorías en las cuales se ve claramente que el "estado" se concibe sólo como una prolongación de los individuos que establecen el contrato, o que la sociedad se concibe igualmente como la proyección, la prolongación de los individuos que quieren reunirse y establecen entre ellos un convenio social. De modo que podemos comprobar así cómo en la ideología ilustrada todos los elementos del espacio público (bien el "estado" bien la "sociedad", bien el "teatro") van a ser concebidos directamente como una transparencia, una representación de la privatización. De ahí pues que a la vez que se establece el voto, el gobierno parlamentario, etc., se reestructuren igualmente todas las demás instituciones ilustradas según esa nueva perspectiva en la cual los diversos aparatos públicos sólo van a concebirse como representación del espacio privado en sus diversas variantes: los tribunales de justicia (el aparato jurídico-represivo) funcionarán ahora en nombre de la voluntad popular, de la voluntad de la nación, e incluso el ejército se concebirá como un elemento que funciona de acuerdo con los intereses de la voluntad del pueblo o de la voluntad nacional; más aún, Foucault recuerda cómo es a partir del XVIII, a partir de la Revolución de Francia, cuando va a imponerse la creencia de que los enfermos no pertenecen a los hospitales estatales o públicos sino que deben ser cuidados en su medio natural, verdadero, que es la familia, y de ahí que, poco a poco, el concepto de "hospital" vaya transmutándose en el de "clínica", como reproducción ésta a su vez de un ámbito familiar y privado.

Está claro pues que Moratín, Marivaux o Diderot, tenían que desarrollar su propia práctica teatral de acuerdo con esta nueva base que constituye para la ilustración la noción de lo privado. Pero como dentro de la Ilustración, dentro de la ideología burguesa (hablando en sentido estricto) coexisten dos tendencias, surgen también dos teorías distintas en torno al teatro. Por una parte la teoría racionalista y/o empirista en estricto; y por otra parte la representada ejemplarmente por Rousseau. La importancia de Rousseau, digamos de paso (o más rigurosamente hablando: de la tendencia que Rousseau teoriza y tematiza mejor que nadie) será decisiva porque este autor representa máximamente, dentro de la nueva sociedad, a la ideología pequeño-burguesa, que no es la ideología ilustrada propiamente dicha (en el siglo XVIII podemos incluso decir que la ideología burguesa propiamente dicha sólo está representada en el empirismo inglés y en ciertos aspectos más progresivos del racionalismo francés —pero en mucha menor cuantía—; a lo largo del XIX el empirismo tematizado en Inglaterra, Estados Unidos y en algunas de las nuevas sociedades industriales, se convierte en lo que llamaremos el Horizonte Positivista, que esa sí es ya la ideología burguesa plena extendida por todas partes).

Diferenciar entre estas dos corrientes que coexisten en la Ilustración es básico, so pena de que al no hacerlo nos quedemos sin entender nada absolutamente de una gran parte del teatro del XVIII, e incluso de lo que suele llamarse teatro "romántico". En una palabra: mientras vemos que Diderot y Moratín teorizan y practican la escena privada, el drama familiar, vemos por otro lado que Rousseau y los rusonianos no es que vayan a polemizar contra el anterior teatro político o los autos, sino que negarán pura y lisamente el teatro. Para ellos, el teatro no debe existir: es la famosa polémica Rousseau-D'Alembert. La diferencia pues respecto a la postura de Diderot o Moratín es abismal. Pero, ¿por qué niega Rousseau el teatro? ¿qué es lo que le lleva a él, hombre de la Ilustración, aparentemente al menos, a negar esa serie de valores escénicos que los demás ilustrados no sólo defendían sino que incluso exaltaban? La cuestión es bien clara: las teorías de Rousseau sobre el teatro se diferencian de las del resto de los ilustrados tanto como la teoría del Contrato Social de Rousseau se diferencia del resto de las teorías del Contrato Social que establecen los escritores racionalistas y liberales. Por mucho que lo afirme toda una larga tradición historiográfica, no es verdad que Rousseau sea un teórico del "contrato social", aunque él mismo llamara a su libro más famoso El Contrato Social. Pero, en primer lugar, que éste sea su libro más famoso no quiere decir que sea el más significativo; El Contrato Social de Rousseau no se entiende en absoluto si se lee como un solo texto, sino que hay que entenderlo poniendo al lado los verdaderos textos significativos de Rousseau y, sobre todo, la *Nueva Eloísa*, como veremos. Pues en efecto: ¿qué es lo que los ideólogos liberales estrictos, desde Locke —Hobbes también— sobre todo, y luego todos los teóricos de la revolución americana (como Payne) quieren decir realmente con el término de *contrato social, convenio social*, etc.? Lo que quieren decir en principio es bien sencillo: la sociedad no tiene nada que ver con Dios, su orden no es divino, si la sociedad es como es, no se debe a que obedezca a designios sacralizados. En 1642 los parlamentarios ingleses pronuncian una frase tremenda, tan revolucionaria en su momento como la revolución de Galileo: "Las constituciones se hacen". Es el momento en que la burguesía vence en Inglaterra, por lo tanto Hobbes podrá decir que lo mismo que Galileo ha demostrado que se puede conocer la realidad natural (primero porque el libro de la Naturaleza es liso y superficial y no oculta significados ocultos y sagrados, y segundo porque las "leyes" que se usan para conocerlo las hacen los hombres mismos) del mismo modo se puede conocer la realidad política porque las leyes que rigen en ella están hechas por los mismos hombres. Este es pues el primer nivel de la teoría del Contrato: si no se deja sentado de una vez que los nobles no son nobles por el deseo de Dios, sino por cuestiones meramente humanas, no se puede echar abajo a los nobles. Pero para llegar a este enunciado, para construirlo, se necesita una lógica interna muy especial. Esta: para Locke, para los liberales de verdad, no puede existir sociedad ninguna antes de que los hombres quieran establecerla; pueden establecerla por diversas causas: Hobbes dirá que porque mientras que no la establecen los individuos no hacen sino pelearse entre sí; Locke y Hume darán otras razones que no hacen al caso, pero siempre partiendo de esto: la sociedad nace únicamente en el momento que los hombres la establecen. Para Rousseau, no; para él la sociedad existe antes del Contrato: los hombres son ya por naturaleza, en naturaleza, una sociedad, y un día, viviendo ya en sociedad, deciden establecer un contrato para crear no la sociedad, que ya existe, sino el Estado. De modo que vamos a entender enseguida por qué Rousseau niega el teatro: porque tanto el teatro como el Estado son elementos "artificiales" para Rousseau. Por el contrario, la *comunidad familiar* y las *fiestas populares* son los elementos "naturales" (y, por tanto, "verdaderos" según su lenguaje); porque si un día hubo necesidad de establecer el Estado o el teatro o cualquier otro elemento artificial, fue porque algún tipo de desequilibrio había surgido y se había roto el orden natural, no hacen falta ni el Estado ni el teatro.

4.—De la escena como "contrato" a la escena como "ilusion".

Las categorías en las que se basa esta negación del teatro en el XVIII se condensan, podemos decir, en esos dos términos claves que son lo NATURAL/ARTIFICIAL. Como aparece evidente en los textos de Rousseau, lo importante para descalificar al Estado es pues precisamente ese carácter de artificialidad, puesto que resulta un elemento superpuesto a la verdadera sociedad humana que es la sociedad natural. La diferencia entre esta perspectiva y la perspectiva ilustrada propiamente dicha es radical por consiguiente. Para perspectiva estrictamente liberal el contrato que establece al Estado o a la sociedad no es ni deja de ser natural o artificial, ya que no existe un algo previo, una sociedad previa, un elemento previo a ese momento en que el contrato se establece; para esta perspectiva, al no ser el teatro o el Estado más que representaciones públicas de la verdad privada, representaciones públicas de la verdad individual, en absoluto pueden ser considerados como algo artificial o natural. En la perspectiva liberal estrictamente hablando no se usa nunca esta dicotomía, como por lo general —y por poner otro ejemplo— en el empirismo anglosajón no se usa nunca la idea de Derecho Natural, idea que lógicamente sí se extiende por la perspectiva rusoniana. Y la cuestión es clara. La tradición del Derecho Natural era una tradición típicamente escolástica y feudalizante: se suponía que en el llamado Derecho Natural se transcribían esos signos sagrados del orden de Dios que habitaban realmente en todas las cosas y en todos los elementos sociales, rigiéndolos con su "voz" ahí inscrita. Los ideólogos del liberalismo van a suprimir radicalmente esto desde el momento en que comienzan por suprimir la creencia en ese orden divino que estaría grabado realmente en el orden social; por tanto, la idea de derecho natural deviene inútil en esta perspectiva.

Donde se recoge esta idea es precisamente en la perspectiva rusoniana, sólo que suponiendo un grado intermedio entre los planteamientos feudalizantes y los propiamente burgueses: porque aunque el derecho natural es (en el pensamiento de Rousseau y sus seguidores) plenamente laico, si puede decirse así, en tanto que suprime efectivamente la idea de que los signos naturales sean signaturas divinas, sin embargo, por otra parte, admite todo el resto de la estructura latente en la vieja concepción feudalizante puesto que supone la existencia previa de una auténtica realidad "natural", según veíamos. Todos los elementos se van así encadenando: las nociones correspondientes a la definición de los diversos aparatos o niveles del espacio público (las nociones acerca del Estado, acerca del aparato jurídico, acerca del escenario teatral, etc.) se enlazan, se traban, de una manera muy distinta según se enfoquen desde una perspectiva ideológico radical entre los planteamientos "naturalistas" (rusonianos) y los planteamientos "liberales" propiamente dichos a la hora de juzgar las producciones ideológicas.

Toda esta situación y su complejo desenvolvimiento hace que nos encontremos igualmente con el hecho básico de que en la evolución del teatro desde el XVIII la escena vaya a ser considerada (y "practicada") efectivamente como "representación pública de la verdad privada", y ello debido al dominio que por lo general tiene la ideología ilustrada respecto al ámbito literario, político, etc.; ahí, en esos ámbitos, la ideología ilustrada establece sus propias normas y, lo que es más, su propia lógica productiva y a partir de tal lógica es como se nos explica asimismo que el elemento clave del teatro del XVIII lo constituya básicamente la práctica de la "ilusión escénica": cómo conseguir que el espectador se "crea" lo que está pasando en la escena, etc. El por qué de esta temática de la ilusión teatral es fácilmente comprensible si recordamos que en *El Contrato Social* no hay nada anterior a los dos elementos que contratan y que, por tanto, no sólo no cabe aplicar aquí la dicotomía entre lo natural y lo artificial, sino que se supone que los dos términos que contratan se transparenta en el Estado, en el Teatro o en cualquier otro aparato público. Sólo que a la vez, y junto a tal transparencia, se hace necesario admitir también —para que el sistema funcione— la existencia de un cierto desequilibrio en tal contrato: la verdad privada, representada en los sujetos que contratan, no "es" lo mismo exactamente que su representación en el Estado o en el teatro. La presentación pública difiere en cierto modo de la verdad privada propiamente dicha. Y, consiguientemente, a la vez que existe esta conciencia de desequilibrio, deberá existir también la conciencia de que es necesario evitar a toda costa que tal diferenciación sea demasiado amplia, de que aparezca una excesiva distancia entre el funcionamiento del Estado y la verdad privada de los individuos a los que representa (deben ser, por el contrario, dos elementos que han de coincidir casi plenamente). Aunque se sepa que esa plenitud, esa fusión completa entre la verdad de los individuos y su representación en el Estado, es casi imposible que se dé nunca, sin embargo se establecen los medios para que su funcionamiento sea siempre aproximadamente paralelo: votaciones, controles parlamentarios, lo que los sociólogos "liberales" llamarán luego "instituciones intermedias", etc. Pues bien, exactamente igual ocurre en el caso de la escena. Aquí también se sabe que la escena debe ser representación de la verdad privada una vez que ésta se ha trasladado al plano de la representación. Y como lo que se intentará conseguir siempre es que el espectador se identifique con la escena (del mismo modo que el individuo ciudadano debe identificarse con el Estado) para lograr tal identificación entre escena y público habrá que crear una serie de procedimientos especiales de representación que favorezcan la actitud identificadora del público. Esos procedimientos especiales de representación constituyen la base de la Ilusión Escénica, de modo que el establecimiento del llamado "escenario a la italiana" (es decir, el escenario teatral tal como lo conocemos hoy prácticamente) cobra un específico valor a partir de esta estructura ideológica: va a existir por supuesto, con un carácter de signo muy importante, la distancia entre el escenario que está arriba y los espectadores que están abajo; la representación se hará sin las interrupciones, que por parte del público o de los actores, eran tan corrientes en la escena del XVII (hay textos de Moratín perfectamente explícitos sobre cómo debe prohibirse cualquier tipo de interrupción en la sala) etc.; y si todo esto ocurre en el contexto escenográfico, lo mismo podemos decir respecto a la técnica interpretativa que mereció de nuevo un texto decisivo de Diderot, en un intento radical por cambiar los viejos hábitos de la interpretación según los modelos anteriores: se sienta como supuesto esencial el hecho de que el comediante, puesto que tiene que representar la verdad privada de cada hombre, tiene en el fondo que representarse a sí mismo: en el futuro esto se llamaría, en un cliché muy generalizado, la identificación del actor con el personaje, pero para Diderot, para el XVIII, lo que importa es precisamente mostrar cómo el actor debe establecer la mínima distancia posible entre él y lo que representa (dado que lo que representa no es en última instancia más que su propia verdad, según veremos más detalladamente en seguida) para que, mediante este contexto escenográfico y esta técnica interpretativa, la ilusión se consiga, el espectador quede atrapado por la escena, se identifique con ella, llore o ría con ella, etc. Ahora bien: ¿cuál va a ser la evolución de este teatro así establecido en el XVIII? Evidentemente va a haber en primer lugar una gran etapa aparentemente negadora de tal tipología escénica: desde la primera mitad del XIX —y aunque esta escena típicamente ilustrada no va a desaparecer— surge sin embargo una gran corriente elaborada casi en una estricta inversión de tales supuestos "racionalistas", corriente que es a la que suele denominarse en general como *teatro romántico,* con un término tan ambiguo sin embargo que apenas significa ya nada. Veamos a continuación hasta qué punto este teatro romántico no supone en el fondo otra cosa que la irrupción en la escena de esa peculiar perspectiva ideológica que podríamos simbolizar en la línea Rousseau-Kant.

5.—La escena privada concebida como "lenguaje" de las pasiones y de la sensibilidad.

Debemos preguntarnos pues de qué modo influye esta corriente naturista, rusoniana, en la evolución del teatro del siglo XVIII: y podemos afirmar ya de entrada que la presencia de esta corriente sobre la escena se concreta en un primer nivel, y como puede suponerse, en torno a la temática de la sensibilidad, del corazón, de las pasiones, etc., de acuerdo con el valor decisivo que todos estos términos tienen para esa tipología escénica denominada como "romántica".

Por supuesto que había existido ya durante el mismo siglo XVIII una amplia corriente que tematizaba esta cuestión de la sensibilidad, de las pasiones, etc., e incluso había aparecido un tipo específico de drama (que los críticos suelen denominar "comedia lacrimosa") que parecía asentarse ante todo en ese peculiarísimo lenguaje del corazón o de los sentimientos, un lenguaje hecho a partir de un ritual ya muy fijado en el que se entrelazaban los suspiros, los desmayos, un tipo específico de gestos, de actitudes, y de reacciones. Como se ha dicho recientemente, es una corriente dramática que sobre la escena desarrolla una verdadera "estrategia de las lágrimas" (hasta el punto de que los nuevos autores llegaban a considerar imposible que el público hubiera llorado o reído con las obras de Racine o Calderón con tanta fluidez como lloraba o reía ahora con el nuevo drama).

Esta estrategia de las lágrimas, este lenguaje de la sensibilidad, tiene sin embargo un primer momento de desarrollo y formación que podemos cifrar en torno al código erótico que se establece en los círculos nobiliarios a partir de "los preciosos" en Francia, a partir de los clubs ingleses, o a partir de similares círculos cortesanos existentes en España. Múltiples testimonios nos quedan de este específico código erótico, de esa peculiarísima forma de vida propia de los círculos cortesanos. Así en Francia, las obras de Crebillon hijo, las pinturas de Fragonard o Boucher; en Inglaterra los famosos reglamentos del Club del Infierno o del Diablo, o simplemente, sin llegar a estos extremos, los rastros que de tales asociaciones eróticas nos han quedado en la literatura de los "libertinos" (entremezclándose con las temáticas cortesanas) desde Laclos hasta obras tan significativamente "galantes" como la extraordinaria *Fanny Hill* de John Cleland. Todo ello teniendo en cuenta que no hay, por supuesto, otro testimonio mejor de esta específica ideología práctica (a través del erotismo) que los reglamentos establecidos por la serie de personajes que se reunen en *Los 120 días de Sodoma* del Marqués de Sade (sólo que en

67

Sade la codificación de la sensibilidad aparece invertida radicalmente de modo que, aún basándose en un extremado sensualismo naturista, sin embargo continuamente está impidiendo que tal "sensibilidad" aflore como "sentimentalismo". Pero de un modo u otro es en todos estos círculos nobiliarios o libertinos donde se establece por primera vez un específico lenguaje público de la sensibilidad. Así, los cuadros de Fragonard o de Boucher son siempre una especie de instantánea en que se recoge cada uno de estos elementos del lenguaje sensible: un gesto, una actitud, un suspiro, una lágrima... y es por todo ello por lo que podemos decir en definitiva que es a partir de la Corte como van a sentarse en cierto modo las bases de la nueva tipología escénica que aparecerá a lo largo del siglo XVIII, sin que olvidemos, por otra parte, que algo similar va a ocurrir respecto a otro hecho teatral que también se va a convertir en básico desde el mismo XVIII: me refiero a la ópera, o en general a los espectáculos musicales que en España comienzan a realizarse ya desde la última mitad del XVII (la primera obra musical cortesana la escribe, como es sabido, el Conde de Villamediana: *La Gloria de Niquea*) con los textos de Calderón, con las famosas escenografías italianas de Cosme Lotti, etc., del mismo modo que en la Corte francesa nos encontramos con Quinault, Molière y Lully... (recordando que la rivalidad entre Quinault y Molière se resuelva a favor del primero, precisamente a causa de los gustos "espectaculares" de la Corte).

La Corte, pues, introduce (desde mediados del siglo XVII) una especie de teatro paralelo y ya plenamente distinto al teatro que se desarrolla en la calle. Fijémonos en que las diversas prohibiciones teatrales no se refieren nunca a los espectáculos cortesanos sino únicamente al teatro que se desarrollaba afuera, en la calle, con lo que además este teatro cortesano, que cada vez se distancia más del teatro callejero, se nos presenta como un síntoma clarísimo del final de las sociedades de transición en Europa y del inminente triunfo de las burguesías en el siglo XVIII. Pues, en efecto, se ha producido un curioso caso de segregación, de escisión. Primariamente, en el momento pleno de los absolutismos, la Corte se identifica con el Estado, y el Estado y la Corte se identifican con el espacio público en general: el Escorial es tanto una Corte como la residencia de un Estado, e incluso el símbolo de toda la política que se realiza en el país. Después ya no: Ch. Hill ha señalado, respecto a Inglaterra, hasta qué punto llega a ser profunda la escisión en el siglo XVII entre la Corte y el Estado; en cierto modo no hay mayor signo de tal escisión que el protagonismo cortesano de Versalles o de los jardines del Buen Retiro, ambos como lugares ya únicamente "nobiliarios" o en absoluto (o sólo muy secundariamente) estatales. Conforme los ideólogos de la burguesía, y la práctica política de ésta en general, vayan identificando cada vez más al Estado con la sociedad o con el país, cada vez más también la Corte pasará a ser considerada como una especie de excrecencia cancerosa, algo inútil cuando menos, si no maligno, que no cumple ninguna función salvo vivir del trabajo de los demás. En un artículo precioso de Starobinsky se nos señala en efecto cómo esta escisión entre la Corte y el país resulta ya abismal en el momento en que, por la presión de la burguesía, se convocan en París los Estados Generales por primera vez después de 200 años; Starobinsky recoge el testimonio de uno de los representantes del tercer estado, el cual anota cómo la Corte, para aquella ocasión, se había vestido de sus mejores galas: los grandes eclesiásticos y los nobles relumbraban en oro, los representantes del tercer estado iban vestidos con pobres trajes provincianos sin un solo adorno; la Corte pensaba así, con mentalidad del XVII, que su oro asombraría al pueblo en tanto que ese oro había sido siempre el signo directo de la grandeza y el poder (el signo, pues, de su designación divina); pero este testigo nos comunica lo increíble: para el pueblo y los representantes del tercer estado aquel oro se ha transformado de pronto en signo de explotación y los representantes del tercer estado se plantean por primera vez ese tipo de preguntas tremendas, históricamente inéditas hasta ahora, que conducirán directamente a la Bastilla: ¿cuánto cuesta la vida de Versalles?, ¿cuánto ha costado el Trianón?, ¿de dónde ha salido todo ese oro?; y el informe concluye: "todo ese oro había salido del sudor del pueblo". Un texto pues plenamente burgués e ilustrado que indica un cambio radical de mentalidad: la corte y la vida nobiliaria son algo que ahora se considera como inútil y perfectamente ajeno al estado y al país. En ese momento culmina por tanto todo el proceso de escisión de que hablábamos, pero a lo largo de tal proceso la realidad es que la Corte se ha creado un teatro paralelo con unos códigos y un lenguaje muy específicos, y esa serie de códigos y de lenguajes literarios van a acabar por desbordar a la Corte y van a ser asimilados también por los nuevos tipos de la escena de la calle: así podemos constatarlo en el auge de la Opera Bufa o de la Opera Popular, y así aparece ya, con una sólida base de existencia anterior, ese especial lenguaje de la sensibilidad que tendrá su plena expresión en la "comedia lacrimosa" como decíamos (no olvidemos que el propio Rousseau escribe una ópera y una novela sentimental: *El adivino de la aldea* y *La nueva Eloísa*).

Ahora bien: éste es sólo un primer aspecto de la cuestión. Pues tampoco debemos olvidarnos que si ese lenguaje sentimental, esa estrategia de las lágrimas, poseía ya un claro antecedente en los rituales eróticos (y sociales en general) de la vida nobiliaria, sin embargo, su implantación en el teatro de la calle, su aceptación por el público, es signo de otro aspecto mucho más de base: si esa ideología de la sensibilidad no hubiera estado ya presente en el inconsciente del nuevo público, en la mentalidad burguesa o pequeñoburguesa, si esto no hubiera sido así, no se habría producido en absoluto la aceptación y el éxito consciente de este nuevo tipo de teatro. Y en efecto: el lenguaje de la sensibilidad sobre la escena nos lleva directamente de nuevo a la corriente del naturismo, pues lo que las lágrimas, los suspiros o desmayos nos indican es, ni más ni menos, que por medio de éstas se está revelando la verdad del corazón humano, la verdad de la naturaleza humana, una verdad directa que no necesita el intermedio de las palabras. Por eso esta cadena de signos mudos cumple efectivamente la función de un lenguaje no dicho pero infinitamente expresivo para el espectador, etcétera.

Podemos decir pues en este sentido que la temática de lo sensible (o de la sensibilidad) de la naturaleza (o de lo natural), del corazón, de las pasiones... es la casilla invertida, el elemento invertido, de toda la ideología racionalista o burguesa, desde su nacimiento; según una temática que, si tiene como su superficie más visible la cadena de nociones tales como "razón", "pensamiento", "racionalidad", "entendimiento", "juicios", "ideas"..., tiene como la otra cara de la misma moneda una segunda cadena formada por toda esta lógica de la sensibilidad, de lo sensible, de las pasiones, etc. De ahí que la temática nos aparezca igualmente a propósito de la representación escénica: en primer lugar en Voltaire, pero también en los teóricos alemanes como Schiller, en la corriente de la tragedia neoclásica en España. De algún modo todos ellos van a oponerse más o menos directamente, al tipo de representación propuesto por Moratín y los demás ilustrados, esa tipología argumentada sobre todo en *La paradoja del comediante*. Diderot, en efecto, como apuntábamos, suponía que la identificación entre el personaje y el actor no podía olvidar nunca la distancia existente en el hecho mismo del teatro (que a fin de cuentas el teatro no es sino una representación indirecta y medida, nunca plena, como no puede ser plena la representación del individuo en el Estado, etc.), lo que implicaba exigir consiguientemente la necesidad de que el actor tuviera en cuenta esa distancia, que fuera capaz de conservarse lo suficientemente frío como para, a la vez de actuar, ser capaz de juzgar su propia representación, su modo concreto de realizarla, etc. Desde la perspectiva opuesta los escritores más representativos de la tragedia alemana (o de la española y la francesa, y en especial Voltaire) levantan una densa polémica en contra de esta manera de "actuar": ellos exigen por el contrario la identificación plena, sin distancias, entre el actor y el personaje, e incluso que el actor sea capaz de vivir plenamente su personaje, confundiéndose con él; por la boca del actor debe hablar directamente su corazón, etc. Con las siguientes especificaciones: la "pasión", a lo largo del Iluminismo, había sido un término que indicaba ante todo el desbordamiento de los diques cotidianos, del orden racional, algo plenamente similar a la idea de lo "sublime" en Kant, esto es, el estacionamiento de una relación desbocada entre el sujeto y la verdad (siendo ésta siempre, en tal perspectiva la verdad de la Naturaleza), relación desbocada que sin embargo, no tenía por qué ser en sí misma falseadora. Preludiando en cierto modo (dentro de la misma lógica racionalista: no se trata por supuesto de hablar de antecesores, precursores, etc.) a los temas más queridos del romanticismo, Voltaire y Rousseau insistirán continuamente en su predilección hacia el lenguaje de las pasiones, en tanto que éstas cristalizarían en cierto modo (por su carácter exasperado) las raíces últimas de la verdad humana. No es pues la "pasión" (tal como aparece concebida así por los ilustrados) algo esencialmente opuesto al orden racional, sino que, muy al contrario, se concibe más bien como el *desnudamiento máximo* de la verdad de tal orden. Claro que es en Rouseau sobre todo (por ejemplo, en *La nueva Eloísa*) donde la idea de "la pasión" alcanza su significado más espeso: el lenguaje pasional, desbordado, aunque aparentemente parezca en principio romper el orden establecido (por ejemplo: romper el orden armonioso que rige la comunidad *natural-familiar-patriarcal*: padres, hijos, criados, etc., todos la misma familia), sin embargo, en el fondo funciona con un valor completamente opuesto, esto es, como el remedio último —y el más idóneo— frente a la "alienación". Quiero decir: es gracias a la fuerza de su pasionalidad como el hombre que ha perdido el contacto con la verdad natural, y se esfuerza en recuperarla, logra romper todas las barreras artificiales que le atan y retornar a sus orígenes auténticos. Por la boca apasionada habla siempre la verdad de la Naturaleza con una indudable reminiscencia (de ideología burguesa de la primera fase: la boca del *lobo* por la que habla la verdad, en Erasmo, el hombre desnudo y salvaje, verdaderamente natural, en el irónico prólogo de Montaigne, etc.). La pasión, en el universo rusoniano, *desaliena*, no altera el orden sino que lo reafirma. Y algo muy similar ocurre respecto a Voltaire aunque en un tono mucho más pálido: en tanto que ese lenguaje de las pasiones es también en Voltaire el lenguaje de la verdad humana (de su Razón) pero sólo cuando ésta es llevada al extremo en determinadas circunstancias, cuando es sometida a una presión más fuerte que la cotidiana. En cierto modo se trata también de un planteamiento bastante similar al que hacía Diderot al hablar de la escena como "modelo" (como "estilización" se diría hoy tras la influencia, en nuestra crítica, de los fenomenólogos alemanes). Pues cuando Diderot dice que la escena debe estar rellena únicamente de acontecimientos, personajes y oficios cotidianos y familiares, ello es sólo para añadir a continuación, como veremos en seguida, que tales elementos "familiares" no deben sin embargo representarse "familiarmente" (tal como ocurrirían, por ejemplo, en una "sala de estar"), sino que deben representarse "modélicamente", esto es, extrayendo de la vida cotidiana sus normas, sus leyes generales y abstractas, su sentido último apenas visible. Voltaire, menos teórico que Diderot, e incluso menos radical que éste (pese a todas las leyendas que los clérigos han tejido en torno a su persona) a través de su aferramiento al lenguaje de las pasiones trata únicamente de explicar —y de explicarse a sí mismo— el por qué de que tenga que existir esa *distancia* profunda entre la escena teatral y el espectador (o entre el estado y el ciudadano) *distancia* que, como venimos viendo, los más lúcidos de entre los ideólogos burgueses de la Ilustración suelen percibir confusamente, pero que apenas si aciertan a enunciar desde su propia perspectiva ideológica. Para Voltaire, pues, es a través de la "pasión" como la escena se convierte en *modelo* (en "luz" que "ilustra") del orden racional que actúa en la vida cotidiana. Y es así también como se identifican en el fondo —salvada cualquier cuestión de detalle— el *drama familiar* de Diderot y la *tragedia pasional* volteriana, identificación que se realiza precisamente en nombre de ese carácter necesariamente *modélico (didáctico)* que para estos ideólogos ha de tener siempre la escena teatral. "Didactismo", digamos finalmente, que se deriva por lo demás, de manera directa, de la obligación que sienten los escritores ilustrados de difundir "públicamente", en todos los niveles de la sociedad, la lógica de su "Razón". En dos sentidos: primero, en tanto que la difusión de las verdades de tal Razón se considera a partir del XVIII como el elemento imprescindible a la hora de realizar cualquier tipo de transformación o de replanteamiento social (recordemos por ejemplo la influencia de esta idea iluminista en todas las nociones actuales a propósito de la "educación del pueblo", idea considerada como base imprescindible para cualquier reforma); y segundo: obligación implícita de difusión de la Razón que llevará a los ideólogos burgueses (desde el XVIII a hoy: los denominados "intelectuales") no sólo a definirse ante todo como *críticos públicos* de la Razón (que actuarían para evitar sus deformaciones y tergiversaciones, motivadas bien por los "intereses prácticos" o bien por las "ilusiones fideístas"; el ejemplo más claro de tal imagen estaría así en el propio Kant y sus tres "críticas" expreses) sino también paralelamente, y por ello mismo, a autoconsiderarse como los representantes (poseedores) por excelencia de tal verdad racional (de la "verdad" del llamado *Espíritu Humano*) autosituándose por tanto por encima de las clases y la historia (recuérdese por ejemplo cómo aún hoy no se considera que los intelectuales se dividan por su pertenencia a una clase o a otra, sino que, dando por supuesto que todos pertenecen al citado ámbito de la Razón —sic— se les divide en "abstractos" y "concretos" —categorías claramente fenomenológicas por lo demás— esto es, los que defenderían los intereses de la verdad racionalista —los concretos, los auténticos— por una parte, y, por otra, los que se dejarían arrastrar por intereses contrarios a la razón —los irracionalistas, los abstractos o evasivos, etc—; sólo que esta visión es ante todo propia, no sólo de la derecha, sino más aún de la izquierda "revisionista/frentepopulista", según todos los estragos que el *lukasianismo* ha causado en este sentido).

De cualquier modo, lo importante es señalar no sólo que en la ideología clásica del XVIII *pasionalidad* y *familiarismo* (o de otro modo: el "arrebato" de las pasiones y la plácida vida privada de cada día) no se oponen entre sí como categorías radicales (se trata tan sólo de dos maneras distintas de concebir ese orden de la Razón según ha quedado establecido por la burguesía de la época) sino de señalar además que el "lenguaje de las pasiones" supone finalmente, sin embargo, una cierta diferenciación respecto a la estructura general del *drama familiar*. Pues en efecto: por una parte es claro que *lo pasional* (tal como aparece en la "tragedia neoclásica" y, sobre todo tal como es preconizada por Voltaire) es en estricto otro nombre del "hombre natural" de Rousseau. Recordemos así cómo todo el cristianismo feudal niega radicalmente las pasiones, en tanto que para esta perspectiva religiosa lo peor que a un hombre le puede ocurrir es precisamente dejarse arrastrar por sus fuerzas pasionales, etc. Y de ahí todas las metáforas, asimismo religiosas, que conciben a las pasiones como un caballo desbocado, como el lugar donde se aposenta el poder del diablo, etc. Un hombre dominado por sus pasiones es un hombre perdido. Ya acabamos de ver cómo es preciso llegar a la primera fase de la ideología burguesa para que esta imagen comience a variar, tanto dentro del ámbito religioso (como ocurre en el caso de Erasmo) como en un ámbito laico (como ocurre en el caso de Montaigne). Se trata aquí de la aparición, por primera vez, de la idea de que la naturaleza del hombre es en sí misma buena, y no algo corrupto en su entraña, idea que por supuesto aparece de modo paralelo en otros muchos ámbitos, por ejemplo en el comienzo de la nueva astronomía (desde Copérnico a Galileo o Kepler) o en toda la poética amorosa desde Petrarca a Garcilaso (en el primer caso lo que se defiende es que el mundo terrestre o sublunar no es en sí mismo algo caído o corrompido, sino tan bello y tan digno como cualquier otro lugar del universo; en el segundo caso lo que se defiende es una similar belleza y dignidad del "Alma", que por primera vez también se va a concebir como autónoma y libre, ya no más como dependencia o reflejo de un Señor o de un Dios). Bien es cierto que en esta breve relación no hay que olvidar que el peso de tales imágenes religioso-feudales continúa siendo aún tan fuerte como para que un ideólogo tan característicamente burgués como Descartes siga afirmando su horror hacia el hombre que deja expresar libremente sus pasiones. Pero el cambio ideológico es ya en el XVIII irrebatible (recuérdese asimismo todo lo que hemos dicho a propósito de la problemática del derecho natural en este momento). Pues bien: algo similar ocurre respecto al "lenguaje de las pasiones" sobre la escena teatral. Digamos así que para Voltaire el lenguaje de las pasiones suponía 1) una manera de evitar la negación que Rousseau hacía del teatro, a la vez que 2) con ello se oponía también a las perspectivas más directamente racionalistas o liberales, tal como aparecían plasmadas en el *drama familiar*. en efecto: primero, *una manera de evitar la negación que Rousseau imponía al teatro*: en tanto que el lenguaje de las pasiones significaba una expresión auténtica y verdadera y por tanto, algo que en absoluto podía ser considerado como artificial o falseador. Si Rousseau decía que el teatro debía desaparecer en una sociedad natural, Voltaire parece aclarar que tal desaparición sólo se refiere a aquel tipo de teatro que fuera realmente "artificial" pero no a aquel que se elaborara como expresión directa de la naturaleza, es decir, que se elaborara a través del lenguaje de las pasiones. Y segundo, a la vez, como decimos, una diferenciación respecto a la teoría del drama familiar, o mejor aún, respecto a la idea de que el teatro (como el Estado) tendría que ofrecer necesariamente una distancia insalvable entre la verdad que se representaba y el hecho mismo de la representación (una *distancia* pues, visible asimismo entre el individuo y el Estado, entre la sala y el espectador, etc.) pues para Voltaire ese lenguaje de las pasiones es factible precisamente en tanto que negador de tal distancia. Desde su perspectiva naturista no hay vuelta de hoja: si el Estado o el teatro tienen derecho a existir es únicamente en tanto que sean elementos naturales, esto es, expresión de la verdad directa de la naturaleza humana. No hay pues lugar a distancias, porque cualquier distancia en este sentido no sería otra cosa que engaño y "alienación", etc. Es así en fin como en Voltaire podemos ver efectivamente representada la raíz última de lo que será posteriormente la clave del teatro "romántico": esto es, el intento de borrar cualquier tipo de distancia, el intento de transformar la escena en un *espacio natural,* haciéndola hablar el lenguaje de la pasión. Hugo llamará a esto el valor de *lo grotesco,* un término que sirve para definir precisamente la irrupción en el teatro de "la vida", o mejor dicho, la necesidad de que la escena se convierta en *vida natural,* que transparente la naturaleza misma: no más *Reglas* sino la "libertad" total que tiene el "genio" (esto es, la libertad plena que Kant otorgaba a "lo sublime"); no más *Imitación* en estricto de los principios generales del orden racional, sino imitación concreta, espesa, viva, de la realidad misma de ese "orden" en tanto que está encarnado o zambullido en la vida realmente vivida, etc.

6.—La escena privada concebida como "lenguaje" casero: Diderot.

He aquí pues las bases del teatro romántico y de su tan comentada defensa de la pasionalidad extrema. Sin embargo, para aclarar más adecuadamente toda esta problemática, conviene hacer una breve incursión en torno a lo que venimos considerando como su oposición invertida, es decir, en torno a los textos escénicos más significativos del *drama familiar* y, en consecuencia, en torno a los planteamientos de Diderot. Los textos diderotianos son por supuesto complejos y preñados de dificultades (él mismo utilizó el término "paradoja" respecto al más famoso de ellos), pero, sin embargo poseen una hilazón determinante bastante clara. Para Diderot, en efecto, el teatro (el arte en general) se articulaba básicamente sobre una serie de oposiciones que parecían irresolubles a primera vista. En primer lugar, y ante todo, la oposición entre el "teatro" y la "vida", o, más en general, entre el "arte" y la "naturaleza". Anotemos de paso que en cierto modo (y pese a que lo consideramos típicamente burgués) en Diderot persisten (como en todo el racionalismo francés) durante largo tiempo fuertes influencias de esa línea rusoniana y naturista (pequeño-burguesa) a la que hemos aludido: aproximadamente hasta los años 50 (la "paradoja" es de 1769), Diderot parece defender de modo explícito el "sensibilismo" del actos, y, de todas maneras, actuarán siempre en él determinados elementos característicamente pequeño-burgueses (naturistas) con la fuerza suficiente como para llevarle a considerar que sólo la riqueza (el "oro") derivado de la agricultura es "puro y sano", y puede por tanto favorecer a las artes, todo lo contrario de lo que ocurre sin embargo respecto al oro ("insano", "corrompido") surgido de la especulación financiera (una problemática, digamos de paso asimismo, que si bien en Diderot deriva directamente de los "fisiócratas", volveremos a encontrar en Balzac —como ha señalado acertadamente R. Barthes— sólo que, en el caso de Balzac, la postura se rellena además con todo el odio aristocrático hacia el trastueque social provocado por la especulación y la inversión, en especial, por esa dominación bancaria que los fascistas denominarán *Usura* —como sustantivo, añadiendo *judía* como adjetivo— con una recuperación de la terminología escolástica y bajomedieval acerca del "justo precio", del *noble* como categoría moral opuesta al *usurero*, al *banquero*, etc.: podría comprobarse incluso cómo la *Raquel* de Huerta encuentra igualmente aquí su última lógica justificante, etc.). E igualmente la influencia pequeño-burguesa en Diderot podría constatarse a partir de cuestiones tan sintomáticas como su defensa de "lo sublime" (defensa expresada en términos directamente relacionados no sólo con los propios de la línea kantiana, sino sobre todo, y explícitamente, relacionados con la teorización característica de Burke). Y teniendo asimismo en cuenta que tanto en un caso como en otro lo "sublime" se refiere siempre a la imposición de los valores de la naturaleza (caóticos, desordenados, pero los más auténticos) frente al orden estrecho y riguroso del "concepto" o de la "racionalidad" estricta. Ahora bien: esta influencia pequeño-burguesa adquiere enseguida en Diderot un sentido muy específico de acuerdo con su propia lógica enunciativa. Como puede verse sobre todo a partir de la "Paradoja", toda esta problemática se delimita con una intención muy precisa: por principio Diderot va a oponer "naturaleza" y "arte" (o, sinónimamente, "vida cotidiana" y "teatro") y simultáneamente, en medio de esta oposición, va a introducir una serie de nociones asimismo típicamente dieciochescas: la noción de *modelo*, la de *identificación* o *ilusión teatral*, la de *imitación*, la de *lo verdadero*, etc.

Analicemos esto por tanto. En primer lugar: Diderot introduce el término *modelo* como elemento clave en la producción artística, sencillamente porque, como acabamos de esbozar, se trata de un término que va implicado en su específica oposición entre el "teatro" y la "vida", esto es, derivándolo de la "paradoja" siguiente: aunque el actor sea vulgar, la escena no puede serlo. Todo el problema se condensa aquí, en efecto, o en una variante perfectamente similar: lo que es bueno en el teatro no lo es en la vida cotidiana, y viceversa: el actor que sobre la escena se comportara como en la "vida" sería ridículo; y el hombre que en la "vida" se comportara como en la "escena" sería ridículo también. "¿Paradoja?". Sí, literalmente, pero nunca en sentido profundo. Digamos pues: la teoría escénica (artística) básica en Diderot se resuelve a partir de las siguientes categorías: 1.º) el arte (el teatro) no "es" la vida; pero 2.º) el arte (el teatro) debe ser un modelo de (y para) la vida cotidiana. Y en consecuencia 3.º) ese modelo (ese "molde") tiene que ser extraído desde la realidad cotidiana (la verdad natural) a la que la escena va dirigida, y no debe, por tanto, ser sólo producto de los "espectros" o los "fantasmas de un poeta más o menos imaginativo".

Distancia e *Ilusión* se unifican así en este proyecto. Al ser el "arte" (la escena) modelo de la "vida", ambos términos no se pueden identificar nunca entre sí. Aquél debe ser una superación (extractada, por decirlo así) de ésta; la vida concreta (la "naturaleza") constituye, por su parte, la fuente directa del "arte" (de la escena), de la que hay que beber siempre para no producir fantasmagorías. Por ello el ejemplo de toda escena debería ser el drama griego, que concilia sin problemas heroísmo y familiaridad ("modelo" y "naturaleza") mientras que el antiejemplo lo constituiría (sobre todo en *Les bijoux indiscrets*) ese Corneille en el que no sólo las "cosas familiares" no pueden decirse nunca en un tono "familiar", sino en el que, sobre todo, el heroísmo y la sublimación son perfectamente fantasmagóricos, tan fantasmas como la fanfarronería hueca de los españoles ("el seudoheroísmo de los de Madrid", dice Diderot, como es sabido, en vez del ascetismo diamantino propio de la Roma clásica, etc.). De cualquier modo, y planteadas así las cosas, resulta evidente que el actor debe identificarse con su modelo de un modo completamente distinto a como el espectador se identifica con la escena. El actor debe escenificar según un modelo "mediado", diríamos, de identificación: "nada pasa sobre la escena", indica Diderot, "exactamente como en la naturaleza"; e incluso el mismo hecho de la *declamación* (su técnica) nos prueba ya que la representación no es natural; así el actor (..."copista riguroso de él mismo o de sus sensaciones...") no debe preferir el instinto meramente natural al estudio ilimitado del arte", y ello en tanto que "no es el hombre violento, que está fuera de sí, el que nos posee, sino que éste es un privilegio reservado al hombre que se domina a sí mismo". En otros términos: "la sensibilidad verdadera y la sensibilidad representada son dos cosas muy diferentes"; o más extremadamente aún: "es la falta absoluta de sensibilidad la que prepara a los actores sublimes..." (mientras que la sensibilidad extrema conforma a los actores mediocres y la sensibilidad mediocre a la muchedumbre de malos actores). Pero a la vez esta práctica de la *distancia* (en cualquier sentido) es imprescindible para el logro de la *ilusión identificadora*. El retrato exacto de un avaro, dice por ejemplo Diderot, impide el *reconocimiento* ("personne ne s'y reconnaît-il..."), la verdad desnuda sería mezquina sobre la escena, la modelización es imprescindible ("...lo que la pasión en sí misma no ha podido hacer, la pasión bien imitada lo ejecuta..."), y así añade (tomando a Racine como pretexto) que un gran hombre no es aquel que únicamente expone lo verdadero sino el que sabe mezclar lo verdadero con lo falso ("...tratando de llevar a sus contemporáneos hacia un gusto mejor...").

El aparatoso bullir de paradojas en el texto de Diderot puede pues resolverse perfectamente a partir de esta proposición básica: todo escenario ha de basarse en la naturaleza, pero teniendo en cuenta que su funcionamiento, aún teniendo que ser un modelo de "lo natural", no es exactamente igual que lo natural. Y lo mismo ocurre respecto al actor que, necesitando inspirarse en la realidad cotidiana ("naturalizada", diríamos, en el léxico de la época) deberá sin embargo realizar una interpretación sublimadora y modelizada, interpretación que permitirá a su vez que el espectador se identifique (se "reconozca") en lo representado. En una palabra, de igual modo que el Estado deberá ser reflejo (a la vez "modélico" y "literal") de todos y cada uno de los ciudadanos que se han de identificar con él, así también es considerado el funcionamiento del teatro, esto es, como el lugar donde necesariamente se establece esa misma "distancia", ahora entre la escena y el público, para inmediatamente recuperarla mediante la ideología de la "identificación".

7.—PRIMERA CONCLUSION: LA ESCENA DE LO PRIVADO Y SUS VARIAS FORMACIONES POSIBLES.

Las dos maneras distintas —"asumiéndola" o tratando de "borrarla"— de concebir la *distancia* entre lo representado y su representación efectiva en las tablas (distancia básica igualmente visible como la existente entre el estado y el ciudadano o entre la sala y el espectador) constituyen finalmente para nosotros los síntomas más significativos a la hora de delimitar las dos lógicas asimismo distintas (aunque inadvertidas) con que se practica la escenografía teatral desde la última parte del XVIII. Sólo que por lo que respecta a lo que venimos llamando el "lenguaje de las pasiones" es claro que tampoco se practica de una manera homogénea ni siquiera durante la etapa romántica, sino que se va a practicar de acuerdo con las diversas vías o corrientes que se entretejen en el fondo de ese ambiguo horizonte que llamamos romanticismo, corrientes que corresponden ante todo a los asimismo diversos y específicos modos de "salida" que nos ofrece la etapa de Transición entre los siglos XVII y XVIII (o sea los diversos modos de solucionar la contradicción básica entre feudalismo y capitalismo).

Digamos así en primer lugar que llamamos corrientes o tendencias de salida de la etapa de Transición a aquellas estructuras ideológicas que prolongan las condiciones sociales, mentales, etc., correspondientes a la especial situación en que vivió la burguesía durante esa etapa de Transición. En efecto: podemos recordar que la burguesía ha pasado por tres fases o estadios desde que empezó a implantar realmente su propio tipo de relaciones sociales. Estas tres fases son:

a) *Primera fase* o *fase mercantil,* que se inicia aproximadamente en el siglo XV y que concluye aproximadamente en el siglo XVIII. Esta primera fase se caracteriza entre otras cosas a nivel económico por la producción manufacturera —la manufactura— y por consiguiente por el valor otorgado al trabajo manual; a nivel político, por su respeto —y defensa— del estado absolutista para conseguir que fuera autónomo en vez de estar detentado exclusivamente por los nobles; a nivel ideológico, por dos tendencias más o menos confundidas: la tendencia animista o neoplástica, cuyos discursos específicos podemos decir que abarcan desde lo que entonces comienza a llamarse poesía lírica hasta un determinado tipo teatral que puede ir desde Shakespeare a Racine (esta corriente deja sus huellas en España con Garcilaso, Herrera y toda la tradición del iluminismo o erasmismo religiosos en el siglo XVI); la otra corriente característica de la Transición es el "racionalismo" (o el "mecanicismo") en sus diversas variantes. Sus discursos específicos son el *ensayo* —aunque es un ensayo todavía no organizado como en el XVIII—, el *tratado teórico* en general, bien respecto al universo físico —como hace Galileo—, bien respecto al universo literario (y entonces aparecen todas esas innumerables retóricas que pueden versar sobre el teatro, sobre la poesía, etc.), o un tipo —por decirlo así— de discurso que es una variante de estas retóricas y que se presenta ante todo con el afán de plasmar efectivamente como modelo lo que el racionalismo llama el orden de la razón: así, el orden logicista en las gramáticas (por ejemplo la de Port-Royal) o el orden general en cualquier discurso (como ocurre en el *Discurso del método* o en las *Reglas para conducir la razón* de Descartes), el orden de las "reglas" o "unidades" sobre el teatro, etc.

b) La *segunda fase* de la burguesía es la fase clásica, cuando ya no coexiste con la nobleza, porque la ha derrotado, y cuando por tanto ha impuesto sus relaciones a todos los niveles: desde el XVIII al XX.

c) La *tercera fase* (o etapa imperialista) es la actual, pero ahora esto no nos interesa.

Señalemos ante todo: el paso de la primera a la segunda etapa no es ni mucho menos una simple evolución; la burguesía de la primera fase (manufacturera, gremial, etc.) no se transforma en bloque, inmediata y directamente, en la burguesía de la etapa clásica; podemos afirmar, como una clave histórica decisiva, que cuando realmente existan relaciones burguesas plenas (e ideologías burguesas plenas) es a partir del siglo XVIII, nunca antes; por tanto estas corrientes (de "salida de la transición") a las que hemos aludido no son en absoluto ideologías burguesas propiamente dichas. Por ejemplo: las tendencias sistematizadas en el texto rusoniano o hegeliano son, y aquí está la clave, sistemas ideológicos que reproducen y prolongan las condiciones de existencia (a cualquier nivel) de la burguesía de la primera fase. De ahí que Rousseau cante al trabajo manual frente al industrial (propio de la segunda fase), de ahí que se canten y se alaben las comunidades llamadas naturales, como la familia de tipo patriarcal, la vida campesina o el "compañerismo" en el trabajo, porque la familia de tipo patriarcal o las hermandades de trabajo (corporaciones, gremios...) reproducen las condiciones de la primera fase burguesa, etc. Todo esto nos lleva pues a distinguir radicalmente entre el nuevo horizonte que surge a partir del XVIII y los diversos discursos que son prolongación de las condiciones de la primera fase, es decir, los elementos correspondientes a lo que los historiadores suelen denominar como ideología pequeñoburguesa (término que no hay por qué rechazar ya que en efecto la pequeña burguesía no es otra cosa que la burguesía tal como existía en la citada primera etapa).

Entonces junto a la corriente rusoniana vemos por ejemplo aparecer la corriente hegeliana, en general con una postura invertida respecto a la otra: si Rousseau negaba el Estado, considerándolo como algo artificial, y por lo mismo negaba el Teatro, la corriente hegeliana va a hacer exactamente lo contrario: va a considerar al Estado con todos los atributos absolutos que poseía en la fase de la transición, en tanto que eje y clave de todo el orden social. Va a considerar por tanto que el espacio público, el correspondiente al Estado, es lo único verdaderamente importante en la estructura social, y así Hegel llegará a decir que si los intereses burgueses (que él denomina por primera vez bajo la famosa noción de "egoísmo") se interfieren en algún momento con el espacio público hay que anular su fuerza como sea, y entonces —por primera vez también— Hegel concluirá señalando que hay que poner siempre a estos intereses al borde de un peligro inminente, el de la guerra, porque en tal caso los intereses privados tendrán por fuerza que ampararse en el Estado (el fascismo de los años 30 será, entre otras cosas, una recuperación de esta ideología pequeño-burguesa: el núcleo del llamado hegelianismo fascista de un Gentile, por ejemplo, se condensará así especialmente en el célebre "vivir peligrosamente" etc.). Pero además, e inmediatamente: esa apología que hace Hegel del espacio público como eje social, le llevará no sólo a establecer a la "idea" absoluta (o al Espíritu objetivo) como base de su sistema (e incluso al Estado prusiano como encarnación final de tal idea) sino a la vez a la consideración paralela de que el teatro (en tanto que "público") tendrá que ser forzosamente a la condensación final de cualquier tipo de manifestación literaria. En el teatro —dice Hegel— se reconcilian lo subjetivo y lo objetivo, lo privado y lo público, el teatro es el arte por excelencia (como a final de siglo lo volverá a decir Wagner refiriéndose, en este caso, a la ópera).

Varias tendencias de salida, pues (como detallaremos enseguida) y en todas vamos a encontrar el influjo del lenguaje de la sensibilidad o del naturismo. Sólo que lógicamente tal código escénico será distinto en unas corrientes y en otras.

8.—La escena privada desde la ideología del lenguaje russoniano. El caso de Shakespeare.

Fijémonos así en primer lugar, y por seguir con los mismos ejemplos, en cómo desde la tendencia russoniana, este lenguaje de la sensibilidad va a actuar sobre el teatro romántico de una manera muy precisa: por una parte se va a llevar hasta la exasperación la imagen del actor como voz abierta, directa, del corazón, de las pasiones, etc.: son las famosas declamaciones románticas donde la gestualidad se convierte en el signo clave de cualquier interpretación, es la ideología de la "sinceridad" (al construir el autor a cada personaje y a la estructura escénica en general) y, por fin, el intento de borrar por completo ese carácter de artificialidad o al menos esa distancia que los teóricos del XVIII establecían como necesaria entre la sala y el público, esa distancia entre el actor y su personaje. Para ello, por un lado la escena se llena de "naturaleza", incluso físicamente (pensemos en el valor de los rayos, los truenos, los decorados naturales en Don Alvaro) algo que vió bien Lukács en uno de sus más jóvenes trabajos (su análisis sobre la forma dramática); y sobre todo se tratará de que este teatro sea de hecho una transparencia directa de la verdad de la naturaleza humana y por tanto de la verdad de la naturaleza en general: bien cargando a la escena de una especie de fluido magnético latente, siempre a punto de estallar, como si se tratara de fuerzas naturales ocultas, según ha señalado acertadamente Butor al descubrir plásticamente al teatro romántico como "la voz que surge de la sombra y el veneno que exhalan los muros" (versos tomados respectivamente de *Hernani* y de *Lucrecia Borgia*); o bien concibiendo la escena de modo que no quede ninguna fisura entre el *interior* y el *exterior*, en cualquier sentido. O como dice explícitamente Hugo en el prefacio de *Cromwell*: "...Un drama en el que el poeta consiga plenamente el propósito último del arte, que es el de abrir al espectador un doble horizonte, iluminar al mismo tiempo el interior y el exterior de los hombres... cruzar, en una palabra, en el mismo cuadro, el drama de la vida y el drama de la conciencia". Como veíamos a propósito de Voltaire, así también en el siglo XIX la corriente russoniana o naturista no se niega a sí misma como teatro, sino que admite la posibilidad de una escena con tal de que esta no sea nada artificial sino que se convierta en la transparencia directa de la verdad de la "naturaleza": Larra a través de su "crítica" y Hugo, a lo largo de su teoría y de su práctica escénica, pueden ser elegidos como los representantes máximos de tal tendencia.

Claro es que pueden utilizarse otros posibles modelos de ejemplificación por lo que respecta al núcleo de las polémicas teatrales en torno a esta corriente, y más que cualquier otro el caso de Shakespeare, que se va a plantear entre todos los ilustrados (y posteriormente entre los románticos). Moratín es el primer español también que incide en la polémica en especial al llevar a cabo su famosa traducción de Hamlet (tomo VII de B A E). Bien en verdad que don Ramón de la Cruz había hecho previamente un esbozo de traducción pero basándose en versiones francesas de la época que arreglaban en exceso a Shakespeare (y sobre todo el *Hamlet*) para adaptarlo a las normas de la Ilustración. Incluso el propio Moratín se queja de eso en el prólogo de su traducción. El, que era secretario del banquero Cabarrús, que había recorrido toda Europa y había conocido perfectamente los debates europeos en torno a Shakespeare, al regresar a España se propone realizar esta traducción donde de algún modo trata de mantener el original sin alterarlo excesivamente, y sólo a veces anotando a pie de página sus desacuerdos con el texto que traduce. Estas anotaciones a pie de página suelen referirse no solo a la "obscenidad" de determinadas escenas sino en especial a lo que los ilustrados podían considerar como falta de decoro, de interés, de verosimilitud, de buen gusto, etc. Es así como anota, por ejemplo, la escena de los sepultureros, con sus bromas, como un ejemplo de mal gusto, o, en la escena de los cómicos el momento en que Hamlet se echa sobre el regazo de Ofelia y hace un espeso juego de palabras claramente obsceno, etc. Lo importante con todo es recalcar que Moratín, mediante este procedimiento, sólo pretende demostrar que Shakespeare era un momento más en la historia del teatro, que no era un bárbaro sin más (del tipo de los Autos Sacramentales), ni absolutamente incompatible con la Ilustración (como pensaban algunos franceses) lo que no implicaba, ni mucho menos, que tuviera que ser el modelo ideal de cualquier escena (como acabarían proponiendo determinados autores alemanes que trataban de ampararse en Shakespeare —o Calderón— para legitimar un teatro "no-ilustrado" estrictamente hablando).

¿Qué se jugaba en efecto bajo toda esta polémica sobre Shakespeare? Naturalmente, y como puede preverse con facilidad, ahora Shakespeare es utilizado solamente como un símbolo de lo que la Ilustración debe o no debe aceptar; así hay un Shakespeare para franceses y otro para alemanes, ambos completamente distintos, como hay un Calderón para españoles y un Calderón para alemanes, completamente distintos también. Pues no debe olvidarse que a lo largo del XVIII y del XIX, en el momento de su mayor baja en España, Calderón va a ser en efecto llevado a su más alta consideración entre los escritores alemanes más o menos románticos, con lo que podemos apreciar una clara delimitación de nuevo entre las dos tendencias a que aludíamos: en primer lugar, en la tendencia ilustrada propiamente dicha, incluso entre los russonianos, se trata de saber si la parte inversa de la Razón puede y (cómo) representarse sobre la escena. Esta parte inversa de la Razón es, como decíamos, la que se transparenta en lo que el racionalismo llamaba las pasiones, el corazón, lo sublime, etc. (más o menos siguiendo la tradición terminológica impuesta por Descartes en su "Tratado de las pasiones" y la terminología impuesta por Boileau en el XVII —en su famoso comentario, por ejemplo, a la obra de Longinos *Sobre lo sublime*— y por el resto de los comentaristas de las reglas, de las unidades, en el siglo XVIII, hasta concluir en Kant, Schiller y F. Schlegel). Entonces cuando vemos a Voltaire quejarse de que los dramas franceses sólo están constituidos por pálidas conversaciones en verso, cuando le vemos exigir más emoción, más pasión dentro de las obras que se representan, cuando él mismo trata de introducir esa sublimidad y esa pasionalidad en su propio teatro (y por eso, decíamos, no escribe nunca *dramas* sino *tragedias*) en realidad no debemos pensar que Voltaire se separe de la Ilustración en general, sino pensar que un tal procedimiento es esencialmente el mismo que existía en el drama privado; esto es: las tragedias de Voltaire están determinadas exactamente, como dijimos también, por la misma estructura de base que regía a los dramas de Diderot, con el mismo procedimiento que Diderot usó por ejemplo en *El padre natural* o en *El hijo de familia,* sólo que invirtiendo los valores de modo que lo que en Diderot era racional, normalidad, falta de pasión, en Voltaire trata de ser pasionalidad, sublimidad, etc. Y digo "trata de ser" porque de hecho basta leer las tragedias de Voltaire para comprender que no se sale nunca de los límites marcados por un Moratín o por el drama doméstico diderotiano. Así Voltaire acepta de Shakespeare lo que éste parece tener de pasional, etc., pero rechaza, como Moratín, la igualmente

83

supuesta falta de decoro y de buen gusto del autor inglés. Y por eso también Voltaire escribe la narración más russoniana de toda la época, pues su *Cándide* no es otra cosa que un individuo extraído desde la sociedad natural russoniana y trasplantado al mundo del Estado, de la Corte (o de la sociedad artificial, posterior en suma al contrato). Entonces este individuo, que ya posee sus características humanas plenas, naturalmente tiene que ir chocando con la problemática artificial que rige en la sociedad en la que ahora vive. Ya en otra ocasión señalamos al respecto que es completamente falso pensar que la temática de la *alienación humana* provenga directamente de Hegel (como generalmente se ha dicho a partir de Luckács, y antes, a partir del XIX, con Feuerbach). La *alienación,* como temática inscrita en el horizonte ideológico burgués del XIX, sólo es realmente pensable (sólo es realmente tematizable) a partir de la problemática russoniana y no (como por su parte piensa incluso Althusser) porque el individuo venda algo a cambio de tener el Estado o la sociedad, etc. La *alienación* es un tema únicamente pensable en la corriente russoniana por el desequilibrio que existe en tal corriente entre ese espacio verdadero (auténtico, natural) del hombre, y el otro (el político) que por ser muy bueno que sea será siempre falseado y artificial, etc. Incluso es por eso por lo que puede considerarse que la verdadera novela de la alienación no hay que verla ni mucho menos (como hace un lukacsiano de pro, Goldmann, en su *Sociología de la novela*) en la novela objetivista, behaviorista, de un Robbe Grillet, de una M. Duras, etc.; la verdadera novela de la alienación es estrictamente este *Cándide* de Voltaire, construido todo él a partir de ese desequilibrio latente entre el espacio verdadero del individuo y el espacio artificial contra el que el individuo choca una y otra vez, etc. (el propio Rousseau nos dice que escribe *El Emilio* para tratar de enseñar a este joven "salvaje" a vivir *con* los habitantes de la ciudad —ya que no *como* ellos—, enseñándole pues a juzgar bien todas las cosas nuevas. Y en esta perspectiva, pero con un tono mucho más "trágico", habría que leer también obviamente *El Diablo mundo* de Espronceda, etc.). Tanto pues en este tipo de relato en prosa como en las tragedias, Voltaire nos ejemplifica bastante bien lo que es la corriente russoniana dentro de la Ilustración, no algo plenamente separado de la Ilustración sino un tipo de literatura que (aún dentro del nuevo horizonte) pretende sin embargo provocar la aparición de esos elementos naturales del individuo, bien en las tragedias pasionales o bien en estos relatos construidos en torno al valor auténtico de lo natural. Con una última conclusión: tras todo ello resultará absurdo, pues seguir hablando de la "tragedia neoclásica" considerándola como un "estilo" o una realidad autónoma (como suele por lo general hacerse en los manuales) ya que ésta no es otra cosa que la muy especial variación de la temática de lo natural, de lo pasional, de lo sublime, etc., introduce dentro del marco del racionalismo ilustrado.

9.—LA ESCENA PRIVADA DESDE LA PERSPECTIVA DE LA "DRAMATURGIA" ALEMANA.

Si ello es así, si este planteamiento existe realmente respecto a la corriente rusoniana (tanto en la Ilustración como en el Romanticismo), algo similar se puede decir respecto al otro tipo escénico que no se deriva directamente de los planteamientos de la Ilustración, sino que nos parece básicamente representado en la fuerte corriente romántica (idealista) que encuentra sus bases en determinados escritores alemanes. Recordemos que la Ilustración en Alemania es ante todo un movimiento que se plantea en torno a la crítica bíblica. Lógicamente: el problema de la lectura de la Biblia se había convertido en un tema resbaladizo, ambiguo, precisamente en los países de la Reforma, donde originariamente se había comenzado por hacer saltar la vieja estructura jerárquica de esta lectura, es decir, se había hecho saltar la norma romana de la interpretación de la Biblia, interpretación realizada a través únicamente de las directrices trazadas por la jerarquía romana, etc. y al romperse esta tradición de lectura resultaba inevitable la aparición de un conflicto, puesto que ahora podía haber tantas lecturas como lectores. La base de la Reforma en este sentido consistió, como es sabido, en la eliminación de cualquier barrera que pudiera interferirse entre el *ojo lector* y el texto, dado que no era ya la tradición eclesiástica la que "leía", sino la mirada personal de cada individuo. El problema de la interpretación bíblica tiene así una primera etapa muy significativa en la Inglaterra del siglo XVII con la aparición de la famosa versión autorizada (generalmente conocida sin más como la *Biblia inglesa*), ya que en esta traducción al inglés se van a apoyar múltiples ideólogos antifeudales para legitimar las bases del nuevo Estado (incluso *El paraíso perdido* de Milton se apoya directamente en esa versión inglesa, no sólo para tomar de ella su argumento sino para justificar en ella las especiales teorías políticas y morales que Milton introduce en su texto. La Biblia inglesa tiene pues un carácter perfectamente subversivo, no por ella misma claro está, sino por el uso especial que de ella hicieron muchos ideólogos de la burguesía inglesa.

Por el contrario, en Alemania el problema se plantea con caracteres en gran medida distintos. Allí la Biblia seguía siendo la base de la enseñanza digamos universitaria. En Alemania no existía ni muchísimo menos una ideología burguesa patente como en Inglaterra y las disputas en torno a la Biblia presentaban por consecuencia en especial tono eclesiástico que en absoluto encontramos en Inglaterra. Así, dentro de este contexto, es como comienza a aparecer la Ilustración alemana, toda ella resumible por excelencia en un nombre, ese increíble Kant, heredero por otra parte del racionalismo cartesiano y de Leibniz, racionalismo que Kant recibe, como es bien sabido a través de su maestro Wolf y al que somete a una implacable disección, cuyos resultados serán las tres "críticas" paradigmáticas (y todo ello sin abandonar sin embargo nunca por completo ese racionalismo, sólo que sustituyendo la noción de razón o de "cogito" por la noción de "sujeto transcendental" que a fin de cuenta no está tan alejada del racionalismo anterior: pero esto lo hemos analizado en otra parte). Lo importante ahora es recordar cómo incluso también el propio Kant escribe un famoso tratado (que le valió inmediatamente la censura y la crítica por parte del gobierno: él se guardó su tratado porque en absoluto era un hombre combativo) que se titulaba *La religión dentro de los límites de la mera razón* y respondía al último apartado de los tres que Kant había establecido para su proyecto ilustrado en general. Estos tres apartados —claves para la Ilustración alemana— los resumía Kant en tres preguntas también suficientemente conocidas: ¿Qué puedo saber? (primer apartado al que dedicó la *Crítica de la razón pura*); ¿Qué puedo hacer? (segundo apartado al que dedicó la *Crítica de la razón práctica pura*); y un tercer apartado: ¿Qué puedo esperar?, al que le dedicó este tratado final: *La religión dentro de los límites de la mera razón*. Este proyecto general de la Ilustración alemana ya lo había esbozado Kant en otros textos primerizos como en las *Tesis sobre la Filosofía de la Historia* o en su famosa respuesta a la pregunta: "¿Qué es la Ilustración?", que hicieron los enciclopedistas. Su respuesta se condensaba en una sola frase: "Atrévete a saber, aprende por tí mismo sin necesidad de tener que depender de nadie". Y en efecto, es únicamente en el espacio intermedio que se perfila entre el racionalismo cartesiano y el profundo impacto que en Kant causó la moral naturista de Rousseau, es únicamente ahí donde puede tener sentido el planteamiento de esas tres preguntas kantianas y donde puede surgirnos por tanto el problema de la Ilustración en Alemania. Con una primera consecuencia: ese agresivo "atrévete a saber" va a incidir en primer lugar sobre lo que dijimos que era la base de toda la enseñanza alemana, es decir, la lectura bíblica. El criticismo kantiano y el racionalismo histórico (que ahora había empezado a forjarse y que había utilizado magistralmente Voltaire en sus libros de historia) se aplican así en avalancha sobre la interpretación bíblica. La conmoción es enorme y tiene su punto álgido unos años más tarde, en el siglo XIX, con la famosa *Vida de Jesús* de Strauss, un texto escandaloso y decisivo en la época. Pensemos que la polémica no se ha cerrado todavía: hoy late aún en la obra de Bultmann, Barth Ricoeur, etc. Inmediatamente surge la respuesta y surge en hombres como Hamann ("el mago del norte") o Herder que van a tratar de oponerse de modo radical a esa interpretación iluminista de la lectura bíblica, sustituyéndola por una tipo de lectura que llamaríamos intuicionista, una especie de relación directa con la voz de Dios plasmada en la Biblia sin necesidad de aplicar ningún criterio racionalista o crítico (criterios que al ser algo meramente humano no sólo constituirían una ofensa al texto sagrado sino también forzosamente una deformación de él). Es así pues como comienza a programarse un irracionalismo general por debajo de la Ilustración alemana: Hamann hablará sólo de la Biblia, para Herder, al plantearse el problema del lenguaje bíblico, extiende esta problemática a cualquier tipo de lenguaje y escribe así lo que podría considerarse la primera "historia de la lengua y la literatura alemana". Lo que se va a llamar Romanticismo está ya aquí entero, fermentándose en las concepciones de Herder.

Por supuesto que este especial irracionalismo tiene unas bases más profundas que el mero hecho de la polémica antiiluminista por parte de los teólogos bíblicos. Estas bases más profundas se pueden comprobar igualmente en los nombres claves de ese momento: Goethe, Schiller, Somlegel, Novalis, Hölderlin... Y así en una obra teatral tan decisiva como el *Goetz* de Goethe, o en la totalidad de las tragedias de Schiller, encontramos una estructura escénica que no tiene nada que ver (a pesar de que aparentemente se trate sólo de tragedias históricas) con las tragedias llamadas "neoclásicas" de que hablábamos anteriormente: hay un mundo de diferencia entre las tragedias de Voltaire o García de la Huerta y estas especiales tragedias propias del idealismo alemán. Y ello por múltiples razones ya que la Ilustración alemana tiene raíces masivas mucho menos hondas que en las demás formaciones sociales europeas. De ahí que todavía se mueva esencialmente en el interior de un marco religioso, del que no puede liberarse ni siquiera el propio Kant, pues no olvidemos que incluso el racionalismo kantiano (al creer, dijimos, en un *sujeto trascendental*, en una *Razón*, una *Naturaleza* o un *Espíritu* como algo previo a la experiencia cotidiana y concreta) no sólo estaba muy lejos de la ideología empirista anglosajona (la burguesa propiamente dicha) sino asimismo lejos del materialismo radical (por muy mecanicista que lo consideremos) de un D'Holbach, un Diderot o un Sade (y muy próximo, por el contrario, al naturismo más mojigato de un Rousseau). De Schelling —¡el Mito!— a Hegel, de Feuerbach a Stirner, el criticismo alemán continuará arrastrando pesadamente toda esa gravosa tara trascendental y religiosa en última instancia (no digamos en Schopenhauer o Kierkegaard). Goethe y Schiller hablarán así entre ellos (como Rousseau en soliloquio) de la poesía y del teatro como de elementos "espirituales" basados ante todo en el hecho nuclear de la *armonía-no-armonía* entre el "espíritu humano" y la "naturaleza". Schiller dirá claramente que cuando tal "armonía" existe su expresión directa puede verse en lo que él llamaba *poesía ingenua,* mientras que la expresión que se deriva de una *armonía* rota (y por tanto meramente subjetiva) no podrá ser sino *poesía sentimental.* Las famosas teorías schillerianas acerca del carácter lúdico del arte (y su paralelo, lo sublime) constituyen la primera aportación directa del criticismo kantiano al campo estético, pues Schiller toma de la "crítica del juicio" esa imagen de lo lúdico-estético concebido como expresión directa de la "ingenuidad" del sujeto, de su armonía —no rota— con la naturaleza, un tema que F. Schlegel sistematizará más extremadamente, enunciándolo ahora bajo los términos de *poesía natural* (anónima, expresión de la comunidad natural armónica) y *poesía de arte* (artificial y disarmónica). Evidentemente: todo el fondo de la escena romántica alemana se teje entre estos términos. La identificación entre *arte y naturaleza* comienza en Alemania con Winkelmann y se extiende progresivamente por toda la época romántica, entremezclándose con el peculir historicismo propio del idealismo alemán: los griegos/ los romanos/ los modernos; el paso del Mito a la Razón; la identificación entre el cristianismo y la etapa moderna-romántica (con el posterior canto al feudalismo; la consideración de lo romántico o la modernidad como algo propio de la cultura artificial opuesta a la cultura de la naturaleza que sin embargo hay que recuperar, etc. Historicismo y naturismo laten así bajo el drama alemán, siempre con una determinación básica que se repite una y otra vez: el carácter trágico, insoluble, que se deriva de la distancia abismal que existe entre el nivel trascendental (el nivel del *Alma*) y el nivel empírico o cotidiano. De cualquier modo no será hasta la publicación de la *Dramaturgia Hamburguesa* cuando logren asentarse más claramente las bases teóricas legitimadoras de un teatro completamente distinto al que existía bajo el marco del *drama privado* (y ello incluso teniendo en cuenta que Lessing es todavía un racionalista en gran medida, y, lo que le molesta en el teatro de Calderón o de Shakespeare es la mezcla excesiva de géneros, la falta de respeto a lo que sea típicamente trágico o típicamente cómico). Una posición en gran medida distinta la encontraremos ya con los hermanos Schlegel, que son los verdaderos introductores, al final del XVIII, de este teatro al traducir al alemán por vez primera íntegro a Shakespeare o al proponer continuamente el modelo de Calderón o Lope de Vega para la construcción de los dramas históricos.

10.—DEL LENGUAJE PASIONAL AL MELODRAMA.

El planteamiento por tanto de esta serie de polémicas sobre el teatro se va a ir delimitando cada vez más a lo largo del XIX y en realidad ambos tipos de teatro (el "privado" y el "trascendentalista") llegarán a coexistir, aunque por supuesto, y a la larga, será el drama privado, la comedia realista, el tipo que alcanzará mayor difusión por todas partes, en cuanto que ya dijimos que la ideología de lo privado o de la privatización era una de las claves del nuevo horizonte ideológico dominante en las sociedades industriales. Por su parte el teatro de tipo naturista o trágico, tal como empezó a teorizarse en Alemania en el XVIII, alcanzará una clara línea de prolongación en Francia, a través de toda esa corriente (bien rusonista, bien simplemente partidaria de volver al antiguo régimen) que recibe sin ningún problema todo lo que de antirracionalista, de antiburgués, de favorecer del mundo feudal o medieval, había en ese movimiento del romanticismo alemán que se difunde por Europa a principios del XIX, coincidiendo con la primera ola de reacción contra la revolución francesa. Así, sea como sea, en el prefacio a *Cromwell* Víctor Hugo establece ya claramente que el padre del teatro es Shakespeare y que el movimiento romántico no hace más que seguir su modelo, algo que debemos leer por tanto según la traducción específica que tiene, es decir, que el término Shakespeare no es más que un símbolo de todo ese teatro pasional que es el que Víctor Hugo, y luego todo el romanticismo en general, trata de implantar. Incluso va a aparecer un nuevo teatro de aire romántico (o sea, siguiendo este otro modelo de Shakespeare) en la propia Inglaterra, como se observa en los extraordinarios dramas de Lord Byron, el más próximo de todos los románticos al tipo de tragedia practicado por el idealismo alemán mientras que el Shakespeare del XVIII inglés había sido también un Shakespeare racionalista —empirista, sicologizado— según el modelo del doctor Johnson, y según el modelo interpretativo de P. Garrick, el famosísimo actor inglés cuyo estilo se extendió por toda Europa creando escuela: *La Paradoja del Comediante* de Diderot es de hecho una respuesta a un libro francés sobre el arte interpretativo de Garrick —que es precisamente a quien Diderot considera como modelo de la verdadera interpretación racionalista y distanciada— y cuando Moratín, que había visto a Garrick en Londres, contempla una interpretación en España de un todavía joven Maiquez, escribe entusiasmado: "es el Garrick español").

Como decimos pues a lo largo del XIX estos dos tipos teatrales coexistieron de hecho, con una peculiar variación: como el teatro trascendentalista o romántico está tan profundamente ligado a la ideología pequeño-burguesa (o sea a todo lo que en el XIX se denominará como "lo popular") resultará que este teatro que había comenzado planteándose desde los más altos niveles en Goethe o en Schiller lo iremos viendo muy pronto irse transformando sin problemas en el verdadero teatro de masas, o sea pequeño-burgués, durante el XIX, sobre todo en el último tercio del siglo: es el melodrama, el folletín, es todo ese tipo literario que puede ir desde Suè hasta Echegaray (con los determinados agrados intermedios que pueden representar en España Bretón de los Herreros, Adelardo López de Ayala, Tamayo y Baus) y sobre todo en el tremendo impacto populista de Guimerá. De hecho si en las novelas melodramáticas de un Suè se han podido encontrar tantos rasgos del llamado socialismo primitivo, es decir de Saint Simon, Fourier, Blanqui, no es en absoluto por casualidad sino que las bases ideológicas de este socialismo primitivo coinciden exactamente con las de la llamada literatura popular en el XIX, bien en la novela, bien en el teatro. El melodrama, como los textos del socialismo primitivo, arranca siempre de la concepción pequeño-burguesa del "pueblo" y de la concepción más o menos rusonista de la naturaleza buena del hombre alineada o corrompida en una sociedad artificializada.

En el melodrama muere, por consunción, el teatro romántico, pero no sin llevarlo a un paso más allá; no sin convertirse (por su desmesura y por su tan contradictorio "populismo") en el banco de pruebas de todos los intentos posteriores de romper con el teatro burgués: Brecht (desde la "Opera de perra gorda") y Valle, en los Esperpentos, son el signo más claro de ese inesperado giro copernicano que el melodrama va a sufrir en nuestros días. E incluso Artaud, desde otra perspectiva, nos señala, en el primer manifiesto del *Teatro de la Crueldad* que piensa poner en escena: "uno o varios melodramas románticos en los que lo inverosímil se convierte en un elemento activo y concreto de poesía", etc.

C.—TERCERA PARTE: El drama familiar desde dentro. Moratín Artaud, Sade, Freud.

"Rentrez dans le Salon". (Le fils naturel)

1) Es pues dentro de esta serie de diversas corrientes más o menos encontradas entre sí donde se establece el tono de las polémicas sobre el teatro, polémicas que por lo que hace a los oríge-

nes del teatro ilustrado en España se centran básicamente, como decíamos, en torno a dos obras que podemos considerar claves: la obra de Moratín en general (y muy particularmente *El sí de las niñas*) por una parte, y, por otra, la *Raquel* de García de la Huerta. Estos dos textos suponen dos claves sintomáticas en tanto que a través de ellos podemos apreciar el complejo juego de la lucha ideológica del momento en toda su profunidad, y sobre todo por lo que hace a la obra de Moratín, que por primera vez nos va a presentar en España lo que desde ese momento va a ser la base de todo el teatro posterior: sobre la escena de Moratín se despliega, en efecto, hasta el extremo, la temática del juego familiar, y esto puede considerarse como un hecho decisivo teniendo en cuenta el nuevo papel eje que la familia cobra en la sociedad burguesa al perder el carácter de *linaje* que tenía en la sociedad feudal.

Sólo que podemos generalizar un paso más allá y recordar como es a través de su fascinación por el peso enorme de tales relaciones familiares sobre todos los niveles sociales como incluso Freud tratará de ir desentrañando uno a uno los hilos de esa madeja enredadísima que constituían los gestos, las actitudes y las creencias cotidianas y, curiosamente, hablará así del *inconsciente* como de un *escenario,* como de un espacio objetivo regido por unas leyes impalpables que los "actores" no controlan sino que "soportan". Las cuatro paredes reducidas de la casa, del hogar, se poblaban con ello inesperadamente de fantasmas, de visitantes agobiadores y desconocidos. Con una diferencia entre la escena de Freud y la escena teatral: ésta nos ofrecía siempre el lado de lo privado que estaba más abierto a las relaciones con el exterior (por ejemplo —y sobre todo— esa célebre "sala de estar" —el *salón*— una y mil veces multiplicada en todos los textos y todos los decorados), sala de estar/espacio abierto al exterior, punto de contacto entre lo privado y lo público, entre la calle y la casa (o entre los distintos habitantes de la casa) que a su vez reduplicaba la estructura misma del teatro físico: si las cuatro paredes del escenario imitan las cuatro paredes de la casa, no olvidemos sin embargo que el *telón* no es propiamente una pared sino más bien una "puerta" (la entrada que se franquea a las visitas) con lo que el escenario en sí se convierte ante las butacas en "sala de estar", y los actores no sólo reproducen relaciones familiares sino que se convierten en algo así como "la familia que recibe". Dice por ejemplo Diderot explícitamente en una carta dirigida a la actriz Mme. Riccoboni: "No sé si mi forma de concebir el teatro es mejor o peor que la vuestra. En todo caso esta es la mía: mi habitación es el escenario; el lado de mi ventana es el patio de butacas donde yo me encuentro. Mis libros al fondo son el teatro. A la derecha están mis dependencias, y, si es preciso, abro las puertas que sean necesarias a mi izquierda. Obligo a los personajes a que entren", etc. Este sería el ideal de un auténtico teatro verosímil: la escena debe ser idéntica a la habitación privada, debe reproducir todas sus condiciones. Por el contrario, cuando tal estructuración básica no se lleva efectivamente a cabo, la escena se convierte en algo completamente falso, hueco. Como el propio Diderot concluye: "Amiga mía, no he ido al teatro más que diez veces en los últimos quince años. No soporto la falsedad de las escenas que se representa en él".

Sólo que a partir de aquí se deriva estrictamente una última contradicción: si la escena, para ser auténtica, ha de reproducirse las condiciones concretas de la "habitación privada", no debemos perder de vista, sin embargo, que tal "habitación" presenta a la vez sus propios límites inflexibles. Quiero decir: lo representable es así la "sala de estar", pero nunca el *dormitorio*: el verdadero núcleo de la privatización. Sólo Sade se atrevió a mostrar cómo el verdadero crisol y fermento de la ideología burguesa (id est: lo que en el lenguaje de la época se llamaba "filosofía") lo constituía precisamente el último reducto —infranqueable— de la privatización: es decir, el dormitorio, el "boudoir". Sade y por supuesto Freud ya que la escena de que éste nos habla se desarrolla siempre en el dormitorio. Una diferencia pues importante entre un escenario y otro, pero también una similitud profunda: partiendo ambos (el sicoanálisis y el teatro) de la mitología burguesa de la familia, acaban, en su funcionamiento, esto es, como "ideológica". Freud fue capaz de detectar (al menos hasta cierto punto) que el inconsciente podía ser analizado en tanto que poseía una lógica interna, objetivamente mostrada (claro que el hecho de que ese "inconsciente" fuera "ideológico" —*de clase*— ni lo detectó Freud ni podía en absoluto hacerlo); por su parte, y por lo que respecta al teatro en estricto, fue Brecht sin duda el que con mayor lucidez y esfuerzo se dio cuenta de ese funcionamiento latente que se inscribía —sin denunciarse— en los intersticios de toda la estructura del teatro burgués (desde el "precio" de la entrada a la existencia de los "protagonistas"). Y en ambos casos también la estructura desenmascarada es siempre la misma: no se trata sólo de llevar a cabo el análisis de la oscura dramática familiar (esa serie de relaciones opacadas, imprecisas, que la estructura familiar despliega en las sociedades burguesas) sino a la vez, y sobre todo, de desenmascarar el núcleo central que sostiene —ideológicamente— a tales relaciones: esto es, la noción de *sujeto* (el individuo libre, autónomo, origen y base de todo, tanto de la familia como de la sociedad, tanto del trabajo como de la moral). Este *sujeto* tiene un nombre escénico: el (los) personaje(s) o el (los) protagonista(s) que parece asumir y desplegar desde sí mismo toda la acción teatral; y un nombre para la otra escena: el "consciente", la "mente síquica", la "razón", el "carácter", etc. Y de pronto todo eso se borra: lo único que ambas escenas nos muestran es precisamente que tal ilusión del sujeto no es nunca real; no existe el personaje, ni el protagonista, ni la conciencia autónoma, ni la sicología (sic), sino que todas esas pretendidas categorías unitarias se nos deshacen en mil pedazos (para revelársenos sólo como efectos diversos de una serie de determinaciones básicas que rigen tanto en uno como en otro escenario. Y naturalmente estas determinaciones no son más que las que imponen la estructura ideológica burguesa en cualquiera de sus niveles. (En cualquiera de sus niveles: por ejemplo, y convendría no olvidarlo, también en lo que se refiere a una de las sistematizaciones más claves del teatro burgués a partir del XVIII, la aparición sobre la escena de los *criados* con carácter de protagonistas: Goldoni y Beaumarchais —también Sade en la citada *Filosofía en el boudoir*— son los representantes típicos de tal planteamiento, por supuesto, con todas las contradicciones que el caso arrastra consigo necesariamente. Pero esta cuestión, aún siendo fundamental, no vamos a estudiarla aquí ahora. Baste con anotarlo).

En una palabra pues: *dos* escenas y *dos* dramas. La escena del inconsciente objetivo que se representa sobre las tablas (pero también en el vivir de cada día) y la escena del inconsciente subjetivo, el lugar del rencoroso y atroz *Edipo* (o como quiera llamársele: se trata sólo en última instancia de un signo válido para indicar el caso concreto en que la dominación social se realiza a través de la estructura familiar) que se desprende de las relaciones a tres según el esquema *padre-madre-hijo* con que se constituye la estructura familiar de estas sociedades. Dos escenarios, en fin, de un mismo drama, que nos muestran la justeza profundísima con que los teóricos ilustrados tematizaron a su propia ideología al designarla en estricto a través de ese horizonte que ellos llamaron *espacio de lo privado*, simbolizado a su vez en el hecho mismo de las relaciones familiares: un drama que puede ser trágico y que puede ser grotesco, dos aspectos que (como los dos escenarios) se condensan en una sola figura en nuestros días: la figura crucial de Artaud, quien concibe la revolución teatral precisamente como una revolución frente al padre ("el padre, hay que decirlo, es destructor... Un espíritu acentuadamente riguroso... siente al padre como enemigo. El mito de Tántalo, el de Megara y el de Atreo contienen en términos fabulosos este secreto... El movimiento natural del padre contra el hijo, contra la familia, es de odio... He vivido hasta los veintisiete años con el odio oscuro del padre, de mi padre particular, etc."). Y asimismo cuando Artaud decide por fin escribir un texto dramático escribe nada menos que *I Cenci*, un intento desesperado por devastar la escena burguesa desde sus cimientos, esto es, desde la raíz misma de las relaciones familiares; de ahí que *I Cenci* sea más espesamente familiar que ningún otro texto posible, incluso apareciendo tal familiarismo como violento y obsceno hasta el límite: incestos, odios, parricidios. Es la imagen inversa de la "sala de estar": desde que se franquea el telón, rebosa la sangre.

Sólo que también Artaud cree que tal específico familiarismo es una realidad originaria, eterna, y no el resultado de un determinado tipo de relaciones sociales, ideológicas. Ahora bien: como apuntábamos es sólo con el triunfo de las relaciones burguesas cuando la ideología de la familia se impone a todos los niveles y es entonces cuando ambos "escenarios" se convierten en un lugar traumático, en un lugar de daño, en un lugar de lucha; bajo la apariencia inocente del dulce hogar (que tematizan los moralistas de la época: el siglo XIX está lleno de tratados sobre la familia) las relaciones familiares se van a revelar no como un lugar "originario", sino como el lugar privilegiado donde se condensan y se resumen todas las contradicciones y todos los traumatismos sociales derivados desde el juego de esas mismas relaciones burguesas, en las que la familia ocupa el lugar central, en su función de reproducir tanto ideológica como socialmente, incluso físicamente, esa estructura establecida (y a los miembros que van a pertenecer a ella). Es evidente que en cierto modo hay un momento en lo que podíamos llamar sicoanálisis freudiano en el que las relaciones familiares son consideradas indudablemente en sí mismas como originarias y provocadoras (también por sí mismas) de esos traumas y de esos daños; por supuesto que no ocurre siempre así en Freud pero no vamos a analizar esto ahora. Lo que sí resulta indudable es que el escenario teatral no se equivoca nunca; por el contrario: el escenario teatral, desde que se establece en el XVIII como una transparencia de lo privado, como una transcripción de las relaciones familiares, siempre considera a estas relaciones como un efecto de algo que va más allá de ellas, como un efecto condensador y privilegiado, eso sí, de toda la estructura social en que esas relaciones familiares se segregan; y ello precisamente porque el teatro, al convertirse en doméstico, en privado tiene que hacer un enorme esfuerzo, que desarrollar una enorme lucha para implantar sus propios valores, es decir, los valores que son importantes en la sociedad burguesa (por consiguiente: los valores familiares) mientras que esos valores no funcionaban en absoluto en este sentido en las sociedades feudales ni en la Transición.

94

El teatro, podemos insistir, "sabe" perfectamente esto: sabe que relaciones familiares y relaciones burguesas van íntimamente unidas; por eso el teatro que nace a partir del siglo XVIII es profundamente histórico (en el sentido de que se estructura a partir de una nueva realidad histórica) y por eso también cualquier investigación sobre ese teatro deberá ser ante todo una investigación histórica en este sentido profundo (no historicista), deberá aproximarse radicalmente a tal problemática si quiere darse cuenta también de esa realidad nueva que se despliega sobre la escena. Y por ello finalmente hay que tomar muy en serio, a pesar de su apariencia de poca importancia, de juego casi frívolo, el desarrollo de las acciones familiares en Moratín: ya que en ellas se trata ni más ni menos de un tremendo esfuerzo por producir, por dar consistencia objetiva sobre la escena a esa nueva realidad ideológica que se había implantado globalmente. Y que el esfuerzo de Moratín es perfectamente válido lo prueba el hecho de que a estas alturas sus obras familiares permanecen como uno de los mejores logros de todo el XVIII europeo, mientras que otros escritores, incluso de mayor talla a otros niveles —como el propio Diderot— fracasaron en el intento de llevar sobre las tablas esta nueva realidad ideológica: un drama como *El hijo natural* de Diderot no tiene comparación en ningún sentido con los logros de Moratín en su intento de realizar efectivamente una "comedia nueva".

2.—En Artaud, en fin, como en ninguna otra parte puede leerse al revés si se quiere, toda la trama, todas las obsesiones del teatro europeo a partir del XVIII: no se trata dijimos de un intento radical de romper con ese teatro partiendo de una problemática nueva y distinta (como ocurre por ejemplo con Brecht o Valle Inclán), se trata sólo de asumir todas las líneas esenciales que habían determinado al teatro anterior e intentar negarlas desde dentro de ellas mismas, etc; y lo importante para nosotros es la clarividencia de Artaud, su capacidad de detectar cuáles eran esas líneas esenciales ("familiares") en el teatro de lo privado. Todo ello teniendo en cuenta que si volvemos desde este final (representado por Artaud) al origen representado por Moratín veremos siempre cómo una serie de características permanecen a lo largo del recorrido histórico de este tipo de teatro. Por ejemplo, y como dijimos: la noción clave surgida en el XVIII es ante todo la de "protagonista", que designa sin más a *un individuo* privado sobre el cual gira la obra y que entra en relación con los otros individuos (igualmente privados) para concretizar la "acción". A veces el esquema del protagonista se desdobla y entonces aparece la pareja de protagonistas ensamblada en la temática del amor, tal como éste se entiende a partir del XVIII, es decir: el amor considerado como una relación específica entre dos almas privadas, libres y autónomas. Sólo que esta relación del protagonista o de los protagonistas con los demás individuos que pueblan la escena (o con la estructura de la acción) suele ser siempre una relación familiar. De ahí que se vaya imponiendo a la larga el tópico (que no es tan gratuito ni mucho menos y que se extenderá, sobre todo en nuestro siglo, a partir de las convenciones fílmicas) del final feliz (el Happy End) identificado sin más con el hecho del *matrimonio*. Y la no gratuidad de este hecho se aclara finalmente teniendo en cuenta que se trata en tal final tan sólo de un afloramiento de lo que ya estaba latente en todo el resto de la obra, es decir que las relaciones amorosas (condicionadas siempre por el telón de fondo familiar) no pueden tener otra solución lógica que la que se deriva de su inscripción plena en ese mismo ámbito familiar, es decir, en el matrimonio, en la boda de los protagonistas: lo contrario no sólo es ilógico, sino que incluso se considera trágico (o al menos como un final fallido).

Naturalmente que ya decíamos que esta determinación de la escena por las relaciones familiares surgía como una condensación de toda la serie de contradicciones latentes en las nuevas sociedades burguesas. Así en *El sí de las niñas* de Moratín hay evidentemente una lógica específica que actúa sin ser nombrada en el texto: la lógica del valor previo, autónomo y superior del espíritu privado, del espíritu del *sujeto*. Es decir: el verdadero drama que se desarrolla en el texto de Moratín está sostenido por una contraposición (típica de la nueva ideología) entre el individuo interior y las relaciones sociales. En este caso concreto las normas sociales aparecen representadas para Moratín tanto por los valores feudales como por los valores "exteriores" sin más al individuo: la riqueza, la convención social, la nobleza... Naturalmente toda esta serie de convenciones "exteriores" acabarán por diluirse y los propios "viejos" de la obra reconocerán que no se les debe imponer a los jóvenes un camino distinto al de la verdad de su propio espíritu. No se trata tanto todavía en Moratín de cantar el valor todopoderoso del amor (como lo harán los románticos) sino que se trata de contraponer la verdad individual privada a las normas exteriores presupuestas tanto en la riqueza como en los privilegios feudales. Así, la *niña* no se casará con el viejo caballero rico sino con el joven elegido por la verdad de su corazón, etc. Sólo que para nosotros lo importante, lo decisivo, es precisamente el hecho de que la niña *tenga que casarse*, es decir, que desde el principio al final (con el viejo o con el joven, con la verdad propia o con las normas exteriores) las relaciones familiares, esto es, el matrimonio, están determinando todo el desarrollo de la acción, sea cual sea el contenido concreto de la escena en cada momento.

Natural que hay un largo trecho —abismal incluso— desde Moratín hasta Artaud (pasando, en España, por nombres tan significativos, cada uno a su nivel, como los de Larra o Benavente) pero es difícil pensar que la estructura determinante del escenario teatral en nuestros días haya variado en algo tan esencial respecto a las categorías ya implantadas desde Moratín y la Ilustración en general, es decir, implantadas desde el enclave nodal de la ideología burguesa clásica. Esa lógica escénica (fijada en *El sí de las niñas* y en el resto de los originarios dramas de la privatización) se convertirá en una lógica inflexible e inconsciente a la hora de estructurar cualquier tipo de escena hasta nuestros días, incluso cuando se trate de "invertirla" violentamente (como hemos visto en el caso de Artaud que no "sabe" —no "puede"— alejarse nunca verdaderamente de ese horizonte familiarista de referencia).

D.—CUARTA PARTE: La privatizacion hoy. (Conclusion final).

Podemos resumir toda esta serie de cuestiones que hemos ido estableciendo a lo largo de las páginas anteriores, con el fin de retrasar, con un cierto rigor (todo lo provisorio que se quiera), los enclaves básicos en torno a los cuales se extiende ese peculiar horizonte ideológico, ese espacio —y su desarrollo— en que "se hace posible" el drama burgués, id est —en esencia— la escena tal y como la conocemos en nuestros días.

1.º) Estos puntos son los siguientes: como hemos dicho, el teatro moderno (el "teatro" propiamente dicho) aparece cuando aparece la ideología de lo público, esto es, durante la etapa de Transición (coexistencia) entre el modo de producción feudal y el modo de producción capitalista. En una segunda fase (la fase "clásica" de las burguesías europeas en general) este teatro deja de ser "*representación pública de lo público*" para convertirse en "*representación pública de lo privado*", transformación que se produce de modo paralelo a la progresiva implantación de los intereses burgueses sobre el nivel político: bien "rellenando" el espacio de los estados absolutistas (pero manteniendo incólume tal estructura estatal: cfr. el llamado despotismo ilustrado, tanto en la Prusia de Federico, como en la España del XVIII), bien transformando radicalmente esa estructura estatal (como en las "revoluciones" burguesas de Inglaterra y Francia: en el primer caso se "respetan ciertos elementos meramente formales; en el segundo caso tratando de borrar hasta el último vestigio del "antiguo régimen"). De cualquier modo: la ideología teatral (su práctica y su teoría), en tanto que aparato "público" se nos presenta así indisolublemente unida a los avatares que van experimentando el resto de los elementos similarmente "públicos".

97

En una palabra, indisolublemente unida a la práctica y a la teoría de "lo político".

2.º) En consecuencia —y ya lo hemos dicho asimismo suficientemente—: lo mismo que la ideología burguesa va a considerar al Estado como representación transparente de la "verdad" peculiar, privada, de los individuos particulares (sólo que ahora representados en conjunto), así también va a considerar al teatro como representación objetiva (pública) y transparente de la "verdad" de la "razón" (los intereses "verosímiles") de cada individuo —de cada *sujeto*— y de todos ellos juntos. Las relaciones familiares (en tanto que símbolo básico de lo privado) se convierten con ello en eje del escenario, y, dentro de ellas, los temas que se consideran como los más relevantes en el interior de tales intereses particulares; esto es: los temas correspondientes a las típicas nociones de "amor" y de "dinero", o sea respectivamente relaciones familiares y relaciones económicas ambas constituyendo por antonomasia ese ámbito de lo privado (cfr. Moratín por ejemplo: "Padre mío/no me negueis esta gracia/permitid que con mi prima/toda mi fortuna parta" —*La Mojigata,* acto III escena XVII; o bien: "Tus hijos son éstos, y solo aguardan/tu bendición para ser felices..."— *El Barón,* acto II, escena XVIII etc...; por supuesto los ejemplos podrían multiplicarse: cito éstos solo en tanto que expresiones característicamente banales, aparentemente inocuas, que aparecen en el texto como la cosa más natural del mundo, sin apenas llamar la atención, cuando sin embargo constituyen condensaciones perfectamente espesas de toda la temática familiarista que señalamos).

3.º) Hay que tener en cuenta sin embargo que las burguesías europeas (por lo menos hasta principios del XX) "expresan" su propio inconsciente determinante a través de *dos* sistemas ideológicos —objetivos— peculiares: a) un primer sistema —o tematización— objetiva que corresponde estrictamente al inconsciente burgués propiamente dicho y que se manifiesta de modo visible en el denominado *Empirismo* anglosajón (en cualquiera de sus discursos, no solo los "teóricos" sino también los "literarios") ya desde principio del XVIII, reflejándose patentemente en el *Horizonte Positivista* de fines del siglo XIX, y alcanzando su mayor auge en la etapa imperialista actual (cfr. sus diversos nombres "teóricos": pragmatismo, utilitarismo, neopositivismo, lingüisticismo "lógico", sicologismo conductivista, etc.); b) un segundo sistema —o tematización objetiva— que corresponde no exactamente a los discursos derivados desde el inconsciente burgués propiamente dicho (id est: el establecido a partir de la "fase clásica") sino que corresponde más bien, como hemos visto, a las condiciones propias de la primera

fase —o fase "mercantil", "manufacturera" o de "transición"—.
Esto es: nos encontramos con el caso de que los intereses burgueses se tematizan objetivamente (hablamos, por supuesto, siempre del nivel ideológico) a través de la ideología pequeño-burguesa
en cualquiera de sus variantes, tematización que va además a provocar en el XIX el movimiento global que suele denominarse como
Romanticismo. c) Tres vías románticas podríamos establecer:
una vía inglesa al romanticismo. Es la menos sintomática para nuestro interés, puesto que aquí ocurre un fenómeno exactamente contrario al que describimos: son los intereses de las clases de la
Transición (bien los intereses "populistas/pequeño-burgueses": William Morris, por ejemplo; bien los intereses de la nostalgia aristocrática: H. Walpole y su *Castillo de Otranto* —tanto el castillo
"real" como el castillo del texto—) los que van a actuar sobre la
ideología burguesa ("empirista") ya sólidamente establecida, para
resaltar en ella los lados más sentimentales, fantásticos, imaginativos, esto es, aquellos aspectos que parecen coincidir más
directamente con el lenguaje ideológico vigente a lo largo de la
Transición. La típica distinción que se establece en el XVIII inglés
entre "Romance" y "Novela" (aquella como "fantástica" y libremente "imaginativa" —desde los "gothics tales" a Scott—; esta
como "verosímil" y "cotidiana" —casi verificable en última instancia: desde Fielding a Dickens). He ahí un síntoma impagable
de lo que decimos, el romanticismo inglés no se sale nunca de la
sistemática empirista establecida, sino que únicamente exprime y
acentúa —para asentarse en ellos— aquellos aspectos que, dentro de la lógica empirista, podrían adecuarse más plenamente a
las creencias establecidas en la primera fase. Nos interesan más
pues las otras dos vías románticas que señalamos, pues en ellas
sí que vemos de algún modo a un cierto tipo de inconsciente
burgués expresándose a través de sistematizaciones pequeño-burguesas. Podemos señalar así: una *vía francesa al romanticismo*.
Recordemos todo lo dicho a propósito de Rousseau y del rusonismo.
Se trata de una línea que se extiende desde ahí hasta Hugo,
Stendhal, etc. Un horizonte esencialmente burgués (incluyendo la
lucha por la *libertad* política, por los derechos del Espíritu y de
la Razón) se expresa aquí a través de una serie de categorías esencialmente pequeño-burguesas. Poulantzas ha explicado algo del por
qué de tal proceso, pero nosotros solo queremos dejarlo anotado
constatando igualmente la serie de variaciones que pueden aparecer en torno a tal enclave: por ejemplo, tanto la línea "social-
populista" (desde Fourier a la Comuna: incluyendo el "melodrama") como la línea de la apologética del nuevo orden "socio-industrial" (Saint Simon; en cierto modo Compte) tanto esto, digo,

como la línea correspondiente al más claro reaccionarismo "sacralizado/feudalizante" (De Bonald y De Maistre, por ejemplo, por una parte, e incluida por otra la ambigüedad de un Chateaubriand o una Mme. de Staël). Quiero decir: el sistema enunciativo pequeño-burgués (romántico) no solo sirve para expresar intereses burgueses sino también para expresar las diversas "reacciones" frente a la nueva sociedad: bien la reacción "populista" o bien la "aristocrático-nobiliaria" y la "religiosa-sacralizadora", etc. Y aunque en Francia sea el "populismo" la corriente romántica mayoritaria, no podemos olvidar sin embargo el influjo enorme que ejercen los que podrían denominarse como "románticos liberales", y en especial Víctor Hugo (cfr. su celebérrimo *Hernani,* su prefacio a *Cromwell,* su programa de creación de un "Teatro en libertad": libertad en la política, en la literatura) y en el mismo horizonte, Larra y Espronceda por lo que respecta a España, etc. Finalmente una tercera y última problemática: la *vía alemana al romanticismo.* Ya hemos hablado suficientemente de ella (de Goethe a Hegel, etc.); solo nos queda recordar cómo es aquí precisamente donde alcanza su mayor efectividad esa afirmación que hacíamos a propósito del hecho de que intereses objetivamente burgueses en el fondo se expresaran a través de categorías y sistematizaciones pequeño-burguesas: y ello ocurre desde Kant a Strindberg. No vamos a insistir más en estos planteamientos, por supuesto, se trata sólo de tenerlos en cuenta únicamente para poder rastrear su influencia respecto a la diversidad del hecho teatral en Europa a lo largo del XIX y en la primera mitad de nuestro siglo. Podemos establecer así ya que:

4.º) De ningún modo las diversas variantes escénicas que nos aparecen a lo largo de esta etapa (bien desde la llamada tragedia "neoclásica" a la llamada escena "romántica", o bien desde Strindberg a Artaud) se llega a superar propiamente el horizonte burgués en estricto, tal como éste quedó establecido ejemplarmente desde el "drama doméstico" de Diderot. Se tratará pues siempre de inversiones o variaciones sobre un mismo tema, pero nunca de una ruptura real respecto a la estructura determinante de tal escenario: la lógica del sujeto, del familiarismo, de la privatización en una palabra, etc.

5.º) Lo cual no quiere decir en absoluto que tales variaciones carezcan de importancia: son la clave misma de la real diversidad de los textos y los escenarios. Habría que estudiar así cómo la lógica del sujeto se concreta, en un cierto teatro romántico, en la lógica del héroe (bien la del héroe "singularizado": *Goetz;* o bien la del héroe concebido como encarnación de un "espíritu colectivo": la ópera de Wagner, por ejemplo). Ver asimismo cómo este héroe romántico, este yo superior (que no es otra cosa en el fondo que el sujeto trascendental kantiano) se enfrenta bien contra el Destino o bien contra cualquier tipo de realidad superior en la que el héroe pretende inútilmente moverse, alcanzando su objetivo únicamente en el instante de la Muerte (cfr. desde *Hernani* o los textos de Byron hasta incluso los ensayos de Luckács en *El alma y las formas*). Analizar pues, a raíz de esto, cómo en ese teatro romántico se resuelve de una manera muy peculiar la contraposición (latente en toda la ideología burguesa) entre la "sociedad y el "individuo que es su origen" y al que representa: en la vertiente burguesa estricta el choque cuando se produce, se resuelve (o puede hacerse al menos) finalmente mediante un ajuste y un reconocimiento final de los "derechos" a la "representación" de esa verdad subjetiva (por muy anómala que sea) que el individuo conlleva. Mientras que en ese teatro romántico al que aludimos la cuestión se convierte, por el contrario, en el algo esencialmente trágico, sin remedio posible: tanto si se le enfoca desde una óptica subjetiva (kantiana, diríamos) porque el yo protagonista es siempre trascendental, es decir, es un héroe (y por tanto superior a cualquier tipo de realidad empírica circundante) y no puede fundir nunca su "esencia" y su "existencia"; como si se la enfoca desde una óptica objetiva (russoniana, diríamos) porque en ella se arranca del supuesto de la inevitable corrupción —artificialidad— de cualquier tipo de realidad social. De cualquier modo, y en cualquiera de sus variantes, el héroe romántico es siempre un héroe de la noche, de las sombras, de la oscuridad, siempre al margen de las normas establecidas, imposible de conciliar con la cotidianeidad, con la luz del día. Es una imagen que por supuesto culminará en los poetas "malditos" (de Rimbaud a Lautreamont) pero que encuentra su primera plasmación plena en la etapa propiamente romántica, tanto por lo que hace a la *leyenda vital* de determinados escritores (Espronceda, Byron) como por lo que hace a los propios personajes escénicos, desde *Los Bandidos* a *Hernani*, donde por Víctor Hugo nos describe precisamente a: "Un hombre de la noche y de los montes, un proscrito/para quien la palabra venganza estaba escrita en todas partes".

Quizás sólo algunos escritores (Shelley y Heine, sobre todos) llegaron a superar en cierto modo el horizonte de los planteamientos románticos, concebir su escritura más allá de esa dicotomia inflexible entre lo trascendental y lo empírico, entre el día y la noche, entre el héroe y la vida cotidiana, entre el individuo y la sociedad (en sus diversas variantes) pero se trata únicamente de casos aislados. Por lo general tal conflicto no sólo afecta a la escena romántica propiamente dicha, sino que se traslada hacia las nuevas formas escénicas (el llamado "teatro de ideas" —Galdós—; el "naturalista" —Antoine y Zola—) de fines del XIX. Alcanzando ahí incluso caracteres sorprendentes cuando se dan circunstancias especiales como por ejemplo si el protagonista es una mujer. Ibsen tendrá que tematizar entonces (desde una perspectiva moral-kantiana típica) en su *Casa de muñecas* el conflicto entre el ser "individuo" o ser "social" (entre la verdad privada —"ser mujer"— y la norma exterior, impuesta: "ser esposa") e incluso resolverá la contradicción sin exceso de tragicismos. Claro que se trata, en Ibsen, de una escena sometida ya al "tempo lento", pretendidamente sicologizado (id est.: cada vez más burgués en estricto) que se va a ir imponiendo desde fines del siglo pasado. Pero sin duda los problemas escénicos se acumulan asimismo en cualquier otro de los casos en que el "yo protagonista" es femenino, como ocurre igualmente en Chejov y el tremendo vacío, el "congelado blanco" que perfila sus relaciones familiares (sobre todo sometidas a la interpretación exasperadamente naturalista de Stanislavsky, precisamente la interpretación que mejor va, por contraste, al gélido familiarismo chejoviano) relaciones polarizadas por lo general en torno a personajes femeninos.

De cualquier modo la contraposición individuo/sociedad en el sentido romántico que anotamos, tratará de ser resuelta, conciliada, desde diversas perspectivas y con bastante frecuencia a lo largo del siglo XIX: así podríamos analizar los varios proyectos fusionadores que pueden ir desde Hegel (conciliación, en el drama, de lo subjetivo y lo objetivo como dijimos) a los diversos escritores que explícitamente llegan a concebir la posibilidad de que el "yo heroico" alcance la verdad natural, sobre todo con tal de que consiga expresarla a través del lenguaje de la música, el lenguaje que tales escritores románticos consideran precisamente como único profundamente auténtico y carente de mediaciones artificiales de Schopenhauer a Verlaine, por ejemplo. Y es aquí donde habría que situar en estricto la raíz última de la ópera wagneriana, el escenario que aspira máximamente a conciliar no solo al hombre consigo mismo (la escisión interior al espíritu subjetivo) mediante la música, sino también conciliar al hombre con la esencia exterior y objetiva (mediante el texto y la argumentación escénica): todo ello fundido en el espectáculo operístico total. Y en la misma línea podría sin duda situarse asimismo a Nietzsche, quien al concebir un hombre —un "yo heroico"— capaz de vivir realmente (sin desajustes trágicos) en la realidad trascendental, esto es, al concebir al superhombre, lo caracteriza precisamente como si fuera un danzante, como bailarín, incluso como actor: es decir, no sólo consolado subjetivamente por la música al no poder alcanzar la verdad (era éste el pesimismo —y el "melodismo"— de su maestro Schopenhauer) sino *viviendo* la verdad, id est, danzándola, representándola, empapado objetivamente en ella, como en un escenario. Y de ahí, por supuesto, un hilo que nos conduce directamente a Artaud y su pasión por las bailarinas de Balí o por los ceremoniales indios en Méjico. Sólo que en Artaud el pesimismo romántico ha reaparecido de alguna manera: dentro de la típica dicotomia kantiana (exasperada por los románticos) entre "Espíritu" o "Alma" (con mayúscula: id est, el nivel trascendental del sujeto, su Verdad plena), por una parte, y por otra el "entendimiento" o la "razón" (con minúscula: id est, la parte del sujeto que desciende hacia la realidad empírica y se impregna de ella, corrompiéndose: una dicotomía básica que, por lo demás, está, cómo no, en toda línea pequeño-burguesa: en Rousseau con su contraposición entre canto y pasión por una parte, y enguaje y racionalidad empírica por otra; en Hegel cuando nos habla de la "prosa de la vida"; en los fenomenólogos actuales cuando nos hablan de la contraposición entre poesía y prosa, dentro de estos planteamientos, pues, es como hay que situar —en su sentido adecuado— los famosos exabruptos de Artaud contra la presencia de la "palabra" y del "texto escrito" sobre el escenario teatral (algo en fin cuyo carácter típicamente idealista conviene recordar rigurosamente antes de extraer —como suele hoy ocurrir— precipitadas, confusas e inevitablemente también idealistas conclusiones a propósito de la aplicación del artaudismo a la escena actual).

7.º) En suma: esta profusa complejidad que el teatro moderno nos ofrece, de Diderot y Moratín a Artaud, pasando por las múltiples variaciones románticas, no deben sin embargo hacernos olvidar el hecho básico de que bajo ese espeso espacio escénico late siempre una misma estructura determinante, la ideología burguesa nodal, la lógica del sujeto y de su verdad privada —id est: de la privatización—: tanto si se trata del héroe romántico que defiende su verdad privada frente al exterior (histórico, trágico) como si se trata del empirismo, y de su conducta cotidiana hacia los demás (su "acción", su "papel" teatral). No olvidemos tampoco de paso que la sociología burguesa hoy —y explícitamente el "funcionalismo" de T. Parsons— al tratar de analizar las relaciones sociales las define precisamente como relaciones entre sujetos privados (Parsons considera a la "acción" como categoría sociológica eje) que se conjuntan globalmente y se especifican en términos estrictos de rol (y de status) o sea, del papel que se representa, etc. Permeabilidad casi absoluta pues entre la terminología teatral y la sociología que resulta perfectamente posible por la lógica burguesa nodal que las une a ambas. Igual (decíamos al principio) que ocurre entre la ideología política y la escénica: la concepción burguesa típica del aparato estatal como un "Estado árbitro" o "neutro" se hace posible en efecto a partir de la creencia de que el escenario no es otra cosa que un espacio neutro o vacío donde se hace posible la representación de la auténtica verdad humana, id est, su verdad privada, su misma "privatización", en cualquiera de las variantes que hemos anotado, incluso cuando se la invierte, sin más, es decir, no saliendo nunca del mismo horizonte de referencia: hablar de "lo público" en vez de "lo privado", representar incestos en vez de hogares dulces, hechazar el texto —o el argumento— en favor de la música —o del "cuerpo" como a veces se dice—, pretender elaborar espectáculos totales; representar en medio del público (sin darse cuenta de que existe una distancia *real* entre el estado y las clases sociales —no sólo respecto a las dominadas, por supuesto, sino incluso respecto a las dominantes—, distancia real que el escenario —como cualquier aparato público— reproduce y que Brecht trató de asumir en toda su complejidad, no pensando que bastaba con suprimir la escena —bajando los actores, subiendo los espectadores— para que la distancia real se borrase), etc.

8.º) Escena-árbitro, estado-árbitro: concebir "otra" escena u "otro" estado, es concebir "otro" tipo de relaciones sociales, "otra" determinación ideológica, "otra" lógica interna que se imponga impalpable —inconsciente— sobre ambos escenarios. Lo demás es dar vueltas siempre en la misma noria. Con una última consecuencia tan significativa que no podemos dejar de anotar: esa íntima conexión entre la ideología política y la teatral alcanza quizá su grado de mayor visibilidad en torno a la debatida cuestión de la *censura*. Es obvio sin embargo que se trata de un debate que debería quizá centrarse en torno a los siguientes puntos nodales: 1.º) En los países donde verdaderamente —objetivamente— actúa esta imagen dual del "estado árbitro, escena árbitro", es decir, en los países donde existe verdaderamente establecido un inconsciente burgués masivo, una lógica liberalmente democrática, es obvio que la censura estatal —"pública"—, bien sea escénica o fílmica, bien sea sexual e incluso "política" en estricto, tenderá necesariamente a ser mínima, puesto que el estado, representante por principio de los múltiples intereses particulares, privados, no sólo no puede imponerles a éstos una verdad superior a ellos mismos —una verdad estatal o colectiva— en tanto que está obligado a respaldar a todos los que representa, sino más aún, es que el estado no puede concebir a los demás elementos públicos (por ejemplo: una escena o un film) de modo diverso a como se concibe a sí mismo, esto es, como representación de similares expresiones privadas, particulares: un escenario o un film no son vistos así sino como una expresión —"opinión"— particular, a la que a su vez, cada espectador, particular asimismo, interpretará —privadamente— del modo que le parezca más adecuado: la censura no tiene nada que hacer ahí. 2.º) Como se ve la aventura censorial del liberalismo burgués es apasionante, aunque tampoco podamos desarrollarla con exhaustividad: digamos tan sólo que es por toda esta estructura de base por lo que tal censura se otorga unos límites mínimos de acción, tanto por lo que hace al respecto hacia las actitudes privadas —la moral sexual, por ejemplo— como por lo que hace a su intervención sobre los demás aparatos públicos: desde la enseñanza al cine o al teatro, etc. Sólo unos límites mínimos, decimos —o máximos, como se quiera: la actividad estatal interviene inmediatamente como *censura* en el momento en que piensa que se está poniendo en duda, de algún modo, su propia pretendida realidad de Estado-árbitro, de representación colectiva de los intereses individuales; entonces sí: entonces el estado liberal actúa implacable, y en nombre precisamente de esos intereses individuales a los que dice ver comprometidos. Es ésta —por poner un ejemplo clamoroso— la auténtica lógica determinante en última instancia de los procesos del macarthysmo, que pueden tener, sí, una excusa primaria en término tales como fanatismos nacionalistas y para-fascismos, pero que de hecho se sustentaron —pudieron realizarse efectivamente— por toda esa lógica liberal (establecida masivamente) que presupone la necesidad de que el "Estado árbitro" actúe únicamente —pero siempre en ese caso— cuando parece que se ha puesto en duda, subvirtiéndola, la realidad de su propia imagen representativa. El estado liberal se corresponde pues así íntimamente, y como puede imaginarse fácilmente, no sólo con la escena liberal sino con todos los complejos mecanismos de la censura liberal. 3.º) Un caso distinto, aunque hoy ya minoritario, es por supuesto el de aquellos países en que ni el estado ni la escena son concebidos como liberales (esto es, como representaciones públicas de los intereses privados) sino en los que se piensa —y se practica— (al modo hegeliano, por ejemplo) que existe una verdad pública autónoma, distinta y superior a la verdad —"egoísta"— de los intereses privados (la verdad, por ejemplo, de la nación, o de su espíritu, o de su colectividad, etc.), o en los que se piensa —y se practica— (al modo russoniano por ejemplo) que existe una verdad natural —la de la auténtica comunidad— que es preciso defender a través y por encima de las diversas formas políticas y organizaciones sociales (que son, por definición, la artificialidad misma). En el primer caso, el hegeliano, la contraposición se da entre lo público (verdadero) y lo privado (egoísta); en el segundo caso, el russoniano, la contraposición se da entre la comunidad natural y la artificial. Por lo general ambas

105

perspectivas han aparecido muy mezcladas en nuestro siglo (los diversos fascismos) y así las vamos a considerar nosotros también: pues es obvio que tanto en un caso como en otro, el Estado (representante siempre de la verdad: bien porque representa a la verdad pública; o bien porque se considere, al fin, como representante auténtico de la comunidad natural) el Estado digo deberá actuar implacablemente en todos los terrenos en defensa de esa verdad, y por tanto también en el terreno de la *censura*: la obra teatral (como cualquier otra actividad humana) no va a ser considerada, desde esta perspectiva, como la mera expresión de una opinión particular sino que va a ser juzgada de acuerdo a su adecuación —o no— respecto a la verdad pública establecida (en cualquiera de ambos sentidos). 4.º) Ahora bien: si decimos que la escena va a ser juzgada y censurada desde tal perspectiva ello no presupone sin embargo que vaya a ser practicada —realizada— igualmente desde esa perspectiva. O mejor aún: no podemos olvidar que ese hegelianismo o ese russoismo políticos no corresponden en el fondo más que a una serie de categorías ideológicas pequeño-burguesas a través de las cuales se expresan o se manifiestan coyunturalmente —según las circunstancias históricas— los intereses de la clase realmente dominante, es decir, los de la burguesía. Y así hemos dicho cómo la escena más romántica pequeño-burguesa (como la ideología política más hegeliana o russoista) aparecen siempre regidas en última instancia, en cuanto se escarba un poco, por la misma lógica burguesa de base que determina a la ideología teatral (y política) típica del liberalismo y del empirismo. Y aunque a tales coyunturas y tales circunstancias históricas específicas (que son reales, espesas) haya por tanto que considerarlas —y practicarlas: o sufrirlas— en todo su mismo espesor, ello ha de hacerse sin perder de vista nunca cuál es su verdadera lógica determinante. Y aquí acabamos: esa diferencia entre un tipo de censura y otro, entre un tipo de estado y otro, viene así regida en última instancia siempre por los diversos avatares concretos con que se han desarrollado —implantado— las relaciones sociales burguesas en Europa a partir del XVIII y hasta nuestros días. E igual pues por lo que hace a la estructura escénica, mucho más transparente que la estatal frente a esa verdadera lógica burguesa determinante. Sobre el escenario teatral la lógica del sujeto y de la privatización no falla nunca, en cualquiera de sus variantes, repito, pero sobre todo por lo que hace a la identificación entre el ámbito de la "verdad privada" y el ámbito de las "relaciones familiares".

Con un último ejemplo explosivo: cuando Pirandello (en su intento explícitamente confesado de revolucionar toda la historia teatral) consigue por fin elaborar sus *Seis personajes en busca de autor*, cree a la vez inmediatamente (como la mayoría de sus críticos posteriores) que su revolución consiste en que al fin ha conseguido enfrentar cara a cara los dos elementos que tradicionalmente se consideraban básicos —e inexpugnables entre sí— respecto a la escena: esto es, enfrentar —y fusionar— el *teatro* y la *vida*. El esfuerzo de Pirandello no es, por supuesto, discutible. Sólo que también él se equivocaba respecto al sentido verdadero de tal enfrentamiento: lo que él objetivamente consigue no es enfrentar el *teatro* y la *vida* (términos, por lo demás tan típicamente fenomenológicos, esto es, impregnados de ambigüedad) sino otra cosa muy distinta (aunque mucho más real): enfrentar el teatro "moderno", a la escena burguesa) con sus propios orígenes, o mejor con su propia raíz sustentadora: las relaciones familiares, la ideología de la privatización. Los seis personajes que pugnan por introducirse en la escena, por representar "públicamente" en ella su propia verdad privada, no son otras cosa que seis tristes, cotidianos, exasperados miembros de *una misma familia*. Y todo su drama es familiar, doméstico: los seis "personajes" habían nacido ya con Diderot.

EL TEATRO DEL SIGLO XVIII
ENTRE RAZON Y REALIDAD

GUIDO MANCINI
(UNIVERSIDAD DE PISA)

La dramática española del siglo XVIII no deja mucho espacio para considerar el fenómeno literario separado de los contemporáneos problemas sociales y políticos que la condicionan de modo abrumado. Toda actividad poética y especulativa se encuentra en crisis por una subversión de ideales que determina, en un primer momento, la pavorosa aquiescencia a un estado de cosas que aparece muy incierto y, en un segundo momento, una entusiasmada participación o una violenta disensión. Incluso cuando hay propensión a renunciar a los motivos ideológicos que han representado las fuerzas de la tradición, las propuestas nuevas no parecen ofrecer adecuada compensación, así que, exceptuados los casos de un grupo progresista de élite, siempre hay la tendencia a replegar hacia un conservadurismo originado más por el buen sentido común que por una completa ideología de la oposición.

Invalidadas por estas posturas de fondo, las experiencias que se efectúan en el campo del teatro muchas veces resultan útiles sólo para documentar la laboriosa vida espiritual e intelectual del siglo. Sin embargo, admitir una gradual depauperación de la dramaturgia barroca parece una fórmula demasiado simplista cuando ya afloran evidentes preocupaciones en Bances Candamo, quien, en una más empeñada estructuración de la comedia y en la más acentuada intención didascálica, busca el remedio a un decaimiento que le parece evidente (1). Por otra parte, las desastradas condiciones económicas del país, que también determinan el empobrecimiento de los corrales y de la puesta en escena, (2) no impi-

---

(1) Cfr. F. A. Bances Candamo. *Theatro de los theatros* en RABM. 1901-1902, pero en edición integral y con amplio estudio introductorio de Ducan W Moir. London, 1970. Sobre las preferencias literarias de B. C. cfr. J. M. Rozas, *La licitud del teatro y otras cuestiones literarias en B. C. escritor límite* en Seg. II, 1965, pp. 247-273. Recuérdese *Como se curan los celos y Orlando Furioso* con abundantes elementos decorativos y espectaculares.

(2) Sobre las condiciones de los teatros en el XVIII cfr. E. de Silhuette, Norberto Caino, M. d'Aulnoy en sus relaciones de viajes por España recogidas por J. García de Mercadal. *Viajes de extranjeros,* vol. III, respect. p. 254, 411, 415 y vol. II, p. 934 y 1.037.

den la acentuación del gusto por representaciones espectaculares con gran intervención de elementos fantásticos y de partes musicales: (3) un teatro de evasión deliberadamente desempeñado va afirmándose decididamente. Esa orientación podía alardear, bajo ciertos aspectos al menos, de la ilustre ascendencia de un Moreto o de un Cubillo, pero la ramplonería que substituye la fina estilización o la ingeniosidad del arabesco premeditadamente inconsistente, subraya la búsqueda de una sugestión fácil e inmediata. La evasión casi es impuesta a través de los recursos más idóneos para arrastrar al espectador hacia la atmósfera que se desea: la ligereza de los enredos, los motivos fantasiosos, el aparato escenográfico ponen de relieve el valor de un espectáculo que, sobre todo, quiere divertir. Hasta la mitología se reduce a un elemento decorativo. (4)

En la "*Fabula de Polifemo y Galatea...* puesta en música por el Abad don Francisco de Russi para diversión y festejo de la Excelentísima señora doña Catalina de Silva y Mendoza, Condesa de Lemos" el prologuista avisaba:

Siendo tan inexcusable el aflojar algo la tirante cuerda al arco oprimido de las humanas tareas, y aliviar el ánimo fatigado de las serias consideraciones; y tocando a la música y a la poesía (hermanas cariñosas y festivas) el cuidado de divertir y refrigerar las mortales mentes... instó la Excelentísima señora Condesa de Lemos mi ama a don Antonio de Zamora que hiciese la siguiente fábula, para que cantada junto al clavicordio por algunas señoras sus criadas, contribuyese al lícito entretenimiento de una noche (5).

La mayoría de las veces no se trataba de un teatro tan refinado sino de representaciones más idóneas para el pueblo aún cuando la ocasión era una orden o un festejo de la corte. Y este teatro no podía ni quería ser demasiado indulgente con arcaicas finuras que no resultaban aptas para las exigencias ni para la preparación de fábulas o laicamente heroicas, o santamente hagiográficas o sencillamente fantasiosas que pudieran proporcionar, al mismo tiempo, el gusto de la evasión y el enlace con la realidad. Si

---

(3) Una interesante documentación puede recogerse examinando, por ej. la comedia *Columna sobre columna*, el entremés *El alcalde nuevo*, la mojiganga *La sortija* (manuscritos de la Bibl. Nac. Madrid, N.º 15.292, 14.089, 14.517 resp.).

(4) Muy indicativa resulta a este propósito una parte de la producción de A. de Zamora. Cfr. *El hércules furens, Quinto elemento es amor, Veneno de amor es la envidia, Muerte de amor es la ausencia, El juicio de Paris*, etc. *Todo lo vence el amor y Adonis* que derivan respectivamente de *El Mayor encanto del amor* y de *La púrpura de oro* de Calderón pueden ser útiles para indicar el distinto empleo del elemento mitológico en los dos autores.

(5) *Fabula de Polifemo y Galatea*, s.l., s.i., s.a. (Bibl. Nac. de Madrid T. 546) advertencia.

bien lo observamos, el deseo de llegar a un equilibrio de ese tipo es bastante evidente en la mayoría de las obras de Zamora, hasta en las que, a primera vista, parecen orientadas al mayor efectismo espectacular que puede atraer al gran público, seduciendo su fértil imaginación. *Cada uno es linaje aparte* (6) es un ejemplo indicativo a ese respecto.

El enredo, muy complicado, parece apelar a todos los recursos de un repertorio barroco y popular. Sobre un fondo tenuemente histórico se mueven cristianos y moros en las alternas vicisitudes de la Reconquista. El Rey Sancho pide a sus súbditos que juren fidelidad al Príncipe don Pedro su heredero, permitiendo de esta forma dos espectaculares ceremonias en que asoman los motivos dramáticos de la guerra, el valor de algunos nobles, y los amores del joven Fortún de Lizana aureolado por su fama de valor y sabiduría. Siguen batallas desgraciadas, adioses patéticos, manifestaciones de fe con milagrosos portentos, y hasta un duelo nocturno por la bella Aldonza. Pero todos estos elementos casi exteriores se acumulan en el primer acto, se van ordenando en el segundo y casi desaparecen en el tercero en el que no queda sino la patentización del heroísmo de Lizana. Y es precisamente esto lo que da sentido a la obra y muestra su efectivo hilo conductor, que ha sido la relación entre Lizana el joven y su padre. Este todo lo había centrado en Lizana: venido a menos, confiaba la restauración de la familia a las prendas del joven. La gradual decepción es angustiosa hasta el punto que don Fortún desgarradamente reniega de su propio hijo. Y éste, conciente de su inocencia, no puede sino rescatarse con una empresa de excepcional ardimiento. La hace con sencillez no por sí, ni por el Rey, ni por su mujer, sino sólo por su padre a quien puede presentar por fin la glorificación de un blasón renovado.

Este tema principal que tanto huele a drama burgués, y los efectos escénicos que se le sobreponen, casi parecen la aparatosa justificación de una sensibilidad nueva que intenta esconderse bajo los viejos disfraces. El bagaje barroco, vaciado de sus motivaciones, se va haciendo siempre más hueco e insatisfactorio. Aún cuando se manipula con habilidad, sirve sólo para crear un puente entre pasado y presente y pretende, cuando menos, ser remozado por una adaptación a las nuevas exigencias. Dentro de la producción teatral de su siglo, Antonio de Zamora satisface estas exigencias dando, con toda cautela, la pauta de una posible renovación.

---

(6) Sigo el texto de la BBAAEE, vol. XLIX.

El documento más explícito de esta orientación son las conocidas palabras que él escribió en el prólogo de la edición de 1722 en donde los motivos de una esquemática pero nueva poética están valorados por la conciencia de un método conquistado ya en la composición de las obras y en la participación activa en la vida teatral (7). A los posibles sueños utópicos Zamora contrapone lo práctico; las eventuales reglas, las sustituye con un "no sé qué" irracional y subjetivo que presiente el del P. Feijoo y, sobre todo, con el respeto de las exigencias de un público a través de un arte que ajuste los distintos lenguajes teatrales en el molde de un solo metalenguaje fuertemente expresivo y estrechamente relacionado con la estructuración orgánica de la obra. Por estos principios, o si se prefiere, por la preocupación que de ellos se origina, la imitación del modelo calderoniano viene a ser completamente secundaria y hasta ser descuidada. Hábilmente, Zamora la aleja, pues, de su horizonte estético bajo el pretexto de una reverencia humilde y respetuosa. Pero su modestia apenas esconde la más efectiva afirmación de originalidad debida sí a la "novelera condición del siglo", pero también a ese "no sé qué" que el autor se da cuenta de poseer.

---

(7) A. de Zamora. *Comedias nuevas con los mismos Saynetes con que se executaron...*, Madrid, Diego Martínez, 1722: "...Es la poesía cómica un difícil Arte, para cuyo acierto, en el bullicio de las figuras, y adorno de las tablas, más aprovecha el uso que el estudio; es un cierto imperceptible primor, que ni se puede enseñar, ni se permite aprender, hasta que en fuerça de los hábitos continuados, se dexa hallar del acaso, sirviendo de Maestros para en adelante los errores, que sin culpa se cometieron primero. En fin es un empeño, que passando de necio à loco, emprende, en la corta duración de una Comedia, divertir tres horas al docto, engañar otras tantas al ignorante, enmendar los casos à la naturaleza, empedrar de chistes la serradad, vestir al uso del siglo la historia, fingir un solo cuerpo al caso, y al episodio; y para perfeccion de la obra (sin perder de vista la Chronologia, y la Demarcación) afeytar al espejo del ageno gusto el proprio trabajo...Ossadía fuera decir, que he acertado à imitar los preceptos del mayor Maestro de esta Arte difícil, y desgraciada, nuesro cèlebre Español don Don Pedro Calderon de la Barca; pero también mintiera, sino dixesse, que los he procurado seguir, debiendo, à mi juizio, el conocer quan disformes seran las pinceladas, que no observen aquel dibujo, por mas que quiera desmentirme la novelera condicion del siglo, en quien (debaxo de la sujeta materia) se ha metido à indecente el Gracejo, à la Tramoyista el Aparato, à Bolatin el Tiempo, à ficcion la historia, à contemplacion la Verdad; y ultimamente, a Maestro de Capilla el Nume; como si cada elemento de estos no huviesse hasta aqui concurrido à formar proporcionadamente un Orbe perfecto en quien (sin confundirse las qualidades) hazian sus aplicaciones hermoso al todo, y à las partes, sin dexar de ser divertidas por ser regulares..."

En el fondo de todo esto puede percibirse una actitud más cercana al buen sentido común que al raciocinio típico del siglo XVIII, pero es que esta sumisa razón de Zamora ya es válida y consabida y activa hasta parecer como una fuerza viva y capaz de contrarrestar una situación precaria y ofrecer buenas esperanzas para una completa renovación. Esto no puede llegar desde fuera (leyes o reformas institucionales o programas bien elaborados) sino de la propia actividad teatral en la que se debe obrar con pocas ideas pero bien claras. No hace falta —según se desprende de las teorías y de la actividad de Zamora— cambiar completamente los géneros teatrales existentes; basta remozarlos disciplinando sus formas expresivas y modificando sus significados. De esta forma, quizá, no se producirán crisis y el público aceptará fácilmente, y tal vez con gusto, las modificaciones que se amoldan a sus exigencias.

Como hombre de teatro Zamora siente muy hondo el principio de la actualidad de la representación hasta el punto que parece estar más cerca del pueblo que de la corte; pero en realidad él procuraba acercar los dos mundos distintos en un solo interés: el de una representación serena e idealizada de un momento de la vida. Por más que en su conocido *Memorial* (8) parece preocupado por las graves dificultades que atormentaban España, su teatro es divertido, alegre, conforme con el principio tan claramente declarado de "divertir tres horas al docto, engañar otras tantas al ignorante". Pero esa fuga de la realidad y ese deseo de relajación no son ni totales ni indisciplinados. Zamora no se abandona por completo a la fantasía, sino más bien a la visión aguda y sabrosa de la realidad con una tendencia a la ironía con la que puede contemplar, generalizando, el ambiente contemporáneo. Sus reproducciones son a veces ligeras y desenfadadas, ajustándose a la alegría de una zarzuela, a la rapidez burlona de un entremés o a la vivacidad de una bien trabada comedia. Valga como ejemplo una comedia tan célebre que su solo título podría demostrar lo que vamos diciendo. *El hechizado por fuerza* repite el tema tan actual entonces del hechizo y de las brujerías. ¿Quién no recuerda las dramáticas congojas de Carlos II el hechizado o la enconada lucha de Feijoo contra las supersticiones de ese género? En la comedia el tema se convierte en una gigantesca burla alegremente organizada contra un hombre mezquino por su estólida avaricia, por su feroz egoísmo y por su falta de escrúpulo moral. Don Claudio,

---

(8) Memorial del 6 de marzo de 1713 en C. Pérez Pastor, *Noticias y documentos relativos a la Historia y Literatura españolas* in MRAE, X, p. 299 y sigs.

figurón, en esta comedia se encuentra ya mucho más cerca de los célebres caracteres dibujados por Molière que de uno de los personajes de las comedias calderonianas, y el enredo está determinado precisamente por las características del personaje a quien se le sumerge por completo en su circunstancia (9). Enredo y protagonista representan un momento de la vida madrileña vista con serenidad y sencillez, sin empeños sociales y sin grandes pretensiones realistas, dibujada con facilidad y a la ligera, pero animada por la ironía. No extraña, pues, el juicio que todavía en 1832 formulaba el desconocido comentarista de la edición madrileña: "Esta es una de las comedias más conocidas por el público por aprobación y gusto de las espectadores, principalmente cuando el actor que ha desempeñado el personaje de don Claudio, ha sabido pintarle con gracia y originalidad que le dio el poeta" (10).

Las consideraciones más generales relativas a la producción de Zamora explican su mayor acierto. *No hay plazo que no se cumpla ni deuda que no se pague y convidado de piedra.* La desmitificación de don Juan, la atenuación del problema religioso, el mecanismo de la obra que acaba por ser casi un "divertissement" irónico y vivaz no son fruto de una imitación chabacana y presurosa de la obra tirsiana, sino más bien el resultado de una postura nueva que, libre y tenazmente, se va sobreponiendo a la mentalidad barroca. Las características más importantes son las que se desprenden de un deseo de sencillez que no sólo hace olvidar los amores de don Juan más elaborados desde el punto de vista espiritual y artístico (los de Tisbea y Aminta) sino que también lleva la aventura y la figura misma del protagonista a un nivel que —a pesar de sus concesiones a la fantasía— resulta más aceptable por una racionalidad común y corriente.

Zamora empieza modificando el mismo título: la imagen del protagonista, fijado por Tirso en su específica característica de burlador, es sustituida por un refrán popular que en su modesta sabiduría subraya la nota moralista y racional que es oportuno recordar. Tal vez Zamora tenía a la vista la redacción del *Tan largo me lo fiais,* que también utilizaba un dicho popular, pero, en todo caso, la sustitución del refrán es indicativa de por sí, como la alusión directa al "convidado de piedra". Desde luego, aún siendo éste el artífice de la punición, representaba también el elemento más espectacular y que había ejercido gran atracción en el pú-

(9) Sigo el texto de la BBAAEE. Vol. XLIX.
(10) A. de Zamora, *Comedias escogidas,* Madrid, 1832.

blico español, en el italiano y en el francés, gracias a refundiciones enfocadas desde el horror provocado por la terrible aparición de la estatua vengadora. También en la obra de Zamora queda muy poco de la comedia tirsiana: ese poco de fábula escénica y de dinamismo de enredo que es suficiente para producir el efecto de una imitación del texto famoso y ya celebrado por todo el mundo.

Con aparente desenfado Zamora reduce el agobiante problema religioso al consejo que el buen fantasma de don Gonzalo va repitiendo al joven calavera y a la escena final en la que con mucha prisa se fragua un arrepentimiento cualquiera. Precisamente ese arrepentimiento que, según las reglas católicas, debía salvar "in extremis" el alma de don Juan (el autor deja que se intuya, pero no lo dice explícitamente) viene a reducir aún más la validez del dechado moralista: si don Juan se salva, es evidente que ha hecho muy bien en divertirse mientras le ha sido posible. Sin embargo, el desvanecimiento del problema religioso no perjudica la obra: sólo la hace más sonriente. Las aventuras se desarrollan en la única escena de una Sevilla ruidosa con sus estudiantes canoros y bien dispuestos a burlar por la noche a la buena gente que querría dormir, con las mujerzuelas de vida airada, tocadas con peineta, guitarra, cantos y conciencia conciliadora, y con la gente curiosa que corre a ver un desafío como si fuera un festejo popular. Mucho de su dignidad pierden las damas engañadas por don Juan, que ahora aparecen más atormentadas por los celos o la decepción que por su honra comprometida. Ana es celosa y quisquillosa; siempre enamorada Beatriz, pero de un amor que no resulta ni heroico ni redentor y que sólo sirve a complicarle la vida al joven seductor.

La tonalidad general —muy cercana a la de aventuras estudiantiles— no se ve alterada por la intervención de los personajes más nobles y serios. A don Gonzalo se le liquida rápidamente y sin muchas discusiones con todo el aparato debido a su nobiliaria vanidad; don Diego se vuelve un padre desesperado por las calaveradas de su hijo, aunque siempre dispuesto a perdonar y justificar; por fin, el rey mismo juzga y manda con indecisión y cuando don Juan le desobedece, no encuentra mejor actitud que hacerse el desentendido. Por otros conceptos es interesante la figura de Filiberto Gonzaga que corresponde al Duque Octavio de Tirso. Su nombre alude ya de lejos a la realidad ambiental del momento, pero, nombre aparte, ese italiano que llega a España para vengar a su novia que ha sido ultrajada y ha muerto, viene a ser el depositario del pundonor que había sido siempre la característica del caballero español. Es un personaje a la antigua, "demodé", con su ridícula pretensión de desafíos y con su fe, más ridícula aún, en la palabra.

Cuando don Juan muere, Filiberto ofrece su mano a doña Ana y la unión encuentra general aprobación, cosa que casi hace sospechar en una leve alusión a la unión regia entre Felipe V y María Luisa de Saboya.

Pero el personaje más sorprendente de todos es el protagonista. Y digo sorprendente con relación al de Tirso, porque tal y como lo presenta Zamora nada tiene que puede suscitar sorpresa: se trata de un pobre muchacho malcriado que al ejercer su actividad amatoria ha perdido todo su encanto, adquiriendo, en cambio, mucha vulgaridad. Sus palabras no alcanzan ningún halo poético, ninguna finura espiritual. Hasta su arrogante desafío al fantasma necesita relámpagos y truenos para adquirir cierta grandiosidad exterior: no es un desafío blasfemo al cielo, sino sólo una necesidad más para justificar un efecto escénico o la conclusión tradicional de la obra. Ese don Juan borbónico y escéptico ofende sólo lo razonable —si no precisamente la razón— que en este momento especialmente delicado y confuso representa la regla más segura a la que un español puede atenerse. Muchas referencias y alusiones a ese ideal se entrecruzan en la obra (recuérdense las intervenciones de Camacho que ya no representa, como Catalinón, la conciencia de don Juan sino el buen sentido) y constituyen la más íntima estructura de la comedia y, a la par, su mensaje, aunque queda escondido bajo una sonriente superficialidad.

El don Juan de Zamora no manifiesta su progresiva degeneración a lo largo de la comedia, sino que, desde la primera escena, se muestra sumergido por completo en su culpa inveterada; la serie de sus empresas va confirmando cada vez más el juicio negativo que de él se puede formar. Esa inmovilidad espiritual del protagonista y la constante repetición de su reprobación limitan mucho el interés del enredo, por más que éste resulte bien trabado en la sucesión de los distintos episodios y en la oportuna reducción del lugar de la acción a la sola Sevilla, en donde se desarrolla el último y más exasperado período de la vida del libertino. Así fijados el carácter del protagonista y el desarrollo del enredo, el margen de imprevisibilidad que se deja a las hazañas de don Juan se reduce a la variada entidad de sus reacciones frente a las específicas circunstancias. Todo el mundo sabe que él se portará según su egoísmo y su violencia (su "matonismo" como lo define Arcadio Baquero (11), pero se ignoran los límites a los que cada vez llegará. Y mientras el mundo que le rodea se encierra en una postura de-

---

(11) A. Baquero, *Don Juan y su evolución dramática*, Madrid, 1966, vol. II, p. l. y sigs.

fensiva, el protagonista, soberbio e irreductible hasta cuando el odio de sus víctimas y la pena le acucian, no logra seguir el más elemental sentido común, sino que se abandona ciegamente a sus instintos primordiales e incontrolables. La buena razón abunda, en cambio, en los demás personajes: en Filiberto, como en don Diego, como en el rey que saben dominarse y tener paciencia hasta el punto de parecer demasiado comprensivos y casi protectores. Lo mismo puede decirse de don Luis que, sin abundar en finuras ni escrúpulos, logra dominarse a pesar de ver la traición de su hermana y dudar de la fidelidad de su prometida. En la antinomia razón-necedad se insinúa el motivo de la punición ultraterrenal que —trucos de escotillón aparte— repite las modalidades de la justicia humana. Don Gonzalo como fantasma es un verdugo de excepción, pero siempre y sólo el ejecutor de una justicia inevitable; él cumple con una orden que no le viene de Dios, sino de la misma situación. Por esto no interesa demasiado la probable salvación de don Juan y se la deja imprecisada.

Si don Juan quebranta lo razonable, destruye también su mito y viene a ser un personaje que a lo sumo podrá divertir con sus extravagancias. En este caso su rebelión no representa la sublimación de un acto de voluntad, sino la renuncia a la más encumbrada y apetecible característica humana. Sacrílego como había sido para Tirso, o despreciable como le había parecido a Molière, había guardado siempre la máxima congruencia en sus acciones hasta el punto que había podido desafiar el cielo y la sociedad. Cuando se había opuesto al buen sentido práctico italiano en los escenarios de la Comedia del Arte había sido escasamente astuto, pero por su picardía podía resultar simpático y, en cierto sentido hasta heroico; pero al contraponerse a la razón es sencillamente un insensato. Su condenación no ética, sino racional, esta vez le destruye por completo e irremediablemente. La norma que él infringe está demasiado vinculada a la humana naturaleza para que la rebelión se le pueda oponer como a un elemento de contraste: el mito no se puede construir. Por esta razón el don Juan de Zamora no forma parte de la galería de los célebres don Juanes míticos sino que resulta una comedia normalmente buena, normalmente divertida en la que los esbozos ambientales y los lances de amor y fantasía se alternan con las calaveradas de un joven libertino a quien —según se cuenta— le está deparada una buena lección.

✿　✿　✿

La refundición de obras barrocas resulta ser, pues, la modalidad más inmediata para resolver una crisis de producción: de esta manera se utiliza oportunamente la fama del original antiguo ya

119

célebre y el atractivo que deriva de las modificaciones que se han aportado y que reflejan los intereses más próximos de los espectadores. La obra refundida viene a tener más alicientes que el texto antiguo algo alejado por el tiempo. La etiqueta de calderonianismo que de costumbre se atribuye a Zamora y a Cañizares no es completamente justa, puesto que no considera su aportación personal en la refundición (12). Generalmente al comparar una comedia del Siglo de Oro con la elaborada por uno de los dos autores sietecentistas se la considera como una imitación mal lograda y no como una refundición intencional que está en relación con el original como una obra cualquiera está relacionada con su fuente. El mérito del refundidor está en la validez de la distinta angulación en que ha considerado el mismo asunto. Cuando Cañizares, siguiendo el ejemplo de Solís, presenta en el *Picarillo de España* o en *La más ilustre fregona* refundiciones de obras no teatrales, ampliando mucho el campo de las fuentes directas, justifica su obra aduciendo la sensibilización de un material tradicionalmente célebre, pero no inmediatamente actual (13). Es evidente que él no tiene el miedo de que la fuente célebre pueda malograr la obra nueva, sino, exactamente al contrario, pone de relieve las variantes que vienen a modificar el texto antiguo. El éxito de la nueva experiencia confirma la validez de las intenciones del autor y la inserción de una fórmula nueva en un repertorio que, aún vinculado a cauces tradicionales, no se limita a repetirlos cansinamente. Todo esto es propio de un período que no se declara comprometido pero que, precisamente en su desempeño, encuentra la vía para expresar su cansancio inmediato y sus tímidos ensueños.

Moratín reprochaba con fuerza la indulgencia con que Zamora y Cañizares consideraban los elementos espectaculares; les reprochaba también su abandono a la fantasía, la falta de una sólida estructuración de sus comedias (14); pero la postura de Moratín era, ante todo, polémica, casi una necesidad de la lucha en que se había empeñado para el triunfo de orientaciones distintas: y el suyo era

(12)   Sobre el calderonianismo de Zamora, cfr. S. S. Trifilo, *Influencias calderonianas en el drama de Zamora y Cañizares*, en Hf, IV, 11, 1961, pp. 39-46. Sobre la manera de adaptar las obras de Calderón al gusto de los ilustrados son interesantes las afirmaciones de J. Sempere y Guarinos, *Ensayo de una biblioteca española*, Madrid, 1789, t. V, pgs. 119 y sigs.

(13)   Sobre Cañizares, Cfr. C. Pérez Pastor, *Noticias y documentos*, cit. p. 73 y 96.

(14)   L. Fernández de Moratín, *Comedias de Zamora* y *Comedias de D. Josef de Cañizares* en *Obras póstumas*, Madrid, 1868, vol. III, respectivamente p. 135-144 y 144-174.

m teatro muy comprometido. El encono polémico con el que la
nueva generación ataca a la vieja es muy indicativo y puede ser
incluso divertido cuando se encuentra expresado en la crítica ta-
ante y despiadada de Moratín. Pero, ¿por qué tanta saña? Bien
distinto era el juicio de Lista, también él afrancesado y neoclásico (15).

El alzamiento había empezado oficialmente en 1737 con la publicación de la *Poética* de Luzán. La postura de Luzán es esencialmente teórica, pero constituye ya el programa o, si se prefiere, el
manifiesto de la campaña que se va a iniciar con tanta pujanza
con los reformadores de la época de Carlos III (16). Las mismas motivaciones se repiten con insistencia, tomando matices y tonos más
o menos ásperos según las distintas personalidades y las circunstancias (17), pero sin modificarse en lo sustancial. No es el caso de
repetir las tan conocidas fases de la polémica, pero me parece
oportuno subrayar cómo el teatro de este período va hacia una po-
litización muy evidente y que se acentúa, a medida que pasan los
años, en el ambiente ilustrado. Se establece, así, una fractura irremediable entre la producción culta y la de consumo que, en cambio,
es decididamente hostil a aceptar las orientaciones que se le que-
rrían imponer (18).

En un plano teórico la reacción contra la producción del Siglo de
Oro es tanto más violenta cuanto más se identifica al barroco con
una orientación política y social equivocada y como ésta necesitada
de una reforma enérgica y total. Muchas veces (y diría que en casi
todos los escritores ilustrados) se nota cierto encogimiento al juzgar
a Lope y a Calderón porque se siente la dificultad de aplicar un
juicio global y preconstituido a personalidades artísticas dignas de
toda consideración. Lo que, en cambio, se les reprocha sin demasiados remordimientos de conciencia, es su abandono a la fantasía.
En efecto, en el mismo momento en que se politiza, automáticamente el teatro del siglo XVIII afirma su lucha contra la fantasía.
A una mímesis basada en el concepto de la coherencia interna a la
obra se la sustituye con el principio de una imitación pedestre de
la realidad, con un bajón tan evidente del nivel artístico que casi
parece que la lucha está dirigida contra el arte en sí mismo más
que contra las manifestaciones demasiado libres y no armónicas.

---

(15)   A. Lista, *Ensayos literarios*, Sevilla, 1844, t. II, p. 212.
(16)   I. de Luzán, *Poética*, ed. De Filippo, Barcelona, 1956, vol. I, p. 35 y vol.
       II, p. 127.
(17)   Cfr. N. Fernández de Moratín, *Disertación* en *La petimetra*, Madrid, 1762.
(18)   Cfr. R. Andioc, *Sur la querelle du théâtre au temps de Leandro Fernández
       de Moratín*, Tarbes, 1970.

Pero el ilustrado no se da cuenta de esto, siendo arrastrado por un ideal que constantemente y por todas las vías le lleva a ver al hombre englobado en un mundo en que todo está regulamentado por una ley comprensible y previsora. La fantasía, por consiguiente, es una degeneración del pensamiento o, si se prefiere, un pensamiento sin ley; por esto hay que encauzarla dentro de una normativa. La fantasía no puede traer ventajas, al contrario puede dañar un proceso educativo.

El tema de la educación, esencial y agobiante en un sistema que se califica en nombre de las "luces" que ha de encender en las tinieblas de una reconocida ignorancia circunstante, viene a ser el motivo fundamental de ese teatro ya decididamente "engagé". Y no se trata, como todo el mundo sabe, de una educación altamente entendida, sino puntual y hasta meticulosa que se propone resolver problemas que mejor podían discutirse en inicio legislativo y que, en todo caso, estimula la opinión pública, reflejando o repitiendo en las escenas el ansia hacia una solución racional y justa más que hacia una emoción poética. El señor anciano y de bien que impone a los jóvenes su juicioso punto de vista derivado de su experiencia vital, a la par que de su buena educación, indica el triunfo del paternalismo que se personificaba en el monarca ilustrado; pero es también la afirmación de una burguesía enérgica, activa, bien pensada y bastante culta que entreví la posibilidad y el derecho de su afirmación precisamente en un momento en que hace falta iniciativa y seguridad de principios, sentido del orden y espíritu organizador.

No me refiero sólo a las célebres obras de Leandro de Moratín que, además, fueron escritas muy tarde, sino a *La petimetra* de Nicolás de Moratín o a las comedias de Iriarte como el *Señorito mimado* y *La señorita malcriada* (19). El problema educativo se refleja también en la discutida cuestión de los autos sacramentales en donde el aspecto religioso casi se olvida en favor de las moralísticas reivindicaciones de decoro y seriedad. Pero no era menos importante. También éste, que podía formar parte de la más amplia campaña contra los Jesuítas y, por consiguiente, apelar a graves razones ideológicas, políticas y hasta económicas, viene a ser, en el teatro, un asunto de educación, a causa de un fervor que puede considerarse conmovedor y que seguramente es ingenuo. Nadie pensaba confiar la educación religiosa a los autos y tampoco a las comedias de santos; en estos espectáculos, en la segunda mitad del siglo XVIII, a lo sumo podía proponerse un tema de sensi-

---

(19) Sobre estas dos obras de Iriarte, cfr. E. Cotarelo y Mori, *Iriarte y su época*, Madrid, 1897.

bilidad religiosa popular, pero abolirlos significaba afirmar el dominio de la razón y del buen sentido en una esfera eminentemente afectiva y hasta elemental.

Luzán decía que "la poesía dramática es un engaño de los ojos y de los oídos del auditorio, para que, como llevado de un dulce encanto, crea verdadero lo fingido. A esto miran todas las reglas..." (20). Pero en esto hay cierta contradicción porque si quitamos la fantasía no queda sino proponer otra vez una realidad diaria por la que es, al menos, superfluo abandonarse al "dulce encanto", especialmente cuando éste ha de desembocar en una acompasada enseñanza moral.

Contradecir a Luzán en esta forma no significa, obviamente, considerar sus ideas desde el punto de vista adecuado al de su siglo. En este caso, se puede admitir que el encanto surge precisamente de la conformidad entre el mundo representado y el mundo en que se vive, es decir en una relación que es sobre todo formal. El relieve que van adquiriendo los elementos estructurales de la obra considerados singularmente o en su unión, es un índice bastante significativo de la armonía que se procura evidenciar entre modelo e imitación; y se trata de una armonía de proporciones. Pero ese placer tan intelectual viene superado por el gusto que, en un teatro puesto tan al servicio de la propaganda ideológica, deriva del reflejo de los altísimos pensamientos que alumbran el siglo de Feijoo, de Campomanes, de Cabarrús. Y la vivacidad con la que, precisamente en virtud de un fervoroso nacionalismo, esos hombres se vuelven humildes y aceptan los ejemplos de Francia o traducen los libros de Genovesi, o admiran a Aranda, gran señor español como conviene a un "título" y afrancesado como es justo que sea un ilustrado, lleva a la conclusión que también en el teatro se admire el esfuerzo de volver española la *Zaire* de Voltaire o de introducir en la tragedia neoclásica los asuntos más castizos de la tradición española (21). También el intento de unir el interés por la historia patria con las formas neoclásicas era educativamente ejemplar y formaba parte de las orientaciones políticas más amplias y tal vez más importantes.

El gusto por la tragedia que se insinúa en el ambiente culto refleja también la tentativa de expresar los principios de la ética ilustrada condensados y sintetizados, con tal que se tome en consideración el hecho de que el contraste trágico, por medio del cual

---

(20) I. Luzán, *Poética*, edic. cit., vol. II, p. 110.
(21) Cfr. R. Herr, *España y la revolución del siglo XVIII*, tr. esp. Madrid, 1964, p. 284 y sigs.

se ejemplifican, pone de relieve no sólo su bondad, sino también su victoria sobre toda oposición. De este modo la tragedia podía acordarse con la visión de los destinos humanos que caracteriza a esos dinámicos y confiados artífices de un progreso económico y civil que, si tuvo faltas y decepciones, se distinguió por sus excesos de optimismo más que por sus depresiones espirituales o por profundas crisis ideológicas. Nicolás de Moratín escribe su *Lucrecia* en 1763, a los veintiséis años de edad, cuando está completamente imbuído en el fervor juvenil de sus ideales y, en la introducción, declara abiertamente que no comprende cómo la representación de las tragedias encuentra tanto obstáculo en España, mientras, a su parecer presenta tantas ventajas: "La utilidad es tan grande que sirve para purgar el ánimo de las pasiones violentas que le arrastran a un precipicio, y para enamorar a los hombres de la virtud y enseñarlos a ser héroes" (22). Este deseo de heroismo que desde Nicolás de Moratín hasta Jovellanos y Quintana apunta significativamente sus intereses en las figuras de Guzmán el Bueno y de Pelayo (esto es en los héroes tradicionales de la lealtad para con el rey y el patriotismo) queda refrenado por el trastorno práctico de los autores y no se levanta, sino muy raras veces y de manera incompleta, a la contemplación de ideales míticos. Prevalece un desajuste entre intención y traducción poética, un desajuste que podrá colmarse, pero no sanarse, cuando en la tragedia se verá la alusión a la sublevación contra un estado de cosas fuertemente criticado. Me parece que éste es el caso de *La Raquel* de García de la Huerta por unir la exaltación patriótica a la mitificación neoclásica y por su trasfondo de polémica actualidad (23).

Por estas razones la obra es significativa no sólo de una especial directriz literaria y poética, sino también de un esfuerzo que con mucha constancia procura resolver las actuales condiciones de disensión ideológica. Una vez más la solución se presenta bajo las formas de evasión y si va hacia la exaltación, apela también a un pasado para encontrar apoyo en una ideología que en el problema del honor y en el patriótico solucionaba las pasiones inmediatas convergentes hacia un absolutismo arbitrario. La exaltación se proyecta más hacia el pasado que hacia el presente porque en su fondo hay ahora la duda provocada por la disensión y que, más que el propio presente, hace deseable un programa para el porvenir.

El drama de Alfonso VIII y de su amante hebrea Raquel aparece presentado en su momento cumbre, cuando han pasado ya

---

(22) N. Fernández de Moratín, *Lucrecia*, introducción, s.l., s.i., s.a.
(23) Manejo la edición de R. Andioc, Madrid, 1971.

varios años de la fatídica unión y poco a poco se han ido madurando las razones del conflicto que ahora se agolpan tempestuosamente: por una parte un amor ya no impetuoso, pero arraigado y robustecido por largos años de convivencia que dan a la mujer la seguridad de su poder femenino y político; por otra, la rebelión de los castellanos contra un dominio que consideran extranjero y tiránico. Puntualizadas así, claramente, las dos fuerzas contrastantes, la obra elimina todo elemento de diversión que pudiera distraer del análisis del conflicto. Se fija éste en sus tres momentos esenciales: la rebelión popular, la reacción, la prosecución de la lucha por parte de los rebeldes y su consiguiente victoria. En el primer acto los castellanos obligan a Raquel a que huya; mientras que la mujer cae ruinosamente de su pedestal, con igual rapidez García, jefe de los rebeldes, sube al poder. La acción podría decirse terminada, pero su misma violencia produce la reacción. Por el inevitable alejamiento de Raquel, Alfonso siente más vivo su amor (se podría decir, su historia particular), que se sobrepone a la razón de estado y que, en manos de la mujer, viene a ser un arma para reconquistar las posiciones perdidas y vengarse. La debilidad de la reacción, fundada en los intereses individuales contra los de la colectividad, da lugar (y estamos ya en el tercer acto) a la enérgica sublevación de las fuerzas rebeldes que se imponen definitivamente, superando y destruyendo todo personalismo contrario.

Localizada en el motivo de la lucha contra la tiranía, la dialéctica política se agota rápidamente, transformándose en la afirmación de un principio ideal que va enrareciéndose en la esfera de la utopía en donde, como es evidente, no existe posible conflicto, sino sólo el lirismo de un ensueño. De modo que el propio Alfonso puede idealizar su función deseando que

> Las débiles pasiones de lo humano
> a la vista del solio desparezcan.
> Deshaga de mi juicio los nublados
> la luz de la razón que ya despierta
> del letargo mortal de tantos años (24).

Pero, cuando más fuerte es la congoja producida por la situación y cuando el deber se impone más acuciante, nace el deseo de la horaciana tranquilidad del hombre modesto:

> ¡Oh suerte miserable de los reyes
> cuán vanamente el fausto es lisonjera!
> ¡Oh fortuna envidiable del villano
> contento con la humildad de su bajeza! (25).

---

(24) *Raquel,* jornada I.
(25) Ibi., jornada II.

Si la debilidad de Alfonso puede ser justificada por todas las humanas motivaciones, no puede decirse lo mismo de los jefes del movimiento revolucionario, que aparecen preocupados sobre todo por un concepto de la nobleza que desvía, y a veces, atenúa, su misma agresividad. Frente al pueblo, el propio Alvar Fáñez, más intransigente que García, debe apelar al ideal ilustrado de una nobleza empeñada en socorrer al pueblo. Y se insinúa la idea de que la posición entre despotismo ilustrado y absolutismo no es tan fuerte como para poder ocasionar una apasionada discusión.

Para alimentar y sustentar la tesis política se invocan motivos morales claramente explicitados en algunos versos y simbólicamente traducidos en la contraposición de los dos personajes "malos" (Rubén y Manrique) con el virtuoso por excelencia, García. Sin embargo, precisamente la perfección espiritual de éste origina, en el tercer acto, su crisis aparatosa y sintomática. Contra la violencia de sus secuaces él pretende una forma de reacción que sea racional. Su postura, aunque fundamentalmente justa, es veleidosa y produce una quiebra irremediable en la seguridad de su propia ejemplaridad: él ya no puede ser copartícipe ni en la acción de sus amigos ni en la de sus enemigos: su sabiduría le aleja de los unos y de los otros y le pone en una situación absurda. Sólo Raquel, en el momento de su muerte, puede reconocerle por justo, ya que también ella había vivido —aunque en el mal— un conflicto parecido de imposible conciliación con el mundo circunstante. Y precisamente en las escenas finales, frente a las distintas congojas de Alfonso, Raquel y García, el triunfo de los castellanos aparece estéril, como si fuera el cumplimiento de una ley fatal, superior a la voluntad de los individuos y no siempre providencial. Es precisamente el triunfo de la legitimidad y de la justicia lo que pide el sacrificio de muchas ilusiones y sobre todo el de la fe en una razón armónica y equilibradora. Con respecto a ésta todos (a excepción del García demasiado desengañado de la realidad) son culpables y necesitan perdón: Alfonso siente el peso de su debilidad y los castellanos el de su violencia, mientras que García, noble y racional, puede señalar en la muerte de Raquel el ejemplo de la punición de una ambición desenfrenada.

Fuerte antagonista del motivo político es el amoroso, que inmediatamente se presenta más complejo y matizado, más susceptible de constituir, por la misma ambigüedad que lo envuelve, el nudo dramático principal de la obra. Desde el punto de vista de la estructura, el enredo amoroso es casi el soporte del político, justificándolo tanto en el plano de la fábula como en el psicológico. Los dos protagonistas, perfectamente complementarios entre sí, viven su última vicisitud sumergidos en el pathos de una justificación imposible. Alfonso, que sacrifica a aquella mujer hasta su dignidad de rey y de hombre, y Raquel, que no logra liberarse de su ambición y va confusamente enredándola con su amor, no pueden ser ni entendidos ni justificados por los demás con los que no llegan a establecer un diálogo.

El relieve otorgado a los elementos psicológicos es el aspecto dramático más vivo de la obra, ya en relación a la tesis política, ya por constituir en sí mismo una problemática intensa y sugestiva. No pueden pasar desapercibidos, por ejemplo, los rápidos cambios de un estado espiritual a otro en la turbadora judía, precisamente porque de esta rapidez deriva el exaltado carácter femenino, tan variado en su inestabilidad, que se contrapone eficazmente a la estabilidad algo monótona de los personajes masculinos. Casi diría que los resplandores que alumbran la figura de Raquel reverberan sobre los demás destacando en ellos una humanidad más completa y sólida. Y, por fin, el lenguaje, muchas veces magnilocuente y enriquecido por algunas nostalgias culteranas, evidencia también él la posibilidad de una dialéctica psicológica. Por las muchas interrogaciones retóricas se articulan frecuentes coloquios interiores (26) que debían contar, además, con el apoyo de una recitación especialmente cuidadosa que lograría transformar una peligrosa hipertrofia retórica en efectos de intenso dramatismo. El ritmo, muchas veces acuciante, pone de relieve el plano trágico sin dejar otro posible espacio de alusividad, si no es el determinado por las eventuales pausas en las que el drama del individuo puede acentuarse en vibraciones todavía más intensas.

La lucha contra la tiranía era tema neoclásico por excelencia, puesto que valoraba dos fuerzas contrapuestas: la del individuo que, a pesar de sus errores, había sabido imponerse, y la del pueblo que

---

(26) Cfr. por ej. el monólogo de Alfonso en la jornada I:

Tiranos astros. Tiranos astros,
¿dónde llega el rigor de vuestro influjo?
¿Esta pena, este golpe reservado
me teníais? ¿Alfonso de sus fieles
Castellanos con tanto desacato
requerido? ¿No es éste atrevimiento?
No: que la pretensión es justa, y cuando
con razón pide el súbdito, no ofende;
que de culpa le absuelve y alentado
lo justo de la instancia. ¡Qué congojas,
qué pasiones y afectos tan contrarios
atormentan el alma! ¿Que es posible
que a su reino motivo Alfonso ha dado
para que a su decoro se le atreva?...

en sus ansias de libertad pretendía sus afirmaciones como masa. Ambas fuerzas, al exaltarse, perdían los aspectos negativos que podían empequeñecerlas: se volvían grandiosas, superhumanas y simbólicas en su esencialidad. Para poder verlas en esa dimensión hacía falta un proceso capaz de una síntesis inicial, y luego de una amplificación, de manera que el individuo se trasladará al plano heroico y el vulgo se transformará en una muchedumbre plenamente consciente de su fuerza y de sus metas. En *La Raquel* ese proceso se cumple con clara premeditación ya que hasta en la *Introducción* se hacen referencias insistentes a la hispanización de la tragedia y, sobre todo, a la "severa sencillez y austero estilo/ altas ideas y nobles pensamientos" y si se observa la esquematización a la que están sometidos asunto y personajes. Esquematización que aparece más notable aún si se recuerda la comedia de Lope (*Las paces de los reyes y la judía de Toledo*) y la de Diamante (*La judía de Toledo*) que trataban el mismo asunto (27).

A Lope le había atraído esencialmente la figura del rey cuya actividad había presentado, desde el principio, como alentada por una protección divina, aunque hondamente sumergido también en humanas pasiones, rescatándose luego con el arrepentimiento y la misma fuerza de su fe. Raquel, causa y víctima del error de Alfonso, quedaba ennoblecida también ella por la plenitud de su sentimiento, así como la reina Leonor había sido enfocada desde su devoción conyugal más que desde el encono en la defensa de sus derechos de mujer o de la razón de estado. En una palabra, Lope componía un clima intensamente afectivo en el que amor, religión, realeza y patriotismo habían podido ser exaltados líricamente.

En la comedia de Diamante, el rey Alfonso ya va apareciendo despojado de su halo excepcional para volverse un joven como todos ("Es hombre el rey como todos/aunque en fortuna diverso") y como todos pasible de cometer errores. El encuentro entre Alfonso y Raquel es organizado por la astucia política de los judíos: no resulta ni casual, ni lírico, y también la corta intervención de la reina está caracterizada por los celos y su intolerancia de mujer. Con respecto a la obra de Lope, Diamante introduce como motivo nuevo el ansia del mando que tiene Raquel, sin que llegue a ser la pasión determinante de la tragedia. El drama, en fin, se vuelve más sencillo, pero también más insulso.

---

(27) Textos en BAEE, XLI y XLIX respectivamente. Referencias a *La desgraciada Raquel y Rey don Alfonso* de Mira de Amescua y al poema *La Raquel* de Luis de Ulloa y Pereyra en el estudio preliminar a *La Raquel* por J. G. Fucilla, Salamanca-Madrid, 1965.

Huerta da un paso más. Ni la fama de santidad del rey, ni las razones ultraterrenales, ni el conflicto entre amor y deber parecen interesarle demasiado. Desaparece de su tragedia el misterio, y la acción se limita exactamente a lo que afecta al núcleo central de los acontecimientos, mientras que los personajes expresan sólo la pasión dominadora. Pero esta disminución ulterior de intereses y acontecimientos no produce una nivelación de signo descendente en el drama, sino su agigantamiento: presentada con insistencia como única y efectiva pasión, la ambición de Raquel llega a ser desorbitante, como anormal es la debilidad de Alfonso e intransigente el patriotismo del pueblo. Estos grandes sentimientos rehusan lo fabuloso para quedar atados a la realidad así que su agigantamiento resulta más seco que el que normalmente caracteriza a una proyección mítica, ya que ésta casi siempre recurre a un halo de fantasía para distanciar más el ensueño heroico de las contingencias humanas. Se valoriza, en cambio, el contraste entre la fuerza mitizada y la realidad, cargándose, por esta dialéctica racional, de una enorme fuerza dramática.

El dramatismo originado por el agigantamiento de las pasiones viene a ser subrayado también por el corte y la sucesión de las escenas, por el montaje, para usar una palabra moderna, al que se confía la tarea de avivar constantemente el interés del espectador. Consideremos, por ejemplo, el primer acto. La evocación de la Toledo en fiestas por el aniversario de la victoria de las Navas de Tolosa, se ve turbada por la posibilidad de la rebelión capitaneada por Hernán García. El coloquio entre éste y Manrique pone a la vista todos los motivos del drama, pero lo interrumpe la efectista aparición de Raquel orgullosa ("¡Qué desvanecida/la tiene su privanza y su fortuna!") y bellísima ("¡Qué belleza tan grave y peregrina!"). La escena se vuelve inmediatamente violenta: García y Raquel se enfrentan. Sigue el coloquio entre la mujer y Rubén y es una pausa de depresión, pero inmediatamente después el ritmo se vuelve agitado por la intervención de Alfonso. Sin necesidad de seguir adelante, es posible ya darse cuenta de cómo la acción escénica se funde en la rapidez que se alterna con cortas pausas orientadas a realzar los momentos de desazón. Para lograr la intensidad del ritmo general se renuncia en parte a los efectos que derivan de algunas situaciones. Por ejemplo, al abandono de Raquel por parte del rey no se le saca todo el partido, sino que viene disminuido por las palabras de Alvar Fáñez quien insiste explicando las razones que han provocado esa actitud tan dura: una vez que se ha mermado y casi anulado el efecto situacional, el autor insiste en considerar la reacción de la mujer frente a su nueva realidad.

Es evidente que si García de la Huerta decía que él se burlaba del rigor con que los autores extranjeros seguían "el materialismo arquitectónico de los dramas" (28), en su obra maestra cuidaba mucho los engastes estructurales. El los justificaba no como la adhesión a reglas exteriores, sino, mucho más oportunamente, como una necesidad de "verosimilitud, orden y naturaleza" no realísticamente entendidos, sino precisamente dentro de la estructuración misma de la obra. Su posición es lo mismo de intelectualista en estas afirmaciones de poética como en la elección de un género nada frecuente dentro de la producción teatral española.

La tragedia neoclásica es, obviamente, intelectual y de élites, aún cuando las fuertes pasiones que agita parecen apelar a una conmoción elemental capaz de suscitar fácil eco en un público numeroso y popular. Su postura aristocrática, que tiene por objeto la sublimación espiritual, pide casi por necesidad una sobriedad de líneas estructurales que la haga semejante a una construcción severa y elegante. Pero su elegancia no puede sofocar su fuerza, ni su severidad puede separarse de un empeño formal así que el *placer* estético que de ella se desprende viene a ser sofisticado y complejo. El deseo de un mundo inalcanzable, la lucha del hombre contra sus instintos, elevada a una dimensión heroica, son el fruto de una amargura desalentada a la que no le basta ni el refugio siquiera en un mundo ideal en donde el bien vence al mal, porque esa victoria es manifiestamente utópica o querida por una fatalidad superior a la voluntad del hombre. La vista del bien aplaca sólo el tormento del pensamiento, pero no el de los afectos. Si bien se observa, es este pesimismo consciente y racional lo que hace viva y aceptable *La Raquel*. Hasta las formas de la tragedia clásica con toda su intencionada finalidad catártica vienen a ser cómplices de una mentira, desviando la atención hacia una coherencia entre pasado y presente más hipotética que demostrada y tenida por imposible. El tema de lo hispánico, que aquí vuelve con insistencia, viene a ser la expresión del deleite que la obra busca por medio de una fácil conmoción, pero, en definitiva, queda marginal no justificándose ni como una fe ni como una visión político-social. Y mientras el mayor interés del espectador está abstraído esencialmente por el aspecto pasional del enredo, la conmoción política va agotándose en el intento de demostrar una tesis a la que se presta el mismo crédito que se puede prestar a un

(28) Cfr. V. García de la Huerta, *Lección crítica a los lectores del papel intitulado Continuación de las memorias críticas de Cosme Damián* en *Theatro Hespañol,* Madrid, 1785, t. VII, p. XI.

sueño irrealizable. Es que, el caso ideal presentado por Huerta, al perder las impurezas que había tomado del mundo circundante, viene a ser un ente abstracto. Por vía cerebral, no afectiva, patética o suavemente lírica, refleja el ansia de una imposible afirmación subjetiva frente a las exigencias institucionalizadas de la colectividad. El éxito que la obra tuvo entre sus contemporáneos no contradice lo que acabamos de decir, puesto que reflejaba la sustancial incertidumbre de todos y el desaliento que iba insinuándose frente al difícil camino de la Ilustración.

* * *

Por sus ensueños y su empeño político, el teatro de la segunda mitad del siglo no encuentra ni mucho espacio ni mucho tiempo para recoger las sugerencias de la "comédie larmoyente" en la que la burguesía se vuelve sentimental y medita sobre las desventuras que quiere remediar. *El delincuente honrado* de Jovellanos, que puede considerarse una sugestiva experiencia en este sentido queda casi aislado a pesar de su gran éxito. La obra es quizás la mayor afirmación, en el teatro de ese período, de la confianza en las instituciones y en la ley. El protagonista dice ardorosamente que "la buena legislación debe atender a todo, sin perder de vista el bien universal" y añade: "¿Es posible en un siglo en que se respeta la humanidad y en que la filosofía derrama su luz por todas partes, se escuchen aún entre nosotros los gritos de la inocencia oprimida?" (29). Pero sobre la ley humana está la divina, así que la obra puede cerrarse serenamente con esperanza por la acción de los hombres y con fe en Dios: "Hijo mío, empecemos a corresponder a los beneficios del rey obedeciéndole... y demos gracias a la inefable Providencia que nunca abandona a los virtuosos ni se olvida de los inocentes oprimidos". (30): es la tenaz ilusión de un Jovellanos todavía joven y entusiasta lector de Beccaria, pero no experimentado aún por el desengaño en sus grandiosos proyectos reformatorios.

En ese próvido sistema, el pueblo, que casi no existía por sí mismo sino para recibir las luces que la sabia burguesía quería otorgarle, se obstinaba en su actitud de desempeño y acudía aún a las repetidísimas obras de Zamora o Cañizares, a los arreglos de las comedias barrocas o a ver la producción del malhadado Come-

---

(29) *El delincuente honrado,* edic. F. C. Sainz de Robles, *El teatro español,* Madrid, 1943, acto I, escena V.

(30) Ibi, acto III, escena última.

lla. En esas obras encontraba su manera de pensar y, muchas veces, una sencilla pintura de su propia vida, reproduciéndole a la buena, sin trajes campesinos, ni habla sayaguesa, ni extraordinarios sentimientos. En realidad, reducir el pueblo a sus normales proporciones había significado un acercamiento a él, a sus maneras de comportarse y de sentir. También cuando se considera con alegría la excursión a orillas del Manzanares o al Prado o cuando aparece el obrero en la deformación grotesca del entremés, el interés derivado de la escena no se alimenta de una actitud satírica o moralista, ni del gusto personal del literato, sino sólo de la participación desinteresada en uno de los tantos momentos de la vida.

El intérprete más afortunado de ese pequeño mundo pueblerino era, como es sabido, don Ramón de la Cruz, un hombre en apariencia modesto algo conservador y algo oportunista. Alabado siempre, pero con reservas, Ramón de la Cruz había contribuido personalmente a adquirir su particular posesión en el mundo de las letras contemporáneas, guardando un difícil equilibrio entre las exigencias académicas y las que le dictaba su personal orientación artística. En realidad, él tenía la capacidad de captar las exigencias del público y llevarlas solapadamente a su manera de entender el teatro. Sus traducciones de obras francesas o de melodramas italianos eran reelaboraciones completas y no para su adaptación a las escenas españolas, sino porque el refundidor tenía, casi siempre, más que el autor, la sensibilidad despierta para equilibrar la música con el texto, la estructura de la fábula dramática con el gusto por la situación. Así es que parece lícito preguntarse: su elección del género más popular y menos aparatoso, ¿se debió sólo a su feliz intuición del gusto popular o fue una aceptación casi forzosa para conseguir el éxito? La contestación más rápida y sentimental en este caso es negativa: don Ramón había descubierto al pueblo, por decirlo así, y el pueblo le quería: su elección estaba íntimamente vinculada a su predilección y por ella era alentada y al mismo tiempo justificada. Pero, como toda contestación inmediata y sentimental, tampoco ésta es satisfactoria, ya que suscita además otra serie de interrogantes. Nos podríamos preguntar, por ejemplo, cómo don Ramón dio con su descubrimiento y cómo él vio al pueblo y cómo lo representó.

En el siglo XVIII descubrir al pueblo no era cosa demasiado excepcional; sin embargo, la manera adoptada por Ramón de la Cruz de acercarse al pueblo era muy distinta de la de los reformistas políticos o politizados. Parece como si él no hubiera tenido programas ni de reformas sociales, ni de renovaciones literarias. Sigue la corriente general sin decir nada: acepta al pueblo tal como es, sin declarar abiertamente su opinión, dejando sólo que se entrevea su simpatía por ese mundo que muy probablemente no va muy de acuerdo con los dictados de las "luces" pero que resulta seguramente espontáneo y natural. Precisamente esta palabra "natural" ofrece un reflejo tan vivo de las teorías de la época, que parece sospechosa. En su espontaneidad, en su inmediata y sencilla pasionalidad el pueblo está mucho más cerca de la naturaleza que un burgués más o menos culto que sobrepone a sus características humanas las deformaciones impuestas por el sistema y que, por escasa asimilación, resultan ridículas si no hipócritas.

No es difícil pensar que don Ramón de la Cruz se adhería al concepto de naturaleza ya por ser éste una base de la cultura de su época, ya porque el autor —a pesar de carecer de estudios académicos regulares— había empezado su producción mirando a modelos franceses que en parte directamente, en parte indirectamente, debían llevarle a acercarse a las disputas teóricas sobre el teatro y a las que se debatían en todo campo de la cultura. Tampoco pueden pasarse por alto, a este respecto, las muchas experiencias de teatro cortesano y de ocasión que se distribuyen a lo largo de toda la producción de don Ramón y que lo muestran no del todo reacio ni insensible a formas literarias más refinadas que las de los sainetes y, por consiguiente, al menos sabedor de lo que estaba agitándose en el ambiente de la época. Tal conocimiento se manifiesta también en sus décimas contra Nipho, en las que se declara seguro de sus posibilidades, de su coherencia humana y artística, y hasta de su preparación, que opone a la descarada presunción del mordaz periodista (31).

A la luz de estas consideraciones el acercamiento al pueblo no parece ya un asunto puramente intuitivo y sentimental y, sin desconocer la simpatía o, si se prefiere, el amor que el comediógrafo seguramente tenía por el ambiente que reproducía, es índice de una consistencia ideológica y de una maduración literaria que le confiere una categoría mucho más digna.

Si el pueblo es "natural" la forma más adecuada para representarle debe ser la que la tradición ha indicado como la más afín a él. Sobre este punto don Ramón no tiene dudas y no tiene más que escoger, entre los ya existentes, el género que le parece más idóneo. No puede tampoco lanzarse a buscar aparatosas o fundamentales innovaciones que serían el fruto de su personal voluntad o de un proyecto que, al fin y al cabo, contradirían su

---

(31) Décimas y soneto en *Poetas líricos del siglo XVIII*, t. III, BAAEE LXVII, p. 512-513.

posición. La agudeza o, mejor dicho, el descubrimiento del autor consiste esencialmente en haber entendido que para reproducir "naturalmente" un ambiente tan "natural", él debe esconderse lo más posible como autor, dejando que en la pieza se represente una "tranche de vie" tal y como es, sin intervenciones externas y, mucho menos, hechas desde lo alto. La innovación no fue entendida completamente por la crítica contemporánea ni bien juzgada: precisamente los defectos reprochados a los sainetes son sus conquistas. El estudio de los caracteres con función educadora, el relieve otorgado a uno solo entre ellos, la creación de un asunto bien determinado hubieran sido, precisamente como dice Napoli Signorelli (32), los ingredientes capaces de transformar los sainetes en una comedia, pero era precisamente lo que ni el público ni el autor querían. La finalidad didascálica (y parece inútil decirlo) hubiera significado deformar completamente esa intención realista que animaba las piezas y que se limitaba a provocar la risa que podía nacer de verse en la escena como en un espejo durante una acción o un gesto hecho sin el propio dominio en un momento considerado insignificante. A esto contribuía eficazmente la falta de un asunto bien trabado que inevitablemente hubiera transportado el episodio a un plano de fantasía. La deformación de la caricatura no era ni debía ser producida por el agigantamiento ficticio de algunas características porque existía ya en los personajes de la vida común: bastaba verla o, más exactamente, fijarla en el momento exacto en que se verificaba. Se venía a establecer entonces una relación de necesidad entre la figura que era objeto de la ridiculez y los demás personajes que no sólo notaban la exageración, sino que la creaban, contraponiendo a ella su normalidad. Pero, en todo caso, el dibujo es muy rápido, así que la deformación no llega a los tonos de lo grotesco ni, mucho menos, a los de la sátira, permaneciendo ligera y veloz en su desembarazada jovialidad.

El fandango del candil (33) presenta veintitrés personajes entre manolos, manolas, petimetres, un abad con su discípulo, damas, alcalde, escribano. La escena se desarrolla en Madrid, en la calle del Lavapiés, por la noche. No existe enredo. Dos damas acompañadas por un petimetre, un grupito pueblerino, el abad con su alumno, llegan todos a la puerta de la tía Marisancha para ver bailar y bailar ellos también. Demasiada gente. La dueña está preocu-

---

(32) P. Napoli Signorelli, *Storia crítica de'Teatri antichi e moderni*, Napoli, 1777, p. 412.

(33) Texto en *Sainetes de don R. de la Cruz,* ed. Cotarelo y Mori, N BAAEE, XXIII, Madrid, 1915, p. 442 y sigs.

pada pero también ufana. Deja que entren y se empieza el baile. La confusión aumenta cuando un majo apaga el candil. Interviene la policía que manda a todo el mundo a su casa. En conclusión nada pasó: una noche como tantas, entre gente común, en una calle popular de Madrid. Pero es precisamente en ese "nada pasó" en donde se encuentra el cuadro de la vida de aquel entonces. Y es porque la escena, más que hacer hincapié románticamente en la nostalgia de una evocación, es viva e inmediata, con la ambigüedad de sus tipos oscilantes entre el color local y el de una humanidad atemporal. El abad vivaracho y su discípulo atontado y piadoso, el señor que corteja a una mujer voluble, el petimetre tontico, las mujeres del pueblo agresivas, la dueña contenta consigo misma, con su casa, con su música y su baile, la niña que desea anticipar las cosas que hacen las mayores, la ostentación de los majos y los guardias bonachones, constituyen el panorama humano que aquí se presenta como en una rápida ojeada que culmina en el baile y, más aún, en la confusión final provocada por la falta de luz.

A pesar de su brevedad, en la pieza se reúnen muchos elementos espectaculares: el número de los personajes y su variedad, la policromía de los trajes, la escena nocturna al aire libre y la de la casa, el baile, la música, el canto, la improvisada falta de luz y el consiguiente aumento de la tonalidad de las voces. El número y la intensidad de esos resortes escénicos imprimen un ritmo veloz y variado que arrastra al espectador en una sucesión de imágenes y de sensaciones, que vienen a ser aumentadas y sostenidas por el diálogo. Se puede afirmar que éste constituye otro plano imaginativo, aunque resulte vinculado a los elementos propios del espectáculo. Tendente a evidenciar lo característico del personaje, en su gran sencillez expresiva, se adapta a la rápida fluidez del conjunto de la escena y permite que el personaje revele a sí mismo casi sin quererlo, pero con tal exactitud que poco espacio se le deja a la fantasía del espectador. Y, sin embargo, ése no queda decepcionado e inerte, sino que es empujado a completar —sin modificarla— la visión del tipo que le viene presentado. La brevedad de las intervenciones, por otra parte, no consiente ahondar mucho, ni matizar al personaje hasta el punto que se desvirtúe la caracterización.

Con la sonrisa de siempre, pero también con improvisa seriedad don Ramón ha insinuado en este breve sainete su credo poético: "Estudiar en las caras" la infinita variedad de la tipología humana. Y nótese que aquí no se trata de una consideración de las pasiones del hombre, sino limitada y certeramente sólo de las diferenciaciones individuales. Esta es considerada como una de las "más delicadas filosofías". La observación deja entrever la influencia de las más modernas corrientes del pensamiento de la segunda mitad del siglo XVIII en España, que llevaba a la consideración de la variedad y subjetividad de las características humanas. Esos aportes filosóficos quizá le permitían a don Ramón de la Cruz superar las limitaciones de las posiciones ilustradas más claramente francófilas y, al mismo tiempo, de las tradicionalistas. El podía aceptar el acicate de la consideración del pueblo como el del apego a modalidades de vida que reflejaban costumbres y directrices locales y, en fin, una conciencia nacional. Y por esta vía podía sentirse inducido a considerar al pueblo no sólo como masa de gente bruta a la que orientar y dirigir hacia el bien de la comunidad, sino también como un conjunto de individuos dotados cada uno de su propia e inconfundible personalidad. Pero a don Ramón de la Cruz le falta la clara conciencia de un empeño social que pudiera arrastrarlo allende los límites de una descripción episódica de algunos personajes y de una determinada situación. La simpatía humana no lograba mayor trascendencia y se limitaba a una postura afectiva deslizando hacia lo genérico y superficial más bien que concretándose en una hipótesis de acción. Sus méritos quedaban en un plano veleidoso y poco consciente, inadecuado a la lucha y claramente inclinado a promover una fácil diversión. Lo que, si por un lado respondía perfectamente a una de las mayores exigencias teatrales, por la otra parte subrayaba también la falta de una fe, una indecisión, casi un desarreglo espiritual e ideológico que limitaba la posibilidad de una afectiva incidenca de la obra sobre su público.

El majismo, del que se encuentran tantos ejemplos en los sainetes de don Ramón, refleja, según Andioc (34), la orientación de los conservadores, derivando de la necesidad que el pueblo sentía de asimilarse a la clase dominadora. Al petimetre, debido a la influencia francesa innovadora, se opone el majo que se remonta al antiguo hidalgo. En su manifestación noble el majismo, pues, "apparaît en dernière analyse comme une forme larvée et aliénée d'opposition au centralisme et à l'autoritarisme bourboniens, comme l'expression estétique, si l'on peux dire, d'un traditionalisme non avenu et impuissant" (35). Y así es en efecto aún cuando el autor subraya en sus majos la reivindicación del individuo frente al peligro del anonimato en una postura casi instintiva y primordial, porque también en ese caso la notación general ni es la conciente prosecución de un motivo del teatro de todas las épocas, ni se ve sustanciada por un intento realista adecuadamente justificado en

---

(34) R. Andioc, *Sur la querelle*, op. cit., p. 166.
(35) Ibi., p. 177.

la poética del autor, ni, por último, se relaciona con su empeño social que logre darle cierta profundidad de perspectivas.

En la introducción a la primera y parcial colección de sus obras el mismo autor defendía acaloradamente la validez de su representación de la realidad:

> Los que han paseado el día de San Isidro su pradera; los que han visto el Rastro por la mañana, la Plaza Mayor de Madrid, la víspera de Navidad, el Prado antiguo por la noche y han velado las de San Juan y San Pedro; los que visitan por ociosidad, por vicio o ceremonia... En una palabra, cuantos han visto mis sainetes reducidos al corto espacio de veinticinco minutos de representación... digan si son copias o no de lo que ven sus ojos y de lo que oyen sus oídos; si los planes están o no arreglados al terreno que pisan; si los cuadros no representan la historia de nuestro siglo... (36).

Es la más apasionada reivindicación de una forma de teatro que, teniendo en la debida cuenta las exigencias de una elaboración formal y estructural de la obra, lleva a la escena sobre todo al hombre tal y como es, completamente metido en su contingencia y no sólo por el deseo del aplauso, sino porque está convencida que ninguna normativa puede convenirle a una obra que resulte poéticamente buena. Pero la orientación artística de la clase dirigente se encontraba demasiado vinculada a los intereses políticos de su misma corriente y no admitía tampoco aquellos matices con los que el célebre sainetero procuraba justificar su posición que, al fin y al cabo, era esencialmente reaccionaria. El concepto de historia al que se refiere claramente en su autodefensa dignifica su producción dándole, al mismo tiempo, una validez de fondo más fuerte que la que podía derivar sólo de su fácil vena descriptiva, pero, si bien se observa, se refiere a la evaluación de esos elementos que sostenían un encendido nacionalismo. El cuadro de costumbres que pintaba hacía resaltar a los españoles como eran, pero acogía sólo, y con gusto, aquellas manifestaciones que podían relacionarse con un casticismo ideal, mientras que se oponían a las que se alejaban de lo propiamente tradicional. Si manifestaba mayor comprensión y simpatía por el pueblo que por la burguesía, esto se debía al hecho de que precisamente el pueblo se erguía como el más fiel depositario de los valores de la tradición, al contrario de la burguesía que se dejaba arrastrar por innovaciones capaces de desvirtuar lo hispánico. No será del todo inútil recordar

_____

(36) Prólogo a la primera edic. *Teatro o Colección de sainetes y demás obras dramáticas*, Madrid, 1786-1791, 10 tomos. Se encuentra también en la *Colección de sainetes tanto impresos como inéditos de...*, Madrid, 1843, t. I, pp. XXXI-XLVI, que es la que manejo. El trozo citado se encuentra en la p. XL.

que don Ramón de la Cruz buscó sus protectores entre las más conspicuas personalidades del mundo noble, sin tomar en consideración a los burgueses pudientes y poderosos que también habían alcanzado notable categoría. Todo el mundo sabe que él no tomó parte en las reuniones de la Fonda de San Sebastián, y se puede pensar que se debió a disensiones que no eran sólo de carácter literario. Sobre todo si tenemos en cuenta que ni don Nicolás de Moratín era insensible a los motivos de la tradición y del patriotismo, ni don Ramón cerrado a las novedades que podían venir de Francia. La disensión era muy honda y se refería a una actuación política que llevaba a Moratín a encerrarse en la consideración de un porvenir aburguesado y a don Ramón en la de un casticismo más orgulloso quizá, pero seguramente más cauteloso hacia las nuevas ideologías. De esta forma la inquietud que parece ser el "leit motiv" del siglo XVIII se expresa en don Ramón de la Cruz también detrás de sus sonrientes sainetes.

De Zamora a Cruz, es decir en todo el arco de un siglo de alternas vicisitudes y contrastadas innovaciones, los intentos de solución son variados, pero constante queda la voluntad de prestar a lo contingente un valor emblemático que lo eleve a una esfera más alta en la que pueda ser contemplado o como algo excitante y sublime o como una proyección fantasiosa que, a medida que se aleja de la misma realidad hacer ver sus aspectos más apacibles y placenteros: lo que importa es evadir a una dimensión agigantada o significativa de lo real. El motivo de la alienación en sus variadas maneras de actuación denuncia el desacuerdo con una realidad que no se logra dominar según la propia voluntad. Si esto no aparece en la producción de don Leandro de Moratín, casi diría que es la excepción capaz de confirmar la regla. Es un motivo que si por una parte puede explicar los intentos y las decepciones de las reformas, por el otro lado hace consciente y a veces dramático el esfuerzo que se está haciendo.

PERVIVENCIA DEL MITO DE DON JUAN EN EL «TENORIO» DE ZORRILLA

ANTONIO GALLEGO MORELL

Guste o no guste su poesía, interese la lectura de su obra o nos quedemos dormidos con sus versos, Zorrilla ha sido, en las letras españolas, acaso el poeta dotado de más amplias facultades para el versificar. Por eso en ningún otro abundan tanto como en él los disparates, las equivocaciones, los intentos malogrados, las ocasiones perdidas de acertar si se hubiese callado. Largos poemas, como su libro *Granada*, por ejemplo, no resistieron nunca la lectura de sus más enfervorizados admiradores. Junto al Zorrilla que entusiasmaba a los románticos y que Pastor Díaz se encargó ya de mitificar desde 1837, iba creciendo a la par el otro Zorrilla que se había pasado de rosca al darle vueltas a su verso. No olvidemos que cuando se le corona en La Alhambra como último poeta nacional, simultáneamente a la plata del laurel para sus sienes, circula el chascarrillo que dominaba en las tertulias locales de la época: "Vate, vete". Es decir, la reacción contra Zorrilla no nace en nuestra época en la que era irremediable que después de leer a Salinas, por ejemplo, Zorrilla sonase, ni como acordeón, ni como pianola, sino como un coche viejo al que, además se le hubiese roto el tubo de escape. Pero he aquí lo más curioso de todo el fenómeno literario Zorrilla: ni sus admiradores entonces, ni los críticos que lo ensalzaban, ni el propio Zorrilla, supieron intuir que en ese mundo abigarrado y amplio, perdida entre aciertos y equivocaciones, sepultada entre una retórica que inevitablemente sería repudiada, había nacido una de las obras más importantes de nuestra literatura nacional. Algo así como fueron el *Poema del Cid*, *El Lazarillo* o *El Quijote* en su tiempo. Porque eso significa *Don Juan Tenorio*. Desde la Edad Media va creciendo, a lo largo de la historia literaria el tema de Don Juan: sólo Zorrilla acierta a echarlo a andar por la calle. Al escribir esa obra que él hilvana con el mismo talante rutinario que *El puñal del godo* o *El eco del Torrente*, Zorrilla cierra toda una tradición y crea un mito, en nuestras letras, en línea con la *Celestina* o con *Don Quijote*, que no hubiese existido de la mano exclusivamente de Tirso de Molina.

Cuando modernamente se teoriza sobre Don Juan se va a Juan de la Cueva o a Molière, a Tirso de Molina o a Antonio de

141

Zamora, pero si no hubiese existido el Don Juan Tenorio, si en escena Don Juan no hubiese declamado su

> A quien quise provoqué,
> y con quien quise me batí,

ni Juan de la Cueva, ni Strauss, y mucho menos Tirso y Zamora interesarían en cuanto a Don Juan, fuera de la historia y de la erudición, porque Don Juan no hubiese adquirido las proporciones que hoy tiene su figura. Por eso, ni la crítica literaria del XIX, ni los poetas o dramaturgos del siglo, ni el propio escritor vallisoletano acertaron a valorar el puesto que el Tenorio iba a ocupar en nuestras letras.

A Zorrilla se le corona y aplaude el final de su vida por su obra lírica que al cabo del tiempo es eclipsada —pese a lo radiante y explosivo de sus imágenes— por lo que significan para la sensibilidad contemporánea un Bécquer o una Rosalía de Castro. Se le corona, por sus poemas y pese a su Tenorio, y la Historia de la Literatura viene ahora a mostrarnos que fue *Don Juan Tenorio* lo más importante que Zorrilla escribió. Tampoco acertó Fray Luis de León al valorar sus versos. Y es que cuando confluyen tradición y temperamento, condiciones naturales y chispas de genio e intuición, torrentera de posibilidades y mano diestra, se produce el milagro de crear una obra que aparentemente responde a un momento ocasional pero que resume siglos de tradición literaria; que aparece referida a hechos concretos de vidas reales y que lo que crea es figuras eternas con vigencia por encima del espacio y del tiempo; que acarrea problemas morales planteados en una sobremesa y que da cauce a honduras teológicas. No es decir una *boutade* ésta de situar al *Don Juan Tenorio* de Zorrilla como una de las obras clave de la literatura española. Hora es ya de acercarnos al texto.

En 1844, a los diez años del triunfo del Romanticismo en el teatro español, el poeta Zorrilla estrena un "drama religioso-fantástico", dividido en dos partes y en siete actos: *Don Juan Tenorio*. Es la culminación, en las letras españolas, de un tema y de un personaje que venía siendo en la literatura universal símbolo del placer amoroso, de la juvenil alegría de vivir, de la descuidada frivolidad y que, en el caso de la literatura española, se cruza con el obsesionante problema religioso y el afán moralizante de su permanente tradición social y literaria. Un personaje que tan hondamente ha calado en lo español, como demuestra la frecuencia con que se define a algún hombre, diciendo de él que es "un tenorio".

En el drama de Zorrilla confluyen dos tradiciones literarias: la del *Burlador*, y la del *Convidado de piedra*, que se corresponden con las dos partes en que el autor divide su obra. La acción de la misma transcurre en Sevilla y en los últimos años de la España del emperador Carlos V. El castellano Zorrilla, nacido en Valladolid, elije Granada como escenario de su gran poema oriental y Sevilla como marco para su drama romántico. Poco después un sevillano, Bécquer, elije Toledo como nueva geografía literaria, el Toledo de algunas de las leyendas de Zorrilla, a cuya producción también se asoman las figuras de otros "tenorios", que el vallisoletano prodiga en sus obras: el *Tenorio bordelés*, el seductor de *Margarita la Tornera, Don Juan de Alarcón, El capitán Montoya, El testigo de bronce...*

A lo largo de los títulos que el propio Zorrilla pone a cada uno de los siete actos de su obra podemos ir sorprendiendo la línea argumental del drama: "Libertinaje y escándalo", "Destreza", "Profanación", "El diablo a la puerta del cielo", "La sombra de doña Inés", "La estatua de don Gonzalo" y "Misericordia de Dios y apoteosis del amor". Los cuatro actos primeros —es decir, la parte primera— se desarrollan a lo largo de una turbulenta noche: los tres últimos —la segunda parte— corresponden a otra macabra noche, cinco años después, y la obra se abre con referencia a una apuesta establecida un año antes de levantar el telón. Todo ello ha llevado a determinada crítica a imputar a Zorrilla los pretendidos defectos de no cumplir rigurosamente con las unidades de acción y de tiempo o, lo que es más grave, como destacaba Clarín, el crear una obra de muy distinta calidad literaria para cada una de sus dos partes.

Ya el propio Zorrilla, cuando con sesenta y cuatro años consigna por escrito una implacable crítica contra su obra de juventud, resalta estas transgresiones de la unidad de tiempo en su Tenorio: "El primer acto —escribe— comienza a las ocho; pasa todo: prenden a don Juan y a don Luis, cuentan cómo se han arreglado para salir de su prisión, preparan don Juan y Ciutti la traición contra don Luis y concluye el acto segundo diciendo don Juan:

> A las nueve, en el convento;
> a las diez, en esta calle.

"Reloj en mano, y había uno en la embocadura del teatro en que se estrenó, son las nueve y tres cuarto, dando de barato que en el entreacto haya podido pasar lo que pasa. Estas horas de doscientos minutos son exclusivamente propias del reloj de mi Don Juan".

El caso es que, pese a otros modelos, cronológicamente más cercanos, Zorrilla arranca, en lo español, del Don Juan de Tirso de

143

Molina y acierta en el entronque en una sola obra de los temas del *Burlador* y del *Convidado de piedra,* superando a Tirso en el ágil manejo del movimiento teatral y en la fluidez del lenguaje y de la versificación, creando —en fin— la versión más popular de Don Juan dentro de nuestras letras: el Tenorio, que, a lo largo de más de un siglo de vida teatral, venía siendo representado todos los años, con ocasión de la festividad religiosa de los fieles difuntos, en los primeros días de noviembre, fechas en que las compañías de teatro, tanto en Madrid como en provincias, interrumpían la representación de las obras que tuviesen en cartel para dar paso al grito inicial que preside el carnaval con el que se abre el drama: "¡Cuál gritan esos malditos!" Son las máscaras que corresponden al Don Juan arbitrario, jactancioso y juvenil con que inicia la obra en contrapunto con los esqueletos, espectros y sudarios —otra vez las máscaras— que rodean al Don Juan, todavía jactancioso, pero ya maduro, escéptico y desengañado de la segunda parte del drama. En el deseo de los empresarios españoles por actualizar la representación del drama de Zorrilla, presenciamos una noche de noviembre la escenificación del mismo con decorados y figurines de Salvador Dalí; pero la obra está inserta en una tradición mucho más española: la que va de las danzas de la muerte medievales a los lienzos de Solana. Los empresarios acabarían representando la obra en esos días de noviembre pensando en las escenas finales de cementerio, pero Zorrilla escribió el drama para su estreno en los días de la cuaresma —también es caprichosa la ocasión— y acaso como una concesión al carnaval cercano la obra se inicie con una escena de máscaras.

Como sería después costumbre usual entre muchos comediógrafos, Zorrilla escribe en esta ocasión pensando en el actor que encarnaría a Don Juan, Carlos Latorre, que sería el que lo estrenara el 28 de marzo de 1844 en el Teatro de la Cruz y en la función de su beneficio. Pese a las afirmaciones de Zorrilla de que lo esencial de su obra es la figura de Doña Inés, cuando escribe piensa en el actor que protagonizará al *Tenorio* y no en la *Doña Inés.* Los periódicos de Madrid al anunciar este próximo estreno de una obra de cuyos ensayos dan información, destacan que "las personas que quieran adquirir billetes con anticipación podrán dirigirse al domicilio del interesado, Príncipe n.º 15, cuarto tercero, derecha". En estos anuncios se omite el nombre del autor al igual que en las carteleras que anuncian el estreno, reservando el dar noticia del nombre del poeta vallisoletano, ya conocido en el mundo teatral madrileño, hasta después de constatar la acogida del público y la reacción de la crítica.

Existe preocupación ante ambas reacciones y una gacetilla del teatro, redactada sin duda de la mano de Zorrilla, orienta al público de las novedades que ofrecerá la nueva obra respecto a *El Convidado de Piedra* o *El Burlador de Sevilla* de Tirso que refundido por Antonio de Solís se había representado, semanas antes del estreno del Tenorio, por la misma compañía de Latorre, "aunque más vagamente dibujado [el personaje de Don Juan] que en el gran cuadro en que le presenta hoy el señor Zorrilla". Se comunica que la función del estreno terminará con *boleras jaleadas* sobre un tema de la ópera "Il Furioso". Y la nota, aparentemente de contaduría pero redactada sin duda por el propio Zorrilla, no deja de consignar que "la versificación excede en lo general a la de cuantas obras ha presentado hasta el día".

En efecto, es acertado destacar este aspecto porque la factura de los versos jugaron gran papel en la fortuna posterior del "Don Juan Tenorio". Poeta nacional —eso fue Zorrilla en su momento histórico como antes lo fue Lope— el drama está versificado a base del juego de los octosílabos —el metro castizamente nacional— que trenzan redondillas, octavillas agudas, ovillejos o décimas. Sólo en una ocasión rompe esta unidad del empleo del verso de arte menor al versificar cuartetos endecasílabos cruzados con alguno intercalado y es muy significativo que estos versos fueron casi siempre suprimidos por los empresarios al arreglar la obra en sucesivas reposiciones y la mayor parte del público no se enteraba de estas mutilaciones porque no eran pasajes que se sabían de memoria. Por lo tanto, también en la popularidad del Tenorio contó su métrica como por la métrica Lope de Vega llenaba los teatros de su tiempo; en el caso del *Fénix* la métrica estaba puesta al servicio de unos temas afortunados. Lope acierta cuando retiene el cantar popular que circuló por la villa y campiña de Olmedo pero cuando de veras logra interesar al espectador es cuando lo enreda entre sus propios versos. Como Zorrilla acierta cuando detiene su atención en la doble tradición del *Burlador* y del *Convidado de piedra,* pero logra el éxito pleno cuando atina con los octosílabos que difunden la síntesis de una amplia tradición literaria que vuelve a fijar viejas leyendas en el oído del público.

El *Don Juan Tenorio* de Zorrilla es obra que no puede analizarse sin referencia concreta a su argumento. En una hostería, con clara alusión a la Italia en que los españoles de Carlos V corrían sus aventuras, se dan cita don Juan Tenorio y don Luis Mejía a fin de responder a cierta apuesta realizada un año antes, sobre cual de los dos había corrido en ese año más aventuras y seducido a más mujeres. Gana la apuesta don Juan porque éste, de quien se enamoran las mujeres, sin él enamorarse de ninguna, pierde menos tiempo por ello que don Luis que, más sentimental, se acaba enamorando de sus víctimas. (Eso es lo que extraña a don Luis Mejía:

> ¡Por Dios, que sois hombre extraño!
> ¿Cuántos días empleáis
> en cada mujer que amáis?

Y de eso es de lo que se ufana Don Juan y lo que mejor retrata sus maneras:

> Partid los días del año
> entre las que ahí encontráis:
> uno para enamorarlas,
> otro para conseguirlas,
> otro para abandonarlas,
> dos para sustituirlas,
> y una hora para olvidarlas).

Pero don Juan, jactancioso siempre, no se siente suficientemente vencedor de su oponente y le reta a conquistarle antes del día siguiente a su prometida, doña Ana de Pantoja, nueva apuesta, a la que añade la de una novicia, figura que no consta en la larga lista escrita

> desde una princesa real
> a la hija de un pescador,

y que el destino, cruel luego, esa noche loco y alegre, hace que también rete a don Gonzalo de Ulloa a que sea su hija Inés, cuyo matrimonio tenía concertado Don Juan, y que el comendador de Calatrava trata de impedir al conocer la turbulenta vida de Don Juan Tenorio, a quien su padre mismo, don Diego, se arrepiente de haberle dado vida. Y don Juan vuelve a sus aventuras porque

> como vivió hasta aquí
> vivirá siempre don Juan.

Don Juan, con habilidad, característica esencial de su forma de vivir, logra introducirse en el domicilio de doña Ana, con engaño, y en el convento de doña Inés, sirviéndose de la tercería o celestinesca figura de Brígida; rapta a la novicia y la lleva a su quinta, en las afueras de Sevilla, a donde acuden el comendador en busca de su hija, y don Luis Mejía, para vengar su ultraje, con lo cual se inserta en el tema del *Burlador,* en su mayor y doble aventura, el otro tema del honor, tan permanente en nuestro teatro. Don Juan, tan buen espadachín con hombres como seductor con doncellas, da muerte a ambos tras un intento de dar explicaciones y disculpas, cosa nueva en sus maneras de conducirse por la vida, a la que le lleva el nuevo mundo que le ha abierto la candidez y bondad de la novicia. Por vez primera podía creerse en la palabra de don Juan, pero esto sería tarea de un psicólogo; en cambio, don Gonzalo y don Luis son la historia y juzgan a don Juan por su

146

historia, por lo que éste pierde la única ocasión de enmienda que podría haber tenido, y con una amarga afirmación,

> responda el cielo, y no yo,

que es otra vez reto nuevo y desafío a lo más alto, la obra pasa del tema del *Burlador* al del *Convidado de piedra*.

En el acto primero de esta parte segunda, don Juan entra en escena embozado —con antifaz irrumpía en la hostería, al principio de la obra— y la escena es el panteón funerario de la familia Tenorio. Han pasado cinco años y don Juan, otra vez en Sevilla, de vuelta de nuevas aventuras, visita el cementerio construido por la piedad de su padre, Diego Tenorio, para que se enterraran en él

> los que a la mano cruel
> sucumbieron de su hijo.

Don Juan dialoga con el escultor que labra las efigies de los muertos, más tarde con la sombra de doña Inés y, al fin, con la estatua de don Gonzalo, a quien convida a cenar con sus amigos, Avellaneda y el capitán Centellas, testigos de estas nuevas jactancias de don Juan, como Buttarelli o Ciutti lo fueron, en la escena inicial, al rendir cuentas de la apuesta. A la mesa del convite, preparada por don Juan con una silla y cubierto desocupados, acude la estatua de don Gonzalo, a través de la puerta y sin hacer ruido, para anunciarle al *Burlador* que va a morir al día siguiente, extremo que le confirma la sombra de doña Inés. El drama de Zorrilla se cierra, de nuevo, en el cementerio. La sombra de doña Inés le había dicho que estaba esperando salvarse o condenarse, porque su destino seguiría al de don Juan. Y en este cementerio don Juan pierde su jactancia, deja de ser don Juan: "¡Señor, ten piedad de mí!", mientras doña Inés toma la mano que don Juan tiende al cielo no en son de reto, sino de clemencia:

> ¡Clemencia Dios, gloria a Tí!
> Mañana, a los sevillanos
> aterrará el creer que a manos
> de mis víctimas caí.
> Mas es justo; quede aquí
> al universo notorio
> que, pues me abre el purgatorio
> un punto de penitencia,
> es el Dios de la clemencia
> el Dios de don Juan Tenorio.

Y así mueren don Juan Tenorio y doña Inés. Mientras los espectadores del siglo XIX aplaudían este final de "apoteosis del amor" que salva, porque, a despecho de maldades y desvergüenzas, don Juan crea en torno de sí una atmósfera de simpatía, la misma que hace famosa su figura en las letras universales.

En la obra de Zorrilla están todos los ingredientes del teatro romántico en confusión, que le vienen por doble corriente, dentro ambas de la mejor tradición española: la comedia de capa y espada y el drama religioso, con mezcla a su vez de auto sacramental y comedia de santos. Hay muertes y desafíos, raptos y engaños, tercerías y fantasmas, cartas de amor, narraciones y acción, costumbrismo y cementerios y, centrando el inevitable diapasón cursi de la intriga amorosa, ese sofá que no preceptuó Zorrilla en sus acotaciones, pero que las compañías teatrales que representaban el Tenorio no omitían nunca para que sonasen más muellemente los versos de don Juan:

> ¡Ah! ¿No es cierto, ángel de amor,
> que en esta apartada orilla
> más pura la luna brilla
> y se respira mejor?

Porque en la obra de Zorrilla también está la luna, inseparable de toda tramoya romántica, y los lances de Flandes o Italia, y el honor a la española, acechando en todas las historias de amor.

Pero lo más importante del drama de Zorrilla está en la presencia de tipos humanos de plena universalidad. Quizá Zorrilla exagere al destacar que lo más original de su versión del tema era la creación de la figura de doña Inés: "Mi obra —escribe en 1881— tiene una excelencia que la hará durar largo tiempo sobre la escena, un genio tutelar, con cuyas alas se elevará sobre los demás Tenorios: la creación de mi doña Inés cristiana; los demás don Juanes son obras paganas; sus mujeres son hijas de Venus y de Baco y hermanas de Príamo; mi doña Inés es la hija de Eva antes de salir del Paraíso; las paganas van desnudas, coronadas de flores y ebrias de lujuria, y mi doña Inés, flor y emblema del amor casto, viste un hábito y lleva al pecho la cruz de una orden de caballería". Pero, ante todo, pese a las afirmaciones de Zorrilla, están los otros dos protagonistas esenciales: junto a don Juan Tenorio, don Luis Mejía, el personaje que inspira a Eduardo Marquina y a Hernández Catá una nueva comedia de capa y espada. Reseñar la fortuna literaria universal del tipo de Don Juan Tenorio escapa al límite de esta ocasión. Porque ¿cuál es la más cabal interpretación de don Juan? Ramiro de Maeztu —uno más de los intérpretes del mito, junto a Marañón, Said Armesto, Menéndez Pidal, Picatoste, entre otros— alinea la figura de don Juan con don Quijote y la Celestina. Para Maeztu el personaje de Cervantes es la encarnación del amor, Celestina es el saber y don Juan es el afán de poder y de dominio. Frente a don Quijote, que es el ideal, don Juan es el intento de vivir sin ideales, es decir, la figura ya de un momento de fracaso y repliegue nacional. Más real es la existencia de un Alonso Quijano que inspire el Quijote literario que rastrear un don Juan de Mañara o algún otro cortesano que explique el nacimiento del don Juan literario. Existen las tradiciones medievales del encuentro con la calavera, del banquete sacrílego... Pero lo verdaderamente original del drama de Zorrilla está en el sutil enhebrar de estos dos temas —repito— del *Burlador* y del *Convidado de Piedra*. Del don Juan de Tirso al de Antonio de Zamora, del de Molière al de Guerra Junqueiro, del de Mozart al de Strauss, del de Delacroix al de Johannot..., podría rellenarse la línea temática con docenas y docenas de nombres que, a su vez, enlazarían a los faranduleros de la comedia del arte con los creadores de la ópera bufa, por ejemplo, mientras don Juan centra obras importantes en lenguas alemana, rusa, danesa, inglesa, etc. Pero Zorrilla, conocedor del *No hay plazo que no se cumpla,* de Zamora; *La cena en casa del comendador,* de Blaze de Bury; *Las ánimas del purgatorio,* de Merimée y, acaso, del *Don Juan de Mañara,* de Dumas, nos ofrece en su *Don Juan Tenorio* un caso límite de acierto literario en su fusión de materiales. "El Don Juan de Zorrilla —escribe Maeztu— tiene la ventaja sobre el de Tirso, en primer término, de estar mejor escrito. En el de Tirso hay media docena de frases límpidas y acertadas; en el de Zorrilla, se encuentran esas frases por docenas y esta felicidad de la dicción es lo que las ha clavado en la memoria popular". Acaso el propio Zorrilla no fuese sincero cuando renegaba de la paternidad de esta obra y hablaba mal de ella.

En la obra total del poeta vallisoletano destacaron siempre el rico colorido, el movimiento de la acción teatral, la sonoridad de los versos, el desenvuelto manejo de las fuentes utilizadas, la ágil versificación, el auténtico "fundido de imágenes" de que Zorrilla hace alarde en su Tenorio. Picatoste, en 1883, ya destacaba esta significación de síntesis que tenía el drama de Zorrilla. "El don Juan de Zorrilla —escribe— es burlador como el de Tirso, irrespetuoso con su padre como el de Molière, amigo de las orgías como el de Mozart, sombrío a veces como el de Dumas". Las razones en pro del drama de Zorrilla aducidas por Maeztu tienen la fuerza de la estadística: "No puede ser cosa inferior un drama cuyos versos se ha aprendido de memoria todo un pueblo. Aunque el tipo de don Juan de Zorrilla sea sustancialmente el mismo que el de Tirso, Zorrilla le ha añadido un elemento de amor que potencia su interés humano, multiplica sus facetas y redime su figura moral. Y, sin embargo, a pesar de sus bellezas, no se puede decir que el don Juan de Zorrilla sea una obra definitiva, hecha como el Quijote, de una vez para siempre. Para ello sería necesario construirlo de otro modo, hacer explícito lo que en Zorrilla queda sin decir y dejar en el tintero mucho de lo que expresa, pero no sería necesario alterar ninguno de los rasgos característicos del héroe para darle expresión definitiva. "Hasta es posible —la observación es de don Francisco A. de Icaza, y me parece justa— que bastaría con que surgieran los actores que nos hiciesen sentir adecuadamente los cambios de don Juan: bravucón, en los primeros actos, enamorado al conocer a doña Inés y desesperado después de perderla".

A lo largo de toda su vida, Zorrilla fue acaso demasiado implacable con su *Don Juan*. Rubio Fernández ha estudiado detenidamente las variantes de la obra, las correcciones introducidas en el manuscrito original, casi todas realizadas entre la fecha de composición —21 de febrero— y la del estreno —28 de marzo de ese mismo año 1844—. Dado el éxito de la obra entre el público que llenaba los teatros tras dicho estreno y que salía recitando los versos, Zorrilla debió de abstenerse de introducir nuevas modificaciones, pese a lo que declara en carta a su editor años después: "Mis obras antiguas —confiesa— necesitan corrección. El hombre no puede sancionar los escritos de mozo, cuya osada ignorancia se lanzó a escribir desatinos halagada por la fortuna y la benevolencia del público". Ahora bien, con esas correcciones no se pretenden suprimir los desatinos sino pulir el texto, perfilar más nítidamente a los personajes. Y es que Zorrilla no era enteramente sincero. Se ufanaba de su desatino y cuando más tocaba el texto más se alzaba la trama central. Por eso se detuvo con especial morosidad en las correcciones correspondientes al tópico teatral que centra lo más anecdótico de su don Juan: la escena del sofá. Y es que en esta escena, Zorrilla encuentra la ocasión de acentuar su cariño hacia la figura de doña Inés, porque Zorrilla cree que lo más original de su drama no está en la figura de don Juan sino en la figura de doña Inés. Y es que Zorrilla es un romántico redomado y el romanticismo no es un amante con experiencias, una especie de Pedro de Urdemalas del placer carnal, sino la inocencia, el cuerpo perdido más allá de los hábitos, el hombre bueno y solitario con el que comenzó a nacer un siglo antes la inquietud que, después, desembocó en ese Romanticismo. Por eso Zorrilla cuando lee la escena III del acto IV de su obra encuentra que sosiega a doña Inés con un verso impersonal. Doña Inés despierta en la quinta de don Juan, junto al Guadalquivir y pregunta la razón de no estar en su convento; Brígida, símbolo de la tercería amorosa, improvisa la mentira:

> Estábais en el convento
> leyendo con mucho afán
> una carta de don Juan
> cuando estalló en un momento
> un incendio formidable.

Y cuando entra don Juan en escena, la inocente doña Inés intenta salir porque

> sabiendo ya el accidente
> del fuego, estará impaciente
> por su hija el Comendador.

En el manuscrito original escribió Zorrilla a continuación:

> El fuego no hay cuidado

Y tras tachar ese verso corrige tal como ha pasado a todas las ediciones:

> ¡El fuego! ¡Ah! No os dé cuidado

Pero tampoco creo que Zorrilla supo consignar en el texto lo que quería modificar. El texto inicial no llevaba signo de puntuación alguna:

> ¿El fuego? ¡Ah! No os dé cuidado.
> por don Gonzalo, que ya
> dormir tranquilo le hará
> el mensaje que le he enviado.

Y Zorrilla corrige

> ¡El fuego! ¡Ah! No os dé cuidado.

Pero antes de aclarar el verso volvamos al conjunto del drama. Zorrilla estima que lo verdaderamente original de su obra no está en su don Juan sino en su doña Inés. Pero esto es porque don Juan está enamorado. La perspectiva del autor es falsa. Lo verdaderamente original no es la figura de la novicia sino la nueva dimensión de un don Juan que por vez primera se enamora de veras y esto es lo que tuerce la línea tradicional en el tratamiento de un tema viejo. Y como don Juan está enamorado no engaña a doña Inés. La treta del fuego ha sido una invención de Brígida. Pero como ni Zorrilla ni la época son precisos al emplear los signos de puntuación el escritor corrige *el fuego* entre admiraciones y la intención es otra. Debía de anotar entre interrogaciones:

> ¿El fuego? ¡Ah! No os dé cuidado.

Es decir, ¿qué fuego?: ¡Ah!, el del invento de Brígida. Y a continuación en el mismo verso modifica el *no hay cuidado* por *no os dé cuidado*. Con no *hay cuidado* pueden quedarse tranquilas la madre abadesa, la tornera, la comunidad, el comendador, doña Inés y los que se aprestarían a sofocar el incendio. Con *no os dé cuidado*, don Juan sosiega a doña Inés: acentúa la importancia del sofá como pieza esencial. Es doña Inés lo único que importa. He aquí, pues, un verso en cuyas correcciones Zorrilla acentúa el carácter original de su obra y luego decía que era un disparate cuando en todas esas correcciones —cito una, pero de otras podrían afirmarse rasgos idénticos— Zorrilla extrema el carácter personal de su obra: luego sabía que había acertado en dar originalidad a un tema que venía merodeando desde la Edad Media, como Cervantes supo lo que representaría su Quijote cuando arrancó a escribirlo.

Don Juan Tenorio es el final de una tradición que Said Armesto acertó a estudiar; calaveras convidadas, fantasmas, ahorcados y, entre toda esa farándula, el tema de la España negra, del hombre que presencia el paso de su propio entierro. En ese mundo espectral y misterioso el contrapunto a la figura viva y vivaz de don Juan se cifra en la caricatura de la piedra, en la estatua. Narciso Alonso Cortés ha recogido en tierras castellanas el ejemplo de la estatua que acude al convite:

> Se ha arrimado allí a un difunto
> que está fundado de piedra;
> cógele barba y cabello,
> le dice de esta manera:
> —¿Te acuerdas gran capitán,
> cuando estabas en la guerra
> y ahora te ves aquí
> en este busto de piedra?
> Yo te convido esta noche
> a cenar a mi mesa.
> El Santo, como no duerme,
> en olvido no lo echa.
> A eso del anochecer
> llega el Santo a la puerta.
> Ha bajado a responder
> un criadillo de mesa:
> —Criadillo, dile a tu amo
> que el Convidado de piedra
> que convidó en San Francisco,
> viene a cumplir la promesa.

En el *Tenorio* de Zorrilla se cambian todos los planos: es la estatua, tras acudir a la cita, la que acaba convidando a don Juan:

> —Mas el festín que me has dado
> debo volverte; y así,
> llega don Juan, que yo aquí
> cubierto te he preparado.
> —¿Y qué es lo que ahí me das?
> —Aquí fuego, allí ceniza.
> —El cabello se me eriza,
> —Te doy lo que tú serás,
> —¡Fuego y ceniza he de ser!
> —Cual los que ves en redor;
> en eso para el valor,
> la juventud y el poder.

Y entonces la obra, que ha dado vuelta a una amplia temática de la mano de las tradiciones literarias del Burlador y del Convidado de piedra, acaba en un asunto vivo en la literatura española de todos los tiempos: en lo que podríamos denominar la constante quevedesca de nuestras letras. El acabóse de las grandezas humanas, el arrugarse del valor, de la juventud y del poder. Más sobrecoge a los espectadores esta meditación que todas las tramoyas de ultratumba.

De forma condensada —pese a sus siete actos— Zorrilla ha llevado al teatro la novela de don Juan que inicia con toda la alegría que traían a Castilla los soldados que regresaban de la Italia del Renacimiento y que cierra con toda la severidad que pone una estatua, símbolo del ayer que fue. Por eso el Convidado de piedra es el pasado y eso es Don Juan Tenorio en su séptimo acto: también la melancolía del amor que no llegó a realizarse. Acaso esté en esta estructura de novela descoyuntada para su representación otra de las claves del éxito de la obra. También fueron muchas las piezas teatrales de Lope pensadas en novela y traspasadas al teatro por la vía de los elementos líricos. Y así también se cruzan en el Tenorio la novela, el drama y el fragmento lírico. Sólo escritores de asombrosas facultades literarias —como eran Lope o Zorrilla— saben imponerse. Otros fracasan al intentar un teatro exclusivamente lírico o son rechazados por la crítica acusados de una falta de tensión o construcción teatral.

Azorín —el gran revalorizador de nuestros autores y obras clásicas en el friso de la literatura del 98— ha vuelto en su obra de pura creación sobre la figura de don Juan, el gustador erótico que no saborea, que no sabe saborear, que va de prisa. Y así como la patria de Colón es discutida por tantos, también lo ha sido la de don Juan, al que Farinelli se empeñaba en hacerlo nacer en Italia. Y otro tanto ocurría cuando se emparejaban los mitos de don Juan y Fausto. Pero don Juan nace en las letras y en las tradiciones españolas. Asoma al teatro en *El infamador* de Juan de la Cueva, se cruza con la teología en el drama de Tirso, remansa su frenesí, de acuerdo con las preceptivas literarias de la época, en el teatro de Antonio de Zamora y se convierte en estampa nacional con el drama de Zorrilla. En 1834 y 35 se llevan a cabo los estrenos teatrales —García Gutiérrez, Rivas, Martínez de la Rosa—, con los que la historia literaria registra el triunfo definitivo del Romanticismo en el teatro español; pero hasta 1844 no se produce la explosión a lo *Hernani* en nuestras letras, el triunfo de una obra facilona, llena de tópicos, de latiguillos, con los pegadizos ovillejos que el público repite en los cafés de las intrigas y conspiraciones románticas. Es la plenitud del romanticismo español: Bécquer haciendo literatura contemporánea, y Zorrilla paseando moros por sus versos y acertando intuitivamente a plasmar para el pueblo —el gran protagonista social del romanticismo en toda Europa— la imagen de un renovado don Juan que injerta en doña Inés el afán de ideales que son carne y alma de don Quijote y que hace cruzar por la escena el eterno mundo picaresco de la Celestina, con atuendo de Brígida ocasional. Es un rasgo más de la españolada que tanto aflora en la obra de Zorrilla. Pero no es posible ofrecer un panorama de la literatura española sin que por algún sitio figure la tarjeta de visita del personaje de Zorrilla:

> Aquí está don Juan Tenorio
> para quien quiera algo de él.

Lo podemos explicar de la mano de Freud, en el marco de la literatura comparada, pulverizando sus redondillas, ilustrando la decadencia de nuestro país, sacando consecuencias sobre su muy diferente religiosidad, contraponiéndolo a los otros don Juanes no meridionales, pero siempre permanecerá en ese museo de figuras de cera de la literatura española, en el que no pueden faltar un Cid con barbas y un orondo Sancho Panza, el borriquillo Platero y la bella Melibea: sonriendo benévolos o sarcásticos ante lo que Zorrilla representa en nuestra sin par literatura, hemos de recoger su Don Juan Tenorio si queremos trazar un panorama completo de las letras españolas, de la misma manera que es imposible, y metodológicamente inaceptable, omitir el perfil criollo de Darío al componer una literatura hispanoamericana, por mucho que nos gusten García Márquez o Cortázar. Por muy antihistórica que queramos hacer la enseñanza de la literatura española de nuestra época, siempre asomarán Don Juan Tenorio como cruza la mueca de Juan Ruiz de nuestra Edad Media a despecho de trovadores provenzales, finura de miniaturistas y golpes de epopeya. Y si queremos valorar la literatura como reflejo de cada época, Don Juan Tenorio crece como muestra significativa.

Para quienes transitan por nuestras letras por las vías críticas tradicionales, el drama de Zorrilla les llevará al don Juan de Antonio de Zamora, de éste a la refundición de Solís y, definitivamente, al teatro de Tirso de Molina: historia literaria tal como la aprendimos muchos en el manual de Hurtado y González Palencia; para quienes gusten de transitar por los arrabales de la literatura y estudiar las historietas cómicas, el Don Juan Tenorio es una gran pieza de museo, es decir, en uno u otro caso, un clásico más. Por lo tanto, un texto que no debe faltar en un panorama de la literatura española, donde un romance más de Rivas, una rima de Bécquer o un canto de Espronceda no componen, ni aislados ni juntos, un cuadro de época como este largo Tenorio de siete actos acierta a dibujar, porque su gran defecto literario es que hay en él demasiadas cosas. Por algo el drama de Zorrilla se ofrece como síntesis de cuantos don Juanes en el mundo han sido. Y su figura nos llega ya contrahecha a fuerza de tantas interpretaciones. Cada español viste a don Juan a su manera y le condena o le salva sin tener en cuenta las palabras de Zorrilla: porque en cada español hay una vocación de sentenciar, de "ser más papista que el papa". Don Juan atrae a los españoles porque es reo fácil para discutir en torno al mito que encarna. Por lo pronto, ya hemos visto que Maeztu no enjuicia a don Juan como prototipo del placer erótico, sino de otro placer: el de mandar. Y eso es muy español: don Juan es el símbolo de andar por la vida haciendo lo que le da la gana, lo que le da la "real gana", a contrapelo de los demás o, lo que es lo mismo, de enamorarse de una novicia pasando de largo por las sevillanas del mil ochocientos cuarenta y tantos. Gobernar españoles como éstos que simboliza don Juan Tenorio el hijo de don Diego Tenorio, determinarían a Carlos de Gante a retirarse a Yuste para comenzar a ver pasar su propio entierro. Porque la clave del éxito del Tenorio es que Zorrilla fue el primero que echó a andar por la calle a don Juan como un tipo humano, el último escritor que al acercarse al mito lo encarnó en un español concreto, uno de tantos de aquellos que volvían de Italia con la boca llena de lo que habían hecho y al que acababa invitando a otro viaje el *Convidado de piedra,* al que nadie hasta Zorrilla habían transformado en anfitrión.

ADRIÁ GUAL Y LA ESCUELA CATALANA DE ARTE DRAMATICO

HERMANN   BONNIN

Mi contribución al estudio de Adriá Gual, estará centrado únicamente en torno a su labor como director y fundador de "L'Escola Catalana d'Art Dramátic". Esto significa que será tan sólo un estudio parcial de la figura y obra de Gual, aunque en él y a través de sus significaciones encontremos las derivaciones de su personalidad íntegra. La obra pedagógica que Gual llevó a término a través de la "Escuela Catalana de Arte Dramático" no podemos desintegrarla del medio que en todo momento la condicionó. Es por este motivo que trataré de revisar lo más objetivamente posible algunos de los acontecimientos más significativos para la Escuela. A través de ellos conoceremos, así mismo, una parte, a escala reducida claro está, de la vida cultural y política de veintiún años de la historia de España, centrada en este caso, en la región catalana; los que van de la fundación de la Escuela, en 1913, hasta la obligada dimisión de Gual como director, en 1934. Más que estudiar, pues, la personalidad de Adriá Gual, cuyo trabajo queda todavía por hacer, intentaré examinar la actuación de su Escuela, con todas las indecisiones, derivadas por los acontecimientos estéticos, sociales y políticos que acontecieron en este significativo período. El acontecer histórico de esos veintiún años, al referirlo a la Escuela y a Gual, su director, provoca una dialéctica conflictiva de la que, en última instancia, la institución pedagógica de Gual, a través de su acción y contención, quizá pueda representar la síntesis. Las posibilidades y el abstencionismo reiteradamente destacado de la Escuela, dentro del juego estético social y político, en cada uno de los ciclos de aquella etapa histórica, lo que hizo y aquello que, significativamente dejo de hacer, por las razones que fuesen, será la constatación más evidente de la personalidad de Gual, y en definitiva aquello que nos atañe para una aproximación a la obra de la Escuela. Intentaré, asimismo, analizar algunos de sus escritos teóricos, en relación a la pedagogía del teatro y a su credo estético.

Gual fundó la Escuela cuando tenía 40 años, quedaron atrás los significados renovadores de su teoría "por el tema al espíritu, por la música al oído...", el revelador postulado del "Teatre Intim", el resurgir de Ibsen y la obra de Wagner en una región en proceso de afirmación nacionalista. Y quedaban atrás, sus experiencias teatrales de primera mano en París, vividas en pleno barrio latino —rue de Four— y la vuelta al "Intim", al regresar a Barcelona el año 1903.

Todo el empuje de la exposición del 1888, que llevó a Barcelona hacia una acelerada incorporación a la cultura europea, va afirmándose poco a poco con la creación de instituciones autóctonas.

"Durante el mes de agosto de 1912 —dice Gual en sus memorias— encontrándome fuera de Barcelona, un buen amigo me invitó a entrevistarnos para hablar de un proyecto que reclamaba un cambio de impresiones conmigo. El amigo era Luis Durán y Ventosa..."

En el año 1907 la Diputación Provincial de Barcelona había fundado el "Institut d'Estudis Catalans" que tenía como misión la superior investigación científica de todos los elementos de la cultura catalana y de la que años más tarde se desprendería la "Biblioteca de Cataluña", la "Escuela de Bibliotecas" y la red de Bibliotecas populares.

Era aquel un período en el cual se realizaría una de las obras más sorprendentes en el campo de la cultura. La Diputación crearía el "Consejo de Pedagogía", instrumento que proporcionaría las bases de la renovación pedagógica más destacada que se ha logrado, nombrándose a Alejandro Galí como secretario general, en el año 1913; se establece la Escuela de Verano, en 1914, bajo la dirección de Rosa Sensat; en 1916, la doctora Montessori dirige un Curso Internacional en Barcelona y en el año 1917 la Diputación le concede la Cátedra de Pedagogía; en 1910, en el campo profesional se crea la "Escuela Industrial"; en 1913, la del "Trabajo" y en el año 1914, "La Escuela de Artes y Oficios".

En el año 1913 se crean también la de la "Mujer" y la "Escuela Catalana de Arte Dramático".

"El resultado de nuestra entrevista fue —sigue diciendo Gual— el encargarme el esbozo de una Memoria encaminada a la fundación de una Institución que se llamaría "Escola Catalana d'Art Dramàtic", cuya dirección seguramente se me confiaría".

Así fue como empezó a tomar forma la empresa que me propuso Luis Durán y Ventosa, entonces presidente de la Comisión de Instrucción Pública y Bellas Artes de la Diputación, de acuerdo con los señores Felíu Fages y Francesc Bartrina, diputados provinciales. Adriá Gual era el hombre de teatro que reunía las condiciones necesarias para llevar a término el proyecto. La propuesta de Durán y Ventosa era el reconocimiento oficial a una de las más importantes labores teatrales llevadas a término durante casi veinte años en Barcelona. Los que van a caballo entre la última y primera década de siglo. Si este reconocimiento y la institucionalización de la obra de Gual llegaba un poco tarde, es otra cuestión y se deducirá a través de un estudio más profundo, que habría de realizarse lo más pronto posible para colocar las cosas en su sitio y así poder frenar un proceso de mitificación que no beneficia a nadie. De lo que no hay duda es que el tiempo no había pasado en balde y las corrientes estéticas estaban sucediéndose precipitadamente.

La primera guerra mundial se estaba cocinando y los acontecimientos sociales y políticos precipitarían a un reemplazo de actitudes. Nuestro país no podía ni debía, en relación a la dinámica evolucionista propuesta a raíz de la industrialización del siglo XIX, mantenerse incontaminada a la gran catástrofe europea.

Con esta perspectiva óptica, tenemos que emprender el estudio de la Escuela. La "pureza artística" reclamada por Gual a través de sus axiomas tiene que revisarse en relación a la nueva empresa pedagógica que se le propone. La Escuela Catalana de Arte Dramático no podía ni tenía que quedar apartada a los advenimientos y mutaciones que se producían y que para bien o para mal tenían que condicionar todo el pensamiento contemporáneo y estructurar las bases del arte de nuestros días. Y del mayor o menor grado de sensibilidad receptiva de la Escuela dependerá el que sea más o menos representativa del momento histórico que le tocó vivir. Si estas páginas mías pudiesen servir para desvelarlo un poco, me daría por satisfecho.

En el año 1909 tuvo lugar en Barcelona la llamada "Semana Trágica". En 1911 se fundó la CNT. En 1912 asesinaron a Canalejas, Presidente del Gobierno Español. En 1914 estalló la primera guerra europea. En 1917, huelga general y Asamblea Parlamentaria. En el mes de octubre del mismo año, la revolución rusa implanta el socialismo.

Juan Maragall muere en el año 1911. Las nuevas tendencias literarias y los aires que llegan de Europa entronizarían el "novecentismo". En el año 1912, Dalmau organiza en Barcelona una exposición de pintores cubistas y se conoce la obra de Duchamp y Joan Gris. En el año 1916 se funda en Barcelona la revista literaria *Trossos* y el "avantguardismo" es un hecho. En el año 1906, Meierhold rompió con Stanislavski, fundó el Teatro Dramático y creó el "biomecanicisme". En el año 1917 Picasso pintó en Barcelona el célebre *Arlequín*.

Estas fechas y otras tan significativas como esas, son casi contemporáneas a la obra pedagógica de Gual y tendrían que tomarse en cuenta en el momento de analizar la capacidad receptiva de la Escuela y la intensidad de la raíz y fidelidad de su director al credo "modernista" y a los principios estéticos del "Intim" y lo que todo ello significa de obstáculo para la dinámica de la Escuela.

En el año 1912, el que se llamaba "Conservatorio del Liceo Filarmónico-Dramático Barcelonés de Isabel II", solicitó de la Diputación una cantidad de dinero para contribuir a su sostenimiento. El Presidente de la Comisión de Instrucción Pública y Bellas Artes de la Corporación, aprovecharía entonces la ocasión para proponer la creación de una institución autónoma aplicada especialmente al arte dramático.

"Sin ninguna duda —dice Gual— la intención de Durán obedecía al noble propósito de acoplar en una fundación y con las colaboraciones pertinentes las fuerzas dispersas, en orden teatral, y las experiencias captadas por mí, en el mismo sentido, para que fuesen ofrecidas al que quisiese hacer del teatro algo de provecho en bien propio y ajeno".

En la Memoria redactada por Gual para la creación de la "Escola Catalana d'Art Dramàtic" destaca su buen sentido pedagógico y su alto concepto del actor, a quien juzga como a un ser completo a quien hay que facilitarle antes que nada su propia realización como persona. Gual propone ordenar racionalmente el proceso educativo del actor y el mismo acto de creación artística. Propone sustituir la institución por el conocimiento con la idea muy clara de que en una escuela de arte, no se "fabrica" al artista ni la inspiración. Gual luchó contra el oscurantismo de la época en materia de formación artística y a él se debe en buena parte la reconsideración intelectual y moral que habría de merecer el hombre de teatro por parte de la gente de la calle.

"Como consecuencia de esto puntualizaba en primer lugar —según leemos en la Memoria de secretaría, relativa a la fundación de la Escuela— que las enseñanzas no podían "fabricar" artistas, en el sentido de crear aquello que es únicamente hijo de un don natural, independientemente de las disciplinas académicas, sino que debían orientarse sencillamente en la idea de dejar que las facultades del discípulo se desenvolviesen según el aire de la propia personalidad con el auxilio de una cultura apropiada que amablemente guíe, y no se convierta jamás en la atadura ahogadora de unos caminadores".

Con este irrefutable propósito se fundó la Escuela de Arte Dramático. Me parece que al llegar a este punto podemos detenernos y dar una ojeada a las posibles diferencias y limitaciones de concepto que se pueden establecer entre la noción que debería tenerse de una Escuela como aquella, aplicada principalmente a la formación de actores y la idea de "Centro teatral" encaminado a recluir fuerzas dispersas y a fomentar la creación de acciones teatrales concretas, como parece ser que pretendía inicialmente recopilar el programa de Gual.

Si el primer objetivo de la Escuela —el pedagógico— lo consiguió con buenos resultados, pues las ideas sobre la formación del actor y los planes de estudios y programas utilizados eran rigurosos y completos, el segundo objetivo, el de constituirse al mismo tiempo en la Institución que la Corporación Provincial, con espíritu de mancomunidad ponía a sus manos para conducir y a la vez promocionar una acción teatral en Cataluña, no lo conseguiría. Le faltaba a Gual una dosis suficiente de ecleticismo y objetividad que le llevase a incorporar la representatividad que la Escuela reclamaba para abastecer la tarea colectiva de engrandecer el teatro catalán. En otras palabras, quizá podría decirse, de una vez para siempre, que el director de la Escuela Catalana de Arte Dramático no era el hombre público, hábil y político que la Diputación necesitaba para organizar una auténtica institución capaz de mantener una política de proyección y estudio del teatro contemporáneo en Cataluña, el Centro de influencias y prestigio necesario que su misión parecía reclamar y es que Gual era un hombre de teatro, sincero y entero, con ideas claras sobre la escena, pero excesivamente arraigado a una concepción profética de la ceremonia teatral, con unos moldes intemporales de belleza-objetiva que, con su honestidad no podía traicionar, sin traicionar la "verdad" absoluta que creía haber alcanzado. Era un místico y, como tal, excluía la objetividad y el compromiso histórico. Y hasta el final de su actuación pública fue fiel a este concepto. Si esto invalida, en parte, los objetivos por los cuales fue creada la Escuela, hizo posible la continuidad de un trabajo bien hecho y perfectamente delimitado, aunque reducido a una proyección comunitaria con vocación de vida monástica, que excluía deliberadamente la auténtica representación de la historia. Uno de los pocos trabajos teatrales, eso sí, realmente sólidos de este país; un trabajo para "elegidos", sin posibilidad de prolongación más allá de Gual y los suyos, pero que se manifiesta persistentemente durante los primeros treinta años de este siglo.

Al cabo de treinta años de la creación de la Escuela, se provocaría la crisis —una de las muchas crisis por las cuales pasó la Escuela— que puso fin a la gestión directiva de Gual. "Todo lo que yo proponía —dice Gual— no lo aceptaban y mi cargo de director se confundía con el de ejecutor de todo aquello pensado por los otros, con el solo objeto de hacerme responsable de las posibles equivocaciones que otros sufrían". Adriá Gual termina aquello que anuncia como la primera parte de sus memorias, con resentimientos y melancolía. Lo cierto es que quedaban ya muy lejos, lejísimos, los preceptos estéticos y las vaguedades redencionistas que habían llevado a Gual a la dirección de la Escuela y eran muy diferentes las circunstancias en aquellos años treinta. Los hombres de la "Lliga Regionalista", y con ellos Durán y Ventosa, propulsor infatigable de la Escuela, tendrían que dar paso a los hombres de "L'esquerra" —Izquierda Republicana— y del Estatuto de Autonomía, y la personalidad de Gual, ya deteriorada, no resultaría suficientemente atractiva para resistir el vendaval. El día 14 de abril de 1931 fue proclamada la República. La Diputación poco tiempo después se convirtió en la Generalidad de Cataluña, y el Consejo de Gobierno en la reunión del día 9 de junio de 1931, designó un nuevo Patronato para la Escuela. En el nuevo Patronato figuraban: Pere Corominas, Joan Puig i Ferrater, Pompeu Crehuet y Josep Millás Raurell; compartió la Presidencia el Consejero de Cultura señor Ventura Gassol, evidentemente hostiles a su obra.

"L'Escola Catalana d'Art Dramàtic", en el transcurso de los veintiún años en que fue dirigida por Adriá Gual, gozó de una vida más o menos tranquila, lánguida, en alguna de sus etapas, pero con una firme voluntad de continuidad, que iba más allá de cualquier compromiso histórico, desafiando el peligro de verse desnaturalizada en algún momento.

En esta introducción al estudio y crónica de la Escuela Catalana de Arte Dramático, me ha parecido ver cuatro etapas diferentes para que así me decidiera a parcelar el trabajo de la siguiente manera: de la fundación de la Escuela a la Dictadura (1923-1927). De la Escuela Catalana de Arte Dramático al "Instituto del Teatro Nacional". Período de restauración y la "Institució del Teatre", y las últimas gestiones de Gual.

Refiriéndose a la memoria que le encargó Luis Durán y Ventosa para la creación de la Escuela, dice Gual:

"A pesar de la modestia que las realidades me obligaron, puedo decir sin miedo a equivocarme que aquel trabajo mío contenia las máximas aspiraciones encaminadas a la completa constitución de un Teatro Nacional con todas las consecuencias"; más adelante añade: "Constaba de: concepto global y trascendente del hecho teatral y misión del teatro en Cataluña; sustitución de un esfuerzo metodizado de la tradición de que gozan otros teatros del mundo. Sindicación de enseñanza técnica y de cultura general adaptada al arte del actor. Necesidad de fundación de una biblioteca teatral, de un Museo del Teatro y de una publicación regidora de la Institución. Obra de divulgación teatral extensiva a todos los sectores sociales. Propiedad de un edificio como plasmación de la obra de la Escuela. Dignificación y seguridad oficial al trabajo del intérprete".

Las intenciones, como puede verse, eran ambiciosas. Se trataba de asegurar el *marco general* que había de justificar la actuación de la Escuela. El espíritu exaltado de la cultura catalana hallaría en el teatro un buen vehículo de proyección considerablemente popular. Adriá Gual era entonces el representante más firme de la obra teatral más digna, culta y europea, y no es de extrañar que fuese él a quien se le encargase la creación del instrumento ordenador que centrase todos los esfuerzos dispersos.

La empresa nacía recogiendo las experiencias del "Intim". Sin ninguna duda, su contenido, aludiendo a la *Memoria* a la que nos hemos referido, respondía punto por punto a las orientaciones del

"Teatre Intim", con solicitud de estar ampliadas oficialmente y en beneficio de una mayor difusión. Representaba pues, un aspecto culto, refinado, idealista, aristocrático del teatro. El público del "Intim" era el de la preclara y sensible burguesía barcelonesa. Y esto, de entrada, significaba marginar para el teatro a las clases menestrales y a una de las zonas más representativas del proletariado catalán.

"Queda mucho por decir respecto a la trascendencia que entraña la fundación de la Escuela de Arte Dramático, que empieza ahora su tarea. La generosa y loable iniciativa de la Diputación Provincial de Barcelona, nos invita a un amplio margen de saludables comentarios, ya que este acto representa algo solemne y positivo dentro de la cultura catalana".

De ésta y de parecida manera se expresa la prensa solidaria a los partidos de la "Lliga Regionalista", aliados a la burguesía catalana.

Pedro Bohigas Tarragó, secretario de la Escuela, a través de sus memorias académicas, nos ofrece un material de primera mano, riguroso y objetivo, para acercarnos al estudio de la obra pedagógica de Gual.

Las enseñanzas de la Escuela en el año 1913, quedaban establecidas de la siguiente manera: un primer curso y parte del segundo, con carácter elemental y relativo a la formación profesional y técnica del discípulo, y un tercer curso y la mitad del segundo, de carácter superior, relativo a su formación estética, intelectual y espiritual.

Las enseñanzas elementales se dedicaban a perfeccionar los elementos físicos de la representación —voz, palabra, gesto—. Con este fin se establecieron clases de música, gimnasia rítmica, lectura, recitación, declamación, recitación musical, prosodia, diálogos y conjuntos escénicos.

El Ciclo de estudios superiores comprendía las enseñanzas de Historia del Teatro, Historia de la Indumentaria, Historia del Arte, Interpretación y crítica de obras teatrales, obras musicales, así como también una larga serie de actividades complementarias. Fue a partir del período 1916-1917 cuando empezó a funcionar un cuarto curso, con lo cual los estudios pasaban a tener una duración de cuatro años.

El día 4 de febrero empezaron las clases. Figuraban como profesores, además de Gual, Enrique Giménez, Juan Llongueras, Pompeu Fabra y Ambrosio Carrión.

Adriá Gual quería implantar poco a poco otras secciones que tuviesen a cargo la formación de todos aquellos elementos que, además del actor, intervienen en la creación del espectáculo teatral.

Los proyectos de Gual eran considerablemente ambiciosos y de un acusado rigor técnico y colocaban a la Escuela a la vanguardia de la docencia teatral de su tiempo, en Europa.

Gual no fue un creador absoluto y por este motivo no dogmatizó con exceso en relación a su Escuela. No trazó tampoco un programa estético de trabajo demasiado consistente. Gual, solamente, y es muy importante subrayarlo, era un hombre de teatro muy documentado y sensible, influenciado por el "naturalismo" de Antoine y el "simbolismo" de Lugne Poe, abierto a todas las inquietudes del momento y que había experimentado en el transcurso de casi veinte años, todo aquello que pretendía ordenar y transmitir. Gual era el hombre que halló en la Barcelona de su tiempo y en las instituciones más representativas el instrumento y el camino adecuado para la formulación de sus proyectos.

Pronto, estos tendrían que ajustarse sensiblemente a unos límites presupuestarios excesivamente raquíticos para la empresa, que sumado a buen número de incomprensiones y prejuicios, fundamentados en parte, inhabilitarían e incluso frustrarían, parcialmente, los objetivos iniciales.

Quizá y es importante destacarlo, Gual no supo o no pudo, en el momento oportuno encauzar, moderar, y lo que es más importante, integrar a la tarea común de la Escuela, actitudes ajenas a su línea de pensamiento, y que por lo mismo, llegarían a ser hostiles a su obra al no poder gozar del privilegio que significaba el patronazgo de un organismo oficial como era la Diputación de Barcelona, primero, y la Mancomunidad de Cataluña, después.

Lo cierto es que la fundación de la Escuela obedeció a un deseo colectivo aunque centrado, eso sí, en torno al pensamiento y estética del "modernismo" y adecuadamente cultivado por los prohombres de la "Lliga"

La creación de la Escuela por la Diputación fue el pedestal, el reconocimiento oficializado, la institucionalización de la obra anterior de Gual. Pero el "noucentisme" por una parte y la poca permeabilidad de la Escuela para alcanzar nuevas fórmulas de trabajo, así como la incapacidad para incorporar a la misma nuevos colaboradores fueron los impedimentos fundamentales para prosperar. Es preciso insistir en que, si más no, Gual, a través de la Escuela, fue quien estructuró por vez primera un método de trabajo coherente y un programa pedagógico realmente insólito en aquellos momentos. Gual fue el hombre que intentó dar sentido al trabajo del intérprete y quien despertó el compromiso moral y la trascendencia de la profesión. Gual contribuyó en gran manera al reconocimiento social de la profesión de actor primero, y a la del "hombre de teatro", después.

La revista *El teatre català*, con fecha de 15 de marzo de 1913 publica un trabajo de Francesc Curet, *La cátedra de Adriá Gual;*

Impresiones de una hora de clase. Y otro, firmado por Flavi, *Hablando con Gual,* del cual voy a transcribir un fragmento:

"Gual empieza animado, se le ve contento y muy esperanzado. Lo que le duele mucho es no tener en la Escuela el consecuente "teatro práctico" con carácter de teatro público. El cree que uno de los principales elementos para formar a los discípulos, es el público y cree, además, que este aspecto humilde de organización teatral, en el cual todo sería prueba, podría ser considerado como el primer peldaño o, si queréis, la gestión, de traspaso evolutivo para encaminarse al definitivo "Teatro Nacional de Cataluña".

En el mismo trabajo periodístico Gual dice al comentarista:

"Es tan complejo el arte del actor, el arte del teatro... si el teatro es escuela de todo, imaginaros las cosas que habrían de enseñarse en una verdadera escuela de Arte Escénico. A veces la imagino como un gran monasterio donde se tratara de teatro y de arte en general, unas cuantas horas al día, y el resto se dedicara a una educación general, pasando por todos los aspectos y las prácticas de la vida corriente. Una Escuela así, emplazada en plena naturaleza..." "En la ampliación del plan actual —dice al comentarista— por cuanto las circunstancias lo permitan, he tenido la visión de algo formidable, de algo que estoy seguro no posee ninguna escuela teatral europea. En su Memoria dice Gual que, siguiendo por aquellos caminos acabará por ser una escuela general de Artes aplicadas al teatro..."

De este concepto que tiene Gual del teatro en general y de la Escuela, en particular, como posibilidad de vida comunitaria y reclusión monástica, tendremos que volver a hablar más adelante, pues es la constante que aparece reiteradamente y con juvenil empuje en el transcurso de su vida. De los primeros escritos de Gual en relación con la Escuela cabe señalar aquellos que tratan del proyecto de creación de un Centro de formación general de Artes aplicadas al espectáculo teatral. La idea que tiene Gual de una Escuela de este tipo, es amplia y generosa. Es interesante destacar la incorporación a la Escuela desde el primer momento, de un hombre como Juan Llongueras, recién llegado de Hellerau que aportaría una nueva dimensión a la pedagogía teatral, adelantándose en los conceptos de la expresión corporal y educación rítmica del actor en una entrevista para *Hojas Selectas,* dice Gual: "Creo que la gimnasia rítmica es un método poderoso. Por ello he pedido la colaboración de Juan Llongueras, del Instituto de Hellerau; por lo tanto, en la Escuela se practica el sistema de Jack Dalcroze". Más adelante veremos, al revisar algún estudio pedagógico de Gual, como las relaciones entre música y teatro son objeto de estudio y reflexión.

En la inauguración del curso de 1915-1916, el director Adriá Gual, trató el tema *Maestros y Discípulos;* al respecto recojo la siguiente crónica:

"Hablando Gual de la colaboración del maestro y del alumno, señala como tarea del primero la imposición al segundo de una línea limitadora y reguladora de la actividad de éste, estableciendo entre los dos un lazo un convenio sin rigidez, inspirado en el amor, constituyendo como una especie de disciplina familiar. Recordó que así eran las relaciones de maestros y alumnos en los gremios de Francia, Alemania, Cataluña...".

Es en el programa de la "Sesión pública de prácticas escénicas" celebrada en el Coliseo Pompeya el día 1 de julio de 1916 donde hallamos unos escritos de Gual que tienen el valor de testimonio. En el programa de aquella sesión se representaron unos estudios y composiciones montados por Gual para mostrar prácticamente algunos aspectos del trabajo pedagógico formulado por la Escuela. Los estudios eran: *Los avaros,* estudio de tragedia moderna; *Schumann en el viejo caserón,* nocturno número 4; *Los pastores en rebeldía* y *Les filoses,* estudios de conjunto; y *La Serenata* estudio de la farsa italiana. Las prácticas estaban co-dirigidas por Enrique Giménez. (De la personalidad de Enrique Giménez, como pedagogo, director escénico y colaborador fiel de la Escuela, sería necesario hacer un detenido estudio. Si Gual mantuvo una línea de trabajo teórico y dejó escritas unas normas de acción teatral, Enrique Giménez fue el hombre práctico que las ejecutó).

La fuerte personalidad de Gual ha diluido la obra de Giménez. Gual, en sus *Memorias* tampoco nos habla demasiado de ella. Recuerdo una conversación sostenida en París no hace mucho tiempo con Ambrosio Carrión, único superviviente del primer claustro de profesores de la Escuela Catalana de Arte Dramático, en la cual me decía que sería necesario revalorizar su figura, ya que la sombra de Gual nos había injustamente ocultado su trabajo y su obra.

En esta manifestación de "prácticas escénicas" a la que me he referido y que servía para cerrar el curso de 1915-1916, exponía Gual sus teorías, sobre el trabajo práctico de sus discípulos. Los textos teóricos insertos en el programa configuran un método de trabajo perfectamente coherente con su ideario. Es una especie de declaración de principios —una de las pocas que en este sentido conozco de Gual— y a través de unas conversaciones con los discípulos; sugiere un método de trabajo práctico y de estímulo espiritual para el actor, que constituye un curiosísimo material de estudio y reflexión. Todo él representa una deliciosa apología del simbolismo y de la "nueva realidad", así como una finísima e incluso preciosista expresión del refinado espíritu de Gual y de su exquisita sensibilidad como hombre de teatro.

"...Los fondos quedan valorizados por relación o contraste, los sonidos igualmente, así como los sentimientos y los caracteres; pero por encima de toda convicción de orden puramente mecánico, hay que afirmarse por la fuerza de un propósito trascendente y así, pensando, es preciso que vivamos persuadidos de que la realidad será siempre elemento de belleza cuando sea puesta al servicio de un fin superior a ella misma...".

"Tenemos, pues, que ver con los ojos vendados, sentimentalmente y técnicamente el arte del teatro debe sostenerse principalmente en los conceptos musicales si quiere mostrarse afinado a la altura de su trascendencia".

Para introducirnos un poco en el pensamiento de Gual respecto a las prácticas de escuela me ha parecido preciso elegir uno de sus textos referentes al procedimiento con que deben ser estudiados para la representación, cuatro aspectos posibles de interpretación, como pueden ser, según su particularísima adscripción, tragedia moderna, nocturno, conjuntos y farsa italiana. Gual expresa la necesidad de que el alumno pueda disponer de unos textos dramáticos básicos en los cuales se encuentren metodizados formalmente algunos de los principales aspectos de la interpretación teatral, facilitándole así su trabajo de estudio y de ejercicio escolar. Esta preocupación de Gual para sistematizar el proceso de creación del actor para un mejor conocimiento y asimilación del personaje, como individualidad primero y en relación con los demás después, lo lleva a elaborar unos estudios o textos dramáticos que faciliten el procedimiento de análisis.

Gual contempla al actor como a un ser en constante relación con todos los elementos de la escena. Ve en él al instrumento emisor de sonidos puros o articulados, y el volumen en movimiento que modifica el espacio escénico. En este sentido, el actor es para Gual un elemento auditivo y un volumen-cuerpo que ha de situarse con el "todo" sonoro y de espacio de escenario. Tiene, pues, un concepto del actor eminentemente musical y pictórico. Esta aseveración sería reducir las posibilidades expresivas del cuerpo y de la voz a un nivel puramente sensitivo. Gual, evidentemente, llega a esta conclusión. Pero llega a la misma después de considerar al actor como a un ser sincero y sensible a quien responsabiliza plenamente de los efectos de su propio trabajo proponiéndole al mismo tiempo trascenderlo y hacerlo consciente, aún reconociendo su condición de artista y hombre público.

Nos puede servir pues, para sacar algunas consideraciones, el análisis, aunque breve, de algunos fragmentos del texto que en forma de conversación con los discípulos, incluye el programa de la sesión pública de prácticas escénicas celebrada en el Coliseo Pompeia el día 1 de julio de 1916:

DESCRIPCION DE LOS ESTUDIOS

En *Los avaros,* estudio de tragedia moderna, trata el tema del realismo como escuela de interpretación y el del naturalismo como forma teatral. El trabajo teórico, parte de lo que él denomina "cruda realidad". Pero una "cruda realidad" controlada, donde las pasiones sean en todo momento contenidas. Y seguidamente apunta el peligro de caer en el exceso, "para representar una realidad tendremos que crear una acción, para poder representarla en un escenario, tendremos que hacer una síntesis". Gual apunta el peligro de la simple imitación de la realidad; de la interpretación superficial que es solamente parodia exagerada. Nos dice que toda interpretación que quiera ser honestamente realista no ha de quedarse en simple y estricta mímesis. Para teatralizar, que quiere decir subrayar a través de la abstracción, no hay que buscar solamente el juego de contraste externo sino que hay que hacer una revisión de la realidad hasta llegar al núcleo mismo de su potencia y entonces recrearla de nuevo con anhelo de idealizarla y fabricar la materia de arte y belleza pura en el sentido más puro y estrictamente clásico de la palabra.

En el estudio *Schumann en el vell casal,* nocturno, Gual se plantea las posibles relaciones a establecer entre música y teatro. Parte del tema de un "nocturno" como pieza musical de melodía dulce y sosegada para ilustrar con un concepto proustiano del tiempo, su teoría de la constante presencia musical en la estructura interna de la obra. Gual intenta arropar el espectáculo escénico con una textura musical precisa; la que le da la idea del "tiempo, la medida y la afinación". En efecto, su estudio pretende incluir en una misma tesitura melódica, la luz, el sonido y el movimiento en relación al tema dramático. Tema que no es sino un pretexto para levantar la ceremonia musical de la luz, de movimientos y de palabras, que para él representa el acto teatral. Gual no organiza con demasiado rigor todas las posibilidades que se desprenden de las relaciones teatro-escritura-música, pero las intuye. Siente que la obra escénica tiene un ritmo sonoro hecho de palabras y silencios y un ritmo de volumen y movimientos que hay que afinar musicalmente. Aunque Gual, es lástima, reduce este lenguaje musical de la obra dramática a una declaración conceptual de orden emotivo.

En este mismo "estudio" examina a nivel estético el concepto de nacionalismo. El nacionalismo para él es una indefinida síntesis de refinamiento espiritual que lleva valores sublimes y eternos. Para Gual, como para muchos de sus contemporáneos, el sentimiento de nacionalidad es, antes que nada, un sentimiento estético altamente cultural. Una exaltación controlada por una forma intemporal y clásica.

Los pastores en revuelta, es un estudio de conjunto en el que Gual hace un estudio de la obra anónima. De la sumisión del individuo a la totalidad de la obra; una afirmación de redención, a través del conjunto. Es curioso y sorprendente ver a través de estos escritos la imagen que tiene Gual de la obra de arte. Para él el arte es una obra inconcreta, abstracta, inmaterial: la belleza-objetiva. La perfección a que todo humano aspira y la búsqueda del camino al cual se deben encaminar todos los esfuerzos. La obra de arte, nos dice, está por encima de todo aquello que es humano y solicita del actor una mística actitud de exaltación de la belleza absoluta para poder gozar de un todo armónico. Para Gual, el actor que llega a sublimizar sus cualidades intrínsecas participa de la belleza del conjunto, de la belleza-objetiva.

Todo esto que he dicho es muy curioso; Gual propone a sus monjes-discípulos una curiosa redención por el arte. El profesor Gual y los suyos, incontaminados todos, puros, idealizados, suspendidos en tiempo y en espacio eran, por propios méritos, aspirantes al éxtasis permanente. Da la impresión que Gual, dejando aparte las aspiraciones de un problemático teatro nacional, iba por el mundo de una manera alada. Y es natural, pues había encontrado la verdad, su verdad. Y eso justificaba su infatigable sacerdocio. que no encajaba, naturalmente, con los intereses eminentemente históricos de una Institución oficial como la Escuela Catalana de Arte Dramático, que teóricamente, claro, había de representar al país. Esta sería la grave contradicción entre el Gual-artista y el Gual-director.

El "estudio de conjunto", *Las hilanderas*, insiste más o menos sobre lo mismo; sobre la necesaria espiritualidad de todos y cada uno de los elementos de la obra escénica, a fin de que pueda llegar a un punto superior y elevado.

Culpa a los intérpretes de utilizar sus medios expresivos —el cuerpo y la voz— de forma artificial y mecánica lo cual denota una falta de responsabilidad para el constante perfeccionamiento a que debe someterse el actor. Gual hallaba en el actor una lamentable indiferencia para todo aquello que no estimulara su vanidad y satisfaciera sus anhelos de exhibición. Y por eso clama por un nuevo tipo de actor. Un tipo ideal de hombre, sensible, íntegro, casi etéreo, intangible, capaz de reflejar la belleza objetiva. Este exceso de perfección le lleva a pedir para el teatro una "casta de artistas", un especie privilegiada de hombres y mujeres, una comunidad de elegidos.

En este "estudio" Gual invoca también la leyenda romántica como género dramático análogo a la épica tradicional. Con la leyenda, piensa, el hombre se siente identificado con la fuerza y la energía de la tierra y hasta se universaliza a través del héroe. El fragmento de "les filoses" de *El holandés errante,* de Wagner, sirve a Gual para hacer de las "hijas noruegas unas impecables muchachas catalanas".

Finalmente, el texto del programa de esta sesión pública de prácticas, preparada para sus discípulos, nos habla del estudio *La Serenata,* para la comprensión de la "farsa a la italiana". Gual ve en las máscaras de la Commedia dell'Arte la posibilidad de un juguete intrascendente y jovial como una cajita de música. Gual sublima las licencias de la farsa italiana. La sublimación es la defensa. Su defensa frente a un mundo desenfadado, disoluto y hasta impúdico y libertino, pero rico también de sabiduría popular. Aquellas "deliciosas figuras" tienen —nos dice— "algo de niño travieso" y, a renglón seguido, alaba su ingenua elementalidad. Gual, eso sí, penetra, aunque en un plano estrictamente estético en la frescura y ligereza necesaria para interpretar la farsa e inmediatamente, evoca la figura de Molière como culminación de la comedia italiana, eludiendo hablarnos de Goldoni. La farsa —el juego de la farsa— nos dice Gual, es el mejor aprendizaje para el discípulo y nos da de ella una exquisita defensa frente a las actitudes de desprecio que la han venido considerando como un subgénero de comicidad vasta y ramplona.

La hipotética base didáctica que se desprende de la lectura de estos "estudios" puede fundamentarse en los siguientes indicios: a) *Perfección:* "Es preciso que al haceros intérpretes de lo que se denomina realidad, no dejéis de pensar que la realidad pasa justamente a nuestras manos de artista para convertirse en ejemplo..." b) *Idealismo:* "Idealidad en la que hoy quizá el público sueña; c) *Belleza objetiva:* "La realidad será siempre elemento de belleza cuando sea puesta al servicio de un fin superior a sí misma"; d) *Proustianismo:* "La manía de los "nocturnos", que procede de los tiempos de la primera juventud, no me abandonó... no podía imaginar que llegaría un día en el cual mi persuasión pudiera ser ofrecida a mis discípulos en forma de estudio y en el ambiente de una familiar colaboración, aceptada por ellos"; e) *Música:* "El arte de la música y el arte declamatorio se encuentran estrechamente unidos", "El arte del teatro debe sostenerse principalmente en los preceptos musicales, si quiere mostrarse afinado a la altura de su trascendencia"; f) *Nacionalismo:* "Nacionalizar y elevar el sentido estético de nuestro teatro quiere decir sujetarlo por completo al más elevado grado de sentimiento intrínsecamente catalán sin apelar precisamente al tipismo sistemático..." g) *Espiritualidad:* "Poner nuestras aptitudes al servicio de la obra de conjunto. Es indispensable que el actor, para ser bueno, sienta la absoluta necesidad de la abdicación personal ante el amor desvelado por la obra interpretada". h) *Cultura*: "Sólida cultura general", "He conocido actores eminentes de otros parajes y me han maravillado sus complejas aficiones y sus vastísimos conocimientos". i) *Artista-hombre-elegido*: "Si el hombre, por el simple hecho de serlo, viene obligado a respetar aquello que de bueno le ha concedido la naturaleza, el artista tiene el altísimo deber de aprovecharlo, tratando de embellecerlo doblemente por su esfuerzo, que lo hace superior al hombre". j) *Ingenuidad*: "La farsa italiana representa el juego de infancia del artista teatral". Estos y otros preceptos que podemos deducir de la lectura de los textos, podrían reducirse a uno principal: *redención del hombre por la belleza,* tal como suena. Y no es preciso insistir más por cuanto todos los elementos didácticos que el autor facilita a sus discípulos son anfibiológicos y no buscan sino la afirmación del artista como "ente" privilegiado y anti-histórico.

Lo que hemos comentado hasta ahora, es la muestra precisa de unos razonamientos de la sintaxis artística que parten de la intuición creadora. El fenómeno de la sensibilidad no es analizado en ningún momento ni podemos pedir que lo sea, pues las reflexiones sobre la teoría del arte estaban por hacer y el estudio crítico de los contenidos racionales y emocionales del espectáculo teatral era prácticamente inexistente. En nuestro país, concretamente, habrá que esperar a un José María de Segarra y a un Ramón Viñas para establecer una preceptiva crítica con un mínimo de seriedad.

Los postulados didácticos de Adriá Gual se insertan plenamente en el fenómeno modernista, con las virtudes y defectos propios de este movimiento. El modernismo pretendía extraer la obra de arte de su carácter de ente privilegiado, de cosa dispuesta para ser consumida con actitud pasiva y anhelaba impregnarlo todo de belleza objetiva. El modernismo aspiraba a convertirlo todo en arte y así poder vivir en una plenitud activa. Deseaba provocar nuevas sensaciones y para hacerlo apelaba a la ambigüedad. El modernismo, en suma, buscaba redimirnos a través de una voluntad poética y trascender lo cotidiano. Es la primera gran tentativa de socialización del arte. El defecto es que en Cataluña el modernismo asumió una actitud de privilegio y hasta de desprecio hacia quien no podía permitirse el lujo de sublimar la realidad y volar por los aires de la intemporalidad absoluta.

En el III Congreso Internacional del Teatro, celebrado en Barcelona el año 1929, Adriá Gual aportó su trabajo titulado *Ideas sobre el teatro futuro,* el cual fue publicado en el segundo volumen de estudios y comunicaciones del Congreso. Este trabajo representa una extensa y sistemática reflexión de Gual sobre los contenidos emocionales que dan cohesión a su credo teatral, el cual continúa inalterable en relación con otras proclamas suyas anteriores, aunque menos profundizadas. En efecto, Gual en este estudio hace una concepción del mundo, con la cual podemos o no estar de acuerdo, pero que revela una larga meditación sobre el hombre, su condición y su actitud respecto al teatro como posibilidad de plenitud vital. Gual ahonda en los contenidos emocionales y sensitivos del espectáculo y va mucho más allá de concepciones de "teatro-cultura" y "teatro-comunicación". Gual, aunque no emplee las palabras adecuadas ni estructure su pensamiento, intuye en el teatro la posibilidad de una experiencia personal y colectiva realmente vívida. "Podemos hacer un culto de la personalidad del director de orquesta, pero no tenemos conciencia de que él no hace música, sino que la música lo hace a él. Si el director está relajado, receptivo y afinado, lo invisible se apodera de él y a través de él, llega hasta nosotros". Lo que dice Peter Brook en su estudio sobre el "teatro sagrado" lo podría muy bien haber dicho Gual en relación con su concepto de redención y afirmación individual y colectiva a través del acto teatral.

Este texto de Gual, tiene un valor documental de incuestionable importancia para introducirnos en su pensamiento. Gual desarrolla en él sin ninguna especie de pudor su teoría de la "salvación común" en el teatro. Este es un trabajo meditado y preparado a conciencia en el cual muestra y exhibe y hasta defiende enérgicamente, su teoría del arte y la belleza objetiva, con aires redentores y mesiánicos que no excluyen la sencillez y humildad habituales. Gual no claudica de ninguno de sus premonitorios postulados del "arte por el arte" y hasta se nos muestra con una juvenil e insólita capacidad de predicador privativa del que se cree en posesión de la verdad. Gual, se nos presenta aquí como un buen teórico del teatro, y ello hace posible que sus convicciones tengan una solidez básica considerable.

Adriá Gual, evidentemente, es de los pocos hombres de teatro que en nuestro país han reflexionado sobre el acto teatral y que a su vez han intentado entenderlo. Y eso, en principio, es importante.

El estudio del cual hablábamos ahora puede dividirse en dos partes, perfectamente diferenciadas; aquella que hace referencia a los diferentes ciclos históricos del teatro, con su incapacidad congénita para asumir plenamente el carácter ceremonial de la representación, desde las fiestas dionisíacas, al realismo socialista, y aquella otra en la cual expone la teoría de la redención. De esas dos partes, la primera me parece la menos consistente ya que pretende analizar los contenidos emocionales y racionales del espectáculo, con referencia a cada ciclo cultural, con una misma óptica normativa y clásica. Y claro, eso no encaja, pues parte de una contradicción dialéctica, en la cual se deslizan los elementos irracionales del acto y de la fiesta teatral y el análisis orgánico de la sociedad y cultura a la cual estos elementos están subordinados. La segunda parte obviamente dispone de una textura bastante aceptable, ya que Gual ajusta a ella su trabajo para deshilvanar conceptualmente, sin pelos en la lengua, sus ideas de la redención por el teatro, con términos estrictamente humanísticos y ahistóricos. Gual parte de que el teatro es ceremonia en sí mismo, con absoluta independencia de cualquier tipo de motivación. Es efecto sin causa.

Antes de penetrar en esta hipótesis, quizá convendría señalar dos o tres de las ideas que Gual intenta explicar y que constituyen la base de su teoría. No olvidemos que partimos de un texto teórico, lo cual limita la posibilidad de una comprensión definitiva. El autor —Gual— rechaza sistemáticamente el aspecto liberador, de la fiesta teatral. Para él la liberación o, mejor aún, la purificación, llega a través de la devoción y de la ceremonia ritualizada por la belleza pura y objetiva; el teatro es lugar sagrado donde el hombre puede buscarse a sí mismo a través de un acto de examen de conciencia colectivo. El teatro es para Gual una especie de segunda religión ya que, por medio del mismo, el hombre puede llegar a alcanzar la belleza objetiva, la perfección absoluta; el teatro es obra de un autor único, en el cual confluyen, como poeta, todas las condiciones de creador, concepto este que sería necesario aclarar. Gual, evidentemente, suscribe el concepto de director-creador, pero va bastante más allá. El creador no lo es en tanto que director de los diferentes elementos que participan en el espectáculo, sino que lo es en cuanto asume en él, y a través de él y de su disponibilidad receptora, la energía creadora de cada uno de los componentes. Y eso que es válido para el director, lo es también para el actor, pues éste será creador en relación a su capacidad receptiva y a su disponibilidad.

Estas podrían ser, pues, algunas de las cuestiones básicas que Gual intenta razonar. Hay otras, claro, pero estas son las que me han parecido más patentes, en la segunda parte del trabajo. Y podríamos aquí detenernos un poco para aventurar tal vez alguna hipótesis que subraye la vigencia de sus ideas. En primer lugar esta concepción del teatro como arte-sacro, capaz tan solo de congregar a una minoría de elegidos es "elitista", como lo es el trabajo de Grotowski que no admite más de 30 espectadores, y es sagrado porque para el actor es un acto de "sacrificio", ya que invoca la autenticidad, a través de ella, la redención comunitaria. Y cuando Grotowski habla del actor-santo y de la "santidad laica" de la ceremonia y del acto teatral, ¿no es lícito evocar el concepto de "segunda religión" empleado por Gual? En fin, no se trata de buscarle cinco pies al gato pero me parece que bajo la hojarasca retórica del Gual que comento, hay una intuición bastante lúcida de los contenidos emocionales del acto teatral, que las concepciones más o menos dionisíacas y veladamente irracionales que tienen como punto de partida el ideal de Artaud, nos han ayudado a comprender. Que Gual llegara o no a concretarlo en la práctica, eso ya es otro cantar. Pero lo que me parece evidentemente poco preciso es la etiqueta de "elitismo" que se cuelga a la concepción que Gual tiene del acto teatral. En todo caso sería necesario determinar en cada momento qué es lo que entendemos por élite o bien cual es el sentido que queremos darle a la palabra. Evidentemente yo también debería entonar el "mea culpa" por la ambigüedad con que he venido utilizando la palabra al referirme a la obra de Gual en algún momento de este trabajo.

Adriá Gual destaca que la intencionalidad del acto teatral es la de la salvación comunitaria. Esta idea tiene, pues, una significación redentora. Gual cree que el género humano es consciente de una frustración colectiva y suspira por una experiencia que lo libere. Y piensa en el teatro como una posibilidad de regeneración. Gual es un puritano que entreví que ha sido elegido para llevar a término una tarea redentora. "...pero mi alma se halla pura de pecado en el caso del Teatro. Y por esta razón, con la cabeza muy alta, acometo la misión redentora de un pecado ajeno, que hago mío". Y así, de esta forma cree cargar sobre sus espaldas con el fardo de una frustración colectiva.

Bien quisiera que, a través de esa aproximación crítica a la personalidad pedagógica de Gual pudiera entenderse la importancia de su obra, representativa del credo cultural y político de la "Lliga Regionalista", y de su compromiso con la burguesía; las contradicciones en cuanto a su concepto de lo popular y su adscripción a una "minoría elegida"; su perseverancia estética en el modernismo, frente a la dinámica histórica que habría de arrinconar sus postulados y, en definitiva, la labor y significado de la Escuela Catalana de Arte Dramático, en el largo período en que fue dirigida por Gual.

TEATRO SEFARDI

ELENA ROMERO

Si contemplamos en su conjunto la literatura judeoespañola de Oriente apreciamos en ella tres estratos, susceptibles de abrigar cada uno de ellos diferentes géneros literarios. Así podemos hablar de literatura tradicional, de transmisión y reelaboración primordialmente oral, como son el romancero, la lírica y la cuentística popular; de literatura patrimonial, que pone de manifiesto el trasfondo religioso-vivencial en el que alienta la mente de un judío, con géneros que van desde la comentarística de cuño rabínico hasta la poesía paralitúrgica; y por último, de literatura adoptada, es decir, géneros literarios que surgen en el mundo judío sefardí de Oriente, no como producto de su propia cultura, sino como copia de los modos de expresión literaria que le vienen determinados por el mundo cultural de Occidente.

Es a mediados del siglo XIX cuando estos nuevos géneros literarios surgen entre los sefardíes. A ello contribuyen dos factores principales. En primer lugar, las crisis históricas que conmueven y alteran la vida del mundo secular de los Balcanes, en cuyo medio ambiente se halla inmerso el sefardí; es decir: el hundimiento del gran imperio turco y el consiguiente resurgimiento de los nacionalismos balcánicos, de pueblos que se agitan en pos de una cultura propia y que abren sus puertas a una comunicación cultural con el occidente de Europa.

El segundo factor incide directamente en la comunidad judeosefardí. Se trata del establecimiento en los principales centros culturales sefardíes de Turquía y los Balcanes de las escuelas francesas de la Alianza Israelita Universal, a través de las cuales el mundo judío de Oriente se abrirá, primero, a la cultura francesa, y después, de su mano, a la europea.

Se produce entonces entre los judíos sefardíes un proceso cultural comparable, en cierto modo, al de la Haskalá del judaísmo centroeuropeo del siglo XVIII: desbordamiento de los moldes culturales tradicionales —que no quiere decir olvido— y apertura a nuevas corrientes ideológicas y vivenciales, que se plasman en nuevas formas de expresión literaria. Surgen ahora entre los sefardíes géneros como el periodismo, la novelística, la poesía "de autor", la publicística de divulgación y de documentación; y también el teatro.

179

El acto teatral tal como lo entendemos hoy, es decir, la participación de un conjunto de elementos —autores, actores, espectadores— que pertenecen a una determinada comunidad con unos intereses específicos y una concreta escala de valores, es, pues, algo nuevo en el mundo cultural judeoespañol. Sin embargo, con anterioridad a esa segunda mitad del siglo XIX ya había tenido el sefardí una cierta relación con lo "teatral", en el más amplio sentido de la palabra.

De su relativo conocimiento del teatro hispánico en los primeros tiempos tras la expulsión nos informan los datos recogidos por Menéndez Pidal y Manuel Alvar (1). Sin embargo, este conocimiento lo vemos como algo circunstancial, o más bien individual; es decir, distracción privada de sefardíes eruditos o nostálgicos, sin que tenga una proyección en la comunidad; y desde luego ya en el siglo XVIII debemos suponer desaparecidos incluso estos contactos individuales con el teatro hispánico.

En el libro de Jean A. Guer sobre los turcos y su mundo (2), se recoge un testimonio de Thévenot que nos proporciona un interesante dato:

> Thévenot, ce Voyageur judicieux et exact, dit dans le premier tome de ses voyages, que malgré la défense faite aux Musulmans d'avoir des images, il est assez ordinaire, surtout chez les Turcs, de régaler ses Hôtes après le repas du jeu des Marionnettes; mais ce divertissement n'est public que pendant le Ramadhan, qui a assez de rapport aux Saturnales des Payens.
>
> *Les jouers de Marionnettes,* dit ce même Auteur, *sont ordinairement Juifs de nation.* Ils se placent au coin d'une chambre, et tendent devant eux un tapis, au haut duquel est une échancrure ou fenêtre quarrée, fermée d'une toile blanche d'environ deux pieds. Ils allument plusieurs chandelles derriére cette toile, et y représentent différens animaux avec l'ombre de leurs doigts. Enfin ils se servent de petites figures plates, qu'ils font remuer si adroitement derrière cette toile en chantant des chansons lascives, que le spectacle en est beaucoup plus amusant, que celui de nos Marionnettes (3).

---

(1) Véase, del último, *Romancero judeoespañol de Marruecos* (Las Palmas de Gran Canaria, 1966), ps. 11-14, en donde refunde su artículo *Un "descubrimiento" del judeoespañol,* en "Studies in Honor of M. J. Benardete" (New York, 1965), ps. 363-366: ps. 363-364; amén de las referencias recogidas en ambos estudios.

(2) *Moeurs et Usages des Turcs, Leur Gouvernement Civil Militaire et Politique Avec un Abregé de l'Histoire Ottomane* (Paris, 1747), 2 vols.

(3) *Op. cit.,* vol. I, ps. 395-396 ("Leurs Comédies, leurs Farces et leurs Marionnettes"). Es nuestra la cursiva de la cita.

La participación de un elemento judío en este teatro tradicional turco, el *karagöz* (4), nos indica su conocimiento de esta peculiar manifestación teatral; pero también lo vemos participando en ella como en una actividad que le es ajena, dirigida al "divertimento" de otros, al margen de sus intereses particulares y de una proyección hacia su propia comunidad.

Sí está directamente relacionada con la vida comunitaria judía otra noticia recogida por el mismo Guer: trátase de una pantomima purímica, con embriones teatrales, cuya representación pudo tener trágicas consecuencias para la comunidad de Esmirna (5).

En tercer lugar, la encuesta directa nos ha revelado la existencia a fines del siglo pasado de un cierto tipo de teatro tradicional. Nutriéndose generalmente de temas bíblicos, este teatro vivía una existencia más o menos precaria en las escuelas, en donde se utilizaba como factor pedagógico (6).

GENERALIDADES (BIBLIOGRAFÍA, EDICIONES Y DOCUMENTACIÓN)

Poca o ninguna ha sido la atención que los investigadores han dedicado al teatro de los sefardíes de Oriente. Recordemos nombres como Grünbaum, Franco, Molho, Besso, etc., quienes han hecho en sus estudios alusiones al tema o le han dedicado breves apartados. Contamos también con la bibliografía, parca —unos 25 títulos— pero fiel, de Abraham Yaari (7).

Tras una paciente búsqueda de nuevas ediciones y textos teatrales que sumar a la lista de Yaari, hemos podido acopiar hasta el momento unas ochenta ediciones y varios manuscritos, que nos

---

(4) Sobre el *karagöz* pueden verse, a título de ejemplo, las notas de presentación y los textos tradicionales recogidos por Léopold Schmidt en *Le théatre populaire européen* (Paris 1965), ps. 453-501.

(5) *Op. cit.*, vol. II, ps. 434-435. Hemos descrito el incidente con mayor detenimiento, en nuestro artículo sobre *El teatro entre los sefardíes orientales*, en "Sefarad" vol. XXIX (1969), ps. 187-212, 429-440 y vol. XXX (1970), ps. 163-176, 483-508: p. 430.

(6) *Ibid*, ps. 192-194 y 430.

(7) En nuestro citado artículo ps. 187-190, damos una amplia bibliografía sobre el tema, que parece innecesario repetir aquí. Añádase a las publicaciones allí recogidas nuestro reciente artículo *El bet-din de los cielos*, *Edición y estudio*, en "Segismundo" núms. 7-8 (1968), ps. 135-243; y también *Los cantables de "Yosef vendido por sus hermanos"*, en "Estudios Sefardíes" (en prensa), sobre el aprovechamiento dramático de dos poemas líricos.

brindan una panorámica más amplia de la producción teatral en judeoespañol.

Por otra parte, para el estudio de esta faceta de la literatura sefardí se nos ha revelado como fuente imprescindible la prensa periódica. Tras un examen de más de un millar de ejemplares de periódicos, hemos podido allegar una abundante documentación que nos informa sobre unas seiscientas representaciones de alrededor de trescientas obras distintas. Todo ello relativo a un período que va desde el último tercio del siglo pasado hasta los años 40 del presente.

Tomamos como fecha de partida la de la edición más antigua que conocemos: 1873. La fecha tope es la de la segunda guerra mundial: si bien tras ésta algunos autores sefardíes han escrito teatro en los países de asentamiento de la diáspora secundaria (Israel, Estados Unidos, Francia, etc.), sus móviles han sido, sin embargo, los de la nostalgia o la erudición, y sus obras no han tenido ya la resonancia comunitaria que se producía en torno a las representaciones del mundillo sefardí de la preguerra. De alguna manera, con la destrucción total o parcial de las comunidades sefardíes de Oriente quedó roto ese hilo mágico, atador de escena y sala, que permite hablar de un teatro representativo de un grupo humano con su peculiar idiosincrasia.

La evidente desproporción entre las 80 ediciones y las 300 obras representadas, arriba aludidas, nos pone de manifiesto una de las características del teatro judeoespañol: la escasez de ediciones. Las obras solían circular en manuscritos, que pasaban de mano en mano y de grupo teatral en grupo teatral. A título de ejemplo mencionaremos la obra *Yosef vendido por sus hermanos,* de Isḥac M. Barźilay: representada por primera vez en Constantinopla en 1874, no se editó hasta 1910. Podemos, pues, suponer que muchas obras gozarían de la vida efímera que tuvieran unos deleznables papeles de trabajo. Todo ello nos induce a pensar que el acervo dramático judeoespañol fuera mucho más rico que el que, de modo casi casual, se nos ha conservado por las ediciones o por las noticias de la prensa.

Las obras ven la luz bien en ediciones independientes, o bien publicadas en los periódicos, ya como folletones coleccionables, ya intercaladas entre otros artículos periodísticos. Sabemos de la intención de algunos aficionados salonicenses de crear hacia 1912 una colección teatral, que con una cierta periodicidad habría de publicar obras en judeoespañol; sin embargo, ignoramos si la idea prosperó, ya que solamente conocemos la obra con la que se daba comienzo a la proyectada serie: *Israel,* de Henry Bernstein.

Podemos documentar la existencia de representaciones teatrales por casi todo el mundo sefardí de Oriente. Así sabemos de funciones en un buen número de lugares de Grecia, como **Salónica**, Kavala, Serre [Seres] (8), Langadas, Drama, Veria y Kastoria (en Macedonia), Komotini, Xanzi y Didimotijon (en Tracia), y Rodas (en las islas); de Turquía, como Constantinopla, Edirne [Adrianópolis], Gelibolu [Gallípolis] y Tekirdağ [Rodosto] (en la Turquía europea), y Ankara, Izmir [Esmirna], Manisa [Magnesia] y Turgutlu [Kasaba] (en Turquía asiática); de Bulgaria, como Sofía, Ruse [Ruschuk], Vidin, Novakovo, Stara Zagora, Pleven, Plovdiv [Filipópolis], Shumen, Lom, Nova Zagora, Yambol, Kiustendil, Sliven, Jaskovo y Tatar Pazardzhik; de Yugoslavia, como Sarajevo, Bijeljina, Travnik y Zenica (en Bosnia), Skopje [Escopia], Strumica y Bitola [Monastir] (en Macedonia), y Belgrado y Niš (en Servia); y de Egipto, como Alejandría y El Cairo.

TEATRO Y SOCIEDAD

Sabido es que para mejor comprender la idiosincrasia del teatro producido por un determinado grupo humano es necesario conocer el trasfondo en el que se mueven aquellos que elaboran y asisten al acto teatral; es decir, su mentalidad, sus deseos, sus ideales, los esquemas de su vida cotidiana, y el nivel cultural determinador de sus exigencias estéticas.

Más necesaria aún se hace esta averiguación si hablamos de un teatro que afecta a una comunidad judía, a una minoría encerrada dentro de un medio ambiente ajeno y alimentada en un muy particular caldo de cultivo. Intentaremos presentar, siquiera de modo esquemático, el mundo en que nace este teatro y sus factores condicionantes y circundantes (9).

Catalizadores del acto teatral

Cuatro son los principales elementos que actúan como tales: *a)* la ocasión festiva; y valiéndose o no de ella, *b)* las escuelas, *c)* las sociedades benéficas, y *d)* los clubs o asociaciones de tinte político.

---

(8) Para facilitar la identificación, añadimos entre corchetes el nombre histórico de las ciudades que mencionamos, cuando difiere del actual.

(9) Elaboramos el presente apartado a base de nuestro material inédito sobre el mundo teatral sefardí. Consta este material de más de mil noticias —procedente en su mayoría de la prensa periódica judeoespañola— cuya publicación estamos preparando: creemos que este corpus documental arrojará nueva luz sobre el devenir del teatro entre los sefardíes de Oriente. Algunos de los temas que abordamos aquí pueden verse ampliados o concretados en nuestro mencionado artículo *El teatro entre los sefardíes orientales*.

a)   Dentro del ciclo litúrgico festivo anual, dos fiestas del calendario judío llevan en sí las simientes necesarias para hacer brotar el acto teatral: Purim y Ḥanuká. La primera, comparable —salvando las oportunas distancias— con el carnaval cristiano, es la fecha en que se conmemora la salvación milagrosa del pueblo judío de las iras del rey Asuero (Aḥašveróš) mediante la intervención de la reina Ester. Desde antiguo ha sido esta festividad la ocasión en que el pueblo judío ha dejado discurrir libremente la tendencia de todo ser humano hacia el disfraz, la máscara, y en suma, lo teatral (10).

El mundo sefardí no podía quedarse al margen de esa tendencia implícita en el mismo festejo purímico; y así, además de pequeñas farsas relativas al tema del día y a sus peculiares formas de celebración hogareña y comunitaria, los sefardíes han representado en estas fechas abundantes obras que relatan el acontecimiento bíblico del libro de Ester —ya sean de autores judíos o no—, así como otras que describen la historia de José y sus hermanos.

En la fiesta de Ḥanuká se conmemora la purificación del Templo tras la victoria de los Macabeos, y en general, el triunfo que devuelve a manos judías el gobierno de la tierra de Israel. Por lo que esta fiesta tiene de exaltación nacionalista, la historia de los Macabeos y la ocasión de Ḥanuká han sido utilizados como temas y fechas teatrales por los grupos de ideología sionista, de los que hablamos más adelante.

Amén de en estas dos ocasiones, tenemos documentadas representaciones en otras fechas festivas del calendario litúrgico judío, tales como Pésaḥ, Tu-bišbat, Šabuᶜot, Sukot, etc.

No sólo estas ocasiones determinadas por lo litúrgico han sido plazo oportuno para la función teatral; existen además otros acontecimientos destacados o peculiares de la vida comunitaria que la suscitan. Por dar un solo ejemplo, mencionemos la fiesta de la Halbašá, en la que era costumbre repartir vestidos entre los niños pobres y huérfanos educandos de las escuelas comunales o Talmud Torá. La oportunidad de esta fiesta la determina la costumbre local; concretamente en Salónica solía celebrarse allá por Pésaḥ. La ceremonia de la entrega de vestidos concluía habitualmente con la representación de una obrita teatral, de variado contenido.

---

(10)   No es ésta la ocasión de hablar de la capital importancia que esa celebración ha tenido para el surgimiento del teatro judío en general. A título de ejemplo véase *The History of Purim Plays*, de Jacob Shatzky, recogido en el libro de Philip Goodman *The Purim Anthology* (Philadelphia, 1961), ps. 357-367.

Asimismo son ocasiones teatrales las fiestas nacionales del país en el que vive el sefardí, u otros acontecimientos relacionados con su medio ambiente.

b) Es en la escuelas donde quizá desde fecha más temprana se hace uso del teatro. Entendido como útil instrumento pedagógico, se utiliza para enseñar a los alumnos, de forma más viva, ciertos pasajes de la historia judía, o para hacer llegar por boca de aquellos, a los padres que asistirán a la representación, consejos y advertencias de tipo moralizante. En ocasiones la representación escolar no tiene otro fin que el del lucimiento personal del maestro, quien desea demostrar a la asistencia sus dotes de pedagogo. Los padres suelen aplaudir el uso del teatro en las escuelas; pero de vez en cuando la sociedad enjuicia severamente el abuso de estas representaciones, cuya preparación llega a absorber todo el tiempo de los alumnos en detrimento de sus actividades escolares.

c) Las múltiples y bullentes sociedades de beneficencia, elementos imprescindibles en cualquier comunidad judía, descubren pronto la utilidad del teatro como medio de allegar fondos para sus objetivos. Sociedades como el *Bicur Ḥolim, Matanot laEbyonim, Tomjé Yetomim,* etc., de Salónica, y otras muchas en todo el mundo sefardí de Oriente, fomentaron en gran manera la actividad teatral. Tras la representación era costumbre publicar en la prensa el balance pormenorizado de los gastos y beneficios de la función, cuyo detalle aporta interesantes datos sobre la mecánica teatral.

d) Contribuyen también a difundir la afición teatral los clubs y organizaciones culturales y recreativas, que incluyen el teatro en el programa de sus actividades. Hacia la segunda década de este siglo debemos señalar la aparición de sociedades que se constituyen en torno a una ideología de signo político: proliferan ad infinitum las sociedades sionistas, y van surgiendo las de signo socialista. Tanto unas como otras utilizan el teatro como medio de allegar fondos para sus cajas y como factor de propaganda. En sus manos el teatro se convierte en campo de disputas ideológicas, en donde se alaban las opiniones propias y se detractan las contrarias.

Estos furores ideológicos traen consigo una gran actividad teatral. En Salónica, los principales representantes de las dos tendencias son, de un lado, la sociedad sionista *Max Nordau,* y de otro, la Federación Socialista; ambas dispusieron de activos grupos teatrales que emprendieron la tarea de traducir, escribir y representar dramas y comedias que reflejaran su particular ideología. Así los sionistas tradujeron al judeoespañol obras de las más representativas figuras del sionismo, como Teodoro Herzl y el propio Max Nordau; utilizaron hasta la saciedad, como hemos dicho, el tema de exaltación nacional que les brindaba el heroico episodio de las victorias macabeas; y explotaron otros que ponían de relieve el antisemitismo pasado (España y la Inquisición, etc.) o presente (la calumnia del crimen ritual, los pogromes, el "affaire" Dreyfus, etc.).

Los grupos socialistas tienden a presentar un teatro de contenido más universal, que trascienda al estrecho mundo comunitario: a ellos se deben, por ejemplo, traducciones al judeoespañol y adaptaciones teatrales de obras de Tolstoi, Dostoievsky, Bernard Shaw, etc., y de una pléyade de autores franceses de segunda línea que abordan en sus dramas el tema de lo social.

Grupos teatrales, actores, locales, etc.

Conviene mencionar algunas características de los actores del teatro judeoespañol. Una primera destacable es el hecho de que siempre se trata de grupos de aficionados; el quehacer teatral está en general relacionado con una edad joven y un estado más libre de soltería; hasta el punto de que muchos grupos entran en crisis o desaparecen en el momento en que una mayoría de sus miembros contraen matrimonio.

Los grupos teatrales que se forman a fines del siglo XIX y primera década del XX suelen ser independientes; así algunos de Salónica como *La Bohem, La Falot, la Sočetá Filodramática*, etc. En épocas posteriores se organizan entre los miembros de clubs o de asociaciones culturales, como los elencos dramáticos de *Los Amigos de la Instrucción* de Serre, del *Cercl des Entim* de Salónica, del *Cercl Israelit* de Adrianópolis, de la *Benevolencia* y *La Lira* de Sarajevo, de las asociaciones de Antiguos Alumnos de la Alianza en varias comunidades, etc.; o también de sociedades sionistas y socialistas.

De la importancia alcanzada por el *Grupo Dramático* de la Federación Socialista se nos dice en el periódico *La Verdad* (Sal.) (11):

...ĵóvenos entuśiastas, a ideas avanzadas, tuviendo un panchante por la čena, formaron atrás 10 años un grupo dramático tuviendo como buto

---

(11) V. 1471 (27 nov. 1925), p. 2e. Para la transcripción del judeoespañol utilizamos el sistema descrito en el Anejo de "Estudios Sefardíes" I (en prensa). Para su lectura deben tenerse en cuenta, además de los signos ĉ, š, ŝ, ŷ del *Alfabeto fonético* de la "Revista de Filología Española", las siguientes equivalencias gráfico-fonéticas: ⵀb. v — b (oclusiva);ⵀ c, ĵ — ŝ;ⵀ ĉ, ś, ź — z;ⵀ ĝ, ĵ — ŷ;ⵀ ĝ, j — Z;ⵀ h — x:ⵀ c— gutural fricativa sonora; son generales el seseo, el yeísmo (salvo ll — ḷ) y la fricación de v en cualquier contorno (incluso inicial y tras nasal).

la traducción y la representación de grandes drames modernos. Este grupo, malgrado las numerosas dificultades que encontró sobre su camino, avanzó; y hoy él es considerado como la única tropa dramática judía del mundo. Es la sola tropa que juga drames en judeoespañol...

Excesiva es ciertamente la alabanza, ya que sabemos que otros muchos grupos representaban en judeoespañol; pero nos pone de relieve la importancia que el de la Federación Socialista alcanzó en su momento.

Las mujeres tuvieron que vencer graves obstáculos e impedimentos hasta lograr el acceso a las tablas. Su presencia en escena fue desde un principio ásperamente criticada por los elementos detractores del teatro y celosos guardadores de la moral. Incluso en ocasiones leemos en los repartos nombres masculinos para interpretar papeles femeninos; lo cual no deja de extrañar, habida cuenta de la prohibición religiosa de que el varón vista ropas de mujer.

Hasta bien entrado el siglo XX no veremos acoger con calma y silencio absolutos su participación activa en el quehacer teatral. Esta tranquilidad de la sociedad ambiente no será sino un indicio de esa cierta "emancipación" que por entonces alcanza la mujer y de la que queda fiel reflejo en las críticas de las satíricas *Nuevas Complas del felek* ('de la actualidad', tur. *felek* 'destino') y en los jocosos o doloridos comentarios de la prensa.

Las representaciones se llevan a cabo en toda suerte de locales: escuelas, salones de clubs o de hoteles alquilados para tal fin, jardines, teatros, etc.; e incluso en casas particulares: tal es por ejemplo la costumbre en Purim, en que los grupos de actores solían recorrer casa tras casa representando sus farsas y recibiendo por ello una recompensa.

En torno a la actividad teatral se desarrolla un interesante espíritu de colaboración recíproca entre judíos y sus convecinos de otras religiones. Así, por ejemplo, grupos judíos organizan representaciones con el fin de recaudar fondos en favor de obras de interés nacional, como pueden ser la construcción de un monumento en honor de los caídos, la ayuda al ejército y la armada turca, a los heridos en las repetidas guerras balcánicas, a alumnos pobres de escuelas no judías, a organizaciones benéficas nacionales, etc. En contrapartida, vemos con frecuencia a autoridades civiles y militares de la nación dando realce con su presencia a funciones de la comunidad sefardí, junto a un público no judío que asiste a estas representaciones; y no sólo a las que se dan en lenguas para él comprensibles, sino también a las que se llevan a cabo en judeoespañol. Asimismo sabemos de actores no judíos que actúan en grupos sefardíes, de especialistas en teatro que dirigen el montaje de sus obras, etc.

Podríamos abordar aquí una serie de temas de especial interés para la mecánica del teatro, tales como el sistema de venta y distribución de billetes, categorías y precios de las localidades, horario de las funciones, adorno de las salas, decorados escénicos, vestuario de los actores, etc.; todo lo cual está abundantemente documentado en nuestro aludido repertorio de noticias teatrales. Sin embargo, el deseo de no alargar esta presentación panorámica nos induce a dejar por el momento solamente apuntados estos temas, aplazando su tratamiento para mejor ocasión.

El público

Sí vamos a dedicar, en cambio, una mayor atención a las características que concurren en el público que asiste a las representaciones. En su calidad de judío, el espectador sefardí se siente atraído al teatro, en principio, sólo por aquellas obras cuya temática le afecta directamente. Más amplios son sus límites para la farsa y la comedia, y así reirá gustoso con obras molierescas y vodeviles modernos; pero por lo que se refiere al drama, ni le llega ni le conmueve plenamente aquello que le plantea una problemática ajena a su medio ambiente, que no traspase las barreras del gueto cultural en que transcurre su existencia. No sólo eso, sino que incluso puede sentir un cierto escrúpulo de conciencia en asistir a espectáculos teatrales organizados fuera del marco comunitario.

Le es preciso sentirse seguro de que la moral judía no va a verse vulnerada en el acto teatral. La única seguridad de ello se la pueden ofrecer, en principio, sólo aquellas representaciones que se organizan dentro del marco comunitario; lo demás es "ma^{c}asé goyim" ('cosa de gentiles, usos bárbaros'); y éste es, en efecto, el calificativo que aplican al teatro los elementos más retrógrados de la comunidad, que ven en la función teatral, sea cual fuere su tema, una seria amenaza para la pureza de la vida judía. De tanto en tanto vemos desatarse en la prensa judeoespañola violentas polémicas en pro o en contra del teatro en general, o acaloradas discusiones sobre la moralidad —siempre desde el punto de vista judío— de determinada obra en particular.

La atonía de interés y de reacción que los públicos sefardíes sienten ante lo que no contiene elementos de su pasado histórico, o no refleja la problemática de su vida cotidiana, trae consigo la no asistencia del elemento sefardí a representaciones de obras del teatro universal organizadas por compañías o grupos no judíos; ausencia de la que se duelen los mismos intelectuales sefardíes.

El afán de buscarse a sí mismos en el acto teatral, o de encontrar en él algo que les sea familiar, traspasa las lindes de la pura temática. Vemos cómo en la prensa judeoespañola se exhorta a la comunidad sefardí a acudir al teatro cuando compañías italianas o francesas de gira por Oriente programan obras de temática bíblica. Pero también vemos —y esto es ya más sorprendente— cómo se anima a este público a acudir al espectáculo teatral cuando la obra representada nada tiene de judío pero sí lo es el director de la compañía o la primera estrella. Sabido esto, nada nos puede extrañar que la comunidad sefardí acuda en masa al teatro en aquellas ocasiones en que algún grupo de actores askenazíes que llega a Oriente le ofrece un repertorio de obras bien ajenas al mundo sefardí... y además en yidiš, lengua ininteligible para nuestro público.

Otra de las características del espectador sefardí es, naturalmente, su condición de hispanohablante. Bien es verdad que hacia la segunda mitad del espacio de tiempo que estudiamos vemos proliferar las representaciones de grupos judíos en turco, griego, búlgaro, etcétera, influidos por las corrientes nacionalistas de los países de asentamiento. Pero ésa no es la situación lingüística del sefardí a finales de siglo pasado y primeras décadas de éste. Tenemos abundante documentación que demuestra cómo las masas sefardíes no entienden bien el teatro en otras lenguas, y cómo, por ejemplo, las obras en francés dejan fría a la asistencia. Se siente, pues, la necesidad, por parte de los intelectuales, de producir en y traducir al judeoespañol obras teatrales.

Con el hebreo sucede algo distinto. El pueblo no lo entiende; pero el carisma mágico de la lengua le hará acudir al teatro, en donde intentará identificarse con la obra y seguir el desarrollo argumental a través de los breves resúmenes en judeoespañol que se le dan ocasionalmente o de lo que sea capaz de suplir con su imaginación. Del hebreo como sortilegio emocional se valen los grupos sionistas, que perciben la importancia de esta lengua para la consolidación del espíritu nacionalista.

Son estos grupos también los que satisfacen aquel deseo del sefardí, al que antes nos referíamos, de sentarse en el teatro como el que se sienta ante un espejo. Sin pretender enseñarle nada radicalmente nuevo, le ofrecen una temática en la que figurarán sus glorias nacionales, sus situaciones gloriosas o desgraciadas del pasado, sus esperanzas de mejor futuro (hogar nacional judío); y también los acontecimientos lamentables del presente, siempre que en este último caso la acción dramática se desarrolle fuera de las fronteras del país donde se representa, por mor de la censura.

No es igual la actitud que ante el teatro adoptan, de una parte, los intelectuales sefardíes, y de otra, el resto de la comunidad; que podemos subdividir, a su vez, en "clase bien" y clase "menos bien". Los primeros sienten la importancia del teatro como hecho estético y su valor como medio para instruir a las clases populares. La documentación nos muestra cómo su interés por una producción teatral en judeoespañol viene determinada en ocasiones por el prurito de demostrar a sus convecinos que también ellos poseen un teatro propio.

En cuanto a la "clase bien", vemos a miembros de la más destacadas familias de la comunidad judía honrando con su presencia las funciones teatrales, sobre todo las que se dan con fines benéficos, y matizando el acto teatral con un algo de fiesta de sociedad. Acuden al teatro, escuchan con interés y buenas maneras, y se declaran satisfechos con lo visto.

Muy otra es la actitud que en las salas teatrales adopta el pueblo. Con frecuencia leemos en la prensa advertencias en las que se recomienda a los espectadores en general: que acudan con puntualidad, que no alboroten, no chisten, no se rían cuando no deben, no hablen, que no coman pipas ni frutas, que no tiren botellas, que no lleven al teatro niños pequeños; y a las damas, en particular, que se quiten los sombreros antes de empezar la representación. He aquí un fiel reflejo de todo cuanto de levantinismo hay en las masas populares de Oriente, desbordando en una sala teatral. No es preciso recordar aquí que tal actitud no es específica de la comunidad judía, sino extensible a toda la sociedad del Oriente mediterráneo, y que la distinción radica entre una minoría acomodada y más educada socialmente, y la bulliciosa masa popular.

A lo anteriormente dicho podemos añadir la importancia de lo emocional y sensiblero en el éxito de la representación. Las lágrimas fluyen con frecuencia de los ojos de los espectadores, y la experiencia nos dice, por lo abundante de la documentación, que cuanto más tiempo han pasado los espectadores con los pañuelos en ristre tanto mejor lo han pasado.

LOS TEMAS

Intentemos ahora establecer esquemáticamente una clasificación del teatro judeoespañol partiendo de las mismas obras. Somos conscientes de que pueden ser varios los criterios para llevarla a cabo, según se atienda a su condición de originales/traducciones, de prosa/verso, de tragedia/drama/comedia; a la lengua de la representación (judeoespañol, francés, turco, hebreo, etc.); a la dispersión geográfica, etc. etc. Hemos preferido, sin embargo, basar nuestra clasificación en la temática de las obras.

Yendo de lo más particular a lo más general apreciamos tres grandes grupos: *A)* obras de temática específicamente sefardí, *B)* obras de temática judía, y *C)* obras importadas del teatro universal no judío. Sin propósito de ser exhaustivos, trataremos de ilustrar nuestras palabras con aquellos títulos que nos han parecido más adecuados para caracterizar cada grupo (12).

A. En el primero incluimos aquellas obras nacidas en el seno de las comunidades de Oriente, producidas en judeoespañol por autores sefardíes, que nos reflejan y describen las vivencias del mundo cerrado en el que se desarrollan sus vidas.

1. Entre ellas podemos destacar un grupo de obras que con mayor extensión y profundidad abordan los problemas cotidianos y comunitarios, como son por ejemplo algunas de los prolíferos autores Šabetay Y. Djaén y Laura Papo (*Bohoreta*): del primero, *Del mundo de ariba y del mundo de abajo* (sobre la vida de los judíos en Oriente) y *Muestras criaturas* (sobre los niños judíos en Sarajevo en tiempo de la guerra); y de la segunda, *Esterka, Había de ser, Ojos míos, La pacencia vale mucho, Renado, mi nuera grande, Shuegra ni de baro buena, Tiempos pasados*, etc. Ni las obras de L. Papo ni las citadas de Djaén llegaron a editarse (13).

Al lado de éstas encontramos un buen número de pequeños cuadros festivos de contenido costumbrista, que nos presentan todo un muestrario de tipología sefardí: empleados, artesanos, comerciantes, casamenteros, comadres, vendedores, etc., que hablan en un lenguaje coloquial y que actúan, ríen y lloran, que piensan y viven, en suma, dentro del marco de su vida tradicional y cotidiana. Así, por ejemplo, la serie de obritas de Alexánder Ben-Guiat, *La boda de*

---

(12) Estamos ultimando un amplio estudio sobre el teatro judeoespañol. En él, entre otras cosas, hacemos detallada descripción bibliográfica de las ediciones que han llegado a nuestras manos y presentamos en lista cronológica las funciones que tenemos documentadas en toda la diáspora sefardí; partiendo de estos materiales básicos hemos elaborado un análisis de las obras editadas y representadas.

(13) En adelante indicamos entre paréntesis, a continuación del título el lugar y año de la edición judeoespañola (Const. = Constantinopla, Jer. = Jerusalén, Sal. = Salónica); para las publicadas en la prensa periódica, añadimos el título del periódico. (La ausencia de tal paréntesis bibliográfico indica que no tenemos noticia de que la obra llegara a editarse.) Cuando sea preciso y nos haya sido posible identificarlos, indicamos el título original tras el de la versión judeoespañola; asimismo traducimos los títulos en hebreo y en turco.

Alberto, Desposorios de Alberto, Mi yernećico, Jurnal de un recén casado (*El Tresoro de Yerušaláyim*, Jer., 1902-3); y otras anónimas como *Los males de la colada* (*La Epoca*, Sal., 1900), *Ocho días antes de Pésaḥ* (*El Juguetón*, Const., 1909), etc.

Un grupo de obras, cuyo significado queda generalmente inextricable para nosotros, nos describen de forma alegórica y con personajes simbólicos ciertos problemas internos de la comunidad; así *Vendetta* (*El Tresoro*, Ruse, 1894), *Lo que hicieron todos* de Nisim Bajar (*El Burlón*, Const., 1909), *Lingua y nación israelita* de Jakim Behar (Const., 1910). etc. Y otras con aire de farsa nos ponen de relieve las tensiones ideológicas que agitan a la comunidad, como *Belağí* de Alḥerto Moljo (Sal., 1930), en la que se ridiculiza la figura de un diputado sionista en vísperas de elecciones.

2. Otro grupo de obras de cuño sefardí lo constituyen aquellas que podríamos encuadrar bajo el título general de la "comedia nueva": obritas que nos ponen en contacto con los cambios de vida y de mentalidad que se producen en las comunidades de Oriente con la venida de los tiempos "modernos". Los mismos títulos son reveladores de su contenido: *Esposorio del felek, Mi mujer quere campaña, Cale vivir a la moda, El marido moderno, Musiú Jac el parišiano quere esposar, No me va casar, No quero esposar, La vida moderna*, etc. (todas en *El Juguetón*, 1927-29).

3. Como grupo especial dentro de este apartado, debemos mencionar las obras que interesan al sefardí en lo que éste tiene de miembro integrante de una comunidad nacional (turca, búlgara, griega...). Inmerso desde hace varias generaciones en un medio ambiente ajeno, no puede ignorar su folklore, y desde luego le afectan directamente los avatares de la historia contemporánea por los que pasa la nación en la que vive. Llegan, pues, a los escenarios sefardíes obras entroncadas con un teatro turco más o menos tradicional, como *Leḥleḥiŷí Ḥorḥor* ('Ḥorḥor, vendedor de garbanzos torrados'), o que describen la historia pasada o presente de Turquía. Entre éstas cabe mencionar las varias de Jacques Loria, en turco o en francés: *Feti Constantini* ('La conquista de Constantinopla'), *Alemdar Pačhá, La fuite d'Abdul Hamid;* o de otros autores, como *La batalla de Plevna o Gazí Osmán Pačhá, Treinta años de la vida de Ḥamid*, etc.; amén de alguna obrita de carácter escolar como *Trípoli*, de Yeošúa[c] Kontorovitz.

B. Al sefardí, en tanto que judío, le interesa todo aquello que le habla de su pasado, recreándole situaciones de su historia pretérita, o que de una forma u otra se refiera a lo "judío" en el más amplio sentido de la palabra.

Podemos establecer tres apartados: *1)* obras de inspiración bíblica, *2)* histórico-legendarias, y *3)* de problemática judía. En torno a estos temas tenemos obras creadas en judeoespañol por los mismos sefardíes, junto a traducciones de autores judíos o no judíos, que de este modo quedan incorporadas al acervo dramático sefardí.

1. Dentro del grupo de obras de asunto bíblico podemos mencionar un buen número de ellas de autores sefardíes: *Adam veHavá, Melujat Šaúl* ('El reino de Saúl'), *Daniel begob haarayot* ('Daniel en el pozo de los leones'), las tres de Baruj I. Mitrani; *Lea*, de Aharón Menahem; *Deborá* (Viena, 1921) y *Iftah* (id.), del citado Djaén; *Mošé,* de Aharón Y. Hazán; *La viña de Nabot el izreˁelí*, de Yosef A. Papo, etc.; y otras anónimas como *Yeŝiat Miŝráyim* ('La salida de Egipto'), *Los esculcadores* (acerca de los espías enviados por Josué para "esculcar" la tierra prometida), *David y Goliat*, etc.

Algunas historias bíblicas han sido especialmente rentables para el teatro y en ellas se han inspirado numerosas obras. Destaquemos los relatos de las andanzas y venturas de José y de la reina Ester.

Sobre el primer tema, conocemos varias obras de cuño sefardí: *Yaˁacob y sus hijos*, de Eliˁézer B. Yaˁacob; *Josef veehav* ('José y sus hermanos') de Mitrani; *Yosef vendido por sus hermanos*, de Išhac M. Barźilay (Const., 1910); *La vendida de Yosef por sus hermanos* de B. A. Evlagón, etc.

Sobre Ester las hay originales sefardíes, como *La reina Ester*, de Charles Gattegno: *Hamán uMordejay*, de Mitrani; *Ester*, de Hazán; otra *Ester*, de Djaén; *Historia de Ester*, de Yaˁacob A. Šemuel etc.; o traducidas: bien del hebreo, como *Šošanat Yaˁacob* de Yehudá Steinberg (Const., 1921), o bien del francés, como la *Ester*, de Racine (Const., 1882).

Y para seguir en el camino de las traducciones, mencionemos que al judeoespañol se incorporan obras de tema bíblico más o menos clásicas, como *Atalia* de Racine, *Šaúl* de Lamartine, *Šaúl* de Vittorio Alfieri, o *Yehudit* de Delphine de Girardin.

2. Un buen número de obras se ocupan de describir momentos heroicos de la historia judía pasada. Las podemos clasificar en tres grupos según se refieran: *a)* a la época clásica o segundo Templo, *b)* a la expulsión de España, o *c)* a la vida judía en la diáspora.

a) En el primer grupo se encuentran las numerosas obras —de títulos similares— sobre los *Macabeos* o sobre otras historias de su época, como por ejemplo *Antiojos, Hana y sus siete hijos, Hana*, etc.; ni podían faltar las que hablan de personajes gloriosos como *Bar Kojba*, o de venerados rabinos del Talmud como *Rabí ˁAquiba* y *Meír*. En este mismo grupo podemos encuadrar una de las más difundidas obras del teatro en yidiš; *Šulamit*, de Abraham Goldfaden, que también fue traducida al judeoespañol.

b) Especial atención dedicaron los autores sefardíes al momento histórico de su expulsión de España, con obras como los *Abravanel*, de Aharón Menaḥem y de Bejor ᶜAźaria; *Don Isaac*, de Sento Semo; *Don Iṣḥac Abravanel*, de Jacques Loria, y algunas más sobre dicho personaje; y otras como *Los maranos* de Alberto Barźilay (Sal., 1934), *Don Yosef de Castilla*, etc.

c) La historia judía diaspórica hace también acto de presencia con algunas obras traducidas al judeoespañol, como las versiones de *Los cativados de Israel en Roma* (*Les Captifs*) de Maurice Walch; o *La judía*, libreto de A. E. Scribe para la ópera de J. F. Halévy (Const., 1891).

3. El mundo judío en general se incorpora al teatro judeoespañol, no solamente a través de obras bíblicas o que reflejan un pasado histórico, sino de otras *a)* que ponen de manifiesto toda una problemática de vida religiosa interna, *b)* que narran la situación del judío inmerso en un medio ambiente ajeno, y *c)* que describen vidas y ambientes comunitarios judíos no sefardíes.

a) Tenemos así obras de contenido doctrinario como *El bet-dín de los cielos* (Plovdiv, 1905), versión judeoespañola del drama *Sady Boze*, de Wilhelm Feldman, sobre la violación del segundo mandamiento y sus consecuencias (14); u otras de autores sefardíes como *Déguel haTorá* ('Estandarte de la Ley'; Sal., 1885) y los varios *Maḥaźé šaᶜašuᶜím* ('Espectáculo deleitable'; Sal., 1897 y s.a.) de Mošé Y. Ottolenghi, sobre temas relacionados con el estudio de la Ley, el valor de la beneficencia, etc.

b) Un importante número de obras abordan el problema de la asimilación. Así *Doctor Kohn* de Max Nordau, y *Néšef Purim* ('Velada de Purim') de Aharón I. ᶜAmar, ambas traducidas y editadas en judeoespañol (la segunda en Kazanlik, hacia 1909); y otras de autores sefardíes, como *Simon Blum* de Isaac Ben-Rubi, o *Ḥanuká y Noel* (*La Tribuna Líbera*, Sal., 1910). En este grupo debemos incluir *Gueto*, de Herman Heyermans, que apoya la asimilación y los matrimonios mixtos: sin que podamos encontrar explicación satisfactoria, el hecho es que la obra fue traducida al judeoespañol; su publicación en 1910 (*La Nación*, Sal.) suscitó en la prensa judeoespañola los adversos comentarios que eran de esperar.

---

(14) Véase mi artículo en "Segismundo", reseñado en nota 7.

Con estas obras sobre el riesgo de la asimilación debemos relacionar el nutrido grupo de dramas que tratan la cuestión del antisemitismo. Muchos autores sefardíes abordaron el tema, a partir de variadas fuentes de inspiración; que pueden ser: hechos de la historia judía reciente, como el "affaire Dreyfus", con numerosas obras de título igual —de Aharón Menaḥem, de Jacques Loria y de Yosef Papo— o análogo; o la tópica acusación del crimen ritual, con *La sangre de la maŝá* de Jacques Loria, *La ocasión de la sangre*, etc.; o en general, cualquiera de las situaciones de violencia sufridas por el pueblo judío, como *Los pogromes de Kičhinov* de Djaén, o *El triumfo de la ʼusticia,* de Moiŝ Naʼari (Sal., 1921). Paralelamente se traducen obras de autores no sefardíes que plantean el mismo problema del antisemitismo, como *Israel* de Henry Bernstein (¿Sal., 1912?), o *Los ʼudiós (Yevrei)* de Yevgeni Chirikov.

En la mayoría de ellas, o bien simplemente se apunta, o bien se formula con plena conciencia la solución que propugna la ideología sionista frente a los conflictos de la asimilación y el antisemitismo, es decir: la creación de un hogar nacional judío en Palestina. En consecuencia, complemento y ampliación de aquellas serán otras obras que vienen a describir la vida en las nuevas colonias judías, como *Los pioneros* y *Sara Aharonŝon* de Djaén, o que se refieren de forma alegórica al sionismo y a sus ideólogos o héroes, como *La liḅeración de la Palestina* o *Moŝé, Herzl, Trumpeldor al paradiŝo.*

c) Las vivencias del otro gran tronco del judaísmo, el mundo aŝkenazí, tienen también su representación en los escenarios sefardíes de Oriente: a través de obras capitales del teatro judío de todos los tiempos, como *El diḅuk,* de Ansky, basada en las prácticas místico-cabalísticas del judaísmo ruso y centroeuropeo; o por medio de pequeños cuadros costumbristas, como son las obritas cómicas de Ŝalom ᶜAlejem *Maẑal tob* ('Enhorabuena'; *El Macaḅeo,* Sal., 1919; y Sal., 1931) y *El médico* (id., 1920).

C) Con el establecimiento en Oriente de las escuelas de la Alianza Israelita Universal, le llega al sefardí la desbordante ola de la cultura francesa; y de la mano de ésta se acerca, en cierto modo, a la producción literaria del mundo europeo. Las obras teatrales que por esta vía vienen a sumarse al acervo antes expuesto ya nada tienen que ver con lo judío.

1. Los escenarios sefardíes acogen sin discriminación cuanto de bueno y de menos bueno se ha producido y se produce en el mundo cultural francés, que le sirve de luminaria y de guía.

a) Del teatro clásico francés, Molière es sin duda el autor favorito. Sus obras se editan en judeoespañol, sufriendo a veces un curioso proceso de "judaización" que no es éste el momento de describir, y se representan en judeoespañol, francés, turco y búlgaro a todo lo largo y lo ancho de la diáspora sefardí.

Sus obras más difundidas son *El escaso, Descarso, Historia de Ḥan Binyamín,* etc., nombres todos ellos de *El avaro; El ḥacino imaginado* o *El malato imaginario; El casamiento forzado; El médico ĵuguetón,* es decir *Le Médecin volant; Los embrollos de Escapén,* traducción de *Les Fourberies de Scapin;* y *El médico contra su veluntad* o *El médico por żorlá* o *El doctor malgrado él,* etc., títulos que traducen *Le Médecin malgré lui.* En general, las obras de Molière se suelen representar como comedia de fin de fiesta para alegrar el ánimo de los espectadores, que acaban de asistir a la representación de un "doloriośo" drama.

Llegan también a los judíos sefardíes otras obras clásicas del teatro francés, como *El abogado Patelén (Maistre Pierre Pathelin,* farsa anónima francesa del s. XV), o *Le pledor (Les Plaideurs)* de Racine; añádanse a éstas las obras ya mencionadas en el apartado de tema bíblico (B.1). Asimismo se llevan a cabo adaptaciones teatrales de novelas famosas, como por ejemplo *Los miśerables* de Víctor Hugo.

b) En la misma medida llegan a los escenarios sefardíes, generalmente a través de versiones en judeoespañol, dramas y comedias del teatro francés contemporáneo. Así, desde obras de autores de primera fila, como una adaptación teatral de *Tereśa Raquen* de Émil Zola, a otras de autores de menor relieve, como *Los hechos son los hechos (Les Affaires sont les Affaires)* de Octave Mirbeau. Así, en general, obras de una amplia gama temática: comedias amables como *Topaź (Topaze)* de Marcel Pagnol, o "románticas" como *Cyrano de Bergerac* de Edmond Rostand, *El fabricante de fieros (Le Maître de Forges; El Telégrafo,* Const., 1892) de Georges Ohnet y *La vírĝina loca (La Vierge folle)* de Henry Bataille; policíacas como *El coreo de Lyon (Le Courrier de Lyon;* Viena, 1901) de Eugène Lemoine et alia, o de tema más o menos relacionado con lo social como *Las dos güérfanas (Les Deux Orphelines)* de Adolphe-Philippe Dennery y *Los negros pastores (Les Mauvais Bergers)* de Octave Mirbeau; etc.

No podía faltar una nutrida representación del vodevil, la comedia ligera y la sátira, con obras como *l'Affaire de la rue Lourcine* y *El miśántropo y el overniato (Le Misanthrope et l'Auvergnat),* de Eugène Labiche; *Le Bulengrén (Les Boulingrin), El cliente serio (Un Client sérieux), El comisario es un buen niño (Le commissaire est bon enfant),* de Georges Courteline; *La epidemía,* de Octave Mirbeau; etc.

2. En mucha menor escala, y ya a una gran distancia de este aluvión del repertorio teatral francés, acoge también el teatro judeoespañol algunas muestras de la producción literaria y teatral de otros países europeos.

Así se representan en judeoespañol adaptaciones teatrales de obras de los grandes novelistas rusos: *Ana Karenina* y *Resurección* de Tolstoi, y *Los hermanos Karamazoff* de Dostoievsky. El teatro inglés está representado por *Romeo y Julieta,* y alguna obra de Bernard Shaw como *El soldado de Chocolata.* Y el italiano por *La escocesa* de Goldoni (*El Amigo de la Familia,* Const., 1883), y *Lo scrampolo* (*Scampolo*) de Darío Niccodemi.

3. Desconocimiento total y significativo del teatro español de todos los tiempos.

4. Los sefardíes llegan, pues, a conocer un teatro de temática más universalista, que supera la que le ofrecen los estrechos límites de la vida comunitaria y los más amplios —pero también cercados— espacios de la problemática vivencial judía. Apoyados en este conocimiento, algunos sefardíes —pocos— escriben obras de contenido "neutro" en lo que a su condición de judío sefardí se refiere. Así tenemos *Riñu o el amor salvaje* (Cairo, 1906) de Abraham Galante, drama de amor pasional desarrollado en un medio ambiente griego, o la comedia de enredo *La famía misteriosa* (Viena, 1889) de Jakim Behar. Incluso hay algún sefardí que osa llevar una comedia suya a las escenas parisinas, como Šemuel Carasso con su obra en francés *La bonne saison.*

CONCLUSION

Para terminar esta presentación muy panorámica del teatro judeoespañol parece necesario ofrecer una valoración de conjunto del mismo.

Conviene señalar, en primer lugar, que no ha llegado a nuestras manos una crítica teatral interna, es decir, la que hubieran producido los mismos sefardíes ante la contemplación de su propio teatro. La crítica que ejercieron los comentaristas de la prensa judeoespañola suele mantenerse —salvo interesantes excepciones— en el plano de lo trivial: se aprueban las obras seleccionadas siempre que no lesionen la moral judía, y se elogia por igual la actuación de los actores y la belleza de las actrices.

Por nuestra parte, no podremos emitir un maduro juicio valorativo hasta que hayan sido transcritas y analizadas al menos una parte representativa del casi centenar de textos teatrales que nos han llegado (15).

Así pues, por el momento, sólo no es lícito adelantar una somera valoración de conjunto. Para formularla sírvanos de trampolín el inquisitivo comentario que vio la luz en *El Judió* (Const.) allá por 1914 (16):

> Yo me pośo esta question: ¿Y ónde están muestros hermanos los españoles [= judíos sefardíes]? ¡Quién sabe cuántas ideas, actos y evenimientos desconocidos de todos se encontran en sus vidas, cuántas tragedías se crían en sus vidas escuras de Balat y de Hasköy [barrios de Constantinopla]! ¿Y ónde están los autores españoles que sirviéndose de esta matiera nos debían crear una literatura de una cierta importanza, escritos a esprito nacional judió? ¿Aónde están los actores españoles que sabrían menear nuestras almas con sus jogos interesantes?

A lo largo del presente artículo se hallan implícitas las respuestas a algunas de estas preguntas. Nuestro propósito no ha sido el de llevar la tranquilidad al ánimo de aquel comentarista teatral de *El Judió*, sino el menos caritativo de sembrar la inquietud entre los especialistas y estudiosos de nuestros días.

Hubo, pues, un teatro para los sefardíes. Mantenido siempre en un nivel estético medio, sin una gran obra ni un gran autor, cumplió en su momento la función de distraer a sus espectadores, a aquel público que a su vez, y no de modo arbitrario, seleccionó y determinó la vida de las obras —originales o no— que ante él se representaron.

Sin embargo, aquel teatro no ha muerto del todo: es cierto que sus autores, actores y espectadores han desaparecido o están desapareciendo; pero a título de legado, se nos han conservado numerosos textos teatrales y un copioso material documental. Todo ello está ahí, a nuestro alcance; a los ojos de quienes, como nosotros, gozamos de una proyección temporal que nos permite contemplar el material en su conjunto y observar la evolución del teatro sefardí a través del tiempo, al compás de los cambios de vida.

Y es por tanto a nosotros, los estudiosos de otra época, de otro ambiente y con una escala de valores estéticos propia de nuestro tiempo, a quienes toca ahora la tarea de desentrañar, por un lado,

---

(15) Véase nota anterior. En nuestro estudio en preparación anunciado en nota 12 incluimos también los textos transcritos de varias obras. En estos momentos nuestro alumno Julio Neira prepara la edición de la obra en verso *Los maranos* de A. Barźilay, que aparecerá próximamente en "Módulo Tres", revista del Dept. de Fil. Hisp. de la Universidad Autónoma de Madrid.

(16) V. 112 (16 jun. 1914), p. 1a-b.

que en ese teatro hay de material sociológico, costumbrista y
vivencial; y por otro, cuáles sean sus cualidades literarias intrínsecas, y cuáles las razones de la aceptación por su público.

Por último, y como hispanistas, no debemos perder de vista que
aquellos autores y actores sefardíes utilizaron un dialecto español
como vehículo de expresión literaria y de comunicación con su
público, y que, a su manera, contribuyeron a incrementar el acervo
del teatro hispánico, no sólo con las obras por ellos creadas y difundidas, sino también con su importante tarea de traducción al judeoespañol de obras del teatro hebreo, yidiš, griego, turco y europeo
en general.

INICIOS DEL TEATRO SOCIAL
EN ESPAÑA (1895)

FRANCÍSCO GARCÌA PAVÓN

El 29 de octubre de 1895 se estrenó en el Teatro de la Comedia de Madrid, *Juan José*, de Joaquín Dicenta. Digamos que, oficialmente, esta es la fecha del comienzo en España del teatro de "la cuestión social". Desde entonces, y hasta nuestros días, el pueblo modesto y trabajador, aparece frecuentemente como protagonista de conflictos dramáticos. De manera aislada y breve ya lo fue en algunos dramas históricos de los ciclos de Lope de Vega y Calderón, pero sin solución de continuidad. Pues desde los orígenes del teatro español, pongamos desde Juan del Encina y Lope de Rueda, hasta el Género Chico, el pueblo, la gente de la calle, como ahora se dice, sólo participó en el teatro como coro sonriente y sonreído; reflejo caricaturesco de los quehaceres, decires y sentires, de reyes, nobles y burgueses, que eran los verdaderos protagonistas —según la cronología— en la sociedad y como consecuencia en el escenario. El pastor "repelado" por unos estudiantes en los autos salmantinos de principios del siglo XVI. El gracioso de las comedias caballerescas y de costumbres del siglo XVII, que al concluir la pieza se casa con la criada de la novia del amo. El madrileño castizo de los sainetes, o el sevillano tronchante de los Alvarez Quintero, representan el papel del pueblo modesto, sin problemas dramáticos, que sólo servía las alegrías y las tristezas de quien le manda. De un pueblo que, por decreto dramático en el escenario, al igual que en la sociedad por decreto jerárquico, es feliz. Los grandes conflictos amorosos, de celos y de honra, son privilegio o deber de la clase dominante que, naturalmente, por su "bendita simplicidad" comparte el pueblo subalterno. Realmente, los autores dramáticos se limitaban a trasladar con más o menos énfasis la ordenación de la sociedad que les tocó vivir y que formaban los espectadores. Nadie dudó jamás que los pobres tenían sus dramas personales, familiares y amorosos, pero con ellos no le quitaban el sueño a los señores, ni por supuesto y, por extensión, eran interesantes como espectáculo.

En el último tercio del siglo XVIII —valga como símbolo universal el francés Beaumarchaise— el teatro asimila el iniciado desplazamiento de la aristocracia por la burguesía, en la sociedad que precede a la Revolución Francesa. Sí, la batuta de la sociedad cambió de mano. Desde la sangre azul, desciende y se extiende a "hombre ilustrado". Sin embargo, el papel del pueblo sencillo en la calle y en el teatro, no varió gran cosa. La burguesía, en lo posible, conservó el ritual social —no el político— de los antiguos señores. Y el pueblo, aunque "legalmente" más apreciado, continúa de corista complaciente y complacido.

Hasta mediados del siglo XIX no se inicia el último relevo: el protagonismo social del pueblo trabajador frente a la burguesía. Sirva como fecha convencional el Consejo Obrero Internacional de Bruselas de 1868, cuyas consecuencias, naturalmente, enseguida tendrán su reflejo en la novela y el teatro. Valga como símbolo dramático, de dimensión europea, el estreno en Berlín, el 26 de febrero de 1893 de *Los Tejedores* de Gerhart Hauptmann. El obrero que favorecido por la era industrial se asocia en sindicatos, organiza huelgas y planifica reivindicaciones hasta entonces impensables, se inicia como protagonista dramático en temas de honra, de amor y de justicia social en un nuevo tipo de teatro. El teatro llamado social o "de la cuestión social", que en la mayoría de los casos será concebido como puro instrumento político, parejo al editorial del diario combativo, al mitin o al panfleto, pero siempre eco de "la lucha social que comienza" para cambiar el orden social establecido por la tradición.

Pues bien, en España, aunque la fecha inicial de esta irrupción del "obrero de blusa y alpargata" en el escenario fue el 29 de octubre de 1895, como dije, con el estreno de *Juan José*, de Dicenta, en los meses precedentes hubo una fuerte puja por llevar al teatro estas nuevas inquietudes sociales, que ya cundían años atrás en las novelas de la escuela naturalista, y no digamos en las conversaciones de tabernas y círculos patronales. Que yo sepa, antes que el *Juan José*, aunque con muy poco éxito, asoma dos veces el tema de "la cuestión social" en los escenarios españoles, durante el año 1895.

Me refiero a los estrenos de *Teresa*, de "Clarín", en el Teatro Español de Madrid, el 20 de marzo de 1895. Y a *El pan del pobre*, título que pusieron a su libre versión de *Los tejedores*, don José Francos Rodríguez y Lanar Aguinaga, que se debió presentar en el Teatro Novedades muy a finales de 1894 o principios de 1895.

Eduardo Bustillo, en sus *Campañas Teatrales* (1), cuenta algunas incidencias del estreno de *El pan del pobre*. Merece la pena transcribir algunos párrafos, para apreciar el clima propiciatorio a es-

---

(1) E. Bustillo. *Campañas Teatrales*. (*Crítica Dramática*). Madrid. Sucesores de Rivadeneira, 1901.

te tipo de teatro, y por supuesto a su impugnación por considerarlo subversivo. Anarquista, concretamente. Dice Bustillo:

"Un aristócrata, senador del reino, en colaboración con una asustadiza parte de la prensa diaria, ha contribuido al más provechoso éxito de *El pan del pobre*. Poco le falta para pedir al Gobierno la cabeza de los autores, y es claro, la gente curiosa se ha apresurado a ir a conocer el crimen y a ser posible a los criminales... Se dice que la obra de los señores Llana y Francos Rodríguez es una propaganda terrible del anarquismo; la piqueta demoledora de los cimientos del edificio social... El Gobierno, excitado por el senador aristócrata, excitó a su vez al gobernador de la provincia, y éste excitó a su delegado que lo representase celosamente en el teatro... Y el delegado, después de tantas excitaciones, se encontró con que *El pan del pobre* no demolía nada...".

Continúa Bustillo, que el Gobierno, ante la insistencia del senador, y a la vista del informe del delegado, sorteó el problema, pretextando que hasta que la obra estuviera impresa no procedía tomar ninguna medida. Según este crítico, se trataba de una versión libérrima y melodramática. Tiene gracia que los autores de la versión española, según Bustillo, escribieron a don José Echegaray aclarándole "que ante el poco teatral modelo que les ofrecía la obra de Hauptmann no han tenido más remedio que potenciarla haciendo una versión muy libre".

Las protestas del "senador aristócrata" y de ciertos sectores de la prensa que decía Eduardo Bustillo, así como el éxito de público que por unas y otras causas tuvo la obra, nos dan idea —insisto—, de cómo en aquellas fechas vecinas al estreno del *Juan José* se encontraba de sensibilizado el ambiente ante la literatura social. Piénsese que las novelas de Zola hacía años que circulaban por España y que los artículos de la *Cuestión palpitante* de doña Emilia Pardo Bazán ya estaban publicados como libro de 1883.

Realmente, si la versión de *Los Tejedores* fue tan pobre como dice Bustillo, su puesta en escena solo puede servirnos de relativa referencia de lo que supuso el enfrentamiento de nuestro público, con el primero y más famoso drama social de Europa.

Sin embargo, por tratarse de un autor español de la categoría intelectual de Leopoldo Alas *Carín*, creo que fue mucho más significativo para aquel año del teatro social en España, el estreno de su *Teresa*. La puso en escena María Guerrero en el Teatro Español de Madrid el 20 de marzo de 1895.

Posiblemente, si Leopoldo Alas no hubiese sido uno de los novelistas más importantes de la historia de la literatura española de todos los tiempos y un crítico inigualado por su agudeza y agresividad juntamente, hoy nadie se acordaría de *Teresa*, aquella pieza única y corta, que llevó al teatro. A pesar de todo: y de la fama de *Clarín*, todavía hoy, el texto de *Teresa* y las cir-

cunstancias de su estreno, primero en Madrid y después en Valladolid y Barcelona, solo los conocen los verdaderos especialistas.
Teresa es nada más ni nada menos, la primera obra del teatro
social español con el pueblo modesto en escena —mineros y un
obrero revolucionario como importante protagonista—, ya que se
estrenó medio año antes que el *Juan José*.

José Antonio Cabezas (2), José María Martínez Cachero (3)
y Gustavo Guastavino (4), sucesivamente, nos han proporcionado
datos interesantísimos para valorar este curioso capítulo del teatro español de la cuestión social.

En carta a su viejo amigo Adolfo Posada, cuenta *Clarín* que
Pérez Galdós y don José Echegaray le animaron a escribir teatro.
María Guerrero le instó a entregarle su primera obra la próxima
temporada. Y mientras veranea en su finca de Guimarah escribe en
doce días el "ensayo dramático en dos actos y en prosa" que
tituló *Teresa* y que durante los días 20 y 21 de marzo, junto con
La dama boba de Lope, para celebrar su beneficio, puso en escena María Guerrero.

El estreno fue un fracaso total, por tres causas según los
testimonios contemporáneos: La poca eficacia teatral del "ensayo
dramático". La animadversión de tantos críticos y oficiantes del
mundillo literario madrileño, que aprovecharon la ocasión del insólito *Clarín*-dramaturgo, para hacerle pagar sus incisivos pali-
ques. Y por último, el carácter social de la pieza, que tanto en
Madrid como en Valladolid y Barcelona, donde se representó unas
semanas después, lo acusaron de socialista y de anarquista, según
los gustos.

Norberto González Aurioles, cronista teatral de *El Correo* dice una serie de cosas en su artículo dedicado al estreno de *Teresa*,
que nos ponen al tanto de lo caldeada que estaba la preocupación
por lo social en el mundillo político y literario de aquellos años,
así como la fuerte reacción del público conservador ante esas inquietudes.

"Drama inspirado en las doctrinas reformistas de Ibsen y Hauptmann...
cuyos personajes son encarnación fiel de las tendencias que hoy mantienen
viva la cuestión social... El hecho real y efectivo, del cual protestaban
después con verdadera indignación espectadores tan respetables como el
señor Menéndez Pelayo, fue que el drama lo rechazase una parte del público casi sin haberlo oído...".

(2) Juan Antonio Cabezas. *Clarín*. Madrid. Espasa-Calpe, S. A., 1936.
(3) J. M. Martínez Cachero. *Noticia del estreno de Teresa*, "Archivum" XIX,
1969.
(4) Guillermo Guastavino, *Algo más sobre Clarín y Teresa*. Bulletin Hispaniqué,
1971, pp. 132-159.

Salvador Canal, en *El Diario del Teatro,* reproducido por Martínez Cachero, da también valiosos detalles para conocer la enorme impresión que le produjo al público de teatro ver por primera vez a la gente humilde, al proletariado representando papeles dramáticos:

"¿Cómo creyó Clarín que podía tolerar el público sin repulsión el espectáculo de aquel borracho en delirio, sobre un jergón de miseria y habitado probablemente por incómodos huéspedes..? Aquello ofende porque es sucio, porque huele mal, porque es miseria sin arte ni gallardía...".

Clarín, en sus cartas a María Guerrero, sale al paso de esta reacción de críticos y público:

"Veo que se ha armado buena polvareda en Barcelona y que ha habido poco menos que padrinos y riña. No me disgusta el calor, pero lo que siento es ese *terror a Teresa* por socialista y otros disparates... pues no se fundan sino en peligros absurdos y en tendencias que son ilusorias".

"Mi drama no es socialista, es cristiano en el alto sentido de la palabra", dice en otra ocasión.

"Aunque usted me hablaba de otras tres representaciones, veo que no hay tal y leo que varios abonados han exigido que no se represente más". (En Barcelona).

"Me hizo mucha gracia lo del banquete para celebrar el fracaso de *Teresa.* ¡Miren los vallisoletanos!".

A partir de 1895, año clave, hasta 1936 —según estudié en otro lugar (5)— duraría en España el teatro de la cuestión social. Teatro que por estar concebido casi siempre con propósitos banderizos, fue, salvo excepciones, de escasísimo valor literario. En 1949, con Antonio Buero Vallejo, resucitaría esta preocupación social en la escena, de forma más acorde con la nueva sensibilidad y circunstancias nacionales.

---

(5)   Francisco García Pavón. *El Teatro Social en España.* Madrid, 1962.

LA INCULTURA TEATRAL EN ESPAÑA

JOSE MARÍA RODRÍGUEZ MÉNDEZ

No debemos olvidar al cuestionar sobre teatro que en nuestro país el hecho teatral se ha venido produciendo, a lo largo del tiempo, fuera de la órbita cultural. La cultura y el teatro han tenido poco que ver entre sí; ordinariamente el teatro no solo ha estado desgajado de la literatura, sino que incluso bastó muchas veces que un fenómeno teatral cualquiera se tildara de "literario", para que el público y la crítica —cierta crítica— lo desahuciara como estrictamente teatral. En los manuales de literatura seguimos viendo cómo el teatro está considerado como un subgénero, dentro de los otros géneros literarios, a pesar, sin embargo, de que en esos mismos manuales de literatura solo se considere el texto teatral. Ese texto, precisamente literario, parece que tiene que obedecer a distintas leyes de las estrictamente literarias, y vemos cómo en los manuales y tratados de literatura el subgénero teatral se encuentra un poco forzado y a regañadientes. En suma, el teatro dentro del estudio general de la literatura se refiere a un estudio de textos sin más, que aparecen como parientes pobres de lo que consideran grandes géneros literarios —narrativa, novela, poesía, etc.— y está siempre en una situación provisional.

De cualquier manera, entre los textos estudiados por la historia de la literatura y los hechos teatrales ocurridos a la vista del público, existió siempre una gran distancia. La existencia de textos escritos y clasificados como modelos o clásicos literarios, tales como *La Celestina, El alcalde la Zalamea* o *Fuenteovejuna,* jamás supuso condicionamiento alguno del hecho teatral ordinario ocurrido en los escenarios muy lejos de preocupaciones literarias, estéticas y culturales en general. El hecho teatral definitivo, en España, estuvo sometido a los caprichos de tres estamentos dispares, que son: el público, la crítica periodística y el empresario comercial. Estos tres elementos zarandearon y decidieron lo que debía ser el teatro, sin que en ninguno de ellos pesara preocupación cultural alguna. Solamente después, y a veces muy por oídas, el profesor o tratadista de literatura intentará clasificar, sencillamente, lo que previamente ese público, esa crítica y esos empresarios habían creado para su simple uso. Desde el siglo XVI hasta aquí no parece que la actividad teatral haya dejado de tener ese carácter de simple producto —con finalidad diversa, aunque siempre encaminado a que satisfaga al "respetable" y produzca buenos beneficios al empresario— y todo lo que se refiere al teatro aparece despojado de signo cultural alguno. La normativa emanada del Estado, por ejemplo, se limitó siempre, casi con exclusividad, a poner la clásica serie de trabas que acostumbra a poner a cualquier establecimiento abierto al público, en forma de impuestos, de reglamentaciones diversas (telón de incendios, apertura al exterior, distribución de aposentos, etc.), sin preocuparse de mayores empeños. Unas veces en manos de faranduleros de la legua, otras en manos de potentes empresarios, el teatro ha sido un producto de consumo sin más. Baste notar que cuando el Estado quiso intervenir directamente en el teatro lo hizo convirtiéndose en un empresario más, explotando por su cuenta unos locales que llamó Teatros Oficiales, o subvencionando campañas privadas de empresarios particulares. Pero hasta ahora el teatro, en nuestro país, jamás constituyó un programa cultural dentro de la restante actividad del país.

Aunque no merezca la pena insistir en este aspecto, que todos conocemos, sí que convendrá sin embargo dejarlo bien claro. En España existe todavía una enorme y escandalosa incultura teatral. El abandono de la actividad teatral en manos de un público, una crítica no especializada y un empresario sencillamente mercantil —aunque a veces este empresario sea el propio Estado— ha supuesto la condenación absoluta del teatro como forma de cultura y de progreso. Precisamente, porque el teatro se ha considerado como un negocio para unos, como una forma artesanal de trabajo para otros, y como una diversión para los restantes, carecemos hoy de esa importantísima teoría teatral, esos estudios profundos, que abundan en otros países. Al hecho teatral empírico, es decir a lo que se produce en el escenario, no corresponde esa larga serie de estudios, de historiografía, que en Inglaterra, por ejemplo, se produce entre el escenario y la universidad, dando lugar a que el público se sienta familiarizado con Shakespeare. En España, merced a este abandono de la cultura teatral, asistimos a un tremendo abismo entre la minoría estudiosa y el público en general. Abismo que se ha ido ensanchando con el tiempo, a medida que la calidad del hecho teatral fue descendiendo para convertirse en celebridad. De ahí que mientras el hecho teatral ha venido degradándose hasta extremos inconcebibles, merced al signo consumista y desarrollista de nuestro tiempo, la minoría se haya hecho cada vez mucho más minoría, alcanzando la cumbre del esnobismo extranjerizante. Y así mientras los escenarios siguen siendo una colonia francesa, las minorías que acuden en apoyo del teatro están viviendo, ¡en el año 1973!, de los postulados de la llamada "revolución burguesa" que ya fueron cumplidos por Meyerhold, Piscator y Brecht.

Pero hemos dicho que el fenómeno teatral se fabrica con exclusividad de cualquier otro medio entre un público, una crítica periodística y un complejo empresarial. Convendrá volver a pasar revista a estos tres elementos con el fin de enfrentarlos a la actual preocupación minoritaria de "revolucionar burguesamente" el teatro español.

Empezando por el público. ¿El público madrileño —que es el único que existe y que viene a ser como una "reserva" parecida a la de los pieles rojas en Estados Unidos— es fundamentalmente distinto del público del siglo XVIII? En otras palabras: ¿Estamos todavía frente a un público burgués? Acordémonos del inefable Jovellanos y su famosa *Memoria para la policía de los espectáculos públicos,* documento que es como la Carta del Atlántico para el teatro español de todos los tiempos. En ese documento el bueno de don Gaspar Melchor dejó todo bien atado. Respecto del público dijo que para el teatro escogía a la gente que "huelga", a los que viven de sus rentas, por ser los más educados y con mayores principios. Sabemos que desde la reglamentación de Jovellanos en su *Memoria,* que constituye por otra parte el único pronunciamiento cultural sobre el teatro, emanado desde arriba, la burguesía fue siempre la clase consumidora de nuestro teatro. Y lo sigue siendo, en Madrid, que es donde existe el público hoy día, por más que el término burgués haya sufrido matizaciones y descalabros. De cualquier manera hoy, como en tiempos de Jovellanos, el teatro está dirigido fundamentalmente al hombre que "huelga" y para la clase trabajadora existe la televisión y el fútbol. Y ese público, naturalmente, aunque esté compuesto por médicos, abogados, catedráticos (que no huelgan, pero tampoco pueden clasificarse como productores) sigue teniendo, a pesar de los pesares, y en contra de los esfuerzos minoritarios, la misma idea del teatro que implantó Jovellanos: algo que satisfaga a todos, en donde brille la virtud y se condene el vicio, resplandezcan los buenos principios, etc. No importa que, a compás de los tiempos, ese producto que debe terminar bien, o cuando menos tener una finalidad ejemplar, se orle de tacos o se acorte cuidadosamente la indumentaria de las actrices, porque ese público sabe muy bien que Jovellanos se ha preocupado previamente de que no haya nada profundamente atentatorio contra la moral y las buenas costumbres de siempre, a pesar de los aparentes y espectaculares devaneos. Ese público, manifiestamente inculto teatralmente hablando, no pedirá más de lo que le ofrecen. En último caso, desertará como lo ha hecho en Barcelona y en las restantes provincias españolas.

Porque a ese público le asiste un empresario y este empresario vive de ese público [(a pesar de que muchos, como Adolfo Marsillach no quieran reconocerlo y se dediquen a insultar a las señoras de la platea que pagan su entrada)] y cómo vive de ese público debe ofrecerle lo que ese vulgo lopesco —dentro de lo que llaman sociedad de consumo de 1973— desea, que son bonitos vodeviles, nuevas comedias de santos, historietas poéticas, neovodeviles, etc. Y a medida que el nivel cultural de ese público baje, el empresario le conseguirá siempre nuevos módulos culturales cada vez más bajos, de acuerdo con la ley de la oferta y de la demanda. En realidad, no nos engañemos, al público de la platea madrileña lo que le importará siempre por encima de todo es ser el *único público,* el que *domina el teatro,* el que *escoge o desprecia,* siempre guiado por su gusto y capricho. A cuyo gusto y capricho coadyuvará el crítico de turno en los periódicos de la capital, rechazando aquello que por ser "literario" o complicado no termina de ser verdaderamente "teatral".

Pero acabamos de señalar algo en que convendrá detenerse. Hemos dicho que al público —al público de Madrid, por supuesto, última reserva del público teatral español— lo que parece importarle por encima de todo es mantener la prerrogativa que le concedió hace doscientos años Jovellanos. Es decir, por encima de cualquier otra motivación, lo que parece importar a este público es mantener sus prerrogativas de *árbitro* del hecho teatral español. Lo que parece importarle es su carácter de juez dictaminador de los valores teatrales, para lo cual sigue contando con los servicios de su empresario y de su crítico de prensa. Que dentro de este público se interpolen elementos de difícil catalogación burguesa, como pueden ser ciertos trabajadores especializados, o ciertos intelectuales conformistas, no modifica en lo fundamental su carácter de inamovible juez y árbitro del teatro español.

Pero si observamos un poco más de cerca el fenómeno, constataremos que esta voluntad de dominar y arbitrar la actividad teatral española, por el público de las plateas madrileñas, que hoy adquieren un rango nacional, cobra hoy un carácter defensivo. El público de las plateas madrileñas, consciente de que se ha quedado solo al desertar el púbico de las provincias, a la vez que se siente orgulloso de resistir a la desbandada, se convierte en defensor acérrimo de un estilo, de unas formas y de un contenido teatrales. Pero este carácter defensivo, simplemente defensivo, producirá también en ese público una angustiosa sensación de cansancio, y sufrirá en el fondo una pérdida de convicción en sus posibles facultades creativas como degustador del hecho teatral. A esto se llama decadencia. Pero esta actitud defensiva del público rector de la actividad teatral española, encaminado (conviene hacer hincapié en esto) a no abdicar de sus prerrogativas arbitrales, llevará a ese público a ejercitar, a la vez que el movimiento de resistencia propio de cualquier actividad defensiva, una táctica de conservación que sin llegar a la ofensiva, es decir a hacer peligrar los fundamentos del arte teatral concebido por Jovellanos, ponga "al día" y aparentemente limpie y modernice lo viejo e inútil. Trataré de explicarme.

Todavía no se ha estudiado con el necesario detenimiento la estrategia que utiliza la burguesía para mantener sus privilegios por encima de los cambios de todo tipo; pero el hecho es que la burguesía sale indemne de todos los diluvios; la burguesía encuentra siempre el arca propicia para salvarse del diluvio y llegar felizmente a puerto (*El último minué*).

Una de las tácticas que la burguesía utiliza para mantener su papel rector de cualquier clase de actividad social es transferir al terreno de la estética las pérdidas de creatividad en los otros terrenos. En la estrategia militar ya sabemos que en los casos de apuro, un cambio del terreno, un repliegue o retiro oportuno, puede salvar la situación, aunque sólo sea de momento. Puede prolongarse la resistencia durante un tiempo determinado, tiempo que puede utilizarse para el aprovisionamiento y la reorganización de los maltrechos efectivos diezmados de la batalla.

Refiriéndonos concretamente al teatro veremos cómo la burguesía teatral, que se mantuvo defensivamente durante un tiempo ante la aparición de un teatro ideológicamente revolucionario, tuvo en cierto momento que tomar partido y actuar. Una serie de movimientos teatrales surgidos en el mundo entero amenazaban con aplastar las estructuras burguesas del drama y por consiguiente sobrevenía el peligro de desalojar a esa burguesía dominante del papel del rector asignado a ella desde el siglo XVIII. Me refiero ahora a la burguesía occidental y no sólo a nuestra burguesía española. A partir de la aparición de un teatro realista-social, anarquizante (el teatro de Chejov, de Strindberg, incluso del mismo Ibsen), un teatro político (Piscator, Brecht), a la vista de un teatro de agitación social, coadyuvante con un violento cambio de estructuras, la burguesía se vio obligada a dar una respuesta y a conjurar por todos sus medios el peligro que se cernía sobre sus cabezas. Peligro consistente en tener que abandonar sus facultades de gobernante del hecho teatral, para convertirse en un peón más de un trabajo colectivo y revolucionario. La mejor manera de conjurar el peligro era inocularse, a modo de vacuna, un poco del veneno enemigo. Y la vacuna fue descubierta en seguida. ¿Cómo iba a resistir la burguesía el empuje de este nuevo teatro revolucionario? Renovándose aunque fuera superficialmente y aceptando el reto. Lo primero que haría fue cambiar el terreno de juego. Naturalmente, frente a las ruidosas verdades proclamadas por un teatro social y realista había dos maneras de defenderse: una, haciendo oídos sordos y permaneciendo en el reducto defensivo hasta la inevitable consunción (esto es lo que ha venido y viene sucediendo prácticamente en España) y otra, aceptar de esos movimientos revolucionarios sólo aquella parte que no dañara mortalmente la estructura del drama burgués tradicional (esto es lo que se ha hecho, por ejemplo, en Francia). ¿Cuál era la parte de teatro revolucionario que podía asimilarse por la burguesía sin correr demasiados riesgos y a la vez conjurar el peligro? Pues la parte simplemente estética, el juego de las formas, la epidermis estructural, o lo que llaman la simple superestructura. El cambio de terreno consistía en pasar del terreno de la ideología, que no podían combatir por su rotundidad, al más fácil terreno de las simples formas estéticas, ornamentales. Se trataba sencillamente de revestir al viejo drama burgués, con su ideología conservadora y reaccionaria, de formas vanguardísticas. Ello produciría la sensación de modernidad, puesta al día, e incluso de audacia. Y la burguesía siempre puede contar con una avanzadilla utilizable para estos menesteres: el snobismo. Mediante el snobismo la burguesía conquista una serie de posiciones, que le permiten mantenerse en su prepotencia. En Francia, por ejemplo, el snobismo facilitó a la burguesía un instrumento con el que pudo mantenerse frente a la revolución teatral: la vanguardia del absurdo. Vanguardia ésta que podía conjurar el peligro de otra vanguardia verdaderamente peligrosa. Así la burguesía francesa pudo enfrentar el vanguardismo de Ionesco y de Beckett, al anarquista y demoledor vanguardismo de Alfred Jarry, por ejemplo. En la Unión Soviética la burguesía conjuró el peligro de un teatro revolucionario acudiendo también al vanguardismo esteticista de Mayerhold y recuperando los postulados del "arte por el arte", frente a las pretensiones colectivistas de los revolucionarios de la primera hora. Por lo general, el vanguardismo ha permitido a las burguesías teatrales del mundo mantenerse a la defensiva y conservar su puesto rector a la vez que guarecer su ideología cediendo solo una mínima parte. El vanguardismo tiene mucho de juego literario, y no compromete demasiado al prestarse a muchos equívocos y dobles sentidos. Por otra parte, aunque las formas vanguardistas se vayan repitiendo a lo largo del siglo, siempre se produce la misma sensación de ruptura, sólo que se trata de una ruptura simplemente formal, como cuando se cambian de sitio los muebles de una casa, sin que sufra nada la armonía estructural de esa casa. Incluso cuando se produzca el fenómeno de Bretch la burguesía sabrá, en todos los teatros de nuestra civilización occidental, enjugar y diluir convenientemente las ideas —ya de por sí enmascaradas de una parábola— para que el contenido brechtiano llegue perfectamente amortiguado a la sombra de una moda snob y como un juego simplemente experimentalista, mientras los grandes escenarios del mundo siguen ocupados fundamentalmente por los espectáculos que siempre gustó y deseó el buen burgués.

En España la burguesía de los años 50 se mantenía firme en su reducto defensivo y degustando la comedia tradicional benaventina, así como el sainete, junto con el colonizado vodevil procedente de Francia. Cuando se produce a mediados de la década de los 50 la aparición de un teatro social realista, que amenaza seriamente la estructura interna del drama burgués, que nuestro público defiende a ultranza, ese público tendrá que dar una respuesta. Respuesta que en sus tres cuartas partes ha consistido en esperar sencillamente, mientras un buen porcentaje de ese público desertaba de las salas y la vida teatral en provincias se iba extinguiendo. De todas maneras, nuestra burguesía se vio obligada a dar una respuesta al teatro realista social de los años 50 y 60. Evidentemente, no podía oponer a ese teatro realista las obras tradicionales que aparecían evidentemente desgastadas. La burguesía, como vengo repitiendo, lo que no desea jamás es perder su papel rector en las actividades públicas. Para la burguesía de finales de los años 50 era tan duro admitir el teatro social realista que atacaba directamente sus más profundas convicciones, como era igualmente duro pasar por reaccionario y ultraderechista. Había que mantener a toda costa el papel de avanzada, sin que sufriera deterioro esencial la estructura burguesa. Una vez más se volvió los ojos al extranjero. Hemos dicho que en otros países la vanguardia había salvado la situación. Pero en España nunca había habido vanguardia. Fabricarla de repente, cosa que se intentó sin gran fortuna, no era fácil. Había, pues, que importar del extranjero el producto para conjurar lo que avanzaba. Había que comprar el antibiótico. Y fue una vez más la colonizadora Francia la que facilitó a nuestra burguesía los productos del vanguardismo del absurdo fabricados por Ionesco y Beckett. La juventud burguesa fue la que sirvió de alcahueta o celestina para invadir nuestro país de "ionescos" y "becketts" amén de discípulos —sólo uno de los cuales alcanzaría un triunfo total, aunque no en nuestro país— que trataron por todos los medios de remedar a los maestros. Por lo pronto, la burguesía había desviado la atención del realismo social hacia los juegos de palabras, el escepticismo abstracto, los símbolos confusos. Se había ganado, pues, mucho terreno. Lo malo es que cierta parte de la juventud —merced a la incultura teatral que padecemos— creía que a la hora de defender el absurdo de Ionesco y Beckett estaba defendiendo la revolución teatral y aún la revolución a secas. La burguesía aceptaría de buena gana un par de espectáculos vanguardistas de este tipo —recuérdese que fue el Teatro Nacional María Guerrero quien presentó *Rhinoceros*— a cambio de apartar el amenazante y enojoso realismo social. Mientras la juventud se ocupaba del absurdo, los burgueses podían seguir degustando a sus entrañables autores preferidos [Paso, Calvo Sotelo, Mihura, etc.]. Pero todavía alcanzaría a más la audacia de la burguesía. A cambio de mantenerse en su papel privilegiado, no dudaría en aceptar un Bretch escolarizado convenientemente, presentado con la endeblez precisa para que acusara sus faltas más ostensibles: un didactismo de apariencia ingenua. Y fue un Teatro Nacional quien presentó asimismo una obra de Bretch, que la platea aplaudió con calor y no solo aplaudió sino que luego lloró cuando misteriosamente fue retirada del cartel, de modo que esa burguesía quedaba como ultrajada. Pero, por lo demás, todo ello daba lugar a que los autores entrañables, y los productos franceses volvieran sin mengua a los escenarios. Estos incidentes avanzados y audaciosos servían para robustecer el "status" del público madrileño que en un momento pudo sentirse incluso identificado con la revolución.

Pero lo cierto es que, como ya he apuntado antes, las fórmulas vanguardistas son enormemente reducidas y el teatro del absurdo se agotó prontamente. Era necesario otro vanguardismo que sustituyera a éste, para que la juventud y el inconformismo se alimentaran y dejaran tranquilamente a los burgueses con sus autores preferidos. La llamada "era tecnológica" facilitó la fórmula. Los adelantos de la técnica podían hacer que aquel viejo colosalismo escenotécnico que tuvo sus momentos de esplendor allá por los años 20 y 30 de la mano de Piscator o de Meyerhold (y si nos remontamos más lejos aludiríamos a la escena italiana del siglo XVIII, y a los montajes de *El Buen Retiro* de Calderón de la Barca), aquel viejo colosalismo, ayudado por la técnica, podría constituir un nuevo vanguardismo que en seguida los alcahuetes de turno calificarían de "experimentalismo", de investigación, de propuesta y no sé cuantas cosas más. Merced a esto la escenografía de Francisco Nieva, por ejemplo, reforzó los espectáculos de la burguesía dándoles un tono avanzado y moderno. Una lona tensa y movible fue suficiente para elevar a la fama mundial a una actriz y a la vez destruir un texto fundamental de García Lorca; operación ésta muy fructífera, porque se mataban dos pájaros de un tiro: un texto y un estilo. Porque si el burgués podía reconocer con satisfacción que Lorca estaba "superado", a la vez podía sentirse aliviado al abandonar la terrible lona y reencontrarse con escenario a la italiana tan entrañable y cómodo. Golpe de muerte este último para un posible avance teatral, de manera que mediante la distorsión de la idea de progreso se conjuraba el propio progreso.

Y la burguesía seguía alimentándose de vodeviles franceses de espectáculos equívocos.

Todavía quedaba algo que destruir. La sombra de un autor seguía flotando sobre una burguesía a la que se acusaba de rechazarle. Se llamaba este autor Ramón del Valle Inclán. La presencia de un teatro, que la minoría emparentaba con Brecht, con Artaud y con las principales corrientes de la dramaturgia universal, era una acusación a la burguesía dominante. Había que conjurar este nuevo peligro. Y un Teatro Nacional, y otro oficioso, se apresurarían a demostrar que los textos valleinclanescos podían estar también perfectamente superados. La inculta juventud, por otra parte, facilitaba un esquema de ese teatro en que, basándose en una extraña teoría de lo esperpéntico, se difuminaban totalmente los trazos acusatorios y reales de esos textos, para construir un espectáculo carnavalesco y deforme, que no era el verdadero rostro de Valle Inclán sino un algo distinto, facilitado precisamente por el escamoteo de ese texto. Al cabo, resultaba que el teatro de la crueldad de Antonín Artaud —otro producto de la colonización francesa— era más acusatorio y terrible que la obra de Valle Inclán. La burguesía, pues, conjuró también la amenaza de Valle Inclán.

Mientras tanto una juventud segregada del teatro se dedicaba a remedar los experimentalismos de Grotowski y a construir lo que llaman "antiteatro", facilitando siempre a la burguesía nuevas pistas y colaborando con ella a conjurar la verdadera revolución.

En resumen, lo que ha tratado por todos los medios nuestra burguesía es mantener sus posiciones, mediante cambios tácticos diversos y cesiones mínimas, procurando por todos los medios pasajeras distracciones, a cambio de poder disfrutar de "su" teatro. Hoy día, después de toda esta lucha soterrada, las plateas madrileñas siguen ocupadas por la burguesía y los escenarios empleados en espectáculos que apenas ofrecen cambios cualitativos referentes a los años de la muerte de Jacinto Benavente. Hay solo un cambio cuantitativo notable: un descenso de calidad y un deterioro de lenguaje. La influencia de los medios de comunicación de masas hace que el lenguaje teatral de hoy sea un lenguaje de computadora más que propiamente humano.

Lo peor de todo es que este juego que acabo de esbozar, esta vergozante lucha, se entabló únicamente entre una minoría

avanzada de la propia burguesía, el ala snob, descubridora de me
diterráneos, y una minoría universitaria teatralmente poco culta
como inculta era esa minoría burguesa snob; que ya sería hora
por cierto de estudiar las estrechas relaciones entre el snobismo
y la incultura, estudio que está pidiendo a gritos alguien que lo
lleve adelante. Entre dos inculturas: la incultura snob y la incul
tura revolucionaria juvenil, el público simplemente burgués per
maneció confuso y desorientado, hasta convertirse en escéptico y
abandonar el teatro, o bien haciéndose pícaro aceptase las má
grandes incongruencias y el más desvergonzado erotismo; de to
das maneras eso era mucho mejor que la existencia de un
teatro ideológico. Por lo demás, la minoría dominante continuaba
hincando el acento en la fantasía, la imaginación, el constante fu
ror investigativo y desacreditando de continuo lo que entendía
por realismo, en este caso realismo se entendía como todo aque
llo que podía incomodar profundamente, en sus convicciones, a
la perenne platea española y a sus servidores.

De todo esto solo se ha producido un hecho cierto y clarísi
mo: el descenso vertiginoso del nivel teatral. Merced a estas lu
chas y a estas tácticas hemos llegado a un punto totalmente extre
mado. Hemos alcanzado quizás la cota más baja de nivel teatra
en lo que va de siglo. [La adquisición, por ejemplo, de alhajas dra
matúrgicas denominadas Jaime Salom o José María Bellido, ha
constituido el botín más precioso para la inculta burguesía y e
teatro español ha dejado prácticamente de existir].

No debemos olvidar nunca que en esta degradación existe
una parte de política teatral, a nivel estatal, que no se debe echar
por la borda. Es indudable que si al poder no le hubiera placido
este juego de concesiones y renuncias mutuas, el juego no se hu
biera producido. Sin embargo, la minoría dominante —política
mente hablando— supo identificarse en este caso con la burgue
sía tradicional a la que siempre defendió con las ideas de Jove
llanos transvasadas sabiamente a las normas y directrices de la
censura.

También es posible que esta degradación del teatro no se
hubiera producido de existir una cultura mayor entre las minorías
inconformistas. He aquí algo que debemos tener en cuenta. Y aquí
está claro el papel de la universidad en esta grave cuestión. E
urgente la creación de una cultura teatral que desborde el sim
ple experimentalismo, el simple fenómeno teatral. Es urgente la
creación de un auténtico grupo de crítica e investigación del he
cho teatral capaz de alcanzar, como en otros países, las dimensio
nes de una "dramaturgia" o idea coherente, precisa, del hecho tea
tral más allá del simple hecho artesanal. Una cultura teatral que

impida al inculto snobismo —el snob es siempre inculto— alzarse con el mando. Es necesario que la cultura arrebate el teatro a los que lo detentan, es decir a los tenderos del teatro —entre ellos el propio Estado— a los actores artesanales que tienen el escenario como un tablado en el que venden sus gestos y sus pregones, a los críticos ignorantes solo atentos a colaborar en el negocio teatral y al público siempre dispuesto a dejarse engañar a cambio de ser denominado "respetable". Es necesario que la universidad, mediante la creación de cátedras de Dramática, equipos de investigación y voz crítica y fría, más al servicio de la verdad que de la mera objetividad, denuncie, aliente y construya un estado de opinión que haga viable la posibilidad de un verdadero y auténtico progreso teatral. Bien entendido, por supuesto, de que no se trata de conservar lo viejo e inservible, sino de salvar los valores dignos de ser transvasados a odres nuevos y empujar hacia adelante, para seguir el largo camino que todavía tiene que recorrer el teatro español, hoy amordazado y sujeto, envilecido por el negocio y la ignorancia, pero todavía subterráneamente robusto y lleno de ansias de vida. Porque aunque, en el escenario, el teatro español hoy no exista, existe y fuerte en la clandestinidad, en esa clandestinidad que un día ha de ser también un mito por la riqueza que encierra. Y no me refiero a una "clandestinidad oficial", que también tolera la burguesía y de la que se sirve en momentos de apuro, sino a una clandestinidad acosada y agobiada, clandestinidad dolorosa y agonizante, pero viva. Salvemos ese teatro clandestino, porque es el teatro que se basa en la palabra rotunda y castellana, esa palabra que puebla el mundo y que tantas veces —ahora también a través del teatro— los imperialismos enemigos quisieron desmembrar y destruir. Es el teatro que habla de nuestras realidades, de nuestros años de oscuridad y sufrimiento, es el teatro que el fascismo encubierto quiso sustituir por el simple juego y el producto colonizando; es el teatro que lleva una fuerte proa hacia el futuro y es por consiguiente el teatro que el fascismo mafioso quiere torpedear para que el público no sienta repentinamente ese orgullo de saberse identificado con la aventura de la legua y la idea y se niegue de una vez y para siempre a ser juguete de los poderosos. Por todo ello, y por mucho más, y porque es nuestro, defendamos el verdadero teatro español creando una auténtica cultura teatral.

II

STUDIOS SOBRE TEATRO CONTEMPORANEO

SIMBOLO Y MITO EN EL TEATRO DE UNAMUNO

MARÍA DEL PILAR PALOMO

1.—Toda obra literaria es un proceso de comunicación que aspira a salvar una distancia: la que media entre un emisor y uno o varios receptores inmersos uno y otros (para que pueda establecerse dicho canal comunicativo) dentro de un común código de signos, lingüísticos o no, sobre todo en el caso concreto del teatro.

El mensaje de la obra, su contenido, aquello que la configura en el plano del significado (y en cierto modo, su finalidad, es decir el *qué* y el *para qué* de ese mensaje) podrá, sin embargo, ser común o no a emisor y receptor, en cuanto a la *aceptación* (no *captación*) de presupuestos ideológicos o vivenciales. O bien, *participar* de esos presupuestos (lo que supondría su aceptación) pero fallar, sin embargo, el contacto, por unos *media*, inadecuados, lo que provocaría la no captación y hasta la repulsa. Si dicha captación de la señal emitida va condicionada a la comprensión de la misma, los medios de comunicación capaces de hacerla inteligible son, lógicamente, requisito previo.

Porque ese emisor que emite su mensaje, aunque siempre derivado de una coetánea colectiva (las "circunstancias" orteguianas), puede situarse *dentro* o *fuera* de esa colectividad, en posición *apocalíptica* o *integrada,* según la usual terminología de Eco. Pero en ninguno de los casos las posibles *oposición* o *aceptación* vienen determinados por un fenómeno de incomprensión sino de *rechazo* o *aquiescencia,* a nivel sociológico o psíquico.

Creo que ambas perspectivas habrán de sumarse en un análisis del fenómeno teatral unamuniano, que tradicionalmente viene admitiéndose únicamente como un problema de comunicación no establecida: un mensaje no captado que, a través de otros *media* (poema, novela o ensayo) fue perfectamente transmitido. Esos *media* teatrales concretos, inmersos en códigos lingüísticos y paralingüísticos, habrá de abordarlos la semiología (1). La posible repulsa del

---

(1) Un primer análisis aproximativo es el que realizo en *Análisis semiológico de La Esfinge,* en el volumen conjunto *Semiología del teatro,* Ensayos, Planeta, 1974.

contenido (a la vez que de los *media,* ajenos a la *norma* coetánea) (2), habría de realizarse mediante una perspectiva de crítica sociológica, que explicase el porqué del fracaso *comercial* del teatro unamuniano, derivado, tal vez, del hecho de ser portavoz de un grupo social opositivo, ahogado por una supraestructura. Grupo social que lo *aceptó,* pero que no pudo conseguir la aceptación mayoritaria.

Son perspectivas interesantes, de no menos interesantes metodologías críticas, pero que no intento, ahora, abordar con sistematización en estas páginas. Lo que intento en ellas es el análisis no del *cómo* ni *para quién,* sino del *qué* del teatro unamuniano. Porque lo indudable es que su mensaje se inserta (colectivamente) en unos *mitos* de tradición cultural (que reestructura) y en los procedentes del inconsciente colectivo, a los que remiten sus vivencias personales. Pero no es menos cierto también (de ahí su difícil transmisión) que nunca un mensaje se ha acuñado en más tajante individualismo y en más irreductible aislamiento vivencial.

1,1.—En el teatro llega Unamuno a la máxima objetivación del *yo.* La voz confidencial del poema lírico (en incesante diálogo consigo mismo, a través de dos receptores máximos: *su* alma y *su* Dios interior), que se *desdobla* en personaje novelesco, cobra su máxima *exteriorización* en la acción teatral, que requiere, incluso, la *visualización* de ese yo, a través de un intermediario comunicativo como es el actor. Pero la identidad esencial Unamuno = personaje se mantiene inalterable (3).

---

(2)   La *ruptura* de esa *norma* es la que, habitualmente se le critica:" lo sensible es"... que nuestro autor, en trance de dramaturgo, al dejar de lado toda técnica adquirida, no se propusiera inventar otra nueva", afirma, por ejemplo, Guillermo de Torre, en juicio peyorativo que no comparto en su segunda afirmación (*La difícil universalidad española,* Madrid, 1965, p. 203).

(3)   Lo corroboran numerosos testimonios coetáneos. Con respecto al protagonista de *La Esfinge,* se le señala al mismo autor esa fusión indudable: "No hay en ella [la obra] nada humano en el protagonista"... "Sólo creerán, tal vez, lo contrario los que conocen al Unamuno íntimo. Está fotografiado"... "¿Y Angel? Repito que, a pesar de ser una fotografía de su autor y creador, y de que todo lo que dice, piensa y quiere es Miguel de Unamuno quien lo ha querido, pensado y dicho antes..." (Carta de Jiménez Ilundain), de enero de 1899. Cit. a través de M. de Unamuno, *Obras completas.* Tomo XII. *Teatro.* Ed. y prólogo de Manuel García Blanco, Edit. Vergara, Barcelona, 1958, p. 29) y el propio Unamuno afirmará al año siguiente: "... en mi drama me he confesado..." (Carta a *Clarín,* ídem. p. 14). Lo mismo puede aducirse de su "heredero", el Agustín de *Soledad.* Guillermo de Torre (ob. cit. p. 208) comenta respecto a una representación de la obra, en 1962: "oyéndole (a Agustín) en escena se acusa más su identidad con el autor".

"Teatro de conciencia", como lo denominó Iris M. Zavala (4), sus criaturas son los *agonistas* personajes unamunianos, que representan, en la vieja tradición estoica de la identidad *teatro - vida*, la interioridad de su creador. Porque el *yo* narrativo y escénico que emplean los personajes es, desde luego, la voz del emisor; es la visión subjetiva de las cosas (en cumplimiento *literario* de la función emotiva del lenguaje) pero es, también, la *cosa* misma, en cuanto que ese *yo* es objetivación referencial.

Si para un Lope de Vega la poesía cumple una función catártica, en donde el poeta, mediante la palabra, realiza un acto de liberación de sentimientos, para Unamuno el teatro es la objetivación de una dialéctica personal, que pretende (y naturalmente no consigue) *resolverse* al comunicarse. Porque siempre quedará en pie (de ahí el *íntimo* fracaso señalado) la constante motivación que la originó. Y esa motivación repito, es el propio yo, dialéctico, del autor.

Unamuno *necesita* de la comunicación teatral, a partir de su crisis religiosa de 1897. Aborrece las circunstancias socio-económicas que configuran el teatro, como espectáculo, pero se acoje conscientemente a ese medio, no "por codicia", sino porque tiene "cosas que decir que sólo por el teatro puede llegar: cosas muy crudas y tal vez cínicas" (5). Tal vez la crudeza y hasta cinismo de desnudar su alma, sin pudor, ante una sociedad que, de antemano, presiente tan *ajena,* como lo son los personajes que forman el *entorno* social de sus protagonistas en el contexto de las obras: Angel, apedreado por la multitud, que le asesina; Fedra, en la suprema soledad de su suicidio; Víctor, odiado por su propio hijo; Agustín, y su *soledad*; Elvira, viviendo de *sombras de sueño,* o Cosme y Damián, con su eterno misterio ante *los otros.* Supremos solitarios incomprendidos, y hasta calumniados, que sólo encuentran un punto de referencia en el que *apoyar* su interioridad, que pugna por comunicarse, como *disolución* (ya que no *resolución*) de su problemática. Pero como síntoma de un estado de aislamiento, ese punto referencial se concretará siempre en un personaje confidente, que es, de alguna manera, ese *otro yo* que *completa* el del protagonista.

Así, en una consideración diacrónica, Víctor *vuelve* (al igual que el *pasado*) a reafirmar su ser, en la fusión de su *yo* presente

---

(4) *Unamuno y su teatro de conciencia.* Salamanca, Universidad de Salamanca, 1963.
(5) Carta a Juan Arzadun, en 1909, comentando el estreno de *La Esfinge.* (Cit. a través de García Blanco, p. 60).

con su *yo* pasado, a través de la repetida personalidad del nieto; Angel recupera, en contacto con Felipe, "el niño que en nosotros todos duerme..." (6); Agustín, en la esposa, revive al final su propia raíz perdida. Todos alcanzan la fusión con su anterior yo, a través de un personaje que le *complementa* y que, por tanto, se escapa de ese entorno *ajeno* para integrarse en el juego de un diálogo consigo mismo del personaje (=autor).

Cuando ese personaje-confidente (que es, por lo general, camino hacia la recuperación del *niño dormido en nosotros*) no puede ejercer su acción completiva, el personaje se debate en trágica soledad, hasta provocar su propia destrucción. Porque la nodriza de Fedra, no puede *conducirla* hasta una infancia que se le borra "como un sueño de madrugada" (7), ya que despertar ese sueño borrado, que Eustaquia se niega a remover, es encontrar la demencia: la locura de la madre de Fedra deja a la hija sin posibilidad de retorno a su yo perdido (salvador para Angel o Agustín).

Y la más angustiosa certeza para Cosme o Damián, es que sólo *ellos mismos* pueden *comprender* su agonía. Cuando Cosme (o Damián) mata al *otro* (su otro *yo*) al comienzo de la obra, lejos de afirmar su ser, se ha matado a medias a sí mismo, y ha eliminado toda posible comprensión. No puede haber personaje-confidente que le encamine, entonces, a la busca de un yo perdido, porque éste yace pudriéndose, sin posible retorno, en el sótano de la casa. El drama de la desorientación (*La esfinge, La venda, Soledad...*) se convierte entonces en un dramático juego de preguntas sin respuesta, en un laberinto de espejos. A la pregunta unamuniana del "¿a dónde vamos?", se suma la no menos inquietante de "¿quién somos?"

1,2.—Apuntaba en 1,1 la necesidad de Unamuno de la comunicación teatral (máxima objetivación), a partir de una crisis espiritual, que será núcleo generador de parte de su teatro y de las constantes inalterables de su poesía. De esa *desorientación* unamuniana (en que pierde el *niño dormido* de la fe de su infancia), nace el conflicto interior de Angel, en *La Esfinge*, de Agustín, en *Soledad* o de María, en *La Venda*. Los dos primeros intentando desesperadamente contestarse, *resolverse*, la suprema pregunta que dirigen

(6) *La Esfinge*, Acto III, escena I (ed. cit. p. 290).

(7) *Fedra*, Acto I, escena I (ed. cit. p. 408), Ese carácter *impar* de Fedra (si bien referido a su carencia de amar, como elemento constitutivo de la personalidad) es el destacado, sugerentemente, por Fernando Lázaro Carreter, *El teatro de Unamuno, en Cuadrenos de la Cátedra Miguel de Unamuno*, VII, 1956, p. 18.

a una *Esfinge,* "sorda" y "sin alas" (8), que recubre y guarda el misterio de la Divinidad (9). La misma pregunta agonista y agónica que expresan los ojos del perro (=hombre) moribundo ante su "dios":

> ¿A dónde vamos, mi amo?
> ¿A dónde vamos? (10).

O la *desorientación* de María, la ciega que recobró la vista, y que ha de vendarse de nuevo los ojos para encontrar el camino que la conduce hasta el padre, para pedir, desesperada, una vez más, la venda que le arrebataron. Porque sin ella, al igual que el camino, también desconoce la respuesta.

Pero *La Esfinge,* y *La venda* (de 1898 y 1899 respectivamente) transmiten la autobiográfica tensión unamuniana (es decir, idéntico *mensaje*) mediante dos procedimientos de comunicación opuesta *(signo o símbolo)* que coinciden con el usual proceso generativo de la producción teatral de Unamuno:

a) la vivencia experimentada: en este caso, la pérdida de la fe de la infancia →duda→ vivísima añoranza de esa fe perdida.

b) dramatización de *episodios* de esa experiencia real, enmarcados en un contexto significativo: diversos *episodios* de la *Esfinge* de los que está constado su autobiografismo.

c) la expresión, con frecuencia coetánea, en forma poética, donde la vivencia se carga de connotaciones simbólicas:

> Porque la luz, mi alma, es enemiga
> de la entrañada entraña
> en que vuelve el espíritu a sí mismo (11)

d) el trasvase de esa vivencia experimentada a un código de comunicación simbólica: desarrollo total de *La Venda,* o el paso de los episodios biográficos, de su categoría de *signos* a su posterior utilización como *símbolos* (proceso que analizo

---

(8) Soneto XXXVII, de *Rosario de sonetos líricos.* Cfr. mi citado estudio *Análisis semiológico de la Esfinge.*

(9) Cfr. Soneto XXXVI, de *Rosario de sonetos líricos.*

(10) *Elegía en la muerte de un perro.* Publicado en *Poesías* (1907).

(11) *No busques luz, mi corazón, sino agua,* de *Poesías.* Y en el mismo volumen, *Alborada espiritual,* de 1899 (donde cristalizan los símbolos de luz = Razón ⧧ Luz = Fe, sobre las palabras-clave *Sol, Luna)* poema que Unamuno calificó, en carta a Jiménez Ilundain, como "la más íntima, la más mía, en que vierto lo más dulce de mis crisis cordiales en simbolismo tenue y nebuloso" (García Blanco, ed. cit. tomo XIII, p. 331).

en el apartado 2) haciéndolos coincidir *sintomáticamente* con un mito del inconsciente colectivo o fusionándolos, *significativamente,* con un mito de código culturalista (apartado 3).

1,2,1.—En la primera fase de la conversión literaria de la experiencia existencial (b), Unamuno lleva a la escena situaciones *reales,* dentro de un contexto, vivencialmente auténtico como el de *La Esfinge*: "...le aseguro que hay en él gritos del alma, gemidos de dolor realmente sentidos y alguna escena que, pareciendo exagerada, es rigurosamente exacta" (12). Efectivamente, como ha sido ya señalado con minuciosidad, está constatado el autobiografismo de la lectura reveladora de los Evangelios, que relata Angel (escena III, acto III); el diálogo (y desconocimiento) consigo mismo frente al espejo (escena XIII, acto I) y la escena final en que la esposa le abraza llamándole: "¡Hijo mío!". Sin esa constatación documental (declaraciones del propio autor), yo añadiría la más *significativa* de todas: la escena IX del acto I. Angel, solo en escena, debatiéndose en la duda, intenta apelar a la *seguridad* de su *dormido niño* interior:

> Quiero humillarme, ser como los sencillos, rezar como de niño, maquinalmente, por rutina (...) Dame fuerzas para que humillándome doble mis rodillas y brote de mis labios la plegaria de la infancia (...) (mira a todas partes como si le observasen y va a arrodillarse, pero al ir a hacerlo se levanta sobresaltado y se acerca a la puerta, como quien ha oído algún ruido) (...) (Vuelve a intentar arrodillarse y hasta llega a hacerlo, pero con disimulo, como para coger algo del suelo) ¡Padre!... (Se levanta y va hacia la puerta). Esto es terrible; voy creyendo que no estoy sano... (Pone una silla junto a la mesa, al lado opuesto de la puerta, y se arrodilla) ¡Con qué sencillez lo hacía de niño! Padre nuestro, que estás... (13).

La añoranza de la fe perdida se manifiesta, pues, en comunicación denotativa, exenta de simbolismo, salvo por la inserción en un código convencionalizado de significación mítica: *arrodillarse = suplicar.* Pero son, en el contexto, actos *representativos* de una dialéctica interior y, probablemente, *imitativos,* en cuanto que son exacta réplica figurativa de una actuación real. De ahí, su casi total transmisión por sintagmas o discursos gesticulares (fuertemente señalados en los apartes), como transmisión objetiva y directa de la experiencia al receptor. Esos actos y palabras *significan* la tensión unamuniana de manera análoga en los dos contextos: el biográfico del plano vital y el literario (aunque con la lógica deformación de la palabra escrita).

---

(12)   En carta a Angel Ganivet (Cit. a través de García Blanco, ed. cit. p. 12).
(13)   Ed. Cit. p. 241.

Análoga comunicación denotativa, situando vivencias similares en distintos contextos literarios, ofrecen otros cercanos textos unamunianos. Así, el autor (que se objetiviza visualmente en Angel), se desdobla, o pensó hacerlo, en un *alter ego* novelesco para expresar idéntico mensaje.

En 1895 escribe a *Clarín* (14) de un proyecto de cuento, sobre un muchacho de "honda educación religiosa" que "en puro querer racionalizar su fe la pierde", añadiendo, "así me sucedió". Un día ese muchacho entra en una iglesia y "el recinto, las luces, los niños junto a él, la muchedumbre que *oye* en silencio una cosa silenciosa, el ambiente todo, le transporta a sus años de sencillez, le saca de las honduras del alma estados de conciencia enterrados en su sub-conciencia, le vuelve a una edad pasada" y ante esa vivencia experimentada "sus energías morales se corroboran envolviéndose en sus pañales, volviendo a la tierra que cubrió sus raíces".

Ahora bien, en esa frase final Unamuno ya apunta hacia la fusión de la vivencia experimental (=añoranza de la fe de la infancia) con un contenido simbólico, expresado a través de dos palabras-clave de su obra total: *tierra* y *raíces*. Y ese simbolismo se desarrolla líricamente en el poema ya citado (nota 11):

> ... con furia los torrentes
> en recia acometida
> de torbellino
> te arrancaron la tierra
> mollar y grasa y rica
> en que la savia del vivir se encierra,
> y tus pobres raíces descubiertas
> perdieron el sustento...

Se trata, entonces, de la inmersión de la vivencia en un código simbólico, que Unamuno va a desarrollar y amplificar hasta estructurar su personal cosmovisión, que llegará a ser mitopoiética. Así, cuando esa sensación experimentada (¿en 1895?) se *reactualice* en análogas circunstancias, la comunicación de la misma comenzará por la expresión *directa* de *La Esfinge*, y aún lo será más (al eliminar la objetivación o el desdoblamiento), al decirnos lo experimentado por el propio Unamuno *En la basílica del señor Santiago*

---

(14) *Epistolario a Clarín*, Madrid, 1941, p. 53. Ese desdoblamiento en personaje novelesco es el usual en Unamuno que, *antes* de la total objetivación teatral, ha llevado su vivencia a la narración. Así *La venda*, novela corta, precederá a *La venda* drama. *Tulio Montalbán y Julio Macedo*, a *Sombras de sueño*, etc. o ha intentado la *forma* novelesca de una problemática análoga, con anterioridad a la teatral: *Abel Sánchez* y *El otro*.

de Bilbao, el martes de Semana Santa, 10 de Abril de 1906. Pero la rememoración de la infancia, de la fe perdida, de la dulce "rutina" (que Angel intentó revivir en *La Esfinge*), pasan inmediatamente a comunicarse mediante mitemas vivenciales (*brizar, cuna,* o *canción de cuna*) (15) y culturales (*Moisés, Esfinge*).

1,2,2.—Pero la *desorientación* unamuniana, ese "¿a dónde vamos?", que quiere acallar en el retorno a la *respuesta* de la infancia, al insertarse en el tiempo (que quiere *revivir*) le proyecta a una nueva problemática: el diacronismo del yo.

Unamuno lo va a expresar sintéticamente en una carta a Teixeira de Pascoaes, del 10 de enero de 1910, mientras trabaja en *El pasado que vuelve,* que terminará, probablemente, años después: "...tiene el protagonista 25 años en el primer acto, 50 en el segundo y 70 en el tercero. Al llegar a sus 70 años se ve reproducido en un nieto de 25 y es poner a un hombre frente a un yo pasado, hacer que uno se entreviste consigo mismo tal como era hace cuarenta y cinco años. Porque cada día renacemos, enterrando al de la víspera. ¡Cuántos hemos sido!" (16).

Pero, de nuevo, esa temática (y problemática) abordada, es *forma* literaria de una vivencia biográfica. El 10 de septiembre de 1909 remite Unamuno a Azorín una copia autógrafa del futuro poema VI de *Rimas de dentro,* donde llevará el lema: *Escrito en el cuarto donde viví mi mocedad.* En él afronta angustiosamente la realidad del tiempo fluyente, para exclamar como Quevedo: "Los días que se fueron, ¿dónde han ido?". Porque las viejas vivencias repetidas ("rumores de la calle", "conversaciones rotas" y hasta las notas de un piano, que llegan desde la vieja lejanía), le enfrentan con los dos misterios máximos de su intimidad: el del futuro (¿a dónde vamos?) y el del pasado transformador del yo (¿quién somos?).

El primero querrá resolverlo, volitivamente, insertándose progresivamente en el mito del eterno retorno (que cristaliza en *Las estradas de Albia* (17) y que, enlazado con la concepción mítica de un

---

(15) En 1906 están ya plenamente cristalizados en la poesía de Unamuno. Sobre el mitema de la *canción de cuna,* cfr. mi aludido trabajo sobre *La Esfinge.* El estudio del desarrollo y estructuración de la cosmovisión mitopoética en la poesía de Unamuno, es objeto de análisis en mi estudio *Dos rutas de intimidad: Unamuno y Machado* (en preparación).

(16) *Miguel de Unamuno, Teatro,* ed. de M. García Blanco, Edit. Juventud, Barcelona, 1954, p. 19.

(17) Publicada en 1914 y, posteriormente, incluida en *Andanzas y visiones españolas.* García Blanco señala, con acierto, la fecha de redacción en septiembre de 1911.

tiempo circular, desarrolla a nivel personal y *biológico* en ese drama de "cuatro generaciones" que tituló *El pasado que vuelve.* Al *recuperar* sus *yos* perdidos a través de la figura (repetida) del nieto, Víctor *resucita* y, al aproximarse a la soledad y la muerte, exclama triunfalmente: "...y yo viviré, viviré,... viviré".

Es la respuesta *teatral* de la pregunta del poema, tan cercano a la vivencia que lo motivó: "De aquel que fue, ¿qué ha sido?" Y la objetivación de un deseo experimentado:

¡Oh si hubiera llegado a conocerme!
¡Oh si aquel que yo fuí ahora me viera!...
¡Y si le viera yo, si en un abrazo
se hiciese vivo el lazo
que ata el pasado al porvenir oscuro!
Se me ha muerto el que fuí; no, no he vivido.
Allá entre nieblas,
del lejano pasado en las tinieblas,
miro como se mira a los extraños
al que fuí yo a los veinticinco años.

Y el *viviré* de Víctor, aferrado a la desesperada e inconsciente creencia de un eterno retorno, *responde* a la angustia unamuniana:

¡Cuántos he sido!
y habiendo sido tantos
¿acabaré por fin en ser ninguno?
De este pobre Unamuno,
¿quedará sólo el nombre?

Ahora bien, esa multiplicidad del *yo,* en Unamuno se acuñará en una dialéctica opositiva que enfrenta el *yo* de la infancia (sinónimo de fe) a los sucesivos presentes vividos. Porque el retroceso significaría recuperación de esa fe que contesta la pregunta en vías de esperanza. Pero también puede esa multiplicidad situarse, no en el plano del tiempo y del destino del hombre, sino en el plano ontológico del ser. El "¿quién soy yo?" atemporalmente considerado. No "¡cuántos hemos sido!", sino ¡cuántos somos!

Y a los dramas de la desorientación se suman los dramas de la personalidad. El camino existencial es ahora camino onírico de indagación del ser. La dualidad o multiplicidad sincrónica de los heterónimos unamunianos, de los personajes desdoblados en *yo* y *el otro*: Tulio Montalbán o Julio Macedo, Cosme o Damián. Pero el origen también está en la oposición *Unamuno* y *el otro.*

Creo que la génesis vivencial de esa dialéctica del ser (que Unamuno apoyará después en Holmes (18), está en su conocida sensación de *extrañamiento* frente al espejo.

---

(18)   Cfr. Francisco Yndurain, *Afinidades electivas: Unamuno y Holmes,* en *Clásicos modernos,* Gredos, 1969.

A finales de 1912 escribe una colaboración para *La Nación,* en donde manifiesta:

Dicen que cuando uno oye su propia voz reproducida por un fonógrafo, no la reconoce como suya. La sensación, sensación que puede llegar a ser pavorosa, que yo he experimentado alguna vez, es la de quedarme un rato a solas mirándome a un espejo y acabar por verme como otro, como un extraño y decirme: "¡con que eres tú!..." y hasta llamarme a mi mismo en voz baja, la sensación terrible del desdoblamiento de personalidad (19).

Esa "sensación" había pasado ya a ser desde 1899, un *signo* de ella misma en *La Esfinge* (escena XIII, acto I), con análogo valor denotativo que la examinada en 1,2,1: el espejo es, aún, el vehículo motivador de una sensación pero no símbolo, en sí, de desdoblamiento. Sin embargo, en fecha próxima al citado artículo, la "sensación" se expresa líricamente por medio de su comunicación simbólica:

Oh triste soledad, la del engaño
de creerse en humana compañía
moviéndose, entre espejos, ermitaño.
He ido muriendo hasta llegar al día
en que espejo de espejos soy, me extraño
a mí mismo y descubro no vivía (20).

Y anuncia sintomáticamente en el soneto siguiente, la génesis de *El otro,* con la plena objetivación del símbolo:

Me desentraño en lucha con el otro
el que me creen, del que me creo potro
y en esta lucha estriba mi comedia.

Esa "lucha" será la de Cosme y Damián, los gemelos, el otro yo del espejo unamuniano, que llega a su *visualización* simbólica, por el desarrollo de dos discursos gesticulares.

2.—*La venda, Soledad* y *El Otro* representan en el desarrollo analizado la casi total comunicación de la vivencia experimentada por medio de los símbolos unamunianos por ella generados. El pro-

---

(19) Cit. a través de García Blanco, ed. cit. p. 16. Existen en la obra unamuniana varias manifestaciones análogas señaladas por la crítica sobre el símbolo del espejo en el teatro de Unamuno. Cfr. Iris M. Zavala, ob. cit. y las interesantes consideraciones sobre el tema "motivo central de su teatro" de Andrés Franco, *El teatro de Unamuno,* Insula, Madrid, 1971.

(20) *En horas de insomnio.* Soneto I, en *Poesías sueltas,* ed. cit. de M. García Blanco. Tomo XIV, p. 842. Está fechado en 24-IV-1911.

ceso transformador (d) es, a veces, lento, y será la producción lírica (con tanto de diario íntimo) la que vaya señalando su definitivo acuñarse en palabras-clave.

2,1.—Así, en *Soledad* se desarrolla *plásticamente* la cosmovisión unamuniana que enlaza simbólicamente tierra (=infancia=fe) ⟶ esposa (=madre) ⟶ sueño (=canción de cuna), en la escena final que, como síntoma de esta ulterior realización, y como signo de una vivencia experimentada, apareció en el final de *La Esfinge*: el "¡Hijo mío!" de Concha (la esposa real) ⟶ signo biográfico a través de Eufemia, pero síntoma del símbolo que será en boca de Soledad. De ahí el nombre igualmente simbólico de esta tercera mujer: Soledad ("se muere siempre solo") + Sol (como la llama Agustín) = Verdad que, cuando va unido a connotaciones maternales (canción de cuna), se identifica con la *verdad en el sueño* o Fe.

El proceso, repito, es largo, pero ya está perfectamente acuñado en la lírica unamuniana hacia 1910. Cuando alcanza la objetivación teatral (ya en etapa simbólica) determina la creación de personajes, como Sofía, la madre, que en su locura (?) senil, identifica a Agustín con el niño muerto y ante las luchas de conciencia del hijo repite como un *ritornello* angustioso: "¿Le arropásteis bien?". Angustioso, pero salvador, porque cuando Soledad (esposa=madre) *arrope* y meza en sus brazos a Agustín, éste recobrará el *sueño*, que es el *descanso* y la *tierra*. A través de dos figuras maternales (Sol=Verdad y Sofía=Sabiduría, y ambas *tierra* y *raíces*), Agustín vuelve a *poseer* ese caballito de cartón (el del hijo muerto) que, en pleno simbolismo visual, preside el decorado de los tres actos (21).

Igualmente, el biográfico espejo de *La Esfinge*, ha llegado a ser (ya lo hemos visto someramente) símbolo de una oposición del yo, con lo que comporta de lucha: la *oposición de contrarios* gracianesca que es, ahora, no dos perspectivas del *individuo* que aspiran a fusionarse para crear la *persona*, sino una dialéctica del yo, desdoblado en dos personas. Los *contrarios* son, entonces (como en la visión frente al espejo) dos *identidades* que se miran iguales y se sa-

---

(21) En él se funden dos experiencias unamunianas de enorme fuerza emotiva: la muerte de su propio hijo, en 1902 y el *conocimiento* del episodio concreto, es decir, el caballito que acompaña el dolor de su gran amigo Juan Barco. La impresión de Unamuno frente a él, la conocemos por referencia del propio Juan Barco, en contestación (6 de abril de 1917) a la carta de pésame de Unamuno a la muerte de la esposa del amigo: "Usted me habla del caballito de cartón que nos acompañó a todas partes y que ahora soy yo solo, ¡solo!, a adorarlo y besarlo como se adora y se besa la más santa de las reliquias". (García Blanco, ed. cit. p. 117).

ben (¿hasta qué punto?) distintas. De ahí que la destrucción de uno puede ser la afirmación del ser del otro. Aunque la pregunta permanezca angustiosa: ¿quién ha matado a quién?

Naturalmente, ese *espejo* se concreta en la verosimilitud biográfica de los hermanos gemelos. Y su odio se inserta en un mitema de origen bíblico, el de Caín y Abel. Pero subsiste aquel espejo concreto de *La Esfinge*, que ahora es símbolo de esa agónica lucha de afirmación del ser. Y la llamada de Angel a su imagen, se transforma en un discurso gesticular de poderosa (y simbólica) fuerza comunicativa:

> En el fondo de la escena, un espejo de luna y de cuerpo entero (...) se queda un momento contemplándose. Se cubre la cara con las manos, se las mira, luego se las tiende a la imagen despejada como para cogerla de la garganta, más al ver otras manos que se vienen a él, se las vuelve a sí, a su propio cuello, como para ahogarse. Luego, presa de grandísima congoja, cae de rodillas al pie del espejo... (22).

Pero cuando el espectador *contempla* esa escena muda, ya ha recibido anteriormente su simbología por medio de la comunicación oral. Cosme (o el Otro) relata la visita de su hermano: "Me ví entrar como si me hubiese desprendido de un espejo, y me ví sentarme allí...", y siente *desnacerse* en un vivir hacia atrás. Pero cuando *resucita*, "retornando la conciencia": "¡Aquí, en este mismo sillón, aquí estaba mi cadáver..., aquí..., aquí está..!" (*Se tapa los ojos*). ¡Aún me veo! ¡Todo es para mí espejo! (23). Y por ello, un espejo (=inestabilidad esencial del ser), no puede estar junto a un símbolo de apertura del misterio como es la *llave* (que ha mordido, tras cerrar la puerta con ella), por lo cual rompe y arroja al suelo el espejito de bolsillo, porque "un espejo y una llave no pueden estar juntos". Más allá de esa puerta cerrada, está la realidad del vivir cotidiano, las voces de Laura y el Ama. Más acá está el cadáver del Otro, como último y fallido intento de salir de la niebla del no-ser.

2,2.—Si la cercanía cronológica de *La Esfinge* no permitió sino el desahogo liberador de la vivencia, sin la posible comunicación a través de unos símbolos de creación o recreación unamuniana, no es obstáculo, sin embargo, para la inserción de aquélla en un código

---

(22) Escena primera, del acto III.
(23) Escena III, acto I.

simbólico *ya establecido* que, por su tradicionalidad, puede ser de inmediata descodificación por parte del receptor (24).

Dicho procedimiento es el desarrollado en *La Venda*, desde el argumento general a los episodios del mismo e, incluso, los nombres de los personajes. No tendremos que apelar a ningún símbolo unamuniano (Soledad= sol= Verdad), para explicarnos las connotaciones de los de *La Venda*: el Padre (sin nombre), que lo es de Marta y de María, esposa de José y madre de un niño.

Unamuno ha montado su drama sobre un aserto proverbial: la fe es ciega. Y María, que lo es de nacimiento, ha de vendarse cuando, curada de su ceguera, quiere ir hacia el padre, porque para ir a él, "no sabía otro camino que el de las tinieblas". Un padre contemplado por el niño que, a la vuelta, es besado por la antigua ciega: "¡Tú, tú le has visto, y yo no! ¡Yo no he visto nunca a mi padre!". Un niño que *ve*, pero que, ante el padre, María se niega a despertar: "No se debe despertar a los niños cuando duermen", y que llora cuando a María le arrebata la venda su *razonable* hermana y el Padre muere: "¡Hijo, voy, no llores!... ¡Padre!... ¡La venda, la venda otra vez! ¡No quiero volver a ver!".

El Señor había dicho: "En cuanto a ver mi rostro"... "no lo puedes conseguir, porque no me verá hombre ninguno sin morir". Pero las palabras del *Exodo* (XXXIII, 20) alcanzan en *La venda* (sin citarlas) un significado más dramático. La muerte de la Fe (=hombre) se transmuta en la muerte de Dios mismo, provocando la constante y agónica duda unamuniana. Tan constante que, en 1934 (tras un largo proceso de recreación y fijación unamuniana de un esquema de simbolismos sobre el campo semántico de *luz*) vuelve, explícitamente ahora, a las palabras bíblicas y escribe:

> Muere quien ve a Dios el rostro,
> no el que oye voz de su boca
> sin verle... (25).

3.—Si el drama de la desorientación unamuniana se inserta sintomática pero salvadoramente, en los mitos del paraiso perdido

---

(24) Así, el ajedrez y la simbólica partida que juegan Angel y Eufemia, se inserta en una antiquísima tradición: *juego* (azar o providencia rectora) = *vida humana*. Simbolismo que, naturalmente, Angel va aclarando a lo largo de la escena. En cuanto al título de *La Esfinge*, recuérdese lo posterior de su elección, con respecto a la fecha de redacción de la obra.

(25) Poema 1713, de *Cancionero*.

(*Soledad*) y del eterno retorno (*El pasado que vuelve*), de tan amplia repercusión en la lírica de Unamuno, la dialéctica sincrónica del yo, suele recurrir para su transmisión a mitemas codificados.

Aludía a la inserción del símbolo del espejo en un mitema de profunda resonancia unamuniana, auténticamente recurrente, como el de Caín y Abel (26). Si bien es también frecuente que el mito elegido parta en su utilización de ese significado ya sancionado por la tradición (y conocido del receptor), para adoptar una particular simbología. Así, por ejemplo, el lírico buitre de Prometeo, *significando* en el conocido poema el dolor del pensamiento (27), es una recreación simbólica unamuniana, que comenzó, sin embargo, dentro de una utilización teatral *codificada*: el proyecto teatral *El nuevo Prometeo*, de 1905, donde, a juzgar por la síntesis argumental conservada (28), el mito se utiliza en su simbología tradicional de un Prometeo= "el amigo de los hombres", transmitido por Esquilo, y utilizado tan sistemáticamente en la literatura universal como representante de una redención, de carácter social. Pero que se inserta, al mismo tiempo, en el esquema campbelliano de la aventura arquetípica del héroe. En ella, el mitema *Prometeo*, no es sino el signo culturalizado del mito de la redención. Y en esa línea, Unamuno podrá, años después, fusionar Prometeo con Cristo, siguiendo la vieja tradición crítica, mantenida por Tertuliano, en su *Apologético*, que vio en el mito griego un reflejo de las tradiciones primitivas acerca de la Redención. Por lo que Unamuno escribe, dirigiéndose a Cristo:

> Desde el cielo cayó sobre tu frente
> una gota de sangre desprendida
> del corvo pico de un ahito buitre
> que venía del Cáucaso, y tu sangre
> con la de Prometeo se mezcló (29).

Pero el catedrático de griego que es Unamuno, no tiene únicamente ante sí la mitología helénica, con ser la más universal e in-

---

(26) Sobre su presencia, a nivel temático, en la obra de Unamuno, cfr. Carlos Clavería, *Temas de Unamuno*, Gredos, 1953 (pp. 93-122).

(27) Cfr. Manuel Alvar, *Unidad y evolución en la lírica de Unamuno*. En *Estudios y ensayos de literatura contemporánea*, Gredos, Madrid, 1971 (pp. 127-137).

(28) "Modernizar la vieja fábula. Uno, que dio a un pueblo los beneficios de una idea y sufre como Prometeo atado a su roca, que le devore el buitre las entrañas por la envidia de Júpiter, reniega de las potencias superiores; un humanitarista" (García Blanco, ed. cit. p. 169).

(29) *El Cristo de Velázquez*. Segunda parte, VII. El fragmento es comentado por M. Alvar (ob. cit. pp. 136-37).

temporal en su utilización literaria. Veamos, sintéticamente, los mitemas culturalistas que aparecen (o se proyectan) en el teatro unamuniano para poder analizar su funcionamiento simbólico, codificado o no:

La Esfinge: mito edípico+ mito bíblico (30). Título de su primer drama.

Don Quijote: *La muerte de Sancho*. Proyecto teatral, 1899. Reiterado en *Don Quijote y Don Juan* y en *Maese Pedro*, proyectos de 1905 y 1928.

Prometeo: *El nuevo Prometeo* (o *La antorcha de Prometeo*). Proyecto. Hacia 1905.

Don Juan: *Don Quijote y Don Juan*, citado, y *El hermano Juan*, de 1929

Icaro: *Icaro, el hombre que vuela*. Proyecto. Hacia 1905.
Fedra: *Fedra*, de 1910.

Tristán e Iseo: sin título. Proyecto de 1913.

Raquel: *Raquel encadenada*, de 1921.

Caín y Abel: incorporación a *El Otro*, de 1926.

El retablo de Maese Pedro: *Maese Pedro*. Proyecto de 1928.

Así pues, dos mitos de procedencia española: *Don Quijote* (+Sancho y Maese Pedro) y *Don Juan*, que incluso pensó enfrentar en una obra. Dos mitemas bíblicos: *Raquel*, la sedienta de maternidad, y *Caín y Abel* o el odio entre hermanos. Uno, de origen artúrico, símbolo de pasión amorosa. Y cuatro clásicos: *Prometeo*, *Icaro, La Esfinge y Fedra*.

Excede, naturalmente, de estas páginas el análisis pormenorizado de cada uno de ellos. Porque su concreto significado es frecuentemente simbólico: Don Quijote= idealismo; Prometeo= redención o creación o Don Juan= atracción amorosa. Hasta el punto, tan sabido, de acuñarse sobre ese nivel de significación los términos de *quijotismo, donjuanismo* o *prometeico*. Pero en su utilización unamuniana ocurre que el significado arquetípico (que no pierden) se desvía hacia fronteras semánticas que precisan de un análisis clarificador. Y la clave, con frecuencia, *no está en el texto teatral* (tal es el caso de *La Esfinge*), sino en el general contexto de la obra total unamuniana.

---

(30) Su conexión con los querubines que guardaban el Arca de la Alianza, la expresa Unamuno en nota al soneto XXXVI de *Rosario de Sonetos Líricos*. Su unión con la Esfinge edípica, en el poema 1078, de *Cancionero*.

Por ejemplo, Don Quijote. Es, como sabemos, un tema recurrente en Unamuno, y su análisis exige un tratamiento monográfico. Pero es sumamente revelador que la frase *quijotesca* que, según Unamuno, configura al personaje, es una afirmación de personalidad, "Yo sé quién soy" (31). Frente a esa afirmación (grandiosa, ante la agónica lucha de los entes unamunianos), la ligereza, la inconsistencia donjuanesca del "¡Tan largo me lo fiáis!", amarrada a la temporalidad. A una vida que es *representación* (*El hermano Juan o el mundo es teatro*) cuya *verdad* estriba en no serlo. Frente al *yo sé quién soy*, el *yo soy el que represento*. De ahí, probablemente, ese antagonismo que se desarrollaría en el proyecto de 1905.

A través del desarrollo teatral de los mitemas aludidos, su simbología (marcada por *indicios* en el texto, o revelada fuera de él, en el contexto unamuniano), y las conclusiones que los títulos, declaraciones o síntesis argumentales de los proyectos permiten deducir, se puede llegar (con carácter, en parte, apriorístico) a una sistematización de su funcionamiento en el teatro de Unamuno. Porque estimo que es evidente su agrupación por funciones, en subordinación a una cosmovisión vivencial de comunicación simbólica:

a) El hombre ante el Misterio=La Esfinge.

b) El hombre ante la dualidad del ser= Caín y Abel.

c) La realización del ser en la misión redentora, pese a la inmolación (aparente fracaso) del héroe (*yo sé quién soy* o el "Yo soy el que soy", de Cristo)= Prometeo, Icaro, Don Quijote.

d) La realización del ser en el cumplimiento de su destino vital= Fedra, Raquel, Tristán e Iseo.

e) La verdad del ser es la *representación* de su propio significado: don Juan y maese Pedro.

En definitiva, vehículos comunicativos para un idéntico mensaje de interioridad. Porque "si bien te fijas", nos dirá Unamuno,

---

(31) Poema 809 de *Cancionero*, donde caracteriza a cinco personajes por medio de cinco frases que pronunciaron y les definen:
"Yo sé quien soy", nos dice don Quijote.
"Y los sueños, sueños son", Segismundo.
"Muero porque no muero" en este mundo Teresa de Jesús, alma brulote.
"Como un palo..." Loyola, os engañáis.
Don Juan: "Si tan largo me lo fiáis..."

todas las obras de un autor, bajo su multiplicidad de formas, no son "más que un solo y mismo pensamiento fundamental" (32). Pero con la certeza de la profunda raíz vivencial de todo pensamiento:

> Lo pensado es, no lo dudes, lo sentido
> ¿Sentimiento puro? Quien ello crea,
> de la fuente del sentir nunca ha llegado
> a la viva y honda vena.

---

(32) *Soliloquio,* publicado en 1907. Cit. a través de García Blanco (ed. cit. p. 68).

YERMA: DESARROLLO DE UN CARACTER

ILDEFONSO MANUEL GIL
(THE CITY UNIVERSITY OF NEW YORK)

En unas declaraciones periodísticas, anteriores al estreno en Barcelona de esta obra, Lorca dijo: "*Yerma* no tiene argumento. Es un carácter que se va desarrollando en el transcurso de los seis cuadros de que consta la obra".

Punto de partida indispensable para la comprensión del proceso que lleva a ese personaje lorquiano desde la esperanza hasta la desesperación, es recordar que el teatro de Lorca tiene un tema dominante: la frustración del amor. Sus distintas obras son variaciones sobre el mismo tema, que alguna vez se desarrolla en la recogida intimidad de los protagonistas y las más de las veces se da en un contexto social que por sus injusticias y sus cerrazones ideológicas, así como por su radical hipocresía, será causa directa o concausa eficaz de la frustración amorosa.

Ya en 1919, en el prólogo de *El maleficio de la mariposa* quedó dicho que "el amor pasa con sus burlas y sus fracasos por la vida del hombre" y que "la Muerte se disfraza de amor". Desde entonces, García Lorca dedicó gran atención como autor dramático a atisbar esos pasos. De burlas del amor nutrió sus piezas menores y de los fracasos se valió para la creación de sus obras mayores. Y aunque sea verdad que a veces la Muerte se disfraza de amor —o quizás sea el Amor quien se disfrace de muerte— a fin de cuentas lo que sucede en su teatro es que el amor no puede terminar más que en frustración.

Esa única salida de cualquier historia amorosa debió de imponerse al autor de manera casi obsesiva, y, como tal, en cierto modo involuntaria. Es tema que presentó bajo distintos personajes, en circunstancias diversas, en variados tonos y en distintas peripecias, pero siendo siempre el mismo en lo esencial: imposibilidad de que el amor se realice en la posesión, de una manera armónica, honda y total. Incluso es frecuente que el amor se frustre antes de que la posesión se alcance.

Los críticos que han estudiado el teatro lorquiano se dan cuenta de la importancia de ese tema, pero quizá no se haya señalado suficientemente que no se trata sólo de que sea importante, sino de que está presente en todas sus obras y es básico en todas ellas; son historias de amor frustrado; trágicas, dramáticas o simplemente cómicas frustraciones del amor.

Las dos obras en que tal predominio se hace más evidente son *Mariana Pineda* y *Yerma*, precisamente porque desde su título nos proponen una temática distinta de la del amor frustrado. En la primera, un personaje histórico, víctima de la tiranía y, como tal, encarnación de la lucha por la libertad política, cuya aventura vital de inscribirse en esa perenne tesitura de vida española y cuya trasmutación en criatura dramática no eximía de cierta obligación de fidelidad a su condición de arquetipo histórico, no se realiza como tal personaje dramático más que a través de la frustración amorosa, y en ésta alcanza el drama su clímax. No por modo súbito o arbitrario, ya que en la Mariana Pineda recreada por Lorca la lucha por la libertad es consecuencia del amor que siente por uno de los conspiradores liberales.

La frustración de su amor llena las últimas escenas y hace que Mariana se olvide hasta de sus hijos y de su propia vida, para identificarse con la libertad, como única manera de seguir siendo amada por el capitán liberal que se ha salvado huyendo al extranjero, dejándola abandonada. Mariana querrá consolarse de su abandono, más aun que de su muerte, con la esperanza de que don Pedro acudirá a librarla del verdugo. Cuando ya no queda ante ella otro camino que el que la lleva al cadalso, se identifica con la libertad:

> ¡Morir! ¡Qué largo sueño sin ensueños ni sombra!
> Pedro, quiero morir por lo que tú no mueres,
> por el puro ideal que iluminó tus ojos:
> ¡Libertad! Porque nunca se apague tu alta lumbre,
> me ofrezco toda entera. ¡Arriba, corazón!
> ¡Pedro, mira tu amor a lo que me ha llevado!
> Me querrás, muerta, tanto, que no podrás vivir,
> y ahora ya no te quiero, porque soy una sombra.

Palabras que se refuerzan y engrandecen a medida que se opera esa trasmutación de Mariana en la libertad misma:

> ¡Os doy mi corazón! ¡Dadme un ramo de flores!
> En mis últimas horas yo quiero engalanarme,
> quiero sentir la dura caricia de mi anillo
> y prenderme en el pelo mi mantilla de encaje.
> Amas la Libertad por encima de todo,
> pero yo soy la misma Libertad. Doy mi sangre,
> que es tu sangre y la sangre de todas las criaturas.
> ¡No se podrá comprar el corazón de nadie!
> ....
>
> Yo soy la Libertad, porque el amor lo quiso!
> ¡Pedro! La Libertad, por la cual me dejaste.
> ¡Yo soy la Libertad, herida por los hombres!
> ¡Amor, amor, amor, y eternas soledades!

La identificación de Mariana con la libertad suena levemente a venganza de mujer abandonada y a sublime compensación de su abandono. En ese último instante de la vida de la heroína lorquiana, todo lo demás ha desaparecido. La conspiración contra la tiranía y su fondo político histórico se borran en esos momentos en que la tragedia culmina. Queda la frustración del amor, más patética que la muerte misma. El personaje histórico ha sido sometido a un tratamiento que le da una dimensión sentimental desproporcionada a la que correspondió a su realidad. El agente modificador ha sido la frustración amorosa.

Todavía más significativo es el caso de *Yerma*. Mientras la estaba escribiendo, su autor la anunció a Juan Chabás como "la tragedia de la mujer estéril". Es decir, el anhelo de maternidad no realizado era para el poeta la materia que había de tratar con los medios expresivos de la tragedia.

Tratemos de acercarnos primero a ese anhelo maternal de Yerma. Para ella, su vida carecerá de sentido, no será vivible, si no se cumple la esperanza del hijo. La conocemos en la tensión de esa espera, que ya comienza a hacerse incierta y la obra es desde su comienzo la agonía de una esperanza conducida, a lo largo de los tres actos, hacia la desesperación. Para Yerma no hay más que una verdad vital: su maternidad.

En agosto de 1835, Kierkegaard escribió en su *Diario*:

> Lo que importa es comprender para qué estoy destinado, ver qué es lo que Dios quiere que yo haga. Lo que importa es hallar una verdad que sea verdad para mí, hallar la idea por la cual pueda yo vivir y morir.

Ahí se nos mostraba Kierkegaard en busca de esa verdad sin la cual la vida carece de sentido. Encontrarla y entregarse íntegramente a ella es vivir una vida auténtica; no encontrarla es el decisivo fracaso vital. Pero también puede suceder que la verdad vital sea inencontrable porque se base en una mentira vital, porque haya una absoluta imposibilidad de que se realice humanamente. Entonces nos encontramos ante la necesidad irrenunciable de algo que no existe: lo necesario inexistente.

No deja de ser curioso, a nuestros efectos, que Kafka —también en su *Diario* y a propósito de esa terrible situación vital— escribiese lo siguiente:

> ...no es nada; ni siquiera existe más de lo que existe el hijo que anhela una mujer estéril. Sin embargo, es el aire que respiro mientras siga respirando.

He ahí que Kafka ha puesto como ejemplo de lo necesario inexistente el anhelo maternal de una mujer estéril. Y lo es, en casi toda su extensión, la protagonista lorquiana. Buen ejemplo de vida atormentada por la obsesión de lo necesario inexistente. Pero no buen ejemplo de verdad vital. Porque cuando alguien la conoce ha de buscarla irremisiblemente, y esa búsqueda ha de ser la norma ordenadora de su conducta, al menos hasta llegar a la desoladora convicción de que tal verdad no es más que lo necesario inexistente. Y éste no es el caso de Yerma, puesto que la esperanza no se agota en sí misma. Si ella vive en una sociedad estatificada por prejuicios y tabús y por añadidura se siente orgullosa de tener una moral tan rígida como la que más pueda serlo, acepta que una actitud ética le impida la realización de su esperanza, el cumplimiento de su único destino, colocándose así en una profunda contradicción, de la que derivarán las frecuentes contradicciones que se dan en su relación con su marido y con otros personajes.

¿Cómo su afán desmedido de maternidad puede ser más débil que su sentido de la honra, que aunque ella lo presente poco menos que como patrimonio de su familia no es ni más ni menos que el vigente en la sociedad a que pertenece? (1). ¿Quizás piensa en su hijo con tal fuerza idealizadora que no puede ser concebido sin tacha y, por tanto, es irrealizable mediante el adulterio? Pero el deseo del hijo es en ella físico y metafísico, hondo y en definitiva devastador, aspiración de cada uno de sus sentidos, de cada uno de sus pensamientos, de cada uno de sus sentimientos. Tremendas fuerzas telúricas y ultratelúricas ...que no bastan para quebrar las convenciones sociales, ni una exigente conciencia individual que repugna el adulterio, pero llega al asesinato del cónyuge.

Dentro de esa contradicción, que posiblemente aceptó el autor como acusación eficaz contra una sociedad injusta, el hambre de maternidad de Yerma es irrefrenable. Coincide con la de algunos personajes unamunianos, de los que, por contraste, nos interesa especialmente uno: la protagonista de *Raquel encadenada*. Antes que Yerma, y lo mismo que ésta, puede hacer suyas las palabras que en el *Génesis* dice Raquel a Jacob: "Dame hijos o si no, me muero". Su verdad vital es el hijo y mientras no lo consiga estará condenada al dolor y amenazada de su propia destrucción. La sociedad la tiene encadenada, con cadenas no más fuertes que las que encade-

---

(1) Tan fuerte como su *honra* era en la familia la resignación, la aceptación de su limitado destino. La Vieja la define así: "...Buena gente. Sudar, comer unos panes y morirse. Ni más juego, ni más nada. Las ferias, para otros. Criaturas de silencio". Pero Yerma es una criatura vociferante, criatura de llanto y de imprecaciones.

nan a Yerma. Pero Raquel se libera, rompe las cadenas y conseguirá realizar su verdad vital. Yerma sospecha que su marido es culpable de su esterilidad; Raquel lo sabe con certeza, porque su marido evita la procreación. Y quizás esa clara culpabilidad del marido de Raquel subyaciera en la gestación del Juan lorquiano; mas no siendo creíble en un buen propietario rural, Lorca sólo se permitió insinuarla acudiendo bastante confusamente a otras causas —¿infecundidad congénita? ¿enfermedad?— más sugeridas que enunciadas, para acabar dejando en el aire, o mejor, en la niebla, ese aspecto, en perjuicio de la autenticidad del personaje.

(No olvidemos que si a lo largo de toda la obra Juan es el hombre de sentido común que se niega a romperse la cabeza contra un muro, que lamenta la obstinación de Yerma y la destrucción de la paz familiar, en la escena final confiesa que ni ella ni él, así, separadamente, pueden esperar el hijo. Su "acomodamiento" no ha ido forjándose gradualmente a lo largo de los cinco años que cuenta la desesperación de Yerma; era anterior, venía desde un pasado que para la pobre mujer no existe).

Otra criatura dramática nos viene ahora a cuento: el personaje central de *Teresa*, la única obra teatral que logró estrenar "Clarín". Está casada con un hombre cruel que la maltrata, haciéndola muy desgraciada. Su vida llega al límite de lo insoportable, pero su concepto del honor y de la dignidad personal —buenos precedentes de los de Yerma— le impiden aceptar la propuesta de un antiguo novio de irse a vivir con él, abandonando a su brutal marido. La obra concluye con estas palabras de la pobre Teresa:

¡Yo, aquí!... ¡Siempre aquí! ¡Junto al hombre de mi cruz! ¡Al pie de mi cruz!

que expresan el mismo sentir de Yerma cuando rechaza airadamente otra sugestión de adulterio: "¿Te figuras que puedo conocer otro hombre? ¿Dónde pones mi honra?", llegándose a mayor coincidencia cuando dice a su marido: "Yo sabré llevar mi cruz como mejor pueda, pero no me preguntes nada" y "Ahora, ahora déjame con mis clavos".

❊ ❊ ❊

Hablamos antes de un pasado que no existía para Yerma. Es algo que nos parece muy importante, constituyendo uno de los mejores logros de la obra. Para Yerma sólo hay un tiempo: el que mide su esperanza. Dura dos años y veinte días cuando la obra comienza. Mientras no se produzca un cambio, no hay pasado ni futuro, sólo ese presente que irá encerrándola como si fuera una cárcel o un infierno. De momento, todavía no lo es, pero ya se está prefigurando en el desaliento creciente de Yerma. Así, cuando Juan dice: "Cada año seré más viejo", ella replica: "Cada año... Tú y yo *seguimos* aquí cada año". No obstante, como aún queda alguna esperanza, puede volver a un presente feliz; no feliz en sí mismo, sino en el tiempo que inmediatamente nacería de él, si la esperanza se cumpliese. Le llamaremos presente anheloso. Está en las palabras de Yerma en la hermosa escena en que su amiga María le anuncia que está encinta:

YERMA.—¿Te has dado cuenta de ello?

MARIA.—Naturalmente.

YERMA (*Con curiosidad*).—¿Y qué sientes?

MARIA.—No sé. Angustia.

YERMA.—Angustia. (*Agarrada a ella*). Pero... ¿cuándo llegó?... Dime. Tú estabas descuidada.

MARIA.—Sí, descuidada...

YERMA.—Estarías cantando, ¿verdad? Yo canto. Tú..., dime...

MARIA.—No me preguntes. ¿No has tenido nunca un pájaro vivo apretado en la mano?

YERMA.—Sí.

MARIA.—Pues lo mismo..., pero por dentro de la sangre.

YERMA.—¡Qué hermosura! (*La mira extraviada*).

MARIA.—Estoy aturdida. No sé nada.

YERMA.—¿De qué?

MARIA.—De lo que tengo que hacer. Lo preguntaré a mi madre.

YERMA.—¿Para qué? Ya está vieja y habrá olvidado esas cosas. No andes mucho y cuando respires respira tan suave como si tuvieras una rosa entre los dientes.

MARIA.—Oye: dicen que más adelante te empuja suavemente con las piernecitas.

YERMA.—Y entonces es cuando se le quiere más, cuando se dice ya: ¡mi hijo!

Yerma acepta gozosamente esa posibilidad que María le brinda con su *más adelante* y recogiéndola en un *y entonces* vive en presente la maravilla de la maternidad.

Ese presente, revelador de la fuerza de su anhelo, se ve enseguida sustituído por el presente que refleja su desaliento, su vida sin el deseado cambio; pero reaparece en otra escena crucial: la visita a la vieja Dolores para someterse a unos oscuros ritos invocadores de la maternidad. Ante las esperanzas que la vieja le da, y al hilo de la historia de la mendiga estéril que concibió y parió hijos gemelos, Yerma dice: "A mí no me *da* asco mi hijo".

Poco después, como eco del "tendrás un hijo" que le ha dicho Dolores, utiliza un futuro, apoyándolo en un presente perifrástico: "Lo tendré, porque lo tengo que tener" que se intensifica al máximo: "Yo no pienso en el mañana, pienso en el hoy. Yo pienso que tengo sed y no tengo libertad. Yo quiero tener a mi hijo en los brazos para dormir tranquila". No se trata de presentes actualizadores, ni de esa ardiente entrega del español al instante en que se vive —muy bien comentada por Christoph Eich en su *Federico García Lorca, poeta de la intensidad*— sino de que para Yerma, como dijimos, el único tiempo válido es el de su espera, formulada siempre en presente porque, al ser una situación sin cambio, se le ofrece sin pasado y sin futuro. Cuando éstos aparecen incidentalmente no es con su valor normal, sino para referir a un tiempo anterior al presente anheloso y a un tiempo que sólo podrá comenzar el día que el hijo haya sido concebido. Cuando después de cambiarse el anhelo en desaliento, llega la escena cumbre en que Juan destruye el valor preludial de ese pasado, al reiterar de modo decisivo que él nunca esperó al hijo, el futuro queda también destruido. Sólo queda un presente que ya no puede ser más que tiempo de condenación: muerte para Juan y seguridad para Yerma de su irremediable esterilidad: "Ahora sí que lo sé de cierto" y "Voy a descansar sin despertarme sobresaltada, para ver si la sangre me anuncia otra sangre nueva" (2). La temporalidad, en cuya cuenta se había puesto especial precisión (dos años y veinte días dura la espera en el primer acto; tres años en el segundo, y cinco en el tercero) acaba en un indefinido presente continuativo.

El presente de anhelo y el de desaliento aparecen matizados por un constante juego de imágenes. Símbolos, metáforas, símiles, asociaciones y correspondencias van jalonando embellecedoramente el progreso del desarrollo del carácter de Yerma, como es habitual en las creaciones dramáticas de García Lorca, sea cual sea su tono. Por lo que ahora nos interesa, subrayemos la especial utilización de dos símbolos. La virilidad fecundadora se expresa mediante *el agua;* la maternidad, mediante *la leche* —la tibia de los senos femeninos o la de la oveja—, reforzándose ambas con *la sangre.* Como, en el paso de la esperanza a la desesperación, ambos símbolos necesitan su opuesto, el agua corriente fecundadora se contrapone al agua encerrada en el pozo (y una sola vez a la co-

---

(2) Recuérdese que la Madre de *Bodas de sangre,* cuando ha muerto el último de sus hijos dice también: "A media noche dormiré, dormiré sin que ya me aterren la escopeta o el cuchillo". Por caminos muy distintos, ambas criaturas lorquianas han llegado a un mismo punto muerto.

rriente devastadora, cuando Yerma dice que si ella quiere, puede ser arroyo que arrastre a sus cuñadas y a su marido); y a la leche tibia, manantiales o arroyos en los montes de los senos, se contrapone la arena, signo de sequedad. Si bien esta última contraposición se da por modo muy sencillo y directo, la del agua ofrece ricas variaciones; por eso y por su mayor presencia, justifica un detenido comentario (3).

El agua corriente es agente fecundador, fuerza y libertad gozadora de la plenitud vital. A Yerma le gustaría que Juan fuera a nadar al río y que se subiera al tejado de la casa cuando cae la lluvia. En su monólogo en verso del acto 1.º, todavía tan esperanzado, pide que "salten las fuentes alrededor", aplicándose a las de agua y a las de la leche maternal, con sutil ambivalencia. La Vieja 1.ª dice que los hijos "llegan como el agua" y que los hombres han de dar de beber agua a las mujeres en su misma boca, frase ésta que tendrá inmediatamente un fuerte eco en Yerma cuando dice a Víctor que su voz "parece un chorro de agua que te llena toda la boca" —subrayemos que ese es uno de los pasajes en que la frustración amorosa se hace más patente: aunque ella misma se esfuerce por ignorarlo, desearía beber ese fuerte chorro en la boca de Víctor; al decir seguidamente que su marido "tiene un carácter seco" se hace más intensa la significación de la escena: en el chorro de agua de Víctor y en la sequedad de Juan se ahoga el niño que nunca le nacerá a Yerma.

Otra vez, el agua corriente actúa simultáneamente con signo positivo y negativo. Yerma dormirá sola, no tendrá que esperar a su marido, porque él ha de estar toda la noche regando: "Viene poca agua, es mía hasta la salida del sol y tengo que defenderla contra los ladrones". La tierra tendrá su agua real, pero Yerma se quedará a solas con su quemadora sed. Y es entonces cuando la pobre mujer usará enfáticamente un futuro: "¡Me dormiré!", sobre el que cae un telón rápido.

Las maliciosas lavanderas reiteran en sus cantos el valor simbólico del agua:

> Dime si tu marido
> guarda semilla
> para que el agua cante
> por tu camisa.

---

(3) Y no hace falta decir que las imágenes en *Yerma* reciben gran atención en su bibliografía específica. Baste recordar los trabajos de Calvin Cannon "The Imagery in Lorca's *Yerma*", *Modern Language Quaterly*, 1960, pp. 122-130; Gustavo Correa, "Honor, Blood and Poetry in *Yerma*", *Tulane Drama Review*, VI, 1962, pp. 96-110; Robert Skloot, "Theme and Image in Lorca's *Yerma*", *Drama Survey*, V, 1966, pp. 151-161.

La roca por la que Yerma se empeña en meter la cabeza, según le dice Juan, debería ser, según ella, "un canasto de flores y agua dulce". En los fugaces renaceres de su esperanza, piensa que su hijo ha de venir "porque el agua da sal, la tierra fruta —y nuestro vientre guarda tiernos hijos— como la nube lleva dulce lluvia"; habría de venir, pero no viene, pese a que todo en la naturaleza llama a fecundidad: apuntan los trigos, paren las ovejas, y las perras, todo el campo se pone de pie para enseñar sus crías tiernas y *las fuentes no cesan de dar agua*.

Las mujeres que tienen hijos no pueden pensar en las que no los tienen: "Os quedáis frescas, ignorantes, como el que nada en agua dulce y no tiene idea de la sed".

La mendiga "que estaba seca" más tiempo que Yerma, pare a sus dos criaturas en el río y las lava "con agua viva". Cuando las casadas sin hijos van en romería a la ermita del Santo milagrero, la Vieja 1.ª les pregunta con ironía: "¿Habéis bebido ya el agua santa?", maliciosa interrogación que se corresponde con una observación inocente de María: "Un río de hombres solos baja esas sierras".

Como ya dijimos, lo opuesto de las aguas corrientes es el agua quieta, encerrada en los pozos, que Yerma ha llegado a aborrecer a medida que ella misma va "entrando en lo más oscuro del pozo".

Esas y otras presencias del agua mantienen a lo largo de la obra todo un caudal de significaciones que el poeta intensificará en una última utilización, que se beneficia de todas las anteriores, hasta el punto de que podríamos hablar de una especie de clímax de esa poderosa corriente subtemática. Cuando la Vieja 1.ª incita a Yerma a que abandone a su marido y se vaya a vivir con un hijo de ella que le dará "crías", y ante la negativa le dice: "Cuando se tiene sed, se agradece el agua", la respuesta de Yerma tiene peculiar grandeza:

> Yo soy como un campo seco donde caben arando mil pares de bueyes y lo que tú me das es un pequeño vaso de agua de pozo. Lo mío es dolor que ya no está en las carnes.

* * *

Efectivamente, su dolor está más allá de su carne y más allá de su alma. Yerma se ha convertido en una criatura energuménica. En cierto modo, hasta ha ido dejando de ser una mujer y podemos asistir a tan profunda transformación. Cuando la conocimos, estaba dedicada a una faena delicadamente femenina, sentada con su tabanque de costura; incluso levemente adormilada, en pura ensoñación. Poco después supimos de su habilidad para hacer trajecitos de niño y la vimos cortar pañales para el hijo que espera su amiga María. Está gozosa entre las paredes de su casa, esperando el momento en que se dé cuenta de que ella ha concebido ya. A medida que esa esperanza se debilita, Yerma se va apartando de los trabajos femeninos y cambia la intimidad del hogar por el campo abierto y prefiere pasar la noche sentada en el poyo ante la puerta de su casa que en la intimidad —ya en camino de *total* destrucción— de su alcoba conyugal. Llega a aborrecer aquellas delicadas labores que sólo tenían sentido como quehaceres complementarios de la cría del hijo. Si éste no llega, nada vale lo demás y así lo expresará con diminutivos despectivos: "¿Por qué estoy yo seca? ¿Me he de quedar en plena vida para cuidar aves o poner cortinitas planchadas en mi ventanillo?". Con ironía que se vuelve contra ella misma, llegará a decir: "Ojalá fuera yo una mujer".

Pronto se avanza en ese proceso de pérdida de la femineidad: "Muchas noches bajo yo a echar la comida a los bueyes, que antes no lo hacía, porque ninguna mujer lo hace, y cuando paso por lo oscuro del cobertizo mis pasos me suenan a pasos de hombre". Nadie, entre quienes la rodean, ha advertido ese cambio (4). Pero ella lo conoce y lo admite.

Paralelamente, Yerma ha ido tomando conciencia de su frustración amorosa. Si bien expresará reiteradamente que aceptó con alegría el marido que su padre le había elegido e incluso se referirá en el mismo tono a su noche de bodas, subrayará siempre que buscaba en él a su hijo. Y esa búsqueda al hacerse obstinada determinará ambiguas situaciones en las que el cuerpo de Yerma está como con calentura junto a la "cintura fría" de su marido, noches en que éste "da media vuelta y se duerme" dejándola a ella en la cama con los ojos tristes "mirando al techo". La mujer intenta quizás, ya muy a la desesperada, volver a los primeros tiempos de su matrimonio, cuando la esperanza del hijo justificaba su vida conyugal, y entonces sus palabras son de auténtica enamorada

Te busco a ti. Te busco a ti, es a ti a quien busco día y noche, sin encontrar sombra donde respirar. Es tu sangre y tu amparo lo que deseo.

---

(4) Es curioso que en el primer acto, apenas iniciada la acción, Yerma había pedido a Juan —como vimos al tratar del agua como símbolo— que fuera a nadar al río, que se subiera al tejado cuando llueve, y en el cuadro 2.º del acto 2.º una lavandera diga: "Estas machorras son así: cuando podían estar haciendo encajes o confituras de manzanas, les gusta subirse al tejado y andar descalzas por esos ríos". Les atribuye lo mismo que Yerma deseaba en su marido.

Son palabras que ya no están de acuerdo con sus hechos. Le hemos oído decir que no sabe si quiere a su marido, que no sabe si le gusta, que no siente nada cuando él le acerca sus labios; también, que no lo quiere, aunque él es *por honra y por casta* su única salvación.

Todo lo anterior podría ser testimonio contra la injusta y absurda manera en que se decidía la suerte de las muchachas campesinas respecto al matrimonio. Un marido impuesto y, además, una montaña de prejuicios pesando sobre ellas. Yerma nos lo dice, hablando con la Vieja:

> Las muchachas que se crían en el campo, como yo, tienen cerradas todas las puertas. Todo se vuelven medias palabras, gestos, porque todas estas cosas dicen que no se pueden saber. Y tú también, tú también te callas y te vas con aire de doctora, sabiéndolo todo, pero negándolo a la que se muere de sed.

Sabemos que Juan era más viejo que ella; podemos deducir que con mayores bienes de fortuna. La llegada de los hijos o un acomodamiento normal de Yerma a su situación familiar hubieran salvado el matrimonio, es decir, lo que en él hay de contractual. El amor no existía y quizás su ausencia no hubiera sido advertida por Yerma si su naturaleza apasionada hubiera tenido los goces y los sufrimientos de la maternidad.

La falta de hijos y el duro aprendizaje a que ya muy a deshora se ve sometida, le revelan su amor por Víctor. Un amor tan inútil como su anhelo de maternidad, porque contra él se opone la honra. Cuando ya no puede ignorar que amó, que quizás sigue amando a Víctor, no puede evitar que ese amor se proyecte sobre su esterilidad. Su ignorancia, tantas veces puesta de relieve, le permite elaborar una ingenua creencia en que la fecundación es imposible si no existe el amor. Subconscientemente, admite que si se entregase a Víctor tendría hijos. El autor nos lo está haciendo ver desde que el telón se alza, pues la pantomima que objetiva la ensoñación de Yerma no significa otra cosa, en cuanto vuelve a la mente del espectador ante los gestos de Yerma en su encuentro con Víctor, en el mismo cuadro 1.º. En su último encuentro a solas, el llanto del niño que ella cree oír es la decisiva manifestación de su amor por el pastor y quizás su verdadera despedida de la maternidad (5).

A la luz del desarrollo del carácter de Yerma, desde la alegre

---

(5) Recuérdese que las lavanderas asocian maliciosamente a Yerma y Víctor. En su función de coro, son narradoras e intérpretes de los hechos. Y un hecho indudable es la relación sentimental Yerma-Víctor. Relación ni confesada ni cumplida, pero existente.

aceptación del novio antes de la boda y en la noche de bodas hasta el instante en que mata a su marido, la frustración amorosa desempeña un importantísimo factor. Pero mientras el anhelo de maternidad se está expresando con enorme relieve, el inconfesado amor queda relegado a un plano secundario. Lorca lo va manteniendo con gran maestría, para dejarlo fundirse entre nieblas, supersticiones e ignorancias, en el plano dominante de la maternidad frustrada. Quedará formando ya parte inseparable de él. Y cuando Yerma se sienta insultada por el deseo sexual de su marido, tan insultada que su reacción será matarlo, en el fondo de su cólera subyace de un modo u otro el sentimiento de su amor frustrado.

Quizás la desaparición de Víctor antes de que el energumenismo de Yerma alcance su plenitud fue una decisión impuesta a Lorca por el desarrollo del carácter de su protagonista. La visita a casa de la vieja Dolores, para celebrar oscuros ritos propiciatorios de la maternidad, en los que catolicismo y paganismo se entremezclan, es una tentación en la que su rígido concepto de la honra se debilita; la presencia de Víctor hubiera sido una tentación mucho más peligrosa, porque Yerma ha dejado de pensar para sólo sentir. Sólo así se explica su sometimiento a tales ritos supersticiosos, ya que debería recordar que la vieja Dolores no ha conseguido que le dé el nieto que ella ansía tanto, y que al no conseguirlo "con yerbajos" haga que la hija acuda al recurso de la romería a la ermita del Santo.

Esa misma romería en que la actitud de Juan, perfectamente normal en las circunstancias en que se produce, muestra a Yerma que su maternidad es imposible y a la vez, en trasfondo iluminado en el transcurso de la obra, que también lo ha sido para ella el amor.

Dada la tensión en que ella vive, el desenlace dado por el autor es la única salida. Yerma se aleja para siempre de las aguas de los ríos y de los arroyos y de las nubes, para adentrarse en su hondo y oscuro pozo de aguas quietas (6).

---

(6) A los trabajos citados, conviene añadir —además de cuanto a *Yerma* se refiere en los estudios sobre el teatro de Federico García Lorca— los siguientes:

Falconieri, John V.: "Tragic Hero in Search of a Role. *Yerma's* Juan", *Revista de Estudios Hispánicos,* I, 1967, vol. 1.

Lott, Robert E.: "*Yerma*: The Tragedy of Unjust Barenness", *Modern Drama,* VIII, 1965.

Rincón, Carlos: "*Yerma*, de Federico García Lorca. Ensayo de interpretación", *Beiträge zur Romanischen Philologie,* V, 1966.

Zdenek, Joseph: "La mujer y la frustración en las comedias de García Lorca", *Hispania,* XXXVIII, 1965.

TEATRO Y SOCIEDAD EN LA ESPAÑA DE POSGUERRA

LUCIANO GARCÍA LORENZO

En el momento, lector, que comienzas a leer estas páginas al teatro dedicadas, en algún lugar del mundo —en el multicolorista Broadway, la Gran Vía madrileña, el siempre agradable Montmartre, un garaje abandonado de Los Ángeles, el Paraninfo de una Universidad española o bajo la carpa de un local ambulante— se ha levantado un telón, unos hombres y unas mujeres dicen unos versos de Molière o Shakespeare o improvisan un texto de creación colectiva y frente a ellos —o a su alrededor— cien, doscientos o mil espectadores reciben un texto o participan en un espectáculo que pretende crear o recrear las inquietudes, los problemas, las angustias —y, por qué no, también la felicidad— de unos seres de ficción luchando por encontrar un paraíso perdido. Es el teatro: juego, magia, comunicación, "imitatio", denuncia, evasión, pasatiempo... De Tespis y hacer caminos al whisky del café-teatro; de las máscaras al bikini; del trímetro yámbico —no apto para desasosegados— al lexema más vulgar —rompiendo prejuicios y buscando el escándalo—; de los pájaros de Aristófanes a unas picassianas palomas muertas en escena para que el cómodo y pasivo receptor del espectáculo pueda ver de cerca una sangre que siempre —y también en cualquier momento— brota lejos...

Texto, actores, público... Pero también autor, director, crítico... Y empresarios, censura, festivales... Para el historiador literario, buscando valores estéticos que le lleven al juicio de un drama, puede bastar, en ocasiones, el texto de la pieza. Pero para entender el fenómeno teatral, para llegar a saber el por qué de la riqueza dramática de una época o, por el contrario, la escasa calidad de los textos estrenados en otra, el estudioso debe partir de unos supuestos de tipo sociológico-político, que conformarán precisamente la génesis de las obras escritas y, sobre todo, estrenadas en unos momentos determinados. Naturalmente, si *Historia de una escalera* aparece en 1949, el café-teatro veinte años después y *Luces de bohemia* se estrena en 1971, es porque ha habido una serie de circunstancias que han favorecido estos acontecimientos como hubo otras antes que los habían impedido. Nuestro deseo es en las páginas que siguen preguntarnos por estas causas para intentar llegar a una explicación de la situación teatral de la España de postguerra. Lógicamente, el espacio es limitado y el análisis, en consecuencia, no estará en consonancia con la importancia del tema. La carencia de estudios —cuando tanta falta hacen— en torno a ello nos ha empujado, sin embargo, aunque sólo sea a una presentación sistemática de los factores que es necesario tener en cuenta para cualquier análisis genético del teatro español de los últimos treinta y cuatro años (1).

Los autores

Con modas o sin modas, en primer término siempre estará el autor, el creador fecundo a la manera de Lope o el novelista o poeta que por afición o capricho se acerca a componer un drama; el dramaturgo tan celoso de su obra que prohibe alterar una sola línea de su texto o el que es capaz de ceder ante las presiones —generalmente presiones nacidas de intereses extraliterarios— llegando al cambio total del desenlace de su drama para "decir" todo lo contrario de lo que en un principio quería expresar. Al autor no le basta hoy con poner la palabra "Telón" como antes tampoco finalizaba su labor con colocar tras el ultílogo el "Laus Deo". Y es que si cada español —como dice el proverbio— tiene una comedia guardada en algún lugar de su casa, dramaturgos consagrados deben guardar las suyas en los cajones de su mesa de trabajo esperando mejores tiempos o bien estrenarlas en teatro extranjeros, en Universidades americanas o en Colegios Mayores con público restringido —y "seleccionado"— y en lecturas escenificadas. El autor, acabada su obra, debe pasarla por la censura, ofrecerla a un empresario (lo contrario se da en casos contados y con dramaturgos que no son siempre los mejores), encontrar un director adecuado, unos actores

---

(1) El lector o el estudioso encontrará información, a veces definitiva, en las revistas *Primer Acto* y *Yorick*, la primera centrada fundamentalmente en el acontecer teatral madrileño y la segunda en el de Barcelona. De importancia son también el número monográfico de "Cuadernos para el diálogo", algunos estudios de diversos autores incluidos en los volúmenes antológicos de dramaturgos contemporáneos publicados por la Editorial Taurus (*Colección Primer Acto*, luego *Colección El Mirlo Blanco*), los libros de Alfonso Sastre —especialmente *Drama y sociedad*— y, sobre todo, las declaraciones de los protagonistas del hecho teatral a todos los niveles, aparecidas en periódicos y revistas. Ultimamente se ha publicado un libro con datos de mucho interés, fruto de las reuniones celebradas en la "Casa de Velázquez" de Madrid en abril de 1972: *Creación y público en la literatura española*. Madrid, Castalia, 1974.

con valía e interés, esperar una crítica enterada y positiva... y que el público acepte el reto lanzado. El camino es largo, los condicionamientos muchos y los intereses excesivos. Si se llega hasta el final, salvando todas las barreras, y la pieza es válida, ha nacido un nuevo autor; pero muchos deben ceder en la lucha y otros —y volvemos al principio— guardarán la copia mecanografiada en la biblioteca particular u olvidarán a cuál de sus amigos se la prestaron. En nuestro teatro último todos estos inconvenientes se resumieron en el llamado "posibilismo", planteado por Alfonso Sastre y mediando en el diálogo Buero Vallejo y Alfonso Paso: teniendo en cuenta los condicionamientos y límites sociológicos y políticos, ¿qué posibilidades tiene el dramaturgo de decir y hacer algo de una manera consecuente con sus principios y su concepción del mundo? Para Sastre toda limitación impuesta al autor era negativa y gratuita, oponiéndose a cualquier clase de "arreglo". Buero contestó al autor de *Escuadra hacia la muerte* defendiendo una actitud más abierta, afirmando que era necesario tener en cuenta todos esos factores —efectivamente negativos y arbitrarios— intentando salvarlos por distintos medios y llegar así de alguna manera al espectador. Alfonso Paso, por su parte, acentuó con sus palabras la opinión de Buero, sosteniendo la necesidad de una incorporación a la realidad teatral española con el objeto de actuar desde el interior de esa realidad. Los resultados —como ya señaló José Monleón (2)— ahí están: el posibilismo se ha cumplido, con ciertas limitaciones, en Buero; Sastre hace años que no estrena y Paso "que habló de una revolución desde dentro, acabó por estar dentro sin hacer ninguna revolución". Evidentemente, efectividad y calidad artística no son términos incompatibles y ahí está el ejemplo de Buero. Paso cedió. Paso cedió —y hasta el público se ha cansado de un Paso que abandonó su primera manera de hacer (*Los pobrecitos, La boda de la chica*) para ofrecer a ese público *Las que tienen que servir* o *La corbata*—, como cedió Carlos Muñiz, uno de los mejores dramaturgos de la España última y han cedido después otros como Juan José Alonso Millán, que predicaba e intentaba hacer desde su puesto de director de teatro universitario mejores cosas que las ofrecidas luego a la escena española.

¿Dónde están las causas, en último término, de estas actitudes? ¿En los autores, en los empresarios, en la censura, en la crítica, en el público..? Creemos que, dada la situación, es tanto como preguntar: ¿quién fue primero: el huevo o la gallina..? Y aunque sea

---

(2) Vid. "Alfonso Paso y su tragicomedia", en *El teatro de humor en España*. Madrid, Editora Nacional, 1966, pp. 251-2.

adelantarnos a lo que expondremos en páginas sucesivas, la verdad
es que difícil resulta separar una causa de las otras, pues cuando algo
se quema algo de todos se quema... Se queman una serie de posibles dramaturgos y otros —y ahí están los nombres de Ruibal, Me-
diero, Matilla, etc., etc.— esperan, mientras su teatro se estrena y
edita al otro lado del Atlántico o —esto nos suena— más allá de
los Pirineos (3) y algunos privilegiados contemplan las obras en
festivales o sesiones de cámara, entusiasmándose ante el fruto prohibido o exótico, sea cual sea la calidad de la pieza, ya que —no
nos engañemos— de todo hay en esa viña, Señor.

CENSURA

Aunque en buena lógica deberíamos después de los autores
mencionar la situación e importancia de los protagonistas personales
del hecho teatral —director, actor, etc.—, estimamos necesario dedicar nuestra atención de una manera inmediata a la censura, ya
que su función —según los propios dramaturgos— ha sido y es de
una trascendencia vital para el desarrollo del teatro contemporáneo
español, llegando incluso algunos de los autores a echar sobre la
censura la mayor carga de culpabilidad a la hora de analizar las
causas de la situación actual de nuestra escena (4).

Como es sabido, la censura se rige por unas leyes, directamente
puestas en práctica por el Ministerio de Información y Turismo. Estas leyes, reformadas y modificadas a lo largo de los últimos dece-
nios, han ido evidentemente flexibilizándose y ofreciendo mayores
posibilidades de expresión. Sin embargo, las circunstancias socio-
económicas del país, los cambios ministeriales y hasta las actitudes
de los protagonistas de esa censura, han llevado no a una evolución
regularmente progresiva de "la luz verde" —como se define en el
mundo literario la aprobación de una obra— sino a un proceso de
marcha hacia adelante y hacia atrás o de simples frenazos, que no
ha impedido —repetimos— llegar a la situación actual, mucho más

---

(3) El caso más patente es el de Fernando Arrabal; del estreno de *El tri-
ciclo* (1958) y de sus consecuencias escribió más tarde José Monleón:
"... cuando Arrabal salió al centro de la escena, los pies del público
pudieron más que las manos. Arrabal inclinó ligeramente la cabeza y se
marchó. Fue un mutis tremendo con final en la rue Pergolese de París
y salida a editoriales y escenarios de muchos países. En España, nada...".
En *Fernando Arrabal. Teatro.* Madrid, Taurus, 1965, p. 9.
(4) Vid. ahora, como testimonios de interés, las opiniones de veinticinco
dramaturgos sobre la censura en *Primer Acto*, n.º 165 y 166. El tono de
algunas respuestas es buen índice de la actitud de los autores hacia
lo que consideran "absurdo, dañino, trasnochado, parcial...".

positiva —no podía ser de otra manera— que en tiempos pasados. Estas leyes, sin embargo, tienen en su aplicación una serie de inconvenientes, muchas veces citados y que fundamentalmente son:

a) La vaguedad de sus normas, que conduce a una arbitrariedad en su aplicación, a una desigualdad de criterios. En consecuencia, y son algunos ejemplos, la apertura es mayor con las obras de autores extranjeros que con las de los españoles; se permiten las representaciones de dramas en Madrid (a veces también en Barcelona) y no en provincias; se autorizan obras para ser estrenadas en cualquier escenario y otras sólo para sesiones de cámara, se permiten hoy piezas que mañana son prohibidas...

b) Grave problema es el denominado "silencio administrativo". Un autor presenta una obra a censura y no recibe noticias durante meses. En la práctica, es una prohibición resuelta sin el informe correspondiente que el autor merece y ha solicitado.

c) La censura es mucho más severa en lo ideológico que en —llamémosle— lo físico. Se permiten exhibiciones —sobre todo del cuerpo femenino— que llegan a sorprender, dado el contexto social, pero se prohiben palabras y frases, sin ninguna connotación socio-política, que pueden ofender el pudor del oyente.

d) Se acusa a la censura de que, al ser órgano de la Administración, ésta es juez y parte de los litigios planteados. Los autores han solicitado repetidamente que la censura —de existir— sea competencia del poder judicial y no administrativo (5).

e) Por último, y emanando directamente de todo lo anterior, la censura ha conducido a algo más grave: la autocensura. Los

---

(5) Ya en 1955 y en las Conversaciones de Santander un grupo de dramaturgos y personas relacionadas con el teatro elaboraron una serie de conclusiones, entre las cuales la n.º 11 decía: "Consideramos que la actual censura previa para el teatro es totalmente inaceptable por: a) Su falta de criterios objetivos y declarados. b) La falta absoluta de autoridad pública del organismo censor, cuyos dictámenes son frecuentemente rectificados por la presión de instituciones —y hasta personas— ajenas a este cometido.
En cuanto a la censura previa en general —no ya en su actual forma, cuyas deficiencias acabamos de anotar— nos parece inaceptable como hombres dedicados a la creación dramática e innecesaria desde el punto de vista de la moral pública, que puede ser guardada de modo más perfecto.
Proponemos la sustitución de la censura por la sanción legal *a posteriori* en los casos y con el rigor que la ley determinara. Habría, pues, una consideración de delito o falta para determinadas obras que, al ser así sancionadas, serían automáticamente eliminadas del cuerpo social".

autores, al tener presente los condicionamientos, la arbitrariedad, etc., se limitan y cohartan consciente o inconscientemente, voluntaria o involuntariamente, el proceso creador (6).

ACTORES

Vocación, interés y ganas de hacer cosas ha habido y hay. Actores de valía indiscutible los ha tenido y tiene la escena española contemporánea y los nombres están en la mente de todos. Aún más, podemos decir que en los últimos años, y de una manera autodidacta en la mayoría de los casos, existen compañías profesionales y, sobre todo, grupos semiprofesionales o dedicados al teatro experimental con logros de indiscutible altura. Pero, frente a esto, el actor de cartel, el actor artesano, el divo que sólo busca el lucimiento personal, la pareja bien parecida y con eco popular...

Claro está que en último término —y dejando a un lado problemas de no menos importancia, pero relacionados directamente con el montaje profesional y empresarial del teatro (como por ejemplo las dos funciones diarias)— la respuesta a esa discreta formación del actor en España estaría en los Centros de formación y, especialmente, en aquel que tiene de una manera directa la responsabilidad pedagógica: la Real Escuela Superior de Arte Dramático. Fundada en 1831, formando parte del Real Conservatorio de Música y Declamación, la Escuela ha sido —según declaración de su Junta de Gobierno, en 1970— una "cenicienta" y en un informe franca-

_____

(6) Buero Vallejo en una de sus intervenciones en los Coloquios antes citados de la "Casa de Velázquez" afirmó: "Yo creo que sí que he tenido cierto sentido de la autocensura. Una condición autocensora me parece que no es un fenómeno anómalo sino que es un fenómeno normal, por supuesto en situaciones enrarecidas como la nuestra. Pues yo diría —y lo he dicho en otras ocasiones, no sé si como autodefensa, quién sabe, pero a mí me parece que objetivamente es cierto—. Yo diría incluso, contradiciendo un poco a Gabriel (Celaya), que cree no tener autocensura, pero yo me atrevería a asegurar que allá en el fondo, sin darse él mismo cuenta, una chispa de autocensura tiene que haber por el simple hecho de vivir donde se vive..." Los párrafos que siguen a estas palabras de Buero son muy esclarecedores y a ellos remitimos al lector, ya que la cita sería demasiado extensa. (*Creación y público en la literatura española,* cit., pp. 271-2).

mente desolador aparecido recientemente en la revista *Primer Acto* (7), las conclusiones denunciaban los siguientes problemas:

"— Olvido ministerial palpable con el paso de los años que se manifiesta en el escaso presupuesto asignado.

— Enseñanzas desfasadas y aisladas del hecho teatral actual.

— Exámenes de ingreso subjetivos y basados en criterios anticuados.

— Falta de actividades complementarias para la completa formación del actor.

— Carencia de un Plan de Estudios dinámico y actualizado, y completado con especialidades.

— Falta de un Teatro experimental de la Escuela, con autonomía y subvención adecuada.

— Desconexión con los medios profesionales del país.

— Falta de una gestión precisa de los alumnos en todas aquellas cuestiones que les atañen directamente" (8).

---

(7) Números 163-4, pp. 4-27. En la misma revista (núms. 126-7, p. 23) el director Alberto González Vergel opina así de los actores españoles: "...Pero en cuanto a los actores, y no sólo a los actores, todavía en España estamos viviendo del siglo XIX. Los actores españoles, en términos generales, hay hermosas excepciones naturalmente, son la imagen del cómico de la legua. Entonces yo creo que falta en general preocupación por una serie de cuestiones que el artista necesita tener centradas, como son una formación intelectual, una formación estética, un rigor en su trabajo, una puesta al día permanente de sus facultades, un estudio minucioso de sus posibilidades vocales y expresivas, corporales, una información permanente no sólo en materia dramática, sino en materia artística en general. Es decir, una honda preocupación por el arte, un saber y tener que decir cosas, aportándolas al espectáculo. En fin, creo que por desgracia los actores españoles no se plantean generalmente estos problemas. Se plantean el gran problema del *modus vivendi,* fácil, cómodo y sencillo. Y así el señor que no ha servido para ser ingeniero de Caminos viene al teatro. A un señor que tiene un físico agraciado, una voz bonita, se le dice: "Tú lo que tienes que hacer es cine o teatro". Y entonces nos viene como caído de las nubes. En cuanto que este hombre sea extrovertido, simpático, con posibilidades de relación, con un medio de sostenerse en Madrid, inmediatamente se convierte en primera figura. Y claro, este señor no tiene la menor posibilidad de llegar a nada. Pasa su juventud, pasa su momento y cae estrepitosamente, porque no tiene dentro otros valores que le sostengan. No hay escuelas, no hay centros de experimentación, no hay profesorado..."

(8) Idem, p. 9.

Y ya que estamos escribiendo sobre la Escuela de Arte dramático, recordemos una situación por anómala muy significativa: en la Escuela se da una asignatura sobre Dirección escénica, pero no existe la Dirección como especialidad. Los "talleres" o experimentos de laboratorio son mínimos en dicho Centro y el contacto de los futuros directores españoles con figuras de prestigio nacionales o internacionales son prácticamente inexistentes, con honrosas excepciones llevadas a cabo por miembros del cuadro de profesores del Centro y a veces, si no con una oposición directa, o con una buena dosis de celos profesionales por parte de otros pedagogos de la Escuela de Arte Dramático. Si unimos a esto las escasas posibilidades que el mercado de trabajo ofrece en los puestos de dirección escénica para realizar un trabajo digno, libre de presiones e innovador, llegaremos a conclusiones semejantes a las reseñadas para los actores: se aprende a base de trabajo extraacadémico, al lado de directores ya consagrados, saliendo al extranjero "a ver teatro", dirigiendo grupos de cámara o de aficionados... Y aún con todo ello, tampoco creemos que la escena española contemporánea peque, en lo que a directores se refiere, por defecto; asombra, dado el nivel medio existente, la brillantez de ciertos montajes y aunque pocas veces resulten verdaderamente renovadores, aunque la palabra siga siendo para muchos directores una losa que les impide cualquier experimentación extraverbal, resultan sorprendentes esos espectáculos, habida cuenta, sobre todo en teatros comerciales, de los medios económicos puestos a su disposición, siempre limitados cuando no irrisorios. Sin una política adecuada de enseñanza y carentes los titulados de posibilidades, difícilmente pueden realizar una labor continuada de experimentación, de búsqueda de nuevos medios expresivos. El director debe tomar conciencia de que su labor no es sólo coordinar esfuerzos, debe ser consciente de que dirigir es crear. Claro que —y volvemos a lo anterior— no basta sólo con tener conciencia de su misión sino de contar con posibilidades de todo tipo para llevar a cabo esos proyectos. Y esas posibilidades existen mínimamente.

CRÍTICOS

En más de una ocasión y en los prólogos que precedieron a la publicación de sus dramas, Galdós censuró la crítica de su tiempo, como lo hicieran Unamuno y también Jacinto Grau, este último en más ocasiones que los anteriores y con mayor dureza —no podía ser menos en Grau— llegando incluso a presentar en la mejor de sus obras —*El Señor de Pigmalión*— un crítico al uso, pintado de una manera ridícula y caricaturesca (9). Estas censuras han continuado en nuestro panorama teatral de postguerra y la mejor prueba es esa actitud de muchos dramaturgos —en ocasiones muy razonable, en otras reacción nacida de un pataleo injustificado— despreciando las opiniones de los críticos o afirmando que les tiene sin cuidado el parecer que sus obras puedan merecerles.

Es necesario, sin embargo, diferenciar dos tipos de crítica, aunque ambas sean inmediatas al hecho teatral y con una diferencia de tiempo en sus juicios sobre el día del estreno, que puede variar de pocas fechas a un mes o dos, como máximo. Tendríamos, en primer lugar, la crítica del periódico diario, generalmente aparecida al día siguiente de la presentación de una obra; esta reseña del estreno está, en muchas ocasiones, realizada por personas que han llegado al teatro desde otras actividades periodísticas, sin grandes conocimientos sobre la Historia dramática nacional y extranjera y subordinándose muchas veces a los intereses de la publicación —ideológicos, económicos, etc.—. Es una crítica informadora y, lo que es peor, a veces dogmática. Teniendo en cuenta la fuerza de estos medios de difusión y la subordinación de la mayor parte del público a las opiniones emitidas en estas publicaciones, podemos afirmar que de la buena o mala marcha del teatro son responsables, en gran parte, los protagonistas de estas críticas, precipitadas y de escasas exigencias. Las excepciones —que las ha habido y las hay muy positivas— confirmarían el carácter generalizador de nuestras afirmaciones.

En segundo lugar, tendríamos los críticos de las revistas especializadas o de aquellas otras con secciones dedicadas al teatro y firmadas por personas de reconocida solvencia por sus conocimientos y sus exigencias artísticas. Las primeras han derivado, y las circunstancias han sido favorables para ello, en la defensa de unas modas teatrales que, en muchas ocasiones, tenían tanto razones artísticas como exclusivamente políticas, pero es un hecho indiscutible que la labor en pro de un mejor teatro, de una mayor libertad de expresión, de la apertura de nuevos horizon-

---

(9) Vid. Miguel de Unamuno: "La regeneración del teatro español", su *Teatro completo*. Edición de M. García Blanco. Madrid, Aguilar, 1959, pp. 1138 y ss., sobre todo. Las ideas de J. Grau acerca del mundo teatral de su tiempo las estudié en "Los prólogos de Jacinto Grau", en *Cuadernos Hispanoamericanos*, núm. 224-5, pp. 622-31 y en la Introducción a *Teatro selecto de Jacinto Grau*. Madrid, Escelicer, 1972. En este volumen se incluye, entre otras obras, *El Señor de Pigmalión*.

tes, de un nivel más digno en nuestra escena, han venido por el camino de la lucha, de la petición continua y del rigor que las páginas de esas revistas han tenido como base. Estas publicaciones, sin embargo, son minoritarias y de ahí, por una parte, su gran valor —pues las dificultades de algunas de ellas para sobrevivir han sido enormes—, pero por otra también su parcial eficacia cara al público. Por ello, es para nosotros de una gran importancia la labor realizada desde revistas no especializadas, de publicación semanal o quincenal, y que con sus secciones de crítica teatral llegan a grandes masas. Aunque evitamos dar nombres, es necesario destacar la trascendencia de los trabajos antes realizados por Pedro Laín Entralgo y ahora por Fernando Lázaro Carreter en *La Gaceta Ilustrada*, buen ejemplo de lo que debería hacerse en todas las publicaciones. Críticas que informen, pero críticas que juzguen también de una manera exigente y objetiva.

CENTRALISMO

El hecho, por estar reciente y ser incluso actual, es significativo: una ciudad de provincias; dos, tres o cuatro locales destinados al cine; en junio o en septiembre se celebran las fiestas y uno de esos locales, antes teatro —el Comercial, Novedades, Principal, etc.—, dedica los dos o tres días fuertes de las fiestas a presentar una o varias compañías de espectáculos: el éxito comercial de Madrid durante la temporada anterior, un espectáculo folklórico o de "revista" y la puesta en escena —aunque, gracias sean dadas, ha caído en desuso— del último lacrimógeno serial radiofónico. Pasados estos días, a esperar otros doce meses para que, si hay suerte, los acontecimientos se repitan (10).

Y mientras tanto, más de veinte teatros abiertos en Madrid, muchos menos en Barcelona y con cierta frecuencia representaciones en las tres o cuatro ciudades de mayor importancia de la Península después de las citadas. Esto es todo, si exceptuamos los Festivales de España que comentaremos más adelante y los esfuerzos, de los que haremos también mención, de los grupos de aficionados en algunas de esas localidades. En los pueblos y en muchas pequeñas ciudades el ayuno es total durante el año y ni siquiera los dos o tres espectáculos citados antes se hacen realidad. Lejos quedan las *Misiones pedagógicas* de Casona o *La Barraca* de Lorca. Madrid, la Gran Vía madrileña y sus aledaños, absorbe

---

(10) *Las salvajes en Puente San Gil*, de José Martín Recuerda, tienen como base estos acontecimientos que comentamos.

casi todo el teatro y el centralismo dramático con todos sus problemas, con una calidad que no es paralela a la cantidad, con sus convencionalismos y su mucho de esnobismo, es reflejo, por la vía opuesta de la abundancia, de la manifiesta carencia del resto de España. El desajuste y la injusticia cultural es patente, aunque en los últimos años las campañas nacionales de teatro intenten paliar la negativa situación.

TEATROS COMERCIALES, TEATROS OFICIALES Y TEATROS DE CÁMARA Y ENSAYO.

Evidentemente las diferencias entre unos y otros son grandes, pues los fines de los dos últimos son o deben ser explícitos. En España, como en todo el mundo occidental, la primacía, por el número de locales y en consecuencia de espectáculos, pertenece a los teatros comerciales, en manos de la empresa privada. Son, naturalmente, los empresarios de estos locales los que manejan en muy gran parte el negocio dramático y esta palabra —negocio— sin aparecer hasta el presente en nuestro trabajo, surge de inmediato si de los teatros comerciales hablamos, ya que como tal está considerado por las empresas el arte dramático. Se expone un dinero y este dinero hay que recuperarlo, primero, y luego procurar la mayor ganancia posible; el producto ofrecido sólo se tiene en cuenta pensando en el tanto por ciento gananciable y considerar ese producto artísticamente, por su mayor o mejor calidad, es lo menos importante. Un dramaturgo recibió la siguiente respuesta de un empresario cuando aquél le preguntó si estaba convencido de que la obra del autor X a estrenar el Domingo de Resurrección era mejor que la suya: "Puedo asegurarle que la que usted me ha traído es indiscutiblemente mucho mejor que la de X, pero la suya duraría quince días en cartel y la de X tienen aseguradas más de doscientas representaciones... Convénzase, amigo; si los autos sacramentales de Calderón me llenaran el teatro, para mí sería una satisfacción dedicar toda mi vida a los autos sacramentales". Considerado, pues, el teatro como negocio, mandará quien tenga locales y dinero y, por ahora, eso lo tienen personas sin vocación de mecenazgo. Como siempre, existen las excepciones y, sobre todo, aquéllos que se juegan parte de lo ganado con X para cubrir los gastos que supone estrenar a Z, pero Z siempre tendrá que esperar, pues para eso está al final del abecedario...de intereses.

La enseñanza y la investigación cuestan dinero y su rentabilidad no es inmediata, aunque a la larga quien más ha gastado más recibe. Tampoco el teatro debe estar subordinado a la taquilla, como no lo están los conciertos de una orquesta sinfónica. La obra de teatro, como una novela, un poema, un cuadro o una sinfonía, es arte y el arte no es un negocio; es una necesidad y una necesidad cada vez más imprescindible. La Administración reconoce esto y de ahí la creación de los teatros oficiales: dos en Madrid (*Español y María Guerrero*) y uno (es en realidad una compañía, la *Adriá Gual*) en Barcelona. Poco, muy poco, pero algo es algo, pues repasando los estrenos de teatro moderno y contemporáneo tanto español como extranjero quizá los mejores logros se hayan realizado por las compañías titulares del *María Guerrero* y *Adriá Gual* y si nos atrevemos a olvidar los montajes de obras clásicas —no siempre afortunados— del *Teatro Español,* de Madrid, ¿qué quedaría en este apartado? Seguramente, y de una manera seria, absolutamente nada. Insistimos: lo hecho es poco, pero es algo (11).

Si frente a la generalidad de los montajes convencionales y la presentación de piezas de claro éxito comercial se crearon los teatros nacionales, también el Ministerio de Información y Turismo ha mantenido durante muchos años el *Teatro Nacional de Cámara y Ensayo,* que llegó a sus más altas cotas a mediados de la década de los sesenta con una serie de estrenos en el *Teatro Beatriz* de Madrid de agradable recuerdo para cualquier amante del arte dramático. La controvertida y difícil existencia de este teatro, por otra parte de una necesidad ineludible, pues en él se han realizado las más sistemáticas experiencias del teatro de postguerra, es claro índice de las dificultades con que la vanguardia se encuentra al querer hacerse preguntas (12).

Los Festivales de España

Según algunos, los Festivales han sido una aspirina para un enfermo de cáncer; otros, menos pesimistas, reconocen la labor realizada por esas ciudades y pueblos a que han llegado los Festivales; algunos, incluso, más optimistas, recuerdan representacio-

---

(11) Los teatros Español y María Guerrero comenzaron sus actividades como teatros nacionales en 1940. El primero ha tenido como directores a Luis Escobar, Humberto Pérez de la Osa, Claudio de la Torre, Alfredo Marqueríe y José Luis Alonso. En el Español han sido directores Felipe Lluch, Cayetano Luca de Tena, Modesto Higueras, José Tamayo, Miguel Narros, Adolfo Marsillach y Alberto González Vergel. El Teatro Nacional de Barcelona se fundó en 1968 y recibió el título de "Angel Guimerá" en 1970. Fue dirigido primero por José María Loperena y luego por Ricardo Salvat.

(12) Nunca ha tenido sede propia este teatro y ha realizado sus estrenos en el María Guerrero, Español, Beatriz, Recoletos y Marquina. Los directores han sido numerosos, aunque se recuerda positivamente a Mario Antolín, nombrado director en 1968.

nes como *Calígula* de Albert Camus y ciertos montajes de obras clásicas con opiniones altamente positivas. El hecho es que desde que Santander vio en la década de los cincuenta y en su Plaza Porticada las primeras representaciones de obras dramáticas hasta que en el mismo escenario se estrenó en 1973 la versión "rock" de *Marta la piadosa*, de Tirso, los Festivales han llevado nombres y títulos a lugares donde la iniciativa privada y la buena voluntad municipal no hubieran bastado. Y quizá muchos espectadores tuvieron, de esta manera, la ocasión de cambiar aquel espectáculo "de revista" o la adaptación del último serial radiofónico por la *Numancia* de Cervantes o el *Tartufo* de Molière. En éste, como en todos los apartados que estamos desarrollando, faltan estudios, cifras, opiniones... Nuestra misión aquí es únicamente bosquejar unas bases de análisis y ofrecer algunos datos y ciertas impresiones; está todo demasiado cerca y la perspectiva es aún estrecha para ver con suficiente claridad; por eso, y con todo el carácter de provisionalidad que las impresiones llevan consigo, reconocemos que los Festivales han podido y pueden ser una aspirina, pero debemos aceptar también que han conseguido despertar hacia el buen teatro —aunque sea una semana al año— a una masa de espectadores, pasivos antes hacia los grandes nombres de la escena universal. Y es que si no han estado todos los que son, sí han sido, son y seguirán siendo muchos de los que han estado (13).

---

(13)   Según los datos que poseemos, hasta 1972 se presentaron obras de los siguientes autores: Séneca (1 obra), Arcipreste de Hita (2), Fernando de Rojas (1), Lope de Rueda (2), Torres Naharro (1), Gil Vicente (1), Cervantes (7), Lope de Vega (18), Tirso de Molina (2), Guillén de Castro (1), Quiñones de Benavente (1), Vélez de Guevara (1), Moreto (2), Valdivielso (2), Calderón (13), Zorrilla (1), Unamuno (2), Benavente (2), los Quintero (3), Muñoz Seca (2), Arniches (2), Marquina (2), José María Segarra (1), Rusiñol (1), Guimerá (1), Lorca (1), Valle-Inclán (6), Femán (6), Casona (4), Mihura (4), Foxá (1), Jardiel Poncela (2), Calvo Sotelo (3), Ruiz Iriarte (1), Buero Vallejo (2), Paso (4), Manuel Iribarren (1), E. Suárez de Deza (1), Luis Escobar (1), Ricardo Salvat (1), Jaime de Armiñán (1), Antonio Gala (1), Alfredo Mañas (2), Adolfo Prego (1), Martín Descalzo (1) y Enrique Bariego (1). Entre los autores extranjeros: Sófocles (1), Esquilo (1), Eurípides (2), Shakespeare (11), Molière (3), Goldoni (1), Marivaux (2), Schiller (1), Chejov (1), Dickens (1), Bernard Shaw (1), Tagore (2), Claudel (1), Anouilh (3), Bernanos (1), Camus (1), Giraudoux (2), O'Neill (3), Dürrenmatt (2), Brecht (1), Rostand (1), G. Baty (1), Terence Rattigan (1), Thornton Wilder (1), W. Gibson (1), T. Williams (2), Arthur Miller (3), Charres Vildrac (1), Colette (1), J. Duval (1), Suzanne Lilar (1), W. Inge (1), Pirandello (2), H. Betti (1), Ana Bonacci (1), D. Fauri (1), Frances Goodrick (1), Federico Knott (1), Sergio Vadanovic (1), John Patrick (1), Tawgif-al-Hakim (2), Howard Lindsay (1), Pedro Bloch (1), Osvaldo Dragún (1), Adriano Suassuna (1) y Aurora Mateos (1).

El problema es que todo esto se reduzca a una semana: la gran desilusión es que pudiendo ofrecer todo un pastel se deje sólo probar la guinda que lo adorna.

LOS GRUPOS INDEPENDIENTES

Incluímos bajo este epígrafe, aunque la problemática sea diferente en algunos aspectos, a aquellos grupos teatrales que desde el campo profesional, semiprofesional, aficionado o subvencionado total o parcialmente, representan la realidad más positiva del país y, por ser vanguardia, la esperanza del futuro. Digamos de antemano que el teatro universitario es hoy prácticamente inexistente; como todos sabemos, la situación de la Universidad española desde 1965, aproximadamente, no ha favorecido en absoluto la creación y el desarrollo de compañías dramáticas formadas por universitarios y quizá el único ejemplo, con una trayectoria muy digna, sea del T.E.U. de Murcia.

Son muchos, sin embargo, los grupos de teatro independientes nacidos en los últimos años y también algunos ya hay con un largo y meritorio historial. Lo que por su complejidad escénica o su problemática ideológica no ha sido montado en los teatros comerciales ni incluso en los nacionales, ha sido realizado por estas compañías, en la mayoría de los casos con medios económicos escasísimos, luchando por conseguir un local y dirigiéndose a un público minoritario, generalmente en sesión única y con precios —gran paradoja, pues todos los grupos quieren dirigirse a la "inmensa mayoría"— muchas veces superiores al normal de los locales comerciales (14). Es admirable, teniendo en cuenta los muchos problemas existentes, la labor de estos grupos, experimentando y aportando ideas, dando a conocer a los aficionados títulos de dramaturgos que de otra manera serían desconocidos para el público e incluso para el interesado en las nuevas corrientes dramáticas, ofreciendo puestas en escena renovadoras y huyendo del convencionalismo y las fórmulas estéticas anquilosadas del teatro que se ofrece en los locales comerciales. *Los Goliardos, T.E.I., Teatro Estudio Lebrijano, Els Joglars, Corral de Comedias, Los Cátaros, Tábano, Bululú, Akelarre, La Cazuela* y tantos y tantos otros, repartidos por toda la geografía española, merecen una especial consideración a la hora de analizar la situación de nuestro teatro; algunos de estos grupos caen en la ingenuidad en ocasiones siguiendo muy mansamente

---

(14) Aunque la revista *Primer Acto* ha dedicado en muchos de sus números atención especial a los grupos independientes, recomendamos los números 123-4, 1970, como trabajo monográfico de interés.

274

teorías importadas (Grotowski, por actual, es buen testimonio); otras veces "la política" —no la práctica de un teatro político coherente— echa abajo realidades que hubieran sido muy estimables; pero, a pesar de esto, a pesar de esas oportunidades ganadas a pulso y perdidas tontamente —como el *Festival Cero* celebrado (?) en San Sebastián de 1970—, en el Teatro independiente está el germen del buen teatro del futuro y en su público la esperanza del porvenir.

Los Festivales de Teatro. Conversaciones y Congresos

Y ya que hemos mencionado el *Festival Cero*, bueno será señalar la importancia de estos certámenes —en algunas ocasiones sin carácter competitivo— y tanto los de signo nacional como internacional. Lejos del prestigio y la calidad del de Nancy, por ejemplo, pero resultando un paso adelante de estimable consideración, se han celebrado en los últimos años dos Festivales internacionales: el primero, en 1970, con localidades de altos precios pero que ofrecían la posibilidad de contemplar, entre otros grupos, al "Teatro Libero de Roma" y el extraordinario montaje —realizado por Luca Ronconi— de *Orlando furioso* de Ariosto; el segundo, en 1971, de mayores logros artísticos, con el "Roy Hart Theater", *Luces de bohemia* de Valle-Inclán, la actuación del "Teatro Lebrijano", *Los bandidos* de Schiller en montaje del "Teatro Nacional de Manheim", etc. (15).

De mayor trascendencia para los protagonistas del hecho teatral y para la Historia de la escena española contemporánea han sido las Conversaciones y Congresos que, patrocinadas por entidades públicas o debidas a la iniciativa personal de críticos, autores, actores, etc., se han celebrado desde los años cincuenta, sobre todo, hasta hoy. Si algún día, cualquier estudioso del teatro con más conocimientos que quien firma estas páginas decide desarrollar todo lo aquí insinuado como también lo mucho que indudablemente falta, deberá tener en cuenta todas esas reuniones que con manifiestos finales o sin ellos han marcado las sucesivas tendencias dramáticas y han sensibilizado en gran medida también al aficionado. Las *Conclusiones de Santander* de 1955, la *Declaración del Grupo de Teatro Realista* de 1960, algunas de las ponencias leídas en el *I Congreso de Escritores* de San Sebastián en 1968 y otras muchas reuniones antes y después de cada una de las citadas, son acon-

---

(15) En 1970 participaron compañías de Alemania, Francia, Italia, Polonia, Portugal, Suiza y España; en 1971 lo fueron de Alemania, Francia, Inglaterra, Italia y España.

tecimientos importantes, pues sus decisiones, enseñanzas o sugerencias han sido y siguen siendo recuento del pasado, testimonios del presente y guía del futuro.

LOS PREMIOS DE TEATRO

En 1948 un autor desconocido gana el Premio Lope de Vega; el dramaturgo se llama Antonio Buero Vallejo y la obra premiada es *Historia de una escalera*. Con este título se abre para el futuro español de postguerra una nueva y definitiva etapa y su autor se convertirá, al poco tiempo, en el más importante de su generación y también de las posteriores... Otro dato: si el curioso se acerca a los Organismos competentes solicitando información sobre los Premios literarios existentes —y nosotros lo hemos hecho— recibirá una lluvia de denominaciones, de ciudades, de fechas, de condiciones, etc., en tal cantidad y con tanta variedad que la invitación resulta tentadora por poca confianza que uno tenga en sus posibilidades creadoras. ¿Qué importancia han tenido los Premios en el desarrollo de la Literatura contemporánea y, más concretamente, en el Teatro? ¿Es positiva su existencia?... Nuestra opinión, en principio, es afirmativa; es posible —y de hecho se dan casos de este tipo— que los intereses comerciales de las editoriales prevalezcan sobre el valor artístico y que la política y otros condicionantes se inmiscuyan en las decisiones para caer en la injusticia. No siempre han sido galardonados con los Premios nacionales de Teatro los mejores como tampoco han sido honrados con el Calderón de la Barca los que más lo merecían. Mucho más acertados —según nuestra estimación— han estado los Jurados del Lope de Vega (16),

---

(16) El Premio Lope de Vega, sin duda el de mayor prestigio, ha sido ganado después de la guerra por las sigueinte obras y autores:
1948. Antonio Buero Vallejo: *Historia de una escalera*.
1949. F. González Aller y Armando Ocano: *La noche no se acaba*.
1950. José Suárez Carreño: *Condenados*.
1952. J. A. Giménez Aranáu: *Murió hace quince años*.
1953. Julio Trenas: *El hogar invadido*.
1954. Luis Delgado Benavente: *Media hora antes*.
1956. Jaime de Armiñán: *Nuestro fantasma*.
1957. Emilio Hernández del Pino: *La galera*.
1958. José Martín Recuerda: *El teatrito de don Ramón*.
1963. Adolfo Prego: *Epitafio para un soñador*.
1967. Manuel Pombo Angulo: *Te espero ayer*.
1968. Diego Salvador: *Los niños*.
1969. Luis Emilio Calvo Sotelo: *Proceso de un régimen*.
1970. Rodolfo Hernández: *Tal vez un prodigio.*
1971. Manuel Alonso Alcalde: *Solos en esta tierra*.
Como se puede apreciar, algunos años faltan en la lista; en ellos, o no se convocó el premio o quedó desierto.

del Carlos Arniches o del "Foro teatral", entre otros, y de hecho han salido —como en el caso de Buero— algunos nombres relevantes de la escena contemporánea. Y decimos algunos, porque a muchos otros la única posibilidad que les queda, recibido el Premio, es guardar de nuevo su obra sin posibilidades de estreno, dándose por muy satisfecho si se publica en alguna de las pocas revistas especializadas o la Diputación, Ayuntamiento o Caja de Ahorros municipal subvencionan la impresión de esa pieza que tuvo el alto honor de conseguir la palma. Pero, a pesar de todo, los Premios estimulan, son una posibilidad más de signo positivo, aunque surjan contradicciones como ser premiadas por un organismo oficial obras que la censura prohibe o que son estrenadas ya cerca del verano emplazando así el fin de su existencia en los escenarios...

EL PÚBLICO

Lo hemos dejado para el final porque creemos que es el problema más complejo y también sobre el que menos se puede opinar, pues no existen estadísticas ni material adecuado para extraer conclusiones sociológicamente válidas (17). Se repite lo de "público burgués" (18), "público popular", "minoría", "vanguardia", espectador pasivo", etc., pero en verdad podemos seguir preguntándonos con Unamuno "¿quién es el público y dónde se encuentra?"... El hecho es que el teatro se ha convertido en un acontecimiento social, que los precios de las localidades condicionan la existencia de unos espectadores de un estrato social determinado, que en la enseñanza primaria y secundaria no se presta atención al teatro,

---

(17)   Aunque nos parezca un tanto simple la agrupación, ofrecemos al lector las cuatro fracciones de público en zonas urbanas que Antonio Elorza ofrece en *Creación y público en la literatura española*, cit., p. 261:
"1)   El público que sigue asistiendo a teatro barato (Manolo Escobar, las revistas).
2)   El público que va a las comedias de Paso, el llamado "gran público", al cual se dirigía antes la crítica.
3)   El público que va a las obras llamadas de calidad (ej. Buero).
4)   El público que rechaza las otras tres fracciones, que las niega, y sigue pequeños grupos, experimentales y precarios..."

(18)   En el mismo libro (pp. 264-5) dice Buero muy oportunamente: "¿Qué es lo burgués? Efectivamente, empleamos la palabra para entendernos y porque también es un auxiliar de trabajo, pero es a la primera cosa que tenemos que poner en cuestión y darle unas clasificaciones en cada caso y en cada momento más estrictas y rigurosas". También sobre el público Buero Vallejo hace observaciones muy valiosas en pp. 240-3, a las cuales remitimos al lector.

que en los escenarios son escasos los espectáculos infantiles... Podíamos finalizar estas páginas con unas palabras de Jacinto Grau que, nunca aceptado por el público de su tiempo, escribió: "El público, muy superior en potencia a los que suelen servirlo a diario, dejaría de sufrir con paciencia la triste idea de que de él se tiene, en cuanto hallara cerca de sí, de un modo permanente, el medio de poder cambiar de disco y de entrever que en el teatro moderno hay más panoramas, fuera del reducido horizonte que se le presenta todos los días, con una constancia digna de mejor empleo" (19).

(19)   Prólogo a la edición de *Los tres locos del mundo*. Madrid, Aguilar, 1930.

PRESENCIA DEL MITO:
«LA TEJEDORA DE SUEÑOS»

MANUEL ALVAR
(UNIVERSIDAD COMPLUTENSE MADRID)

I

Los héroes de la Antigüedad, como otros más próximos, como otros de hoy son héroes por ser "fuertes varones", según diría Alonso de Palencia, o "excelentes e claros varones", según el Comendador Griego. Hombres que merecieron ser cantados y que en la poesía encontraron inmortalidad. Y ese es el don supremo de la poesía: durar por los siglos de los siglos en la vibración inasible y fugitiva que es la palabra, durar cuando el hueso y el hierro no son otra cosa que polvo o sarro de robín. Pero al durar el gesto del hombre en la palabra, se nos hace pertinaz, criatura entrevista en nuestros días, pero, por ser el movimiento de un "claro varón", su presencia se nos manifiesta con una ráfaga de luz: su ejemplaridad. Por eso, cuando leemos el relato de una vida ejemplar no vemos en ella la vida como tal, sino nuestra capacidad para hacerla vida, para entrañarla en nuestras normas éticas y convertirla en ejemplo de conducta. Cada uno es capaz de sentir la ejemplaridad de un modo distinto; no porque el héroe pueda o no serlo, sino porque los tiempos hacen movibles los puntos de vista y porque cada lector no es igual a otro, sino capaz de emocionarse con sensaciones irrepetibles y difícilmente transferibles.

II

Buero Vallejo se aproxima a un viejo mito y su espíritu se mueve por simpatía. Como distintos diapasones se ponen en movimiento cuando les alcanzan los temblores del primero. Pero la simpatía no es emitir un sonido idéntico, sino la vibración acompasada. Así cualquier vida nueva de un viejo tema no es edrar por los mismos surcos, sino devolver el alma a lo que yacía inerme. El que exista la *Odisea* no es sólo la causa necesaria para que nosotros contemplemos *La tejedora de sueños;* es, además de ello, la razón histórica que permite existir la recreación de Buero Vallejo, pero recreación libérrima, desde la posibilidad que tiene el demiurgo para dar su aliento al polvo adormecido. He aquí porqué Homero es razón necesaria para que exista *La tejedora,* pero no como vibración repetida, ni siquiera como corolario inesquivable —que tal es— sino como principio vital que vitalmente se va a realizar

Porque si queremos hacer clásico a un hombre debemos quitarle de encima todo el polvo de la arqueología, todo lo que nos lo aparta e impide verlo en su limpia desnudez. Encontramos entonces que Homero, siguiendo la línea inesquivable de su relato, nos da una sola perspectiva: la de Ulises. Al narrarnos las peripecias del héroe va presentando una línea de secuencias: Calipso, Nausícaa, Cíclope, Circe, Sirenas, Feacios, Itaca. Cada uno de estos nombres es una aventura y un paisaje y unas gentes, aunque todos sentidos en la emoción del protagonista. Hay, sí, otras posibilidades de ver las cosas, tales los hombres y las mujeres, que se cruzan con el héroe, pero aquel mundo —riquísimo y variado— vive sólo por Ulises: los hombres (Telémaco, Eumeo, Filecio, Laertes, los pretendientes, Melancio) y las mujeres (Penélope, Euriclea, las esclavas). No sólo vive en función de Ulises, sino que muere —como el perro Argos— cuando el héroe regresa. Pero, entre tanto, cada uno ha forjado su propio Ulises: veinte años son muchos para que el recuerdo del héroe permanezca intacto. Se le poetiza, mitificándolo como el mejor de los hombres, o se desea su pronto olvido.

El propio poema, a partir del canto XIII, ayuda a caracterizar mejor a los personajes. Ulises está en Itaca, tiene que poner en juego sus astucias para llevar a cabo sus planes. Ulises no es un hombre libre, está condicionado por la desconfianza ante todo y ante todos; ni al volver es generoso de su alegría. El viajero despierta en su tierra natal y se encuentra con Atenea disfrazada de pastorcillo; Ulises no sabe dónde está, pero la diosa le habla de Itaca y el héroe responde con palabras "en las que ocultaba deliberadamente la verdad, pues nunca faltaban astucias a su espíritu" (XIII, 253-255). En unos pocos versos, la faz negativa del héroe: su recelo, su falta de generosidad, su doblez. Algo que ya Ovidio dejó apuntado: Ulises no era hermoso, sino fácil de palabra. Dos principios que se contraponen: la belleza como imagen del alma, facundia como cobertura de verdad. Homero ha dado los principios para caracterizar a su héroe; no es un arquetipo es —sencillamente— un hombre; todo lo excepcional que se quiera, pero con los altibajos y claroscuros de su condición humana. En el poema homérico sólo cuenta el balance positivo de su alma (sacrificios, fidelidades, astucias), pero había un saldo rojo que en el conjunto quedaba anegado. Pero, ¿anegado para todos? El dramaturgo de hoy sabe bastante del héroe: Homero se lo ha contado en un desarrollo lineal, tal y como podríamos encontrar en mil cuentos maravillosos. Siguiendo a Propp todo nos quedaría reducido a una fechoría (el rencor de Poseidón) que fuerza a las peripecias del héroe, pruebas penosas que debe superar, los auxilios y salvación durante la persecución, etc. Todo es bastante simple: cada prueba o aventura genera una secuencia y paralelamente se desarrollan la partida de Telémaco, sus indagaciones, su regreso y —ya— la anagnórisis de padre e hijo que llevará a la reparación del mal, al castigo de los malvados y a la recuperación de la esposa. Pero este desarrollo lineal de cuento primitivo no nos dice nada de algo fundamental: cada personaje es protagonista de su propia vida. Homero ha escogido a uno, a Ulises, pero pudo haber escogido a Penélope, o a Telémaco, o a Eumeo, o al perro Argos. ¿Cuál hubiera sido su poema si hubiera cambiado la perspectiva? ¿Podemos, lícitamente, intentar captar las cosas con otro ángulo de visión? Evidentemente sí. Los héroes de Homero —queda dicho— no son estructuras cerradas, sino posibilidades abiertas. Homero forja hombres, maneja criaturas y nos sitúa ante encrucijadas de duda. El siguió una y la siguió con tal cúmulo de perfecciones que se convirtió —y ahí sigue— en el primer autor clásico. Pero al retomar los hilos de su trama, podemos arrollarlos en otros enjulios, tensarlos con otros peines y colorear con urdimbre distinta. Esto es lo que nos lo sitúa como creador, padre de criaturas y no de abortos. Es lo que vamos a encontrar en *La tejedora de sueños*: la comunicación de una experiencia poética sobre unos personajes que la Antigüedad creó; experiencia poética por cuanto se hará vivir hoy a unos seres que nos precedieron y cuya faz encontramos entenebrecida.

III

Homero ha hecho a unos héroes humanos. Su Ulises no es nada sobrenatural. Ya queda dicho: es un hombre de excepción, nada menos que todo un hombre de excepción. La vida de Ulises es —de una parte— la resistencia infinita a la adversidad; de otra, el desarrollo de su ingenio. En el poema, lo he escrito antes, la figura del héroe a veces se oscurecía y todas las astucias se orientaban por el sentido de la venganza; en descargo suyo, hemos de reconocer que Ulises sólo es el brazo del que los dioses se valen: En el canto XIII, Atenea le insta a la venganza (vv.393-396) y, en el XVI, le ordena tramar la muerte de los pretendientes (vv. 233-234). Toda la *Odisea*, desde la llegada del héroe a las costas de Itaca, no es otra cosa que el logro de ese anhelo: en el canto XIV

(vv. 158-164) y en el XVI (vv. 235-239) y en el XVII (vv. 168-171) y en el XIX (vv. 51-52).

Ulises intenta —primero— aplacar a su corazón; después, responder a Atenea para descubrírselo intacto: "Sigo buscando el medio de poder castigar yo solo con mis manos a esa turba desvergonzada que cada día invade mi casa (XX, 37-40). Una y otra vez, el astuto Ulises piensa en sí mismo: preguntará a la diosa por el modo de escapar de los que quieran vengar a los muertos (XX, 41-43) y, cumplida su justicia, frente a Penélope recién hallada, sólo desea remediar la situación tras la matanza (XXIII, 115-122). Cierto que el héroe no tiene —únicamente— mezquindades en su corazón: es generoso al perdonar al aedo Femio, siente piedad por los muertos y, en palabras de Penélope, está justificado, pues a los pretendientes

> los mató algún dios indignado de sus audacias y de sus crímenes, pues no respetaban, sino despreciaban, a cualquier hombre, fuese noble o plebeyo que se les acercara (XXIII, 63-66).

Ulises es una figura excepcional, pero vista desde fuera: la acción a la que se siente abocado le impide contemplarse y contemplar a los demás. Cuando vuelve a la patria, cuenta su vida —la vida del fingido cretense— al fiel Eumeo: son ficciones ensartadas por verdades. Los lectores poseemos el cedazo de criba el grano de la granza. Estamos contemplando desde fuera un espectáculo extraordinario y sabemos que todo aquello es cierto: su astucia al tender emboscada, su ímpetu en el combate, su amor a los barcos y a las flechas, todos los instrumentos de muerte que a los demás hacían temblar, a él lo regocijaban. "Sin embargo, no tenía afición a los trabajos del campo ni a los cuidados de la casa para formar hijos ilustres" (XIV, 222-223). Quitemos lo último: cuando Ulises parte, Telémaco era recién nacido (IV, 144-146) y la casa apenas si estaba formada. Todo hace creer lo contrario: a lo largo de sus peregrinaciones, Ulises trata de engrandecerla.

No voy a decir que Homero sea un manadero de emociones. Ni pretendo demostrarlo, ni sería de mi incumbencia. Ahí está. Enhiesto y señero. Lo que sí pretendo mostrar, porque tal es mi interés de hoy, es que la tragedia no es el epos jónico, pero tragedias hay en él que sólo necesitan las voces que las canten. Un día Goethe recuerda sus ejercicios con los poemas homéricos y se fija en aquella bellísima muchacha que fue Nausícaa: esboza un plan, redacta algunos fragmentos y traza un drama en el que Nausícaa se suicida. Goethe ha puesto en su obra inacabada algo de lo que Homero prescindió: el Amor. Pienso si este sentimiento de ternura y emociones íntimas no tiene otro manadero en la Antigüedad: la muerte de Elisa, abandonada por Eneas. Mujer sumida en sus propias tinieblas, mientras el héroe partía —como Ulises— a cumplir el destino que los dioses le habían trazado.

IV

Buero Vallejo ha intentado su *poiesis*, su creación de una obra nueva sobre un viejo mito. No creo que cuente mucho saber si, al elaborar su drama, conocía los antecedentes que he citado. Lo que sí importa es la persistencia del clásico y su eficacia hoy. Lógicamente, cada época, cada pueblo, cada hombre, busca en la Antigüedad un motivo de identificación. Y, lógicamente, lo que cada uno tratará de encontrar es aquello que falta. Lo que falta no es un defecto, sino una ausencia. Ahora pretendo acercarme a la explicación del porqué de las selecciones de Buero, del porqué de sus rechazos, del porqué de su creación. Al llevar a cabo mi propósito —el acierto es harina de otra talega —me enfrento con lo más opuesto a la destrucción de una creación humana; intento encontrar la validez continua de algo que es inmanente y permanente, lo menos parecido al arte de una sociedad de consumo. Porque aquí están unos héroes que Homero convirtió en carne viva hace casi tres mil años, tres mil años que han sido andadura libresca o re-nacimiento según las exigencias de cada siglo, pero durante los cuales el hombre ha querido descubrir su mediterráneo virginal en las olas azules y en el cielo transparente, en las riberas resecas y en los prados jugosos, en el vino oscuro y en los higos dulces. Todo igual, inédito, recién estrenado, como si Afrodita naciera de dos valvas que se abren u Homero se detuviera —otra vez emoción inédita— junto a un peral cubierto de fruto. Gillo Dorfles ha hablado de un arte efímero como exigencia de nuestro tiempo; Buero Vallejo, fiel a los días en que vive, testimonio insobornable de su *aquí* y de su *ahora* va a demostrarnos la validez de algo permanente y permanente porque ha conseguido esculpir figuras que nos llegaban casi convertidas en neblina o rocíos de nuestra cultura. No esculturas de fuego, como las de Ives Klein; ni mecánicas, como las de Jean Tinguely; ni figuras de espuma y arena, como las de David Medalla; ni Droghinas de papel de arroz, como las de Mira Sckendel, u obras, como las de Liliane Lijn, menos que efímeras en sus gotas de agua. No. En la recreación de Buero Vallejo la eternidad a través de la palabra; algo que no es anulación del "valor de contraste de las formas culturales, incluso las más eximias, por el rápido proceso de integración en la circulación, en el uso", sino pervivencias de unos moldes que —en definitiva— permitieron la libertad del hombre, aunque el hombre —al sentirse libre— se haya autoencadenado con las propias herramientas que utilizó para su liberación. Y es que ser hombre no es en última instancia otra cosa que el aprendizaje, nunca concluido, de buscar la propia libertad. Para ello no podemos esquivar la experiencia de quienes nos precedieron porque nunca llegaríamos a ver más allá de nuestra propia contingencia. Necesitamos ser archivos de experiencias que nos ayuden a vivir y que, por ajenas, podamos compartir; necesitamos ser el cofre de tesoros infinitos que han llenado quienes nos precedieron y que, debemos legar perhinchidos; necesitamos la comunicación que nos ayude a compartir esfuerzos y a aliviar inquietudes. Ahí están la lengua y la elaboración cultural. Espejo y alinde para que recojamos la imagen de quienes nos permitieron ser y para que veamos si los merecimos.

Y hemos llegado al fin de nuestro anticipar. Buero pertenece a una tradición filológica que ve en la obra de arte clásico los fundamentos para generar universos distintos de gramáticas, con sus contenidos y sus relaciones; pertenece a un linaje de hombres que no han renunciado en su lucha por acrecentar nuestro mundo intelectual; tiene el talante de aquellos poetas dueños del "don preclaro de evocar los sueños". Y, en su circunstancia, con tanto elemento sabido o no, pero con una intuición más precisa que la propia realidad, ha rescatado para nosotros una parcela de nuestra historia cultural. Está en nuestras manos, criatura sensible y sensitiva, sí, sentimental también. Se llama Penélope y su oficio es el de tejer sueños.

V

Homero ha legado una imagen doméstica de Penélope: la mujer prudente que espera con el corazón entristecido; reacia a perder la esperanza, por más que cada vez parezca más remota la vuelta del esposo; compasiva para quienes traen noticias de Ulises, cuyo patrimonio intenta salvar de los pretendientes, pues para ella sólo cuentan los derechos de su señor; esposa fidelísima cuya virtud ha de ser imperecedera. Pero esta imagen ejemplar es la de una mujer, no la de un ser sobrenatural en el que no caben desalientos ni tristezas. Penélope es una criatura viva, por más que la pensemos convertida en símbolo: la rueca con la que hila ha pasado a ser la representación del tiempo, el comienzo y conservación de todo lo creado, imagen —también— de la muerte. El tiempo de Penélope no es una acronía, sino la realidad vivida —luna tras luna— hasta veinte años; es sí, principio y sustento de todo aquel mundo que descansa sobre sus blancos hombros; es —en sí— el temor no de la muerte, sino de la angustia de vivir desviviéndose. Penélope es una criatura bellísima en esta imagen ejemplar de perfecta casada. Pero Penélope es todavía joven y Homero nos la muestra acechada por los canes que estrechan el cerco y desgarrada por sus propias mordeduras internas. Ulises le hizo un legado al que Penélope es fiel más allá de cualquier compromiso humano: "Cuando veas que la barba apunta en nuestro hijo, cásate con quien quieras y abandona esta casa" (XVIII, 269-270). Pero el tiempo ha agrandado el recuerdo. Ya no hay caminar reversible y entonces nada puede sustituir al gran ausente, porque Ulises es la sombra que se cierne sobre todo: la casa, el campo, el hijo, la vida y la muerte. Nada merece la pena de intentarse, "ya no hay aquí señores como Ulises, si su existencia no fue un sueño" (XIX, 315-316). Penélope se siente destruida por la ausencia del marido, sin él su vida ha dejado de caminar, quebrada como un frágil espejo. Esta es la razón de su existir: fidelidad al marido más allá de lo que el marido puede reclamar, engrandecimiento de Ulises en un recuerdo que lo magnifica, pero —también— una vida que, terca, sigue fluyendo contra la voluntad, que día a día trae sus exigencias materiales, que ateraza con la sangre que no reposa.

Penélope detesta el matrimonio con cualquiera de los pretendientes (XVIII, 272), pero teme convertir en enemigos a la bandada de buitres que la juzga fácil presa. Teme por el hijo y prefiere sacrificar la hacienda, aunque, acaso, por culpa del temor llegará el fin: seguir a cualquiera de los pretendientes y, por muchos años que aún pudiera vivir, Penélope habría muerto: ya no sería la mujer de Ulises, sino la hembra vencida por sus insatisfacciones. Agamenón, desde las sombras sin fronteras le había dedicado el más bello de los elogios:

¡Feliz tú, hijo de Laerte, Ulises el de las mil astucias! Es tan grande tu valor que se te rindió tu mujer, pero ¡qué honestidad perfecta en el espíritu de la hija de Icaro, Penélope, que jamás olvidó al esposo de su juventud! La fama de su virtud será imperecedera, y los dioses inmortales dictarán a los hombres los cánticos más bellos para alabarla (XXIV, vv. 191-198).

El heroísmo de la mujer, la hizo dura de corazón y sus sentimientos y sus emociones se vaciaban en él royéndolo, como si fuera una roca resistente. Sólo sequedad vieron en ella Telémaco y Ulises, los hombres que vivieron para el rencor, no para la ternura. Pero Penélope no fue vencida. Criatura humanísima que es la faz cambiada del hombre de acción que fue Ulises. Penélope, fiel, discreta, de apariencia dura. Homero ha movido la punta de un telón: sobre la estampa inmóvil de la lealtad, van vertiendo su veneno los alacranes del dolor. La cortina de embocadura se va a levantar. Empieza un nuevo drama. Penélope ya no es un mito, ya no es un símbolo, ya no es el ejemplo para las generaciones futuras. Es, simplemente, la mujer sacrificada que en su dolor encuentra su heroismo: lección de humanidad para gentes que, sin saberlo, siguen creyendo en los símbolos y en los mitos que Homero fijó hace tres mil años.

VI

Buero Vallejo ha dispuesto sus figuras sobre el tablado. Mi labor va a ser ahora la del viejo Argumento en las representaciones de otro tiempo. ¿Qué es Penélope en este teatro? ¿Qué son los personajes que pasan antes nuestros ojos?

El dramaturgo ha seleccionado de entre todas la hipótesis posibles y ha convertido en protagonista a la mujer que vive en soledad. El drama está en el tiempo que pasa, monótono e irreparable, sin que Penélope encuentre su propia decisión. Su torno a ella el vacío que la aisla; más allá, el mundo de las pasiones. Penélope da un giro de ciento ochenta grados, rompe con toda su circunstancia y se encuentra en su interior, a solas con su recuerdo y a solas con sus indecisiones. Esto le hace sentir odio por sus veinte años de soledad, por la frustración que supuso la guerra de Troya para todas aquellas mujeres que fueron abandonadas por sus hombres. Siente entonces odio por Helena, por Ulises que la abandonó en su mocedad, por la vida que se le ha hecho un ancho sudario de soledades. Penélope ha caminado lentamente hacia sí misma. Todo el primer acto de Buero Vallejo no es sino el desnudo espiritual de esta mujer que se siente amarrada al proís de su pasado, pero que considera inadmisible su sacrificio. Ha vivido en fidelidades, pero la esperanza ha desaparecido; sin esperanza no hay fe; sin fe ni esperanza no cabe encontrar amor. Tal es el planteamiento: la criatura desasistida de cuanto pudiera darle un sustento para poder vivir o, cuando menos, para justificar el seguir viviendo. Veinte años de fe y esperanza no se borran con la flor del asfódelo; por eso la confianza ("Ulises sabría, cuando quisiera, encontrar solo el camino de esta casa", p. 13), se trueca en abandono ("Ulises tarda ¡Tarda, tarda mucho, tardará ya siempre!", p. 29) y el abandono, en renuncia de la vida o en el brote de una nueva esperanza. Homero había puesto en boca de Penélope palabras que ahora resuenan convertidas en un eco infinito: "Ya no hay aquí señores como Ulises, si su existencia no fue un sueño". Buero ha quebrado el sesgo: el sueño es la sola realidad; en él ha vivido veinte años Penélope, en él se cobija y en él morirá. Por más que su existencia dure y dure, sólo será la del fantasma que vaga en busca de lo que nunca ha existido: el Ulises amado fue un sueño, que mató al Ulises real llegado a Itaca, y el Anfino inmolado vive perpetuamente convertido en el sueño inasequible. Así se comprende la eficacia de las últimas intervenciones en ese primer acto; el dramaturgo lo ha construido lentamente, pero todas las riendas sueltas han venido a anudarse en una mano que medirá el paso de los corceles. Toda la vida ha sido soñar, y, para siempre, toda la vida será un seguir soñando:

> EURICLEA: [...] Es el destino que llora por mis ojos muertos.
> PENÉLOPE: Y la vida llora por los míos. Euriclea. La vida que no he vivido. Porque toda mi vida ha sido destejer... Bordar, soñar... y despertar por las noches, despertar de los bordados y de los sueños... ¡destejiendo! ¡Maldita, maldita y destruida por los dioses sea Helena!

Buero ha partido de unos elementos que están en Homero: no sólo de Penélope, sino del universo que a Penélope rodea (la guerra de Troya, la ausencia del esposo, la pérdida de la esperanza, la soledad, el nacimiento de los sueños) y ha sido fiel a todo ello. Pero —tal es su creación— ha modificado la información del epos jónico. La *Odisea* se desentendía de unos temas marginales que son a los que los descendientes de Homero tienen que atender. Y la intelección de estos hechos no es de hoy, ni de ayer; es la gran maestría de Homero. Para él, en su poema, era secundaria la suerte de Agamenón, aunque nos la cuente: Clitemnestra de acuerdo con su amante Egisto, lo asesinó; después Orestes y Electra vengaron al padre. Los trágicos tomaron los temas, los desarrollaron, los convirtieron en cíclicos, fraguaron sus propias criaturas, cada uno según su talante y según lo que entendió por religión, por humanidad y por arte. Estamos de nuevo al principio: el dramaturgo hace filología, entiende el texto y lo interpreta; luego, poesía, crea desde los datos que le da Homero. En el drama de Buero Vallejo se han ampliado todos esos pasos que ahora nos llevan a un proceso de nueva invención. Penélope odia a cuanto Helena motivó y a lo que arrastró tras sí hasta los muros de Troya. Pero la vida le exige darse a ella, no enquistarse en un caparazón, y hacia adelante hay un sueño que realizar, otra vida que cumplir cuando el pasado muerto está. El regreso de Ulises, tenido por improbable, sería ya inoperante por cuanto representaría un pasado con el que se ha roto: el marido es, de una parte, el recuerdo poetizado; de otra, la frustración de las ilusiones juveniles. Veinte años después, nada de esto cuenta hacia adelante. Cuando Ulises aparece trae su arcaica visión de todo: quiere vivir en el punto que dejó las cosas, pero esto ya es imposible; Ulises es el fantasma del pasado inoperante de cara al porvenir. La realidad se ha escindido en dos orbes: Helena y el heroismo de Troya, en el que se inserta Ulises; de otra parte, la nueva Penélope que —en uno de los pretendientes— intenta salvar su futuro y olvidar su pasado. O con otras palabras, la objetividad ha quedado perdida en la realidad que se vivió; ahora Penélope intenta crear su nuevo mundo que —vamos a ver— se llamará Anfino. El encuentro de estos dos orbes distintos producirá su choque y su destrucción. En medio, entre el recuerdo y el futuro, entre el sueño que fue y el que se desea, entre la realidad y la fantasía, Penélope. Si Ulises vuelve, será irremediablemente la destrucción de uno de los dos ámbitos. Penélope lo intuye; por eso en el fondo de su alma ya no quiere el regreso de Ulises, pues sería tanto como destruir el recuerdo poetizado cuanto el futuro al que todavía no se vive en sus asperezas y monotonías cotidianas.

Penélope ha creado ese orbe en el que, acabo de decir, inscribe a Helena y a su propio marido, no por proximidad espiritual sino por símbolo de su humillación. Ulises marchó a Troya concitado por Menelao para rescatar a Helena; Helena pudo dejarlas sin maridos, las dejó, y Penélope quisiera utilizar la belleza que se le agosta para vengarse de la vida que tan áspera la maltrató. Queda así perfilada la figura humanísima de esta mujer: luchando contra su pasado ha caído en los brazos del presente. El pasado se llamó Helena, se llama —ahora— Ulises, pero el pasado condiciona, y destruye, el presente. Por eso resulta estéril la venganza de Penélope, porque el hoy exige un vivir sin condiciones para lograr su plenitud exenta. Y, sin embargo, la mujer casta no sabe vivir su día. Pretende desprenderse del pasado y queda aprehendida en él. La venganza de Ulises no está en matar a Anfino, por cuanto eterniza en su recuerdo la belleza de Penélope, sino en hacer vieja a Helena. Penélope ha luchado contra un fantasma vano y su envidia ha sido inútil. Homero hizo que Telémaco visitara a Helena y a despedida son unos versos, por su humanidad y ternura, de excepcional belleza:

> HELENA: También yo tengo para tí un regalo, hijo querido. Toma y conserva como recuerdo de Helena esta obra de sus manos. Cuando el día de tu boda llegue para colmar tus anhelos, llévelo tu esposa y hasta entonces lo conserve en tu casa tu madre. Me despido de tí con el deseo de tu feliz regreso a tu patria y a tu ilustre casa.

Para desgracia de Penélope y Ulises, Helena no era una mujer vulgar: a su hermosura física unía la distinción de su espíritu. Mal enemigo para combatir. Homero —aunque lo contrario digan los escoliastas— sabían retratar las almas. Pero al dramaturgo de hoy estos versos le desviaban de su camino; no era de Helena de quien quería hablar, sino de Penélope y el mundo que en torno a ella gira.

La envidia de Penélope es lo que alimentará la venganza y le hará abrir la flor de la esperanza, pero son estériles los granazones de la envidia. Saber esto y manejarlo será la mayor astucia de Ulises cuando vuelva. Entre tanto, Penélope ha inventado un mundo falso en el que Helena será vencida, Ulises no regresará y la vida manará poéticamente sentida.

Pero Ulises ya ha vuelto. Es el Extranjero al que se tiene ante los ojos, el varón que sólo vive para su venganza y que impide que Penélope consiga la suya. Por eso su aparición hunde el mundo que se sustenta en la posibilidad de que no vuelva, del mismo que —con su marcha— hundió al mundo que se apoyaba sobre sus hombros. Ulises, el astuto Ulises, vuelve a jugar con ventaja: él solo puede manejar el arco que Penélope guarda. Sabe en su astucia que va a vencer a los hombres, lo que su astucia no le permite adivinar es que con ella perderá a su mujer. Veinte años atrás, la muchacha casadera se dejó ganar por aquel pretendiente que venció a otros diecinueve lanzando flechas a través de los ojos de unas hachas; la prueba puede ser repetida, idéntico el arco y el vencedor el mismo, pero el resultado será muy otro, porque Penélope se ha enriquecido espiritualmente. Mientras su marido aún tiene fe en la astucia y en la fuerza, con lo que acredita la torpeza de su primitivismo, Penélope ha descubierto otras cosas que han arrumbado las gallardías juveniles. Es el pozo de esa tristeza que le da madurez, que le hace fingir y que, en un momento, le hace romper con su pasado. Ahora se prefiere al jugador limpio, aunque pierda, pero las palabras de Ulises son justas y brutales ("Terminaron tus sueños, mujer"), porque han acertado con una diana a la que no disparaban sus flechas. El mismo lo ha dicho: ese hombre armado "es la muerte", pero la muerte para todos y cada uno de los pretendientes, para el ensueño, para la vida y para sí mismo.

VII

Como satélites de una constelación, Buero Vallejo ha dispuesto de una serie de figuras. Ninguna tan importante como la de Dione. En la *Odisea*, Melanto puede ser su modelo: se burló de Ulises, odiaba a Telémaco y era amante de Eurímaco. Modelo —también éste— desvaído. La criada Dione es figura fundamental en *La tejedora de sueños;* más aún, se convierte en la figura de malvado, según la terminología de los cuentos maravillosos. En torno a ella gira la complejidad de la obra, pues se sitúa frente a Penélope en el amor de Anfino y se le enfrenta al ser deseada por Telémaco. Dione ha descubierto el alma de Penélope en el plano del ensueño: sabe que gime y ríe por culpa de un pretendiente, de quien ella, Dione está también enamorada, pero sabe que su condición servil le impide unirse a Anfino. Por eso desea que Penélope se decida, para poder convertirse en la amante del príncipe y disfrutar de las riquezas del palacio. Es Dione quien conoce la enamorada turbación de Penélope y quien sabe los sentimientos de Anfino; es Dione quien sabe que Penélope desteje el sudario de Laertes; es Dione quien amaba a Anfino sólo por ambición y Dione quien abre los ojos de Telémaco a quien odia. Figura en la que convergen dos planos distintos y que por su ambición y audacia podría mover los hilos del retablo, pero no tiene delicadezas para vencer a su señora y pasa como un alazor terreno que no logra su presa.

En la organización del drama, la figura de Dione es fundamental. Yo diría la más importante. No porque su sentido supere a Penélope o a Ulises, sino porque es ella quien hace que nosotros entendamos la originalidad de la obra de Buero Vallejo. En nuestra sociedad, el público de teatro, me refiero al teatro con valores culturales, es un público con una determinada instrucción. Supongamos que esa instrucción sea mínima, aún entonces de algo le sonarán Ulises y Telémaco. Pero es más que probable que sepa qué es, o que fue, la *Odisea*. Si no se diera otra información que la del poema homérico, el espectador contaría ya con un bagaje cultural suficiente para entender sin necesidad de nuevos datos. Pero el dramaturgo, situado en ese mundo conocido de antemano, crea su propio mensaje; es decir, el código culturalmente válido es modificado por unos valores semánticos que son nuevos: hasta un determinado punto sirve de tradición cultural; a partir de él, no. Entonces el artista tiene que darnos el código con el que hemos de desentrañar su mensaje, y nos lo tiene que hacer valedero sin ningún tipo de ambigüedad, escollo tanto más difícil que salvar por cuanto opera sobre el espectador una tradición histórica que le es conocida. Buero Vallejo recurre a una figura que nos comunica el valor —nuevo— de aquellos significados; en el plano del significante, las cosas no han variado (Penélope es Penélope, Ulises es Ulises y Telémaco es Telémaco), pero en el del significado Penélope ya no es la Penélope que nuestro saber cultural identifica, ni Ulises, ni Telémaco; para que nosotros sepamos el cambio, es decir, para que nosotros entendamos la semántica en que se nos habla, necesitamos unos signos que faciliten la comprensión. Esa gramática que nos permite comprender el texto y desentrañarlo es Dione. Que frente a Penélope o a Telémaco y junto a Anfino nos hace comprender todo lo que ocurre y va a ocurrir. Dione habla a cada uno de los personajes del drama y les da una honda complejidad, pero Dione es el código que el dramaturgo ofrece al espectador para que entienda aquello que pasa. Es Buero Vallejo facilitándonos los signos mediante los cuales se explica sin anfibologías el mensaje lingüístico que nos quiere transmitir. He dicho que la esclava es, a mi modo de ver, la figura más importante del drama; con mi explicación creo que queda claro lo que intento. Es la figura más importante desde la gramática del drama (entendiendo por gramática la posibilidad de organizar inequívocamente todo un sistema de relaciones), no lo es —también lo he dicho— desde el punto de visto estético. Es ésta una aplicación de los hallazgos de Moles para entender la obra de arte: cualquier creación artística se comunica a través de signos cargados de ciertos contenidos; es la "información semántica" que nos acerca a la comprensión de esa obra. Son unos elementos que pueden materializarse como los signos de cualquier código. Pero por encima —o por debajo— de esos elementos gramaticales están los de la "información estética", estos ya inasibles y, por ello, de ilimitada validez. Suponiendo que sea exacta mi interpretación de *La tejedora de sueños* tendríamos descifrado un valor semántico al que ya no merecería la pena volver: mensaje, código, signos son —o serían— así, y todo está claro. Pero ¿cuál es el valor de la obra que nos lleva a leerla una y otra vez o a contemplar su representación cuándo —sin embargo— ya hemos descubierto su sentido? Nos enfrentamos —como siempre— con algo que nos esquiva: la validez de una gramática (tradicional o no) está en su pertenencia a una teoría de la información objetiva; esto es, en la obra dramática nos permite descubrir el pensamiento del autor antes de formular su obra, pero no nos ayuda a entender la fruición estética, por más que sea imprescindible para ella. Con otras palabras, Dione nos ha descubierto la intención de Buero Vallejo cuando quiso escribir su Penélope, distinta de la de Homero, lo que no nos dice es si Buero Vallejo atinó o marró en sus resultados. Si el plano semántico-gramatical es incorrecto, el mensaje no puede transmitirse, y la obra desaparece como tal; si está bien formalizado, poseemos esa validez previa, y, desde ella, tendremos que analizar el logro estético. Si éste también se ha conseguido habríamos establecido los dos niveles, uno estático, tanto por el acierto del creador cuanto del crítico; otro infinitamente repetible, por cuanto el acierto estético (labor sólo del artista) nos llevará a la repeición de la obra todas las veces que nuestro espíritu lo requiera. Dione pertenece al primer plano: ella sola, casi sola, organiza el mensaje, le da su cabal sentido y nos transmite cuanta información necesitamos. Penélope, Ulises o Anfino, están insertos en el plano de la estética; son ellos quienes conforman el nuevo sentido de la obra de Buero. Si no fuera otra cosa que repeticiones de las figuras homéricas, su valor sería puramente redundante; la personalidad del dramaturgo está —además— en haber sabido crear unos personajes nuevos dentro de una tradición cultural tan vieja como nuestra propia cultura.

Lógicamente, los pretendientes son —en Homero— las figuras del antihéroe, pero al cotejar los personajes del poema con los que conserva Buero, la diferencia es harto significativa: Antínoo y Eurímaco son caracterizados de manera semejante en ambas enumeraciones; Leócrito y Pisandoro, apenas si alcanzan relieve en la *Odisea*. Tampoco esto importa mucho. Lo que sí resulta significativo es ver cómo el dramaturgo ha tomado unos tímidos apuntes de Homero y ha creado un personaje perfecto: Anfino (= Anfínomo) conserva las virtudes con que figura en el poema, pero ahora —en el drama— la estructura ha reajustado todos los planteamientos; más aún, muerto por Telémaco, se perfila así su figura de antagonista. Ahora bien, el significado que cobra en el drama es paralelo al de Dione, pero mientras la esclava pertenecía exclusivamente al plano de la estructura, Anfino es la criatura sobre la que descansa toda la creación estética de la obra; justamente la que da valor a la descodificación que Dione nos facilita.

Tenemos, pues, dos planos distintos en los que actúa la creación de nuestro dramaturgo: el primero es técnico; el segundo, poético. Cada uno tiene una figura definidora y de inédita creación. Fuera de ellas, el resto del mensaje sería redundante. Es poco lo que se quita o se añade a las criadas o a los pretendientes, porque, con indiferencia de su realización, está su existencia previa. Bien entendido que esto no quiere decir que la redundancia sea un elemento negativo, no; actúa funcionalmente y tiene su significado en la obra: todos esos factores ya conocidos son los que condicionan la inclusión de *La tejedora de sueños* dentro de una determinada tradición cultural. Si no coincidieran con los personajes de Homero, ¿en qué podríamos decir que es homérico el drama? Son factores imprescindibles, aunque no caracterizadores. Ellos determinan un orden preciso (la persistencia de los mitos odiseicos), pero, por su carácter mostrenco, no sirven para valorar la obra de Buero, que sólo es significativa por cuanto tiene de dispar. La nueva interpretación de Penélope es lo que prevalece, lo que separa la pieza dramática de una realidad previa, por más que se haya basado en ella para poder existir. La creación de Buero es tan ajena a la repetición como al nacimiento poético desde la nada: al constituir a Anfino en un valor total distinto del que tenía en el poema homérico, desvincula su invención de lo que pudiera ser repetición material, y, al reelaborar la figura según unos

294

principios de coherencia psicológica, aplica unos saberes que lo instauran en la tradición socio-cultural a la que pertenece. El resto es consecuencia de este corolario: Penélope —en lucha con unas tensiones que la constriñen— no rompe con la historia hasta que el futuro se le impone; entonces cae en el ámbito de Anfino del que ya nunca podrá evadirse. Con ello se produce una nueva quiebra: Ulises no sólo es moralmente inoperante, sino hostil al sueño que se quiere vivir. Todos los planteamientos homéricos desaparecen y surge una nueva criatura artística: *La tejedora de sueños,* obra original que se entiende sin necesidad de recurrir a la arqueología, porque es alumbramiento de hoy, con su problemática actual y con unos sentimientos propios de los hombres que han conocido la experiencia clásica, la medieval y la romántica; criatura ajena a la arqueología porque, gracias a la información descodificada y a la nueva valoración espiritual, podemos aislar sus sentimientos de toda la elaboración cultural a que nos fuerza la existencia de la *Odisea.* Tal es el valor significativo del arte de Buero Vallejo: haber conseguido crear nuevos mitos sobre el recuerdo de los mitos antiguos, dar vida hodierna a lo que de otro modo no hubiera sido sino un comentario de clase, lectura filológica —no viva— de un gran poeta clásico. A través de Anfino, nosotros identificamos lo que una moral y una cultura, con las que aún no hemos roto, han postulado como positivo, hemos salvado —también— el derecho de la mujer a su inalienable libertad y, cuando menos, hemos respetado, aunque lleven a la ruina de todos, las razones que Ulises pueda tener. Creo que el acierto, desde la interpretación que intento establecer, es la de haber superado las contingencias que Anfino, Penélope, Ulises, etc., puedan presentarnos en unas vidas que se intentan situar en la Grecia antigua, pero que transcienden de sí mismas para alcanzar significado fuera de las papeletas epónimas, de una isla y de un tiempo. Intentar completar lo que Homero logró con su poema y que, en definitiva, es lo que nos conmueve hoy al leer la *Odisea,* es lo que llevó a Buero Vallejo a escribir sobre el cañamazo del epos jónico una obra destinada a las gentes de su circunstancia, de su lengua y de su tiempo. La eficacia de su drama es, a mi modo de ver, el logro de algo que Gillo Dorfles había escrito para un plano estrictamente especulativo:

> La capacidad de construir el símbolo, o sea, de sacar de todo dato sensorial una "forma" particular que lo impersonalice, sería una de las cualidades más características del pensamineto humano que tiende a reconocer el concepto de toda configuración abastecida por nuestras experiencias, a racionalizar después de toda sensación. Todo dato singular puede volverse símbolo de algo y como tal denotar la cosa misma.

VIII

La tejedora de sueños se estrenó en 1952. Tras la *Historia de una escalera* (1949), pudiera pensarse en una evasión del realismo cotidiano. Sí y no. Sí, en cuanto a la presentación de la obra; no, en cuanto a la vida de las criaturas. Es una obra para un tiempo, para un país y para una gente. Quiero —de paso y para concluir esta análisis— hablar de otra tradición: la nacional. Estamos ante una obra en la que asoman recuerdos a motivos de nuestra cultura; son los eslabones que hablan del nacionalismo —quien lo dijera— de un drama que se instaura en un pasado muy remoto. El dramaturgo se asocia así a una tradición con la que no quiere romper; mejor aún, que rota por mil causas distintas, debe continuar viviendo para que nuestro pueblo —sin saberlo— siga siendo fiel a su propia razón de existir. A nadie le dan opción de escoger, pero a todos se nos exige fidelidad. Es el servicio de Buero con su tejedora.

Al final del drama, cuando Ulises ha matado a Anfino, el último de los pretendientes, quiere culminar su venganza: anunciar su regreso, aprender rehenes, cobrar tributos. Es la conducta del Cid tras la afrenta de Corpes: conseguir la convocatoria de cortes y, en la reunión, exigir poco a poco: las espadas, las arras, la reparación legal. Después de tantas andanzas y peregrinaciones, de tanto rencor saciado, de tanta vida de holocaustro, "el palacio debe recuperar lo perdido". Realismo del héroe, que también necesita descender a la vulgaridad cotidiana desde el cielo sin mácula de su epopeya. "Me pagarán tributos", dirá Ulises; el Cid tendrá unos molinos en Ubierna y será maquilero.

Habrá que estudiar alguna vez lo que el mundo intelectual de Buero debe a la obra de Unamuno. Ahí están *En la ardiente oscuridad* y *El concierto de San Ovidio*. Pero esta vida de Penélope nos habla en su desenlace con palabras que podemos identificar. Anfino actúa como voz de la conciencia de Ulises. Toda la obra ha sido un sueño: sueño el pasado irreversible, sueño el futuro que nunca se realizará, sueño —también— el presente. Ulises en su venganza se ha convertido en el dios justiciero que implacable distribuye premios y castigos; pero Ulises no es el demiurgo que viene a crear el mundo, sino el ángel exterminador que viene a destruirlo. Sin embargo, Ulises, también, como todos, está hecho de la materia de los sueños y algún día desaparecerá. Anfino se lo increpa: "Me matas porque tú estás muerto ya". Es la condena de Augusto Pérez en el capítulo XXXI de *Niebla*: la criatura condenando a muerte a su creador. Anfino, el Anfino de Buero, no es el personaje carnal hijo de Niso Aretiada, es el sueño de

Penélope convertido en realidad imposible, es el sueño de Ulises que Ulises ya nunca podrá ser, es el sueño del creador para hacerlo ser vivo, distinto del que Homero cantó. Y, como Augusto Pérez, condenado a morir por quienes lo fueron creando. Es unamunesco, también ese "morir en vida es peor [...] La muerte es nuestro gran sueño liberador", que con recuerdos de *Niebla* trae otros de *Poesías* o del *Rosario de sonetos líricos*. Pero no me parece fundamental el rastreo de un punto concreto, que, apenas si sirve de algo, sino el talante espiritual que crea identidad de interpretaciones, ese modo de estar sobre la vida escudriñándola y desnudándola. De pronto, la recreación de un mito griego incide sobre otro mito español y ese continuo soñar se asocia a una forma hispánica de vivir, y ese deseo de muerte es el tornavoz de una entrañada postura: desde *La vida es sueño* hasta las *Sombras de sueño*. Obras en que el hombre se intenta liberar de su pasado para resucitar en el futuro, como esta Penélope, conseguida criatura que se eterniza en la memoria de Anfino antes de convertirse en historia. Resulta entonces que el mito laborado por Buero Vallejo ha transcendido de su propia creación literaria y se ha convertido en una parcela de filosofía hispánica.

IX

Enfrentarnos con la historia de Penélope no es otra cosa que tratar de dar sentido a un mito. Intentar entenderla con un sentido real es tanto como falsear radicalmente su significado. Y esto ocurrirá siempre que veamos en el mito unos elementos directamente expresivos. Podemos aplicar tantas lentes como queramos y la materia se nos destruirá porque no es asible, o se quebrará convertida en un cascarón que nada contiene. Los hombres de hoy estamos lejos de aquella realidad que los griegos sentían históricamente operante, pero no podemos decir que no actúe sobre nuestra conciencia. Es más, pienso si la lejanía no da al mito un significado que antes no tuvo. Luciano, en su *Historia verdadera,* ha hecho una visita a Calipso, y el relato tiene un aire doméstico y ¿cómo no?, un poco cínico:

> Nos ofreció hospitalidad, nos trató espléndidamente y nos preguntó por Ulises y Penélope, pues quería saber si era tan hermosa y tan prudente como Ulises dijo en otro tiempo. Le respondimos como pensamos que le gustaría.

Otro novelista griego —Aquiles Tacio— tampoco penetra mucho más; para él, no existe otro, mundo que el más superficial y externo: "La mano de Penélope, y ahora se trataba de una criatura casta, ¿a cuántos pretendientes destruyó?".

Es posible que los autores griegos acabaran viendo en la guerra de Troya una historia doméstica demasiado elemental y primitiva. Conforme los siglos pasaron el halo mítico de los hechos se borró y quedó sólo la anécdota de lo que hoy llamaríamos un cuento fantástico. De tal modo, el prestigio de Ulises o de Penélope no era sino consecuencia del prestigio de los poetas; cuando se les consideró falsarios o mendaces, dejaron de contar entre el número de los historiadores, tal y como sentenció Tucídides. Después, Platón expulsa a Homero de la *República*. Ya nc extraña que los autores tardíos se expresen sin demasiado respeto. Los cuentos míticos que la *Odisea* narra se han racionalizado v, al racionalizarse, se han vaciado de sus posibilidades religiosas y poéticas. Tal vez para la historia del entendimento humano todo ello signifique madurez intelectual, pero, como tanto logro, ha significado también un empobrecimiento.

La razón griega asaltó al mito y a la poesía, pero el hombre, y no precisamente el más obtuso, volvió a buscar el mito y la poesía. De pronto, alguien que tiene el corazón entristecido piensa que la bondad ejercida en las adversidades tiene con el tiempo materia de alabanza y entonces piensa en Ulises, al que llama curel (*durus*), y en Penélope, a la que dedica un bello recuerdo, que hubiera alegrado a la sombra de Agamenón, si es que Agamenón y su sombra todavía existían. Y es que, queramos o no, la historia viene a ser todos los hechos con eficacia para ser cantados o para ser leídos. Y sólo se canta o se lee aquello que puede interesar. Luciano o Aquiles Tacio se han desprendido del mito y, al desprenderse de él, han dado muerte a la historia. Ulises y Penélope volverán a vivir cuando alguien los vuelva a soñar, y ese alguien no tendrá por qué creer dogmáticamente, le bastará con hacerlo poéticamente. Es decir, con tal su espíritu se acompase a lo que cree existió.

Por eso Ovidio, al contemplar los males que ha padecido, sus destierros por mar y tierra, piensa que, si nos los contara, nos movería a compasión, pues sus penas son mayores a las de Ulises; mientras que Du Bellay no ve en las peregrinaciones de Ulises otros motivos que los de la felicidad, y Homero nos hizo ver cuán inexacta era esta interpretación: "Heureux, qui, comme Ulysse, a fait un beau voyage".

Tal vez al leer todas estas comparaciones tengamos motivos para meditar. Cuando Homero escribe sus poemas no pensaría en pretexto trivial de referencia (aunque resulte excesivo llamar triviales a unos versos de Ovidio sobre los que se refleja un alma atormentada), pero es cierto que sin respeto o con él, los poemas homéricos han perdido su sentido original, se han vaciado de significado, ha adulterado la ley con que se les acuñó. Pero el principio de toda poesía es la fe en repristinar valores. Si el poeta no creyera en la eficacia de su creación, la poesía sería un objeto fungible, como cualquier bien de consumo. Y, sin embargo, la poesía queda, dura y se eterniza. El poeta de la Antigüedad es vuelto a descubrir; un poeta de hoy (es decir, un creador de no importa qué linaje) se enfrenta con aquel universo y se lo apropia para darle nueva vida. Un hombre (Buero Vallejo en el caso que estudiamos) considera inacabado el poema que Homero escribió, pero lo considera válido para nosotros: el Hombre es el hombre griego de la Itaca que hace tres mil años, y el hombre español de hoy. Lo que valía para quienes soñaban con la guerra de Troya sigue valiendo para quienes sueñen con otras guerras de Troya; la soledad de Penélope no es distinta de la soledad de tantas otras mujeres, la generosidad de Anfino se da de la mano con otras generosidades, lo mismo que los recelos y venganzas de Ulises son los recelos y venganzas que, insidiosamente, nos acechan. Al retomar el mito, el escritor del siglo XX lo ha vaciado de su sentido arcaico y, completándolo, le ha dado validez presente.

Buero Vallejo ha elaborado —un eslabón más— motivos odiseicos que no se han secado en el espíritu del hombre, los conozca o los ignore, pero su originalidad ha estado no sólo en la creación de un código para transmitirnos su mensaje, sino también en dar virtualidad al mito con una serie de intuiciones que están vivas para los hombres a los que se habla; me refiero ahora, no a la universalidad de sentimientos, sino a la circunstancia tradicional que les hizo cobrar sentido en la España de 1952. Ha entendido lo que fue la creación homérica, la ha hecho renacer con nueva vida y, además, le ha dado validez para quienes —en su lengua— pudieran oirla o leerla. Pero la vida no acaba ahí. Homero fue un demiurgo que dio forma a seres humanos, no a entelequias, y los seres humanos son estructuras abiertas como amelgas en tierra de sembradura. Otro brazo tirará grano y nacerán nuevas lletas. Y otro, y otro... No creo que Buero, ni nadie, aspire a que su obra de hombre pueda ser espiritualmente eterna; le basta con haber ayudado a la eternidad colectiva, lo que no es poco. Hablamos de la pervivencia de la Antigüedad clásica y la sentimos como una enseñanza para el hombre de hoy. En la Antigüedad clásica se dijo que la mano mortal no puede labrar obras inmortales. No es ningún motivo de pesadumbre, sino de esperanza hacia el futuro, por más que el verso de Virgilio nos estremezca cada vez que lo leemos:

mortaline manu factae inmortale carinae
fas habeant? (1)

---

(1) Estas páginas son la lección que se leyó en el Curso. Versión muy abreviada y sin el aparato crítico que el original tiene. Quien esté interesado por el desarrollo cabal del tema, vea mi artículo en el *Bulletin Hispanique* de Burdeos, en prensa en estos momentos.

LOS DOS VERDUGOS

ANGEL BERENGUER

LOS PERSONAJES DE LA ESTRUCTURA

En una carta (13-4-1962) dirigida a José Monleón, Fernando Arrabal hacía un juicio de valor sobre la obra que veremos a continuación, acercándola a su obra anterior, *Los soldados* (*Pic-nic*):

> No tengo una copia a mano del *Pic-nic*. Te la enviaré pasado mañana; yo prefiero *Los Verdugos*, de lejos. A mí, no me gustaría darme a conocer en España con *Pic-nic*. *Los Verdugos* es mucho más personal..., además de que, por motivos íntimos, me encantaría verla publicada en mi tierra.

Partiendo de esta afirmación, la mayor parte de los críticos que se han interesado en *Los Dos Verdugos* han insistido en el aspecto autobiográfico que subraya el autor en la cita que precede. La metodología que utilizamos nos incita a la circunspección cuando examinamos la biografía "demasiado rica" de nuestro autor y cuando pensamos en las transposiciones posibles que aparecerían en la obra. Admitiendo que existen elementos autobiográficos en la obra y que estos mismos pueden conducir a cierta comprensión de ella, nos parecen, sin embargo, inoperativos al nivel explicativo dentro del esquema general de análisis que proponemos. Partiendo de las dos mediaciones (exilio y ceremonia) que constituyen, según nuestra tesis, la estructura explicativa de la obra de Arrabal, se puede incorporar (con el fin de mayor comprensión) los elementos autobiográficos empleados por el autor para clarificar, precisamente, su actitud de exilio y de ruptura, la ausencia de perspectiva que, en definitiva, es la estructura global de su obra.

Arrabal escribió *Los Dos Verdugos* en 1956, durante el mes de noviembre, en el Hospital Foch de Suresnes. De esta obra existen tres ediciones francesas y una española.

Los Personajes

Nos parece importante iniciar el análisis de los personajes en *Los Dos Verdugos* insistiendo sobre un aspecto que subraya la originalidad de esta obra con respecto a las precedentes. En general, los personajes tienen una dimensión mucho más realista. Arrabal no utiliza el lenguaje infantil y ritual que encontrábamos en las obras precedentes. El lenguaje es aquí directo y perfectamente coherente con la situación y el carácter adulto de quienes lo utilizan. Hay contradicciones que nos parecen debidas no a una imposibilidad de adecuación o a una actitud de ruptura coherente con ciertos personajes, marginales quizá a la fuerza, los cuales —según aparece en obras anteriores— intentan sobrevivir en exilio y comunicar a través de un lenguaje reducido a su más elemental estructura y semánticamente inadecuado. El lenguaje en *Los Dos Verdugos* expresa una contradicción con la actitud de los personajes, sobre todo en el caso de la madre. En realidad, en esta obra, la contradicción a nivel de lenguaje resulta de la tergiversación de la realidad. La madre dice algo y actúa de una manera completamente diferente.

Desde nuestro punto de vista, la originalidad de esta obra, en el contexto de la producción arrabaliana, reside en el carácter histórico de la materia dramática utilizada por el autor, que intentaremos clarificar a partir del estudio de los personajes y sobre todo en el análisis de la estructura explicativa. De hecho en esta obra encontramos tres personajes (de los seis que aparecen) que "hacen un papel" de una forma más continuada a nivel de la comunicación lingüística: Francisca, Benito y Mauricio (229 réplicas de las 237 que componen la obra). Francisca y Benito forman un todo coherente al que Mauricio será finalmente integrado.

Los otros tres personajes no hablan y sólo en ocho ocasiones se les dirige la palabra. Encontramos aquí igualmente dos personajes (los dos verdugos) los cuales, en el ejercicio de sus funciones (torturan y dan muerte) integran a Juan (personaje obligado a no intervenir y a sufrir durante toda la obra). Nótese, al mismo tiempo, que si estos tres personajes no hablan, su presencia en la obra y su función hacen progresar la acción.

FRANCISCA

Es sin duda el personaje principal de la obra. Se dirige a todos los otros personajes y participa en la acción de los dos grupos que hemos distinguido más arriba. Cuantitativamente es el personaje más rico y más influyente. Se nos presenta como una mujer simple pero decidida y esto, desde el principio de la obra. Efectivamente, llama a la puerta y aunque no se le responda, entra. Más lejos, se define ella misma: "Yo soy una pobre mujer sin ninguna cultura y sin apenas instrucción que no ha hecho en su vida otra cosa que preocuparse de los demás olvidándose de sí misma" (p. 63).

Francisca da la impresión durante toda la obra de ser una madre preocupada sobre todo por la paz familiar: "Benito trata de golpear a su hermano. Francisca se interpone violentamente entre sus dos hijos para que no se peguen.

> FRANCISCA: No, hijo. En mi presencia, no. La familia es una cosa sagrada. No quiero que mis hijos se peguen. (Benito se contiene de mala manera). El me puede arrancar la piel si quiere, pero yo te ruego, hijo mío, que no le pegues en mi presencia. No quiero que en mi presencia haya riñas entre hermanos. El me ha pegado, pero yo le perdono (Fuerte quejido de Juan) (p. 56).

Sin embargo, Francisco, a pesar de su preocupación por esa *paz* familiar, siembra la cizaña entre sus hijos y denuncia a su marido. Evidentemente, su actitud consiste en buscar la paz haciendo la guerra.

Parece también una mujer muy piadosa:

> BENITO.—Mamá, ¡qué buena eres!
> FRANCISCA.—Eso intento, Benito, ser buena.
> BENITO.—(*De pronto*) Mamá eres la mujer más buena del mundo.
> FRANCISCA.—(*Humildemente*) No, hijo, no soy la mujer más buena del mundo, no puedo aspirar tanta gloria: yo soy demasiado sencilla y, además, probablemente, yo habré cometido algunas faltas. Bien es verdad que con toda mi buena intención. Pero al fin y al cabo, lo que importa es que he cometido faltas.
> BENITO.—(*Convencido*) No, mamá, tú, nunca.
> FRANCISCA.—Sí, hijo, algunas veces. Pero tengo la alegría de que siempre me he arrepentido de ellas, siempre.
> BENITO.—Eres una santa.
> FRANCISCA.—No digas eso. ¡Qué más quisiera que ser una santa! Yo no puedo ser santa. Para ser santa hay que ser algo muy grande y yo no valgo nada. Yo sólo procuro ser buena sin aspirar a más. (p. 47).

A pesar de ese sentimiento religioso, Francisca tiene conciencia de ser solamente *buena* (de una manera abstracta) y la posibilidad de ser una *santa* (materialización de la bondad) es, a sus ojos, un sueño inaccesible. Francisca tiene efectivamente razón puesto que, como denota su forma de actuar, es cruel, mentirosa y traidora a su familia. Nos parece interesante insistir sobre el hecho de que Francisca utiliza a los dos verdugos (elemento exterior al universo familiar) para resolver los problemas que le plantea su familia. De hecho, nos parece perfectamente claro que esta mujer quiere dominar a los otros componentes de la familia. Con su hijo Benito (a quien ha dominado) mantiene una relación ideal según su forma de pensar. Lucha durante toda la obra para conquistar a Mauricio.

Denuncia y hace asesinar a su marido que representa, según parece, un elemento de disturbio en el universo familiar que ella ha ideado. Su conducta con respecto al elemento no recuperable (el marido) de ese universo prueba que la mujer está dispuesta a emplear todos los medios necesarios para llevar a cabo su *sueño*.

BENITO

Es el hijo primogénito y el segundo personaje en importancia cuantitativa (78 réplicas). Al mismo tiempo, es el personaje más equilibrado: 39 *salidas* y 39 *entradas*. Se nos presenta como un individuo totalmente identificado con su madre. Acepta todo lo que ella le dice y los sentimientos que manifiesta están siempre conformes con los deseos de Francisca. Nunca dirige la palabra a su padre, y cuando habla de él parece sorprendido del respeto filial que su madre le exige:

> FRANCISCA.—...Además, aunque tu padre es culpable no por eso debes dejar de respetarle.
> BENITO.—¿Respetarle a él?
> FRANCISCA.—Sí, hijo. No te fijes en todo lo mucho que él me ha hecho sufrir. Tú sé bueno y perdónale. Yo soy quien no debería perdonarle y, ya ves hijo mío, le perdono. (pp. 46-7).

Benito está en realidad al servicio ("una tierna devoción", si se quiere) de su madre, y es manipulado por ella. Francisca es la causa de su oposición a Juan (su padre), a Mauricio y a todo lo que uno y otro representan en el seno de la estructura familiar, como elementos de disturbio que se oponen al orden establecido por Francisca. Para ese orden y para ella Benito recuperará finalmente a su hermano.

Benito amenaza muy a menudo con utilizar su fuerza y llegará incluso a agredir a su hermano. En él la fuerza bruta, la violencia y la ausencia de reflexión hacen un todo. Por eso pone su fuerza al servicio de los intereses de su madre sin dudar ni un momento.

MAURICIO

El hijo menor de Juan y de Francisca es un personaje cuya influencia sobre los otros es menos importante (19 *salidas*) que la ejercida sobre él (35 *entradas*). Desde el principio de la obra, se coloca al margen del universo Francisca-Benito. No habla, incluso cuando se le dirige la palabra. Interviene sólo a partir del momento en que su padre aparece en el escenario y siempre lo defiende incluso si para ello debe atacar a su madre. Cuando esto ocurre recibe el castigo de su hermano. Así, pues, desde que comienza a intervenir, *se opone* a los designios de su madre en el interior del círculo familiar, reprochándole su denuncia-traición, su crueldad y sus mentiras.

Tras la muerte de Juan, Mauricio entabla un diálogo con su madre, pidiéndole explicaciones de su conducta y por toda respuesta, la madre alega su intención pacífica. Así, pues, este fin ha justificado los medios (la traición y el asesinato del marido).

MAURICIO.—Eres tú la única persona que ha dicho que era culpable.

FRANCISCA.—Sí, claro, ahora, no contento con haberme injuriado durante toda la noche, vas a tacharme de mentirosa y vas a afirmar que levanto falsos testimonios. Es así como tratas a una madre que desde que naciste ha estado pendiente de tí. Mientras tu padre se jugaba el porvenir alegremente yo he vigilado tu felicidad y sólo he tenido una mira: hacerte dichoso, todo lo dichosa que yo no he podido ser. Porque para mí lo único importante es que tú y tu hermano viváis contentos, todo lo demás no tiene importancia. Soy una pobre mujer ignorante y sin estudios que sólo desea el bien de sus hijos cueste lo que cueste.

BENITO.—(*Conciliador*). Mauricio, ahora ya no sirven para nada más lamentaciones, papá ha muerto, nada se puede hacer.

FRANCISCA.—Benito tiene razón. (pp. 62-63).

A partir de este instante, Mauricio, que ha aceptado el diálogo "posible" (ver, en este sentido, la discusión sobre el "posibilismo" entre Alfonso Sastre y Antonio Buero Vallejo) va a ser poco a poco integrado en el universo Francisca-Benito.

BENITO.—Sí, mamá, yo aprecio todo lo que ha hecho por nosotros.

FRANCISCA.—Sí, tú bien sé que sí, pero tu hermano, no. A tu hermano aún le parece poco. A tu hermano aún no le basta. Qué felices podríamos ser si todos estuviéramos unidos y juntos.

BENITO.—Mauricio, eso es, deberíamos compenetrarnos y vivir tranquilos los tres. Mamá es muy buena, yo sé bien que ella te quiere mucho y te dará todo lo que necesites. Aunque sólo sea por egoísmo, únete a nosotros. Los tres viviremos felices y alegres queriéndonos.

MAURICIO.—Pero...

(*Pausa*).

...Papá.

BENITO.—Eso ya pasó. No mires atrás. Lo que importa es el porvenir. Será demasiado tonto que sólo nos fijáramos en el pasado. Con mamá sólo tendremos satisfacciones. Todo lo suyo es para tí. ¿Verdad mamá?

FRANCISCA.—Sí, hijo mío, todo lo mío será para él.

(*Heroica*).

Yo le perdono.

BENITO.—Ya ves que buena es; incluso te perdona.

FRANCISCA.—Sí, yo te perdono y olvidaré todas tus injurias.

BENITO.—¡Todo lo olvidará! Esto es lo que importa. Así viviremos sin rencores los tres juntos: mamá, tú y yo. ¿Qué puede haber más bonito?

MAURICIO.—(*A medio convencer*) Sí, pero es que... (pp. 63-65).

Mauricio acepta finalmente esta integración y progresa cogido de la mano con sus antiguos enemigos fraternos en el seno de la institución familiar.

JUAN

Es el marido de Francisca. Interviene solamente en la obra a través de su sufrimiento. A veces exterioriza su rabia como puede:

"Juan, impedido por la mordaza, intenta gritar" (p. 51).

"Juan, impedido por la mordaza, sólo logra emitir algunos ruidos" (p. 51).

Recibe seis *entradas* y, a nivel de la acción, sufre el suplicio y muere a manos de los verdugos.

Está amarrado y amordazado cuando aparece en escena. Es conducido como una bestia salvaje que ha caído en la trampa que le será fatal... Como una bestia salvaje acorralada y que lucha cuanto puede y finalmente sucumbe, víctima de la malicia o de la fuerza de su enemigo...

No solamente actúan contra él los dos verdugos, sino también Francisca, su esposa y Benito, su hijo primogénito. Parece abandonado por todos menos por Mauricio, quien asume su defensa, pero que finalmente, tras su muerte, lo abandonará también.

LOS DOS VERDUGOS

Nos referiremos finalmente a los dos personajes que dan título a la obra. Jamás hablan, simplemente actúan. Francisca es la causa de las dos *entradas* que reciben y por causa de ella se introducen en la problemática de la familia.

Son, pues, dos elementos exteriores a la familia que, desde el primer momento, esperan solos. Francisca va a la habitación en que se encuentran para pedirles ayuda. Efectivamente, denuncia a su marido para deshacerse de él. Los verdugos parecen fuertes, violentos y poderosos. Muy seguros de ellos mismos, representan, en la obra, un poder superior que no es nombrado. No hablan a pesar de que comprenden perfectamente las indicaciones de Francisca. Finalmente, cuando se marchan llevándose el cuerpo de Juan, no se preocupan lo más mínimo por el deseo que manifiesta la mujer de "ocuparse" de su marido.

Esta pareja de verdugos nos hace pensar en los policías que aparecen en obras anteriores y sobre todo a la que forman Lasca y Tiosido en el *Cementerio de Automóviles*. Estos dos personajes tienen ese mismo carácter represivo y al mismo tiempo anónimo (ejecutan pura y simplemente las órdenes que les dicta un poder que no se nombra).

ESTRUCTURA EXPLICATIVA

Alain Schiffres, en sus *Entretiens avec Arrabal*, preguntaba al autor a propósito del tratamiento "naturalista" de la relación madre-hijo en su obra *El gran ceremonial*. Arrabal respondió de una manera evasiva haciendo alusión a la obra que nos interesa:

> En fait, chaque fois que j'ai évoqué dans cette pièce ou ailleurs mes rapports avec la maternité, j'ai tendu a être effectivement très naturaliste ou très mélodramatique. C'est pareil dans *Les Deux Bourreaux*. Comment expliquer cela? La raison, je crois, c'est qu'une mère est un personnage généralment mélodramatique. Je dois dire que j'aime le mélodrame.

Evidentemente, a un primer nivel de explicación, encontramos en esta obra una descripción de la relación madre-hijo la cual aparece en su doble aspecto: aspecto de identificación (Benito) y aspecto problemático (Mauricio). Nos parece, sin embargo, abusivo afirmar, a partir de la biografía del autor, la identificación del personaje de Mauricio con Fernando Arrabal.

Explicar la obra es justamente clarificar el proceso de radicalización de Francisca llevado hasta el final por Arrabal en el texto de su producción dramática. Desde luego, el autor ha sido influenciado por su medio familiar y por su grupo social, pero, al mismo tiempo, Arrabal estructura su obra y transpone en ella la problemática de grupo. Si se hubiera tratado únicamente de exponer o describir una aventura personal, su obra no habría podido sobrepasar los límites de un círculo restringido de amigos o conocidos curiosos por conocer la *intimidad* de un individuo. Pensamos que esta obra no puede ser comprendida (incluso a nivel autobiográfico) sino en el contexto de una explicación global de la obra arrabaliana.

La ceremonia de la delación y del asesinato

A primera vista, *Los Dos Verdugos* nos cuentan la historia de una familia. Es evidente que existe una relación entre esta familia y la familia Arrabal Terán. Dicho esto, ¿cómo establecer la homología entre la entidad familiar real y la que encontramos en la obra a nivel de la ficción? Insistiremos en primer lugar en la influencia que ha podido tener la experiencia del autor con su madre cuando Arrabal imaginó a Francisca (personaje de ficción). Cierto es que Arrabal reprocha a su madre la falta de solidaridad que demostró respecto de su padre, el cual fue detenido y condenado más tarde. De aquí al personaje de Francisca (denunciadora cruel y sin escrúpulos) hay un abismo. Y si Arrabal se ha decidido a franquearlo, es porque Francisca representa una entidad que, como veremos, sobrepasa la personalidad de una madre insolidaria. En este sentido, el nombre de Francisca está mucho más próximo al de un personaje político cuya función histórica nos parece mucho más importante como elemento explicativo que el de la madre del autor.

Benito tiene igualmente un nombre significativo: *Bendito,* que nos parece hacer alusión a su función en la estructura de la obra según veremos más adelante.

Como ya hemos dicho, pensamos que a nivel explicativo los elementos autobiográficos que aparecen en *Los Dos Verdugos* están tan deformados que resultan inutilizables. Se trata aquí de una familia en la que el padre representa un factor de disturbio en el universo ideal que encarna la madre. En este sentido, durante toda la obra asistimos a dos procesos. El primero sería la denuncia y supresión de ese elemento de confusión que es el padre. El segundo proceso representaría la asimilación del hijo (Mauricio) demasiado influenciado por su padre, en el universo de la madre, correspondiendo a Benito la función de elemento integrador.

Nos detendremos aquí un momento para hablar del primer proceso indicado. Efectivamente, durante toda la obra asistimos a la ceremonia de la delación, del suplicio, del asesinato del padre (Juan) que se desarrolla como un contrapunto de pura acción y que contribuye al lanzamiento del segundo proceso que hemos señalado.

En esta perspectiva, sabemos que la madre (Francisca) denuncia a Juan por una falta no precisada en la obra. Podría, en realidad, tratarse de su rehúso a someterse a las reglas preestablecidas de un juego (no se ha preocupado de asegurar el futuro de sus hijos). En este sentido, pensamos descubrir una relación estrecha entre Francisca y la burguesía que denunció a Juan (República burguesa) quien se había mostrado incapaz de asegurar el porvenir de la pequeña burguesía (identificada en el caso de Benito, de oposición en el de Mauricio) en el cuadro de sus instituciones. Efectivamente, sabemos que la Segunda República Española fue debilitada en cuanto a república burguesa por la irrupción de un proletariado revoluciona-rio. Así, pues, la ceremonia que Arrabal nos propone como telón de fondo (ceremonia de la denuncia-proceso de destrucción, tortura y asesinato) sería una transposición de la Guerra Civil española en la cual el autor destaca la intervención de los elementos exteriores (alemán e italiano) al universo familiar (los pueblos de España).

LA AFIRMACIÓN DEL EXILIO

El segundo proceso al que hemos hecho alusión más arriba con-siste en la integración de Mauricio en el universo familiar que re-presenta Francisca.

Fernando Arrabal nos confirma que en esta obra (escrita rápi-damente, durante el mes que duró su convalecencia en el Hospital Foch y enviada inmediatamente a Josefina Sánchez Pedreña a Ma-drid) quiso materializar el proceso que él mismo hubiera sufrido si, como Mauricio, hubiera intentado quedarse en España para inten-tar cambiar una realidad que (a los ojos del autor) parecía inamo-vible y peligroso a causa de su poder de recuperación.

Tras esta constatación de la intencionalidad del autor que se encuentra, según nos parece, perfectamente materializada en la obra, pasaremos a un segundo nivel de interpretación.

La obra, permítasenos insistir sobre este punto, presenta la his-toria de una familia cuyas características podrían coincidir con unos trazos de la familia de Arrabal. Al mismo tiempo transpone un pro-ceso de denuncia, de suplicio y de muerte que corresponde con toda verosimilitud a la denuncia del sistema republicano burgués por la burguesía española, a su proceso de destrucción (Guerra Civil) y a su muerte (caída de la República).

Al mismo tiempo, vemos un segundo proceso (en el interior de la institución familiar) que supone la integración de Mauricio (de *Moro,* el infiel, el que no cree) es igualmente significativo En este proceso interviene Francisca (la ideología dominante en el estado franquista) y también Benito (pequeña burguesía identificada) cuyo nombre como ya hemos señalado hace alusión (y es éste un ele-mento que añade riqueza a la obra) a la Iglesia. En esta homologa-ción, vemos una alusión importante a la integración de esta pequeña burguesía al sistema político actual, a través de sus creencias religio-sas. Convendría, pues, subrayar el aspecto cristiano, católico, de esta pequeña burguesía vencida e identificada. Así, pues, Mauricio, el hijo

311

del "indeseable" Juan se opone a la violencia moral y física a la que se libra Francisca desde el principio de la obra. Mauricio sufre la violencia de Benito y, después de la muerte del padre, entabla un diálogo de oposición que le conducirá poco a poco al sistema propuesto por Francisca.

La primera conclusión que se puede sacar de esta obra es que es posible adoptar una posición crítica desde el interior del sistema, si por lo menos se está de acuerdo, aunque sólo sea a nivel de "guardar las apariencias", con la ideología del sistema.

Permítasenos insistir de nuevo sobre la falsedad de la "solución" final (el Happy Ending). El universo que recupera a Mauricio es totalmente falso, como lo son la religiosidad, la paz y el buen entendimiento que propone Francisca.

El sistema puede, pues, perdonar, pero hay que pedir perdón e introducirse en él, incluso si se guardan las distancias. Una última conclusión que, según nos parece se deduce de la explicación de *Los Dos Verdugos* es, precisamente, la afirmación de la actitud de exilio, única postura que se ofrece a Arrabal, autor español que ha materializado la tragedia de Juan, traicionado y olvidado (en la perspectiva de la obra de Arrabal) por quienes, como Mauricio, afirman su adhesión individual o colectiva a un imposible "posibilismo".

NOTAS PARA UN NUEVO TEATRO ESPAÑOL

JOSÉ MARTÍN RECUERDA

Para dar una visión general de lo que pueda ser el nuevo teatro español, había que arrancar del año 1949, fecha en que aparece *La historia de una escalera* de Antonio Buero Vallejo, pero seríamos inexactos si no reconociéramos toda una tradición dramática anterior, donde a mayor o menor escala se ven potenciados los valores dramáticos que van a dar cauce a las nuevas promociones. La historia literaria se repite. ¿Qué hubiera sido de Lope de Vega, Góngora o Calderón sin una tradición anterior? En nuestro caso, sería injusto olvidar las obras del "género chico", con autores tan importantes como Ricardo de la Vega, autor de *La Verbena de la Paloma,* o Pérez y González, autor de *La Gran Vía,* obras claves que tienen bastante de contestatarias, rebeldes y, sobre todo, reflejan el alma popular española, es decir, retratan al indomable pueblo español con toda su rebeldía. Junto al "género chico", tenemos la figura del creador de la popularísima tragedia grotesca, Carlos Arniches, y agigantándose sobre lo popular, las figuras de un Benito Pérez Galdós, un Ramón María del Valle Inclán, un Federico García Lorca, o un Rafael Alberti, figuras éstas que arrastran, o personalizan, toda una fuerte tradición española de poesía lírica, de prosa novelesca o de poesía dramática.

En todo el teatro español, que se precie de tal, hay escondido un caudal inagotable de sorpresas artísticas no descubiertas aún. No cabe duda: el Teatro Español —con mayúscula— es tradicional, porque los españoles, queramos o no, a pesar de las modas extranjeras, seguimos siendo, unos más y otros menos, tradicionales. En el amor a la tradición quizá esté nuestra pobreza o nuestra grandeza, cosa que yo no supe nunca, ni creo que llegaré a saber. En mis contactos con Europa o Norteamérica no supe distinguir, si lo que nos hace ser desgraciados es nuestro apego a la tradición, o si este apego, nos hace héroes ante la marcha de un mundo progresista, del cual no sé tampoco si este progreso sirve para hundir o engrandecer a los seres humanos. Uno ya ha luchado y ha visto a tantos héroes europeos o americanos rendirse ante las pasiones más depravadas, que no sabe acertar en el intento de profundizar sobre el hombre. Este concepto de lo que sea el hombre y lo que pueda ser el teatro es, verdaderamente, torturante para mí. Por eso, esta conferencia quisiera ser una confesión donde poder expresar toda la tortura que el tiempo y la vida me fue dando.

Con los antecedentes citados creo que acabo de declarar mi solidaridad con un teatro español tradicional y con una actualidad no libre de reflexiones ni dudas. Lo que sí creo tener claro es que ni yo ni los autores que están a mi lado, hemos vuelto la espalda a los valores más sólidos de nuestro teatro.

Quisiera dar una visión panorámica, como ya he dicho, sobre el teatro español que empieza en el año 1949 y termina en nuestros días. Para dar esta visión creo que podemos dividir al teatro español contemporáneo de interés, en cuatro partes, sin que podamos limitar cada una de las cuatro, ya que todas se complementan y todos los autores que escriben en este período de tiempo, quizá vayan unidos por corrientes dramáticas, conceptos e ideas semejantes. Estas cuatro partes son:

1.º—Breve introducción al teatro de Antonio Buero Vallejo y Alfonso Sastre.

2.º—Teatro mal llamado realista.

3.º—Teatro colonizado.

4.º—Teatro subterráneo.

No podemos entrar en un análisis profundo de las aportaciones de Antonio Buero y de Afonso Sastre, ambos con sus aciertos y desaciertos, con sus obras mejores y sus obras peores. El primero —como se sabe— surgió al teatro apoyado en la tradición del sainete español y le dio una positiva dimensión trágica. Buscó, al mismo tiempo, lo existencial metafísico que se extendía por Europa en aquellos momentos, encontrando ideas filosóficas que son verdaderos hallazgos, como es el concepto de la esperanza. Para Buero, como ha dicho él mismo, la esperanza nos lleva a la tragedia. En otras de sus obras, no dentro del sainete, Buero hace un análisis de problemas históricos españoles, empleando la técnica de distanciamiento brechtiano. No cabe duda que Buero ha llegado a grandes aciertos acerca de nuestra idiosincrasia y de nuestra realidad. El teatro de Buero mantiene una limpia honradez y abunda en trozos de una indudable belleza ética. Los conceptos del enfrentamiento del hombre, simbólicamente ciego, con una sociedad que le maltrata, constituyen hallazgos que, para mí, serán eternos en la historia del drama español. No sabemos por qué razones las obras de Buero no han trascendido fuera de nuestras fronteras a nivel de teatro de gran mundo. Fenómeno éste que debiera estudiarse. Sus obras han quedado en manos de curiosos profesores y alumnos extranjeros, pero jamás, que yo sepa, representadas en teatros comerciales fuera de España. Puede que se necesite más tiempo para que veamos las obras de Buero en escenarios extranjeros. Bien sabido es, como la historia del drama español y la consagración del autor español, se hace a fuerza de miles de voces repitiendo y haciéndoles ver a los demás que tal o cual obra tiene alcance universalista. Lo que no me cabe duda es que a Buero Vallejo se le debe algo muy importante: el intento de dar trascendencia y universalidad a un teatro español de nuestro tiempo.

Alfonso Sastre, hasta ahora, ha tenido menos suerte que Antonio Buero, a pesar de la difusión de sus obras en manos de curiosos extranjeros, ya sean estudiantes o grupos minoritarios que han puesto en pie algunas de sus obras. Empezó tratando de hacer en España un teatro de agitación social y para el pueblo, pero con ideas asimiladas de alemanes y franceses. Quizá en esta asimilación esté el no progreso, por lo menos en la actualidad, de Afonso Sastre. Alfonso, que es un teórico de primera categoría, debiera haberse lanzado en su teatro a mostrarnos la realidad viva del pueblo español, con valentía, con hondura, al descubierto, sin esquematismos, con un lenguaje sacado de las entrañas de lo hispánico. Quizá esté aquí su fallo, que él mismo se habrá dado cuenta en una posterior evolución que yo, desgraciadamente, no conozco, pero que sé que bien pudiera existir, porque siempre confié en el talento dramático de Alfonso Sastre. También este teatro, como el de Buero, al pasar las fronteras ha quedado solamente en manos de estudiosos. Confío en que algún día nos den la grata sorpresa de que formaron parte del gran mundo del teatro comercial.

Junto a ellos empezaron a surgir otros autores —la mayoría por muy diversos caminos dramáticos— que, hasta ahora, casi están corriendo la misma suerte que los dos autores anteriores. Estos autores adoptan una clarísima postura de denuncia y protesta ante la realidad o época histórica que les ha tocado vivir. Estos autores dan lugar a un teatro mal llamado realista. Cuando han intentado asomar cabeza en los escenarios españoles, se la han cortado; cuando han intentado hablar, les han tapado la boca, han ido poco a poco, frustrándoles el camino, sin que pode querer dar testimonio de su tiempo y de plantearse a España como punto de partida de sus conflictos dramáticos. Son autores con el delito de querer hacer arte, y el arte, en España, parece que

317

no se perdona hoy. Esto nos plantea urgentemente una serie de preguntas que podemos concretar en la siguiente: ¿Cómo es la España que estamos viviendo? Terrible conflicto el responder. Ante la profunda respuesta, que está en el ánimo de todos, pasamos a exponer una serie de características del teatro realista, intentando analizar qué puede ser una generación, y qué puede ser el realismo. Intentamos ser muy objetivos y hablamos, no sin titubeos, porque quizá sea pronto para hablar de lo vivo. De los hombres y de sus obras suele saberse algo a lo largo del tiempo, sobre todo, cuando se habló mucho de ellos, y entre varios, se fue aportando la crítica, más o menos verdadera sobre cualquier autor o cualquier obra.

Cuando la crítica española empezó a darse cuenta de que existía, quizá, una generación realista que protestaba y denunciaba, creo que ni los propios autores sabían que estaban unidos por una serie de lazos comunes, propios de una época histórica. He de decir, antes de pasar más adelante, que yo no creo en generaciones, sino en autores que unas veces aciertan en sus obras y otras no, y por lo tanto, si se me apura un poco, creo más en las obras donde se acierta que en los propios autores.

Una avalancha de críticos empezó a bautizar esta generación hacia los años sesenta, llamándola "generación en contra del tedio". Así la llamó el crítico Sergio Nerva en el semanario *La España de Tánger*. "Realistas" le llamaron críticos como José Monleón, Ricardo Salvat, Ricardo Domenech, etc., desde las páginas de las revistas *Insula, Destino, Indice y Primer Acto*. El profesor y académico, Fernando Lázaro Carreter especificó levemente en su *Historia de la Literatura Contemporánea*, que existía una generación de jóvenes autores que entraba dentro de un realismo poético, cuya generación entroncaba con la generación del 98, porque otra vez se planteaban a España como problema, pero con un lenguaje violento y desgarrado. Otros muchos críticos han llamado a esta generación "perdida", "marginada" o "maldita". Pero será el crítico Francisco Ruiz Ramón, profesor de la Universidad de Indiana, Purdue, quien en su *Historia del Teatro Español del siglo XX* esclarece y pisa fuerte sobre este terreno. En realidad no cabe duda que hay que tomar una postura ecléctica ante tantos supuestos críticos. Será el tiempo quien dirá las últimas palabras. Antes de citar los caracteres que definen a esta generación, según el crítico Francisco Ruiz Ramón, quiero aclarar lo que yo entiendo por realismo visto a través de las principales obras de estos autores:

Siempre creí que el realismo español no existe sin una honda espiritualidad, cuya espiritualidad lleva al autor a idealizar su obra. Lo que digo no es nuevo. Es algo descubierto por eminentes investigadores de nuestra Literatura y de nuestro Arte. Creo que el arte español más destacado no se da sin una profunda idealización. El autor español, al ahondar en lo real, su profundidad es tanta que, sin querer, llega a una evidente idealización. De lo que digo dan pruebas palpables las grandes obras literarias españolas, la pintura y la imaginería. ¿Puede alguien decirme si en el cuadro de *La romería* de Goya, los romeros van cantando, gritando o llorando? Qué de sugerencias abismales del alma humana nos da este cuadro de Goya. Cómo aflora a la superficie la gama más variada de valores espirituales del pueblo español del siglo XVIII. Y lo mismo que de la pintura se podría decir de la escultura y de las obras literarias más importantes de nuestra historia: Poema del Cid, Los Arciprestes, *La Celestina,* la novela Picaresca, la Generación del 98, los poetas del 27, etc. Para mí, hasta la corriente literaria llamada del "absurdo francés" es válida cuando se corresponde con la realidad absurda del ser humano. Este mismo realismo idealizado es el que creo observar en las mejores obras de la maltratada generación realista que nos ocupa.

Especificado el concepto de realismo, pasamos a ver las características que Francisco Ruiz Ramón ve en esta generación: según el profesor norteamericano esta generación trabaja dentro de España en régimen de catacumba, escribiendo un teatro de silencio. Todos ellos coinciden en la imposibilidad de estrenar sus obras, por lo cual escriben de espaldas al público normal del teatro. Hay que ir a buscar las obras, no al lugar profesional de residencia, o sea, al teatro, sino a otra parte. Los temas presentados por este teatro son: la injusticia social, la explotación del hombre por el hombre, las condiciones inhumanas de la vida del proletario, del empleado y de la clase media, la hipocresía social y moral de los representantes de la sociedad establecida, la violencia y crueldad de las llamadas buenas conciencias, la condición humana de los humillados y ofendidos, del hombre al margen, de los viejos y nuevos esclavos de la sociedad contemporánea. El lenguaje de esta dramaturgia es violento, directísimo, y conlleva una consciente intención de desafío. Las técnicas pueden reducirse a tres fundamentales: el realismo-naturalismo crítico, el neo-expresionismo crítico y la farsa popular de raíz esperpéntica, o de raíz lorquiana-albertiana. Los protagonistas de este teatro suelen aparecer víctimas, puestas por el dramaturgo en una situación de callejón sin salida, destruidas y devoradas por la monstruosa sociedad en que viven: burocracia administrativa, simbólicas viejas solteronas, fuer-

319

zas vivas de los pueblos o de las ciudades provincianas, supersti-
ción religiosa, tiranía del inmovilismo, etc.

Para mí, algunos de estos autores jugaron en principio, a ser
europeos o norteamericanos, pero rápidamente evolucionaron para
dar el grito unamuniano de "hacia adentro", o sea, hacia el descubrimiento de lo que España sea. Este grito se acrecentó ante el
descubrimiento de don Ramón María del Valle-Inclán, no de una
manera directa, sino a través de las obras de Bertolt Brecht o del
absurdo francés vigente. ¿A qué fue debido este fenómeno? Sencillamente a que todos los dramaturgos españoles de mayor calidad han sido despreciados o marginados en sus épocas por los
mismos españoles, y han sido descubiertos, más tarde, por los extranjeros, asimilando éstos las obras de aquellos. Los estudiosos de
Valle-Inclán opinan que la obra de Bertolt Brecht *Madre Coraje*
—por citar alguna— debe bastante a la obra de Valle-Inclán *Divinas palabras*. Si nos detenemos un momento a analizar ambas obras
encontramos muchos puntos de contacto, sobre todo en el tratado
de lo que pueda ser la libertad humana. Esta libertad, la *Madre
Coraje* la encuentra negociando en los frentes de la guerra de los
Treinta Años, tirando de su carreta y dando rienda suelta al abuso
de todas sus pasiones. La Mari-Gaila de *Divinas palabras,* encuentra la suya, de una manera casi semejante: tirando de una carreta
donde lleva un sobrino suyo deforme y monstruoso, que sirve de
espectáculo en las ferias de los pueblos gallegos. Esta manera de
buscar la vida de ambas mujeres las lleva a encontrarse con la
libertad deseada, cuya libertad las conduce a la tragedia. Los mismos estudiosos de Valle-Inclán también quieren ver un paralelo
entre el esperpento valleinclanesco y las obras del teatro del absurdo francés. Así nos resulta absurdo que el personaje de *La Pepona* de *La cabeza de Bautista* al mismo tiempo que mata al personaje de *El Indiano* se enamora de él y le muerde los labios, de
una manera lúbrica y violentamente lujuriosa, en los momentos de
la agonía de *El Indiano*. Estas imágenes esperpénticas nos traen
enseguida el recuerdo del mejor teatro del absurdo francés, aunque yo creo que toda la vanguardia europea no llega a la altura
del teatro de Valle-Inclán, salvo raras excepciones. Parece ser que
esta influencia, para gloria nuestra, alcanza hasta la reciente novelística hispanoamericana. Quizá, el realismo mágico de *Cien años
de soledad* de García Márquez deba bastante no sólo a Cervantes,
creador de este realismo mágico, sino también a Valle-Inclán.

Ante este encuentro, los autores que nos ocupan, se dieron
cuenta del poder casi prodigioso de nuestro localismo, y a este localismo se acogieron, de aquí, tal vez, la marginación de este

grupo de autores, cuya marginación están dispuestos a defenderla hasta llegar al aniquilamiento total de sus personalidades. Están dando la vida por lo que creen ser cierto. Por eso se sienten orgullosos de ser tradicionales y caminar con la antorcha encendida de Fernando de Rojas, Francisco de Quevedo, Benito Pérez Galdós, Pío Baroja, los hermanos Machado, y hasta del cura Merino, el Empecinado, Gallito, y el cante jondo, de profunda y rancia sabiduría de un Juan Breva o de una Niña de los Peines, porque todo esto es España. En Castilla también aprendieron la gran lección de sus santos y de sus héroes, quienes igualmente marginados caminaron por la vida con la soledad entre las manos de un pedazo de cielo castellano y un pedazo de aquella tierra seca y polvorienta. Esta España de tierras yermas, de cantos secretos y anónimos, de aguas silenciosas, de ríos llenos de historia, es la que los enamora y, sobre todo el pueblo español que todavía sabe cantar y no llegó a olvidar sus viejas canciones.

Un día, de los años sesenta de nuestro siglo, llegó un grupo de jóvenes a las estaciones madrileñas de Atocha y del Norte, con maletas como las de los soldados de pueblo. Maletas casi vacías de ropa, pero llenas de cuartillas escritas y de ilusiones, para lanzarse a la conquista de Madrid con el vigor y la esperanza que la juventud da, pero también para repetir la vieja historia literaria de siempre: la historia de las humillaciones, de las esperas, de las desesperanzas y del hambre. Unos venían de tierras gallegas, como Lauro Olmo, otros de tierras aragonesas, como Alfredo Mañas, otros de tierras andaluzas, como Antonio Gala y yo, otros habían tenido la suerte de nacer en tierras castellanas y cerca de los Carabancheles o del Puente de Toledo como Carlos Muñíz, Rodríguez Buded o Rodríguez Méndez. Todos se encontraron allí para participar, tal vez, en una lucha inútil. Pronto, casi deshechos, descorazonados, desesperanzados, la mayoría tuvo que emigrar para distintos lugares de España o del extranjero. Nada había ni hay que hacer. Casi todos huyeron descentrados, salvo raras excepciones, como una desbandada, sin saber dónde echarán raíces y cuál será su destino, aunque todos continúan escribiendo desde sus respectivos rincones, dando lugar a la corriente dramática más importante de la España actual, llamada subterránea, de la cual hablaremos en último lugar. Antes vamos a hablar del tercer punto de esta conferencia, o sea, del teatro colonizado.

Coexistiendo con los dramaturgos antes citados, hacia los años 69 ó 70, ha surgido un grupo de autores, coincidiendo con unas nuevas orientaciones de la política vigente española. Estas orientaciones se centran en el llamado "aperturismo", o sea, "España tiene que abrirse a Europa", como si España no fuera Europa y no pudiera aportar sus frutos dramáticos característicos dentro del continente europeo; como si España fuera un país que perteneciera al tercer mundo. Este grupo de autores ha sido capitaneado por un profesor norteamericano, cuyo profesor escribió primero un artículo en *ABC,* y después un libro en inglés. En el artículo de *ABC* citaba unos treinta o cuarenta nombres desconocidos para el teatro español, donde se decía que eran superiores a los autores del Siglo de Oro.

Investigadas parte de las obras de estos autores, leídas bien en publicaciones o en copias mecanografiadas, se descubre una evidente colonización del teatro español con respecto a Europa. Son autores que por medio de revistas, o por lo que les cuentan personas que han venido del extranjero, conocen a Grotowski, a Roy Hart, a las improvisaciones del Living Theater de Nueva York, las técnicas del distanciamiento de Brecht y su escuela, y sobre todo adoran los ceremoniales y rituales de Genet o de Grotowski, ya citado, así como a las obras de imágenes y sin palabras que tienen sus antecedentes en Samuel Beckett y que culminan en las obras de Handke, cuyas obras deben bastante a autores del siglo XIX o principios del XX, como Franz Kafka y otros. Quizá, en el futuro, algunos de estos autores puedan dar obras estimables al teatro español, pero hoy por hoy, es muy difícil encontrar un texto estimable de entre todos los conocidos. Para aclarar, analicemos, no de una manera profunda, pero sí de una manera general, los temas, el lenguaje y la no existente técnica de estos autores y de sus obras.

En lo referente a los temas, con ese afán de abrirse a Europa y de querer ser universales, se evaden de toda realidad poética y profunda de la España en que vivimos. Los temas que más le preocupan son el enfrentamiento, simbolizado casi siempre, de los dos grandes poderes de la humanidad: el capitalismo y el marxismo, la sociedad de consumo, la represión del hombre, el pánico de las guerras, el capitalismo de Onassis, los amores de la Kennedy, etc. Todo esto sería muy interesante cuando estuviera tratado con el arte y la experiencia necesarios. De todos es sabido que mientras no existe la experiencia de las vivencias y el echar raíces en aquellos sitios donde surgen las obras, es imposible escribir nada verdadero porque, entonces, todo suena a libresco y el arte necesita un profundo sufrimiento y una gran profundidad en el conocimiento de la materia artística teatral.

El lenguaje de estos autores, viene siendo llamado por algunos ensayistas, lenguaje tecnocrático, propio de las computadoras, donde se pueden leer páginas enteras que no dicen ni una sola frase concreta. Creo que este lenguaje pertenece a una degeneración o barroquismo del lenguaje del absurdo francés, cuyo lenguaje es, a veces, muy respetable, como ocurre en las obras de Samuel Beckett o de Eugenio Ionesco, ya que el lenguaje de estos dos grandes autores de la vanguardia francesa se corresponde, las más veces, con el languaje de la imposible comunicabilidad de los seres humanos. En cuanto a la técnica, como queda dicho, es inexistente. Las obras del teatro colonizado español, constan, en su mayor parte, de tres o cuatro hojas, a lo sumo veinte, con objeto de que el director escénico improvise cuanto quiera, e igualmente los actores, siguiendo los pasos del Living Theater de Nueva York. Para llegar a la suma audacia y convertir tres o cuatro páginas en un espectáculo, se necesitan directores escénicos geniales, o labor de grupos colectivos en que todos aporten una creatividad genial. Dentro de esta tendencia hemos tenido a un director joven, de gran fuerza, llamado Juan Bernabé, que ha sabido recrear un texto tan débil como el titulado *Oratorio*. Este director creó un magnífico y único espectáculo hecho con la colaboración de diversas personas del pueblo sevillano de Lebrija, de aquí el nombre del grupo independiente *Los Lebrijanos,* que nacieron con Juan Bernabé y murieron con Juan Bernabé.

Dentro de este teatro colonizado hay que distinguir a grupos de teatro independiente que tienen la virtud de buscarse a sí mismo, arrancando de toda esta colonización. Entre estos grupos destaca el llamado *Tábano,* quien empezó con verdadera gracia española y espontaneidad, creando un espectáculo de verdadera calidad a nivel de grupo, aunque no a nivel de obra, titulado *Castañuela-70,* donde la sátira y la burla eran claves para la búsqueda de un espectáculo español que destacaba del colonizaje.

Uno comprende que la juventud española debe abrirse a Europa y asimilar todas las corrientes modernas europeas, pero también uno exige a esa juventud que lleven a Europa algo de la creatividad española. El camino seguido por *Los Tábanos,* ya era un paso hacia adelante. En cambio, los caminos seguidos por otros grupos, aunque dignos, son un paso hacia atrás. Es verdad que cada uno tiene su mérito, pero también es verdad que dejando aparte a *Los Tábanos,* y a los desaparecidos *Lebrijanos,* los demás no se puede decir que representen un progreso para el teatro español. Junto a estos grupos, tenemos a los autores descubiertos por el crítico norteamericano, cuyos autores adolecen de los mismos defectos y virtudes de los grupos. Mi deseo es que, algún día, estos autores empiecen a destacar con personalidad propia.

No cabe duda —como ya he dicho— que el teatro colonizado es una manera de evadirse de la realidad española, y esta evasión supone una ingenua ruptura con los valores tradicionales de un posible y verdadero teatro español. Creen, tanto autores como grupos independientes, que lo colonizado es lo moderno, cosa que viene bastante bien a las directrices marcadas en nuestra época, por las siguientes razones: porque los esbozos de obras de estos autores, ni caben dentro ni fuera de España. Algunos de ellos estrenaron en universidades norteamericanas —lo cual no es estrenar, sino ensayar— gracias a la colaboración insistente del protector norteamericano que los descubrió, quien nos quiere hacer creer, sin convencernos a nadie, que los autores de este teatro colonizado son equivalentes o superiores a los grandes ingenios de la dramática universal. Que estos autores escriben esbozos de obras, haciendo un mimetismo absoluto de lo extraño, nos lo acaba de decir en la revista *Triunfo,* el crítico José Monleón, cuando hablando del profesor Ruiz Ramón nos declara que a dicho profesor, después de leer los textos de estos autores, le es muy difícil escribir un tercer tomo de *Historia del Teatro Español del siglo XX* como tenía proyectado.

Pasamos ahora a la última parte de estas notas para un posible teatro español nuevo. Según hemos dicho, nos toca ahora analizar, quizá, lo más importante, o sea, el llamado teatro subterráneo: como antes dijimos, la llamada generación realista, ha sufrido una lógica evolución, la cual ha sido imposible verse en los escenarios españoles. Si cuando empezaron ya arrastraban el delito de protestar y denunciar, en plena madurez de la vida, siguen protestando y denunciando, pero ahora, sabiéndose ya todos los juegos de la época histórica en que vivimos. La denuncia y protesta va envuelta en carcajadas, surgiendo un teatro totalmente trágico, pero de dicha tragedia surge la burla, el sarcasmo y la carcajada. Es un teatro, pues, que vuelve rotundamente la espalda a las directrices marcadas y a las obras vigentes que se pueden ver en cualquier cartelera madrileña o española. El dramaturgo ha tomado partido y conciencia de la imposibilidad de que sus obras suban a las tablas. Ha desaparecido todo temor y todo miedo, todo titubeo y toda angustia. El dramaturgo sabe que por estas veinticuatro horas no estrenará en España, pero está cierto y tiene una insobornable fe en que, más adelante, este teatro que surge con desprendimiento de místicos o de héroes, ha de imponerse no sólo en España, sino fuera de ella. Y lo que el dramaturgo tiene certeza y fe en ello, también lo saben los demás. De aquí el tremendo juego de quién vence a quién, y el temible miedo de los que están oponiéndose a que este teatro subterráneo salga a la luz.

Este teatro subterráneo, no conocido por la generalidad y reducido su conocimiento a unos cuantos amigos, es y será el posible teatro nuevo español. Lo que digo lo acaban de apuntar críticos tan importantes, como el profesor y académico don Fernando Lázaro Carreter, en un artículo publicado en la revista *La Gaceta Ilustrada,* cuyo artículo se titula *El teatro soterrado.* También lo ha apuntado Francisco Ruiz Ramón en su *Antología del Nuevo Teatro Español,* la cual está a punto de publicarse en Nueva York.

¿En qué consiste, pues, este teatro subterráneo, aparte de las características citadas? En primer lugar creo que en el desarrollo potencial de lo que ya existía en las primeras obras de los dramaturgos realistas, madurando conceptos existenciales, muy de ellos, madurez que ha surgido envuelta entre los mayores apaleamientos, sitiamientos a sangre fría, esperando los sitiadores a que estos autores se aburran, se cansen, enloquezcan, o desesperen. Pero los sitiadores han sido vencidos por los sitiados, que no dando su brazo a torcer, han plantado cara y han seguido su camino, profundizando más y más en el análisis de lo que pueda ser España, tomando más conciencia aún de los problemas con incesantes preguntas sobre la actitud o postura de los españoles y la situación ante la realidad que viven. Una inmensa oleada de amor, ha llegado, ante este análisis y esta oleada de amor en pro del español y del hombre de cualquier rincón del mundo. Han ido seleccionando y depurando técnicas, para encontrarse aún más a sí mismo. A algunos, que marcharon a los Estados Unidos o a Europa, al volver, los periodistas españoles les preguntaron que si el contacto con los Estados Unidos o con Europa les había ampliado el sentido del teatro, o les habían influido en sus futuras obras. Contestaron que los Estados Unidos habían influido para saber hacerse más españoles, y para tener más certeza de que no estaban equivocados, a pesar de que la crítica española, y otros que no son críticos, habían querido sembrar en el espíritu de estos autores, la incredulidad, la duda, y lo peor que pueda sucederle a un hombre: el perder la fe en sí mismo. Salían de los teatros de los Estados Unidos o de Europa, según afirman, con hondo dolor y rabia, cuyo dolor y rabia se traducían en un arrebato de furia y pasión, para castigarse a sí mismos, por medio de una ambición desmedida, pero controlada y equilibrada, para llegar a ser mejores de lo que acaso pudieran ser.

Así es que, después de grandes experiencias norteamericanas y europeas, los autores de este teatro subterráneo, se han lanzado con más fuerza a investigar en las raíces hispanas llegando, como he dicho, al sarcasmo, a la carcajada, al amor y a la caridad por el prójimo, escribiendo un teatro de espalda a la realidad comercial y directrices impuestas en nuestro tiempo, para hacer las obras al margen de todo juego sucio, y con vocación de místicos o de conquistadores, se han enfrentado con un trabajo serio y nuevo, sabiendo que será desatendido, que no se admitirá, que no encontrará el menor apoyo, pero sabiendo al mismo tiempo, que estas obras desprendidas y salvajes, de gran fuerza purificadora, a lo largo del tiempo, no podrán ser destruidas por nadie, porque por sí solas se irán abriendo camino y se impondrán. Y esas obras ahí están, hechas realidades, circulando de mano en mano de unos amigos a otros, y todos convencidos de que la maltratada generación realista, por mucho que han querido taparla y hundirla, está más viva que nunca. Lo saben los más poderosos empresarios españoles, lo saben en los medios oficiales, lo saben en cualquier rincón de cualquier teatro de nuestro país y fuera de él. Sobre lo que digo, recientes voces se han alzado en la Universidad de la Sorbona, que han tenido repercusión en casi todo el mundo, a través de revistas y diarios. Este teatro subterráneo no es ya un secreto, pero sí una vergüenza para aquellos que, pudiéndolo subir a los escenarios, no son capaces de hacerlo por cobardía ante la mesa revuelta de una situación histórica.

¿Qué obras puedo citar en esta línea subterránea, cuáles son sus asuntos, sus métodos expresivos, su lenguaje, sus estilos? Nos llevaría a un análisis el estudio de todo esto, que no acabaríamos fácilmente en unas horas; pero quiero dejar testimonio de algunas de estas obras, escritas por autores tan importantes como Buero Vallejo, Lauro Olmo, Rodríguez Méndez, Carlos Muñíz, etc. Entre estas obras citaremos *La doble historia del Dr. Valmy* de Antonio Buero, publicada en inglés y español en una revista norteamericana de una Universidad del estado de Indiana. Creemos que en esta obra, Antonio Buero da un paso profundo en su aspecto ideológico, analiza con gran agudeza una situación crítica, bastante importante de la vida española. La obra, de gran actualidad, nos conduce, además, a hondas meditaciones de conciencia, entablando un debate interior de posibilidades o de negaciones. En *La doble historia del Dr. Valmy,* Antonio Buero nos cuenta la historia de la redención de un hombre por su propia esposa, la cual, después de redimirlo, lo asesina, sabiendo que si no lo hace así, su marido quedará, durante toda la vida, con un remordimiento de culpabilidad, que lo llevará a la locura o a la muerte, si es que toda una sociedad no lo llega a asesinar antes. Esta magistral obra nos conduce a profundos abismos del espíritu humano acerca de lo que pueda ser la redención o la destrucción del hombre. Bajo este punto de vista, Buero enraíza con un teatro europeo de la fuerza de una *Edda Gabler* de Enrique Ibsen, o de una *Mujerzuela respetuosa* de Jean Paul Sartre. Se podría hacer una comparación entre los tres tipos femeninos de las tres obras citadas.

Lauro Olmo trata el problema de lo que pueda tener de pernicioso el turismo extranjero en las costas españolas, en una obra tituada *Mare Nostrum, S. A.*, enraizando también con una tradición europea sobre la degeneración de la cultura mediterránea de nuestros días. Esta obra, pone el dedo en la llaga, de una de las lacras sociales que más perjudican, no sólo a los pueblos y ciudades costeras de nuestro país, sino, en general, a todos los pueblos y ciudades costeras de la Europa mediterránea. Obra importantísima, también de Lauro Olmo, es la titulada *La condecoración*, donde nos muestra el grado de hastío y aburrimiento a que ha llegado la juventud española a la que no le importa la historia de los vencedores y vencidos de nuestra Guerra Civil, e intenta buscar unos caminos que estén muy lejanos de todo capitalismo y marxismo, de todo sentido de vencimiento, buscando nuevos horizontes y nuevas maneras para encontrar lo que sea la libertad humana.

Dentro de esta línea, tengo que destacar dos obras importantísimas de José María Rodríguez Méndez. Estas dos obras son: *Bodas que fueron famosas del Pingajo y la Fandanga* y *Flor de otoño*. La primera entronca con el Género Chico español, quizá también con el esperpento de Valle-Inclán. Obra de hermosas paradojas sobre lo que sea España. Está basada o tiene su punto de origen en una vieja canción española, que se cantaba, allá por los años 1898. Esta canción es la siguiente:

> De bellotas y cascajo
> se va a armar la bullaranga,
> que se casa el tío Pingajo
> con su novia la Fandanga.
> La madrina será la Cibeles,
> el padrino, el Viaducto será,
> los asilos del Pardo testigos,
> y la iglesia, la Puerta Alcalá.

La obra tiene su acción en la época de la pérdida de nuestras últimas colonias, o sea, hacia el año 1898. Las habaneras suenan en diversos momentos de la obra. Todo el ambiente, que magníficamente acertó a expresar en sus obras la generación del 98, se refleja en *Las bodas,* y por lo tanto, una España de protesta, de malos gobernantes, de desorientados, falta de moral y falta de medios económicos.

La aportación magistral de esta obra al teatro español, consiste en que parece estar construida a la manera de los cuadros de Goya, sobre todo, de la pintura negra de Goya. El final de la obra, o sea, el fusilamiento del Pingajo cerca del desaparecido cuartel de la Montaña de Madrid, es un cuadro alucinante, entre los claroscuros de un amanecer madrileño, que mueve al espectador al terror, a la piedad y a la risa trágica. No cabe duda, el arte dramático español de nuestros días está llegando a la culminación y maduración de lo que fue la mejor obra artística española, ya sea en el género de la novela, de la poesía, de la escultura o pintura. Esta lección, de lo que es el arte español en su mayor autenticidad, está aprendida en Cervantes, en Quevedo, en Goya, en Solana, en Pérez Galdós o en un Pío Baroja.

La otra obra de Rodríguez Méndez, o sea, *Flor de Otoño,* alcanza la equivalente madurez de los maestros que escribieron *La busca* o *Misericordia,* porque tiene del primero, o sea, de Pío Baroja, las vivencias de unos tipos donde se mezcla lo trágico con lo cómico, y del segundo, las ideas de que los seres humanos deben unirse por amor, cuyo amor está por encima de toda idea del sexo, de la política, de la raza, de la religión o de la moral. *Flor de Otoño* es el resumen de toda una corriente tradicional de la picaresca española, pero en este caso la picaresca se moderniza y se actualiza por medio de una perfecta técnica teatral, donde están presentes los recursos más modernos del arte dramático. Tales como el "Music-Hall", la proyección cinematográfica, no para dar imágenes a la manera neo-expresionista alemana, sino simplemente para dar las noticias de los periódicos de la época de la dictadura de Miguel Primo de Rivera, en cuya época, tiene *Flor de Otoño* la acción. El solo hecho de las disparatadas noticias periodísticas, revelan, de una manera grotesca, que conduce a la carcajada, la historia de una determinada época española. *Flor de Otoño,* que es el seudónimo de un muchacho de una distinguida familia catalana, es, de día, un joven normal y elegante, y de noche, un homosexual, que canta en el barrio Chino de Barcelona disfrazado de mujer, cantando las más pícaras canciones de la época. *Flor de Otoño,* a la misma vez, es un poderoso anarquista que pone bombas a las cuatro de la mañana, en los preludios de la Semana Trágica de Barcelona.

De varias obras más que vienen a enriquecer el ya citado teatro español subterráneo podríamos hablar. A mi conocimiento han llegado obras, dentro de esta línea, que podrían ser algún día, juntamente con las obras citadas, la gloria del teatro español contemporáneo, tales como *Anillos para una dama,* de Antonio Gala, o *La tragicomedia del serenísimo príncipe D. Carlos,* de Carlos Muñiz.

En conclusión, podemos decir, y casi afirmar, que surgirá un nuevo teatro español, cuando este teatro subterráneo se pueda ver libremente en los escenarios españoles, cuando el teatro colonizado deje de mimetizar a Europa, para buscar cada autor lo que por derecho le pertenezca. Hoy por hoy, no existe en España más teatro que el que no podemos ver corrientemente en los escenarios españoles, único teatro que aporta una nueva cultura, un nuevo pensamiento, una nueva técnica, un amor a los auténticos valores de la tradición española. No quisiera terminar sin recordarles a ustedes aquel poema de León Felipe, que parece resumir la actualidad artística y socio-política del ambiente teatral español. El poema dice así:

> Yo no sé muchas cosas,
> es verdad.
> Digo tan sólo lo que he visto.
> Y he visto:
> que la cuna del hombre
> la mecen los cuentos...
> Que los gritos de angustia
> del hombre
> lo ahogan con cuentos...
> Que el llanto del hombre
> lo taponan con cuentos...
> Que los huesos del hombre
> los entierran con cuentos.
> Y que el miedo del hombre...
> ha inventado todos los cuentos.
> Yo sé muy pocas cosas,
> es verdad.
> Pero me han dormido
> con todos los cuentos...
> Y sé todos los cuentos.

III

CREACION

LA NOTICIA

LAURO OLMO

Vendedor
Hombre 1.º
Hombre 2.º
y Lectores

Epoca: Actual

Una valla, a la izquierda y no muy al fondo, llega horizontalmente casi a la mitad del escenario. Es una valla en la que, con grandes letras, se lee: *Viva el...* y no se puede leer más, porque lo que sigue es ilegible debido a que está tachado con grandes chafarrinones de pintura negra. A la derecha de la valla, un puesto de periódicos se halla a un paso del lateral derecho.

(Apoyados en la valla, dos hombres leen, serios, un periódico. Al lado del puesto, El Vendedor, también serio, lee otro ejemplar del mismo periódico. Por el lateral derecho entra otro Hombre y se para ante el puesto, como solicitando del Vendedor un ejemplar. Este le mira y, sin dejar el suyo, le hace un leve gesto indicando al cliente que se sirva él. Hecho esto, reanuda, siempre serio, su lectura. El cliente coge un ejemplar, deja su importe, y hojeando su periódico, camina hacia el centro. Al llegar aquí se para y centra su atención al parecer sobre la misma noticia que leen los otros. De pronto, estruja entre sus manos el periódico y, con un gesto de indignación, lo arroja contra el suelo. Presuroso sigue su camino y sale de escena. Los otros le miran. Cuando ya ha salido, se juntan los tres en el centro del escenario exclamando casi simultáneamente)

HOMBRE 1.º: ¡Es una bestialidad!

VENDEDOR: ¡No tiene explicación!

HOMBRE 2.º: ¡Esto mancha! ¡Nos han manchado!

VENDEDOR: Explíquese.

HOMBRE 2.º: Ha ocurrido aquí. ¿Es que no se dan cuenta? ¡Aquí!

HOMBRE 1.º: Se siente uno traicionado. ¿Quién puede hablar ahora de dignidad, de honor?

VENDEDOR: ¡Vocearía! ¡Vocearía la noticia!

(Se lleva una mano a la boca en disposición de vocear).

HOMBRE 2.º: *(Tapándole la boca)* ¡Chitsss! ¿Se ha vuelto loco?

VENDEDOR: ¡Estoy harto! Algún día vocearé todo lo que me vengo callando desde hace... *(Serio al hombre 1.º)* ¿Quién es usted?

HOMBRE 2.º: *(Enérgico)* ¡Sí! ¿Quién es usted?

HOMBRE 1.º: *(Igual)* ¿Y ustedes? ¿Quiénes son?

VENDEDOR: Yo...

HOMBRE 2.º: Yo...

HOMBRE 1.º: Tranquilícense. Yo...

VENDEDOR: ¿Acaso importa quienes somos? Hombres, ¿no?

HOMBRE 2.º: Hombres asustados.

VENDEDOR: Asustados o no, ¡hombres! Y las cosas tienen un límite. Y yo presiento que vocearé, pase lo que pase. ¡Vocearé, sí! Las noticias son pa eso: pa vocearlas. Y mi oficio es vocear. De éso como, vivo. Y viven los míos. Y no quiero, no soporto el seguir traicionando mi oficio. El otro día, jugándome el mal pan, voceé. Lo hice un poco a escondidas, lo sé. ¿O creen que no me duele? ¡Pero lo hice! Y me sonrieron mis lejanos diecinueve años, cuando la vida me brincaba dentro y me empujaba hacia adelante.

HOMBRE 1.º: ¿Es usted... éso?

VENDEDOR: No. *(Decidido)* Lo otro.

HOMBRE 1.º: Yo éso. *(Ante el gesto de recelo de los otros dos)* No, no se inquieten. Estoy tan indignado como ustedes. Además, ¡han pasado demasiados años! Tengo cinco hijos, y dos nietecillos. Mi hijo mayor es médico. Otro es abogado. El tercero murió. El abogado es socialista.

Y de mis chicas, que son dos, una pertenece a la directiva de las juventudes obreras de acción católica. Para la pequeña no existe más que el twist.

VENDEDOR: Yo soy... Bueno, pertenecía al... Me tiré unos cuantos años en el "colegio" y escapé por pelos de la "pepa". Se lo repito a ustedes: Tenía diecinueve años y la vida me brincaba dentro.

HOMBRE 2.º: A mí la política no...

VENDEDOR: ¿Política? Bien, llámele usted así. Pero la cosa era muy gorda y no había huido. ¿Y sabe qué le digo? Que si lo de ahora sigue así, nos la arman otra vez. (*Al hombre 1.º*). Y a usted se le acabará la paz de su mesa. Y a mí... Bueno, ¡jabato otra vez! (*Al hombre 2.º*) ¡Llámele! ¡Llámele usted política a la cuestión! Le van a pillar dormido. ¿Es usted casao?

HOMBRE 2.º: Sí y no.

VENDEDOR: ¿Arrejuntao?

HOMBRE 2.º: ¿Le importa a usted mucho?

VENDEDOR: No se enfade. Lo que quiero decirle...
(*Se calla al ver que el otro muestra un carnet*).

HOMBRE 2.º: (*Muestra el carnet y exclama*) ¡Inspector..!

HOMBRE 1.º: (*Echando un paso atrás*) ¿Qué?

VENDEDOR: (*Igual*) ¿Cómo?

HOMBRE 2.º: (*Serio y justificándose*) ¡Inspector de seguros! No me han dejado ustedes acabar. Y hasta...¡hasta han hecho ustedes que me asuste yo también!

VENDEDOR: (*Con entusiasmo*) ¡La vida es formidable, señores! ¡La vida! Es tan...tan...¡Vaya, no me sale (*Al hombre 1.º*) ¿Usted pesca? (*Al hombre 2.º*) Y usted (*Pícaro*) ¡arrejuntadillo, ¿eh? ¡Peces! ¡Mujeres! ¡Y los pajarillos piándolas! (*Imita silbando el gorjeo de un pájaro*) ¡Formidable, sí señores! La otra tarde arranqué una lechuga, fresquita, carnosa, y me la comí. ¡Cómo me supo! Les juro a ustedes que se me saltaron las lágrimas. (*Con tono íntimo*) Y busqué, busqué con la vista a alguien a quien poder darle las gracias. ¡A cualquier ser vivo! Créanme ustedes, hay momentos en que el odio no es posible. (*Al hombre 2.º*) Y hay que defender esos momentos con uñas y dientes.

HOMBRE 1.º: Son momentos en que todo parece bien hecho.

VENDEDOR: Sí, señor. ¡Momentos en que uno abre los brazos hasta descoyuntarse pa que en el abrazo quepan todos! ¡altos, bajos, gordos y flacos! (*Pierde el entusiasmo y duro, serio, exclama señalando el periódico*) Pero esto, ¡noticias como ésta!

HOMBRE 1.º: (*Igual que antes*) ¡Es una bestialidad!

VENDEDOR: ¡No tiene explicación!

HOMBRE 2.º: ¡Mancha! ¡Nos han manchado!

VENDEDOR: (*Decidido*) Nada, ¡que la voceo! (*Llevándose en disposición de megáfono, la mano a la boca*) ¡Ha salido "El Soplo"! ¡Compren "El Soplo" con la escalofriante noticia de...!

(*Los dos hombres se lanzan hacia él tapándole la boca*)

HOMBRE 2.º: ¡Cállese!

HOMBRE 1.º: ¿Quiere que nos...?

VENDEDOR: (*Revolviéndose*) Estoy harto, ¡harto! (*Enfrentándose con el hombre 1.º*) Yo también tengo hijos, ¿se entera? Dos chavales enteros, que vocean lo que piensan. Y tengo que hacerles ambiente. Jugármela otra vez voceando en la calle a pleno pulmón. Si no lo hago así, cualquier día puede pasarles algo: ¡dos estampidos!, ¡dos cabriolas grotescas!, ¡y solo!, ¡me quedo solo! ¡Solo y podrido para siempre! (*Agarrando de las solapas al hombre 2.º*) ¡y usted tan fresco! Tranquilo ante el espejo y repitiéndose ¡no, a mí la política no...! (*Soltándolo*) Si usted tiene sangre, se tiene que dar cuenta de una cosa: que el hecho de leer esa noticia (*le señala el periódico*) es un hecho político. Y usted ha vibrado. Usted ha gritado: ¡Esto mancha! ¡Nos han manchado! (*Al otro*) usted es testigo. (*Volviendo al mismo*) Y su grito me ha devuelto vigor, me ha envalentonado. Y sé que vocearé la noticia. Porque usted también ha dicho: "Ha ocurrido aquí. ¿Es que no se dan cuenta? Aquí". (*Al hombre 1.º*) Y usted ha remachado: "Se siente uno traicionado. ¿Quién puede hablar ahora de dignidad, de honor. Es una bestialidad". (*A los dos*) Yo lo he escuchado. Y algo se ha puesto en movimiento dentro de mí. (*Enfrentándose de nuevo con el hombre 2.º*) Y este embarque no se lo consiento a usted si me deja solo con mis hijos. ¡Cómicos en el escenario, señor! ¡Allí se alza el telón, sí. Pero nadie se va hasta que se baja. ¡Fíjese si la cosa es respetable! ¿Pero cómico en la calle? ¿Alzar el telón y darse el piro? ¡No! ¡Usted ha gritado: "¡Esto mancha! ¡Nos han manchado!". Y como yo lo he escuchado y me he entusiasmado, usted, quiera o no quiera, es un político. ¿O prefiere que le llame ciudadano? Le voy a dar un consejo: Si quiere aguardar la patada escondido en su huevo, ¡córtese la lengua! (*Volviéndose y voceando de nuevo*) ¡El Soplo! ¡Compren "El Soplo"! con la escalofriante noticia...

(Igual que antes, los dos Hombres le vuelven a tapar la boca. El se revuelve. Forcejean un instante. Al fin el Vendedor se desprende exclamando:)

VENDEDOR: ¡Ya está bien!

HOMBRE 1.º: No tiene derecho a comprometernos.

HOMBRE 2.º: Suicídese, ¡pero suicídase solo!

(Los dos Hombres vuelven a su postura inicial al lado de la valla, serios. Y se enfrentan de nuevo en la lectura de la noticia. El Vendedor los mira. De pronto, yendo hacia ellos, exclama:)

VENDEDOR: ¡Y además...!

LOS DOS: (*Cortándole*) Y además, ¿qué?

VENDEDOR: (*Señalándoles los periódicos*). En ellos viene publicada ¿O no se han dado cuenta?

HOMBRE 2.º: ¿Nos toma por tontos?

VENDEDOR: (*Extrañado*) ¿Nos toma?

HOMBRE 1.º: Exactamente. ¡*Nos* toma!

VENDEDOR: (*Al hombre 1.º*) ¿A usted nunca le ha dicho su hijo cosas así? No, no es verdad que exista una unión. Lo que pasa es que os junta el miedo. Un miedo que os ha ido creciendo y que os pone nerviosos antes de doblar cualquier esquina de la ciudad. Palabras de mi hijo, ¿sabe usted? Diecinueve años, tornero. (*Entre súplica y mandato señalándoles el periódico*) Lean, lean ustedes. ¡En voz alta, por favor! (*Al hombre 1.º*) Nuestros hijos son jóvenes. Y a los diecinueve años no es fácil estarse callados. ¡Por favor, lean en voz alta! ¡Comenten en voz alta! ¡Hagamos ambiente! (*Al hombre 2.º*) ¿Usted qué opina? ¡Sostenga, sostenga que la noticia mancha! ¡Que nos han manchado! (*Al hombre 1.º*) ¡Se siente uno traicionado, sí! Repítalo ahora, ¡es necesario que lo repita ahora! Yo vocearé, voy a vocear, ¡sí! Lean, lean en voz alta. Un trocito cada uno, ¿quieren? O, si lo prefieren, leemos los tres a la vez, es una idea, ¡una idea feliz! ¿A que sí? Luego verán con qué entonación, ¡con qué entusiasmo voceo! (*Al hombre 2.º*) ¡La vida es formidable, señor! ¡Peces!, ¡mujeres! (*A los dos*) ¿Les conté lo de la lechuga, verdad? (*Al hombre 1.º*) Usted lo dijo: "Momentos en que todo parece bien hecho". ¿Fue así, no? Voceen, voceen conmigo. ¡El Soplo! ¡Compren "El Soplo" con la escalofriante...!

HOMBRE 1.º: (*Autoritario*) ¡Cállese!

HOMBRE 2.º: (*Igual*) ¡Todo tiene un límite!

VENDEDOR: (*Cohibido*) Yo... Señores, creí...

HOMBRE 2.º: ¿Qué creyó usted?

VENDEDOR: Creí que...

HOMBRE 1.º: ¡Cállese!

HOMBRE 2.º: (*Casi simultáneamente*) ¡Cállese!

(Un hombre entra y coge un periódico. El Vendedor llega hasta el puesto y coge el importe que le alarga el nuevo cliente. Todo en silencio. Abriendo el periódico, el comprador va y se sitúa, de espaldas a la valla, al lado del Hombre 1.º y del Hombre 2.º. Otro hombre entra y realiza lo mismo después de comprar el periódico. Y otro. Y otro. Cuantos más, mejor. Así hasta que ocupan la valla: siempre leyendo y en silencio. El Vendedor, inquieto, da dos o tres pasos. Al fin se decide y vocea)

VENDEDOR: ¡El Soplo!

(Instantáneamente, los lectores de la valla dejan los periódicos y le disparan sus miradas. El Vendedor las sostiene un momento. Al fin, decidido vocea)

VENDEDOR: ¡Compren El Soplo con los resultados de los partidos!

TODOS LOS LECTORES: (*Con alivio y entusiasmo*) ¿En qué página?

VENDEDOR: (*Con desprecio*) ¡Búsquenla!

T E L O N

CEREMONIA PARA UNA CABRA
SOBRE UNA NUBE (1966)

FERNANDO ARRABAL

F.: EL HOMBRE.

L.: LA MUJER.

UNA NIÑA.

En escena: Un balón opaco de metro y medio de diámetro y una escalera de muchos peldaños.

L. está dentro del balón e intenta, sin éxito, salir.

Una niña entra corriendo de un lado a otro, montada sobre un sable como si se trata de un caballo de cartón. Dos globos de plástico —de colorines— están atados al puño del arma.

La niña cesa de corretear y mira hacia el interior del balón. Ríe estridentemente.

Entra F., se dirige al balón para liberar a L. La niña, con astucia y autoridad, le obliga a subir a lo alto de la escalera y allí le ata con una cadena. Ríe de nuevo.

F. y L. hablan. La niña, a lo largo de toda esta conversación, entra y sale con patines, jugando con un yo-yó, chupando un gigantesco pirulí, etc.

F.—Paseáte. Obedéceme, eres mi esclava y yo soy LIBRE.

L.—¡Estás aquí! Te he esperado todo el día. Una flor boca-a-abajo emerge entre mis piernas. Con su sombrilla natural voy y vengo.

F.—¿Lloras?

L.—No.

F.—Si lloraras te tiraría piedras.

L.—Y cuando ría, ¿qué harás?

F.—Te lanzaré desde las ventanas del hospital de los incurables cien mil camas para tu espalda blanca.

L.—¿Y la cabra?

F.—La veo constantemente. La cabra está sobre la nube.

L.—¿Estás seguro?

F.—Seguro.

L.—¿Vas a liberarme?

F.—Sí, pero primero obedéceme.

L.—Ven a verme.

F.—Primero obedéceme.

L.—¿Eres libre? (*Pausa*) No te ha atado ninguna niña, ¿verdad?

F.—¿Atarme? ¿Una niña? ¡Qué cosas piensas! Soy tu amo. Tu señor. ¿Quién podría atarme?

L.—Me azotarás al irnos a dormir con un látigo violeta mientras lloro.

F.—No sé si lo mereces.

L.—¿Te acuerdas de mis senos?

F.—Tus senos son de cristal y en vez de pezones, tienes dos escarabajos de oro.

L.—Mírame.

F.—(*Se da la vuelta, mira en la dirección opuesta y cierra los ojos*). Te miro y siento un río que va desde mis ingles a mi cerebro y de mi cerebro a mis ingles.

L.—Cuando me hablas, mi cuerpo cabalga sobre una pantera. (*Pausa*). Bésame... y verás cómo mis cabellos se convierten en peces. Acércate y bésame.

F.—Buscaré un gigantesco pan. Lo partiré en dos y me meteré dentro para que me comas como un bocadillo.

L.—(*Ríe a carcajadas*).

F.—He soñado...

L.—¿Qué has soñado?

F.—He soñado que llorabas y llorabas mientras te sodomizaba y cuando me separaba de tí, te salía por detrás un río de agua y sobre él nadaban infinitos diminutos elefantes... y tú reías.

L.—¿Soy tu esclava?

F.—¡Eres mi esclava!

L.—Tengo un laberinto sobre mi vientre en el que se han perdido mil palomas. También es tuyo.

F.—¿Cómo interpretas mi sueño?

L.—Pienso que quieres realizar la ceremonia del amor presidida por tu placer y mi dolor solos.

F.—¿Y los elefantes?

L.—Los elefantes quieren decir que...

F.—¡Cállate! No quiero saberlo. ¡A ver! Intenta moverte con el balón, que yo lo vea.

L.—¿Te gusta?

F.—¿Te hace sufrir?

L.—Sí.

F.—Muévete pues.

L.—Hago cosas difíciles para tí, piruetas.

F.—Diviérteme, soy tu rey. Eres mi bufón.

L.—¿Me quieres también?

F.—Una gota de sangre acaba de caer desde mi cerebro. La he visto, iba muy lentamente: la corola de una flor retenía su caída...

L.—¡Te quiero!

F.—...y la gota al caer en el suelo se ha convertido en un líquido blanco y pringoso. (*Llora*) ¡No soy libre!

L.—¿No eres libre?

F.—Me ataron de nuevo.

L.—Entonces... ¡qué será de nosotros!

F.—(*Furioso*) Te he dicho que andes con el balón. Obedéceme, ¿me oyes? Y esta noche te torturaré hasta el amanecer sobre las sábanas negras de mi cama.

L.—Te quiero locamente. Te quiero locamente. (*Pausa*). ¿Has visto la cabra?

F.—La cabra está sobre la nube.

L.—Por fin logra romper la cadena.

F.—Mira: he roto la cadena. Soy libre. Voy a liberarte.

L.—Llevo en mi vientre un niño que va a nacer y quiero que me ayudes durante el parto.

F. Se dirige al balón.

Tira de la mano de L. para sacarla.

Pero en vez de liberarla, él mismo se cuela en el interior de la bola, quedando encalabozado.

Risa aguda de la niña que contempla la escena medio escondida.

La niña entra corriendo subida sobre el sable, a caballo.

Redoble de tambor. Levanta el arma. Con decisión clava el sable en el interior de la bola: mueren pues F. y L.

De la bola se escapan globos de plástico de colores.

Risa estridente de la niña.

TELON

LAS ARRECOGIAS
DEL BEATERIO DE SANTA MARIA EGIPCIACA

(Fiesta española en dos partes)

JOSE MARTIN RECUERDA

LAS ARRECOGIAS
(Por orden de intervención)

CARMELA "LA EMPECINADA"
CONCEPCION "LA CARATAUNA"
CHIRRINA "LA DE LA CUESTA"
PAULA "LA MILITARA"
RITA "LA AYUDANTA"
EVA "LA TEJEDORA"
ANICETA "LA MADRID"
D.ª FRANCISCA "LA APOSTÓLICA"
ROSA "LA DEL POLICIA"
MARIANA DE PINEDA
ROSA "LA GITANICA"

OTROS PERSONAJES

LOLILLA LA DEL REALEJO, RAMÓN PEDROSA, CASIMIRO BRODETT, EL DEL
MUÑÓN, LA MUDA, EL POLICIA, LA REVERENDA MADRE, SOR ENCARNACIÓN.

Músicos, policías, soldados, frailes franciscanos, monjas, gente del
pueblo, títeres.

(Al ir entrando el público al teatro, tendrá la impresión de que entra a una gran fiesta. Músicos charangueros de la Granada de co-
mienzos del siglo XIX, estarán tocando las canciones de la obra,
e irán por todas partes del teatro.

Lolilla la del Realejo y sus costureras, vestidas grotescamente para
ir a los toros, alegrarán la entrada del público, cantando a veces;
otras, dándoles flores. Con Lolilla y las costureras podrá haber
cuantos personajes de la obra estime la dirección.)

CANCIONES DE LA OBRA

Coplas y tanguillos de las manolas de Bibarrambla.

Coplas de las mujeres del rey Fernando.

Salmodia a la entrada en el beaterio.

Canción a las costas de Tarifa.

Coplas de las abanderadas.

Canción a las manos de Rosa "La Gitanica".

Canción a los patíbulos.

Fandango del amor perdido.

Tanguillo del sereno.

Vito a las pisadas de los caballos.

Coplas de Madam Lolilla la del Realejo.

Salmodia a los que martillean sin remedio.

Coplas de las tapadas del Zacatín.

Variantes finales de las coplas.

PRIMERA PARTE

Calles y cuestas de la Granada de principios del siglo XIX, cuando Granada, juntamente con Bayona y Gibraltar, era uno de los focos revolucionarios que amenazaban al gobierno del Rey de España.

Los pasillos de la sala del teatro se unen con las empedradas cuestas granadinas. Las casas de principio del siglo romántico, desbordan la embocadura a un lado y otro de la misma. Dentro del escenario vemos, en estos primeros momentos, las tapias del beaterio de Santa María Egipciaca. Las tapias han aparecido inundadas de letreros insultantes. En estos letreros podemos leer:

"Al librero madrileño Antonio de Miyar lo han paseado por la Cibeles con un cartel al cuello y escupiéndole".

"Calomarde asesina la cultura y el progreso".

"Viva el general Riego".

"La cabeza del hijo puta de Pedrosa".

"Mueran los realistas".

"Viva la masonería".

En la cancela del beaterio, podemos leer también, en letreros toscos, sobre una carcomida madera oscura:

"Casa de Dios y de Santa María para asilo de mujeres perdidas".

Y otro letrero más abajo que dice:

"Limpia tu alma al entrar, pecadora, como María Egipciaca en las puertas del templo de Jerusalén".

Y otro letrero más abajo, con letras muy populares, que dice:

"So putas".

(Vemos pasearse, a través de la cancela, a centinelas, carceleros, soldados de vieja Infantería española. Oímos a las monjas de Santa María cantar un "Te deum", cantos que se mezclan con la alegría de una banda de música, que toca en un plaza de toros, no muy lejana.

O achicharra el sol, o la ciudad está solitaria, porque la gente o se encuentra en la corrida de toros, o el terror impuesto por la política del tiempo, hace que, en principio, parezcan que están desiertas las calles. Estamos en el año 1831. Vemos pasar un hombre por el medio de la sala del teatro y subir una de las cuestas que dan al escenario. El hombre, como mudo, al parecer empleado del Ayuntamiento, muy cansado y sudando, lleva un cubo con pintura y brocha, carteles enrollados y unas escaleras plegables y de madera. Al llegar se sienta, y parsimoniosamente, lía un cigarrillo, mirando discretamente al público, y a un lado y a otro de las calles. Ya liado el cigarrillo, se lo coloca en la oreja, como el que está vigilando, coge sus utensilios y se pone a pegar un cartel, donde se lee en gandes letras:

"Aviso: Escuela de Toros"

Mientras pega el cartel vemos que, con sigilo, se van abriendo los postigos de los balcones de algunas casas, y observamos que alguien vigila desde dentro. Podemos darnos cuenta de que la ciudad no está tan sola, sino que mucha gente está dentro de sus casas. Termina la faena el empleado y sale. Enseguida oímos tocar una guitarra con alegría y un palmoterío redoblado y bien sonado. Salen, por una de aquellas calles, Lolilla la del Realejo y las cinco costureras, muchachas de unos dieciocho a veinte años, vestidas de manolas señoronas, disfraz burlesco para ellas, con pelucones de estilo francés, pintarrajeadas y grotescas. Se adelanta Lolilla a cantar, mientras las otras bailan, jugando, al mismo tiempo, con grandes abanicos alpujarreños, de vivos colores. El vestido de Lolilla, arrastra, a modo de falda colgandera, o de mandil, un largo trapo rojo que, recogido farfolleramente a la falda verdadera, le arrastra por detrás, como si fuera una cola del vestido.)

LOLILLA: (Cantando y bailando)

> Dicen que toda Granada
> está conspirando,
> y que los granadinos
> se pasan el día,
> con aire muy fino,
> entre celosías,
> acechando, acechando.
> Pero nosotras decimos:
> si hay corridas de toros
> a donde asistimos,
> la plaza repleta,
> el sol como el oro,

la alegría completa,
¿qué importa tanta conspiración?
¡Ay, granadino, grandinito
no tienes perdón!

(Se jalean unas a otras y se adelantan después las cinco costureras y cantan, mientras Lolilla salta entre ellas).

CINCO COSTURERAS: Las manolas de Bibarrambla
no saben que pasa
en España entera,
dividida en dos bandos,
se baila el fandango
y se intenta vivir,
y dicen que la gente,
callando,
callando y callando
quisiera morir.
¿Pero qué pasa aquí?

(Se jalean unas a otras con más bríos y después sale Lolilla a cantar, mientras las otras bailan).

LOLILLA: Ay, huertanicas florías
de las orillicas del río Genil,
mandad airecicos
fresquitos
a los españolitos
de por ahí,
porque todos queremos vivir.

(Sigue el jaleamiento y ahora cantan y bailan las seis).

LAS SEIS: (Cantando y bailando)
Sigan los pronunciamientos
y los generales en Gibraltar;
sigan los regimientos
tan descontentos,
que nos da igual.
Que no quiero al realista
ni al que es servil,
sólo quiero agua del río
y un suspiro para dormir.

(Toda la sala se enciende y los músicos desde los pasillos de abajo, van subiendo y bajando las cuestas y cantan, al mismo tiempo que tocan. Lolilla y las seis costureras bailan).

LOS MÚSICOS: Las manolas de Bibarrambla
no saben qué pasa
en España entera,
no saben quien es Pedrosa,
¡vaya una cosa!,
ni Calomarde, ni el rey Fernando,
y tan tranquilas,
van a los toros,
siguen su baile
mientras el pueblo se está matando.

(Cantan ahora las cinco costureras, con aire ingenuo, mientras Lolilla baila entre ellas, haciendo pantomimas de ingenuidad).

LAS CINCO COSTURERAS: Somos como palomas
que vuelan sin enterarse.
Lo que pasa en Granada,
se lo lleva el aire,
pero nos contenemos,
porque no queremos
dejar a nadie
por embusteros.

(De pronto, dejan de tocar los músicos y Lolilla y las Costureras salmodian, con furia).

LOLILLA Y COSTURERAS: ¡Trágala! ¡Trágala! ¡Trágala!
Esto se oye decir
del uno a otro confín
de la España en que vivimos.
¡Trágala aquí!
¡Trágala allí!

(Vuelve a sonar la guitarra, ahora por tanguillos, y las seis se dulcifican y taconean. Taconeando el tanguillo, Lolilla se quita el trapo rojo que llevaba en la falda y juega con él, a modo de capote, y se lo arroja a las costureras, quienes sin dejar de bailar, extienden, entre todas, el trapo rojo, y le dan la vuelta. En él se puede leer: "No estáis solas, arrecogías", mientras cantan las seis. Los músicos las acompañan).

LOLILLA Y COSTURERAS: ¿Y el capote?
Este es.
¿No lo ven?
Por si acaso
un muchacho,
de repente
y valiente,

354

se tira a la plaza
donde pasa
lo que no se puede figurar.
Y eso es lo que hay que cantar:
porque la gente,
también muy valiente,
cuando grita "olé",
no es por el torero
que tiene salero
al torear,
sino a algo que pasa,
que no está en la plaza,
pero la gente ve,
y al decir "olé",
parece que quieren matar.
¿Qué será?

(Mientras se jalean taconeando los tanguillos, Lolilla coge el trapo rojo y lo arroja detrás de las tapias del Beaterio de Santa María Egipciaca, sin dejar de bailar. La gente, escondida detrás de los balcones, cierra enseguida los postigos y los músicos y las Costureras alzan el baile y la música, con más fuerza. Lolilla se vuelve asombrada y canta ahora, mientras las demás bailan).

LOLILLA: (Con cierta burlesca ingenuidad).

Se me escapó.
Sí, señor.
Un aire traicionero,
granadino y fiero
se lo llevó.
Y el capote ha quedado,
como se ve,
dentro de las tapias,
para no sé quién.

(Cambia el tono de la música y cantan y bailan ahora las seis).

LOLILLA Y COSTURERAS: (Con ciertos tonos confidenciales).

Sepan ustedes
que nosotras somos
Lolilla y sus costureras,
pero nos disfrazamos,
muy pintureras,
de manolas
o de señoras
francesas,
y aquí comienza

355

la cuestión
de esta España
que vivimos de la "ilustración".
Helo aquí.

(Se ponen un dedo en la boca, en señal de silencio, y cantan y bailan bajito).

Nadie puede decir
que nosotras fuimos
las que hicieron
lo que vimos
y vieron.
Y todos a reír,
que nadie trajo un capote aquí,
sino un polizón
en la falda de Lolilla,
y se le escapó.

(Cambian de son y de baile y el palmoterío se hace más alegre, los músicos cantan ahora).

Los músicos: ¿Quién dijo miedo?
Salero, salero, salero,
buen vino tinto
y buen tabernero.
Penas, ninguna,
que dieron la una,
que dieron las dos.

(Sale Lolilla a cantar, mientras las otras bailan).

Lolilla: Y Albaicín arriba,
y Albaicín abajo,
la cabeza alta
y mucho desparpajo,
que lo que ha de pasar,
se verá.
Y por mucho que pase,
con finura y clase
hay que seguir,
para hacer sonreir,
cantando y bailando
al mismo compás.
Quiere usted callar.
No hay triste destino,
españolito
que naces, tan solito
como las aguas del mar.

(Los músicos y las costureras corean)

Músicos y Costureras: No hay triste destino,
                          españolito
                          que naces, tan solito
                          como las aguas del mar.

(Varían el baile y la música y muy armoniosamente, con gran encanto y serenidad, se van metiendo por una calle, sin dejar de cantar y bailar).

Lolilla y Costureras: Ay, murallitas de Cádiz,
                          Ay, marecitos de plata.
                          Los barquitos españoles
                          tienen las anclas atadas,
                          que no sirven los suspiros
                          ni lágrimas derramadas.

(Se van fundiendo estos cantos con los de las monjas del Beaterio.

Se apaga la luz de la sala y queda sólo la luz del escenario a pleno sol. El teatro se invade de los cantos religiosos de una "Salve" que cantan las monjas del Beaterio de Santa María Egipciaca, mientras va subiendo la tapia, para verse ahora, por dentro, el Beaterio, que ocupa, de un modo solemne, toda la mayor parte del escenario. El Beaterio es un antiguo palacio del Renacimiento, con corredores enjaulados arriba, que sirven de celda común a las arrecogidas rebeldes, casi fanáticas, que viven entre la realidad o la locura, entre el terror y la contenida paciencia que dará fin a sus vidas. Cogida a los hierros de los enrejados, vemos a Paula "La Militara", con el vestido casi destrozado y harapiento, con los pechos medio desnudos, con las piernas arañadas, encrespados los cabellos, la cara sudorosa y gesto de cansancio. Mira hacia abajo, hacia el patio. Paseándose nerviosa, está Rosa "La del Policía", como endemoniada, harapienta, semidesnuda, con cadenas y argollas entre los huesos de las muñecas. Detrás vemos a Aniceta "La Madrid" , sentada en un jergón, peinándose y quitándose piojos, con un jarro de agua al lado y un lebrillo.

Abajo, en el patio, vemos corredores y celdas individuales. Todas abiertas, menos una. Una gran cancela a un lado da a los corredores del pórtico de entrada. Un corredor, hacia el centro, que se pierde hacia el foro, simula la entrada a la capilla. Corredores, columnas, celdas, empedramiento del patio, todo dará la impresión de las caballerizas del viejo palacio renacentista, arruinado ahora, asilo u hospital en otro tiempo.

Por el empedrado se pasea orgullosa y lujosamente vestida, D.ª Francisca "La Apostólica":, también arrecogida, perteneciente a la aristocracia granadina, siempre deseando ser amable con las demás. Las demás desconfían y parecen huir de ella. De uno de aquellos corredores, sacan una mesa, larga y de madera carcomida, Carmela "La Empecinada" y Chirrina "La de la Cuesta". Rita "La Ayudanta", Eva "La Tejedora" y Concepción "La Caratauna", traen vasos y jarras, entrando y saliendo, como las de la mesa. La "Salve", cantada en la capilla por las monjas del Beaterio, se hace enternecedora.

Carmela "La Empecinada": Ya han terminado la Salve, gracias al trono de la Santísima Trinidad, que dicen que cae aquí en lo alto.

Chirrina "La de la Cuesta": (A Concepción "La Caratauna") Como no te laves las manos, yo no bebo en esos jarros, ni como en esos platos.

Concepción "La Caratauna": ¿Es que no me las lavé antes de coger los platos y los jarros? ¿Qué tienen mis manos? Lavadas con arenilla. ¿Qué culpa tengo yo de que me haya tocado hoy fregar la jaula de arriba?

Paula "La Militara": ¿Qué pasa con la jaula de arriba?

Rita "La Ayudanta": (A Eva "La Tejedora") Fíjate qué oído de víbora tiene "La Militara".

Paula "La Militara": Si os parece, me taparé los oídos. Pues no faltaba más. Que una no oiga ni la tarde de toros.

Eva "La Tejedora": Qué alegría da de oír el gentío. Esta alegría no se oía en Cataluña.

Aniceta "La Madrid": Yo me ponía mi peina atrás (señala detrás de la cabeza) que me pillaba toda esta parte de la cabeza, y hala, a los toros. Pero en Madrid, hija. La plaza de los Carabancheles me la conozco bien. Y mira en el espejo en que me veo:

> Paso río, paso puente,
> siempre te encuentro lavando,
> qué lástima de carita,
> que se vaya marchitando.

Si me viera mi general ahora...

Carmela "La Empecinada": (Muy dispuesta) Que te calles, alcuza vieja.

ANICETA "LA MADRID": No me da la gana. ¿Es que cada una no recordais lo vuestro cuando os da la gana? ¿Es que cada una no contais lo que os sale de la garganta? Yo sí. Pues no me rogaba veces, mi general Riego, para llevarme a los toros. Vivía yo entonces en la plaza de la Cebada. Llegaba mi general, bajo mis balcones, en un coche de caballos, guapo como un granadino albaicinero, y me hacía una reverencia. Entonces yo bajaba, me montaba en aquel coche e iba a la plaza de los Carabancheles. Se armaba la gorda al vernos asomar al tendido a mi general Riego y a mí. Pero nosotros no entendíamos de desigualdad de clases. Yo vendía flores, él era general. Qué rabiaran los que fueran. Después de la corrida, paseábamos por la Cibeles, por San Isidro, por la Florida... Ni los reyes. (Bebe agua del jarro y la rechaza con asco). ¿Habéis probado este agua? Está llena de arenilla. Y dicen que la traen de la fuente del Avellano... (Escupe).

CARMELA "LA EMPECINADA": Poner la mesa bien en medio. Que nos dé el olor de los limoneros.

CHIRRINA "LA DE LA CUESTA": En medio la estamos poniendo.

CARMELA "LA EMPECINADA": Que te crees tú eso. Que estás dislocada, nada más que has visto a los centinelas.

CHIRRINA "LA DE LA CUESTA": ¿Yo? ¿De qué centinelas hablas?

CARMELA "LA EMPECINADA": De los que han venido a reforzar.

D.ª FRANCISCA "LA APOSTÓLICA": (Muy digna) ¿Ha venido refuerzo?

CARMELA "LA EMPECINADA": Mucho. Pero creo que son infantes de las nuevas llamadas. Eso dijo Rita "La Ayudanta", que lo sabe todo. ¿No es así?

RITA "LA AYUDANTA": (Encogiéndose de hombros) ¿Yo?

PAULA "LA MILITARA": (Como soñando) ¿Infantes?

CARMEN "LA EMPECINADA": Sí, infantes de la gloriosa Infantería, aunque "La Ayudanta" se haga la tonta. Un regimiento tenemos rondándonos. Por eso yo me he puesto estas ramas de limonero en la cabeza.

CHIRRINA "LA DE LA CUESTA": Y yo este escote descosido, que ya no puedo enseñar más de lo que tengo.

PAULA "LA MILITARA": ¿Oyes, Rosa? Más refuerzo.

(Se tira al suelo, haciendo esfuerzos, para fisgonear entre los hierros bajos de las rejas.)

Rosa "La del Policia": (Sumida en odio, mientras no deja de pasear) Oigo.

Paula "La Militara": (Tendida, misteriosa y con miedo) ¿Qué esperará el rey tripero que pase en Granada?

Rosa "La del Policia": (Mascullante) Que estalle, lo que tiene que estallar.

Aniceta "La Madrid": ¿Vamos nosotras a bajar a comer?

Paula "La Militara": Yo qué sé.

Aniceta "La Madrid": Que estamos en vísperas de Corpus Christi y harán la caridad de bajarnos abajo.

Chirrina "La de la Cuesta": (Que oyó a Aniceta) Comulga y confiesa y tendrán confianza en tí.

Aniceta "La Madrid": ¿Digo, el oído que tiene la de "la cuesta"? (Asomándose irónica a las rejas) ¿Has comulgado y confesado tú?

Chirrina "La de la Cuesta": En la capilla de enfrente.

Aniceta "La Madrid": Pues cúbrete el escote, que te las veo bien.

Rosa "La del Policia": (En su angustia) Dejarlas.

Aniceta "La Madrid": Si no hacen más que provocar.

Rosa "La del Policia": Dejarlas ¿No hay un trapo con vinagre para darme por estas rozaduras?

Aniceta "La Madrid": Sí lo hay. Ahora mismo lo busco.

Rosa "La del Policia": Tú no. Tú no. Se quiere congraciar conmigo, pero es mala. No la quiero ni a la hora de mi muerte. Me dan asco tus manos, no lo puedo remediar.

Aniceta "La Madrid": Nadie debe despreciar las manos de nadie.

Rosa "La del Policia": Paula, busca el vinagre. Tengo fiebre y los desollones se me hinchan. Paula, ¿me oyes?

Paula "La Militara": (Sin mirar a Rosa) Déjame ahora, a ver si lo veo.

Rosa "La del Policia": Sois malas las dos.

PAULA "LA MILITARA": (A Rita "La Ayudanta") Eh, tú, Rita "La Ayudanta", tú que estás más cerca de la puerta, dime de donde vinieron los del nuevo regimiento.

RITA "LA AYUDANTA": (En secreto, poniéndose un dedo en los labios y mirando, con desconfianza, a un lado y a otro). De Burgos.

PAULA "LA MILITARA": (Sobresaltándose) ¿De Burgos? ¡Si hubiera venido él!

CARMELA "LA EMPECINADA": Si hubiera venido él, ¿qué?

PAULA "LA MILITARA": Lo avergonzaría desde aquí. Que no hay tapias cuando quiero que mis voces se oigan. Tres años sirviendo al rey, mientras yo me pudro. Pero, ¿cuándo saldrá mi juicio? Pero, ¿cómo las Audiencias guardan tanto los papeles de los pobres?

ANICETA "LA MADRID": (Riendo) Te faltan los años que tiene Aniceta "La Madrid", como llamáis a una servidora, para comprenderlo. Tu juicio, hija mía, no es el de una Audiencia donde corre la moneda. Tu juicio lo llevan los militares. Pero, qué cabezas, Santa Filomena, doncella y mártir, qué cabezas. Ninguna se entera de los funcionamientos de las leyes. Ni sabéis leer ni escribir. No sabéis más que enamoraros. ¿Cómo vamos a ganar las liberales? Ni fuisteis a la escuela ni sabéis bien qué es lo que en España pasa.

CARMELA "LA EMPECINADA": Ni lo sabe nadie.

CHIRRINA "LA DE LA CUESTA": Más que los que roban.

CARMELA "LA EMPECINADA": Que te calles con el sermón de la montaña.

ANICETA "LA MADRID": (Levantándose y matando el último piojo) Con cantos de este lebrillo, os estaría dando golpes en la cabeza, hasta que os metiera las letras y supiérais leer en los periódicos.

CARMELA "LA EMPECINADA": ¿Estáis oyendo a la cascaruleta? Aquí tenemos al general Riego pronunciándose.

ANICETA "LA MADRID": ¿De qué me sirvió entonces tenerlo tantas noches en mis brazos? Todo su delirio de grandezas y todas sus aspiraciones se quedaron entre estos brazos, con pellejos colgando, que estais viendo.

CARMELA "LA EMPECINADA": ¿Qué nos vamos a creer que estuviste comprometida en tu plaza de la Cebada? Una. Una sí que fue detrás de Juan Martín, el Empecinado. Para quererlo tanto, que sólo me conformé con limpiarle el sudor de la frente. Yo fuí del Empecinado. Fuí y lo seré siempre. Y no se lo restriego a nadie. Ni sueño con él. Que le peguen cuatro tiros si estuviera vivo.

ANICETA "LA MADRID": Pero mírala ahí. ¿Por qué no iba a ser yo la comprometida del general Riego? ¿Os habeis fijado alguien en mis ojos? ¿Quién de este beaterio tiene unos ojos más bonitos que los míos? Que me quisieron hasta pintar. Y a mis años. Y mis manos, ¿tienen alguna arruga a mi edad? Habría mujeres hermosas en Madrid, pero como yo, pocas. Vosotras, como me veis todos los días, no os dais cuenta. ¡Si mi general viviera...! Que ya no sé si vive.

ROSA "LA DEL POLICIA": (Con odio y dolor) Mis manos, Paula.

PAULA "LA MILITARA": Voy, voy. No parece sino que nadie ha tenido argollas en las manos. Necesitas para tí una criada. (Antes de ir a ayudar a Rosa, dice, a las de abajo, y a modo de indirecta) Que ya se están acabando los señoríos.

D.ª FRANCISCA "LA APOSTÓLICA": (Atildándose orgullosa y paseándose) La tienen tomada conmigo. Pero yo sé bien qué hacer el tiempo que esté encerrada aquí. No puedo convencerlas, ni me importa. ¿Es que no puede una pasearse bien limpia por esta caballeriza? Pero estoy perdiendo toda mi clase de señora con hablar aquí. Y es que una necesita tanto con quien hablar..., que hasta con las columnas hablaría. Ya no me importa ser una más. (Encandilando los ojos) Una más. Salgo aquí para escuchar el ruído de los toros y a ellas les molesta. ¡Pensar que las fiestas del Corpus Christi están en puertas...! Que años atrás, yo abría los salones de mi casa para dar suntuosas fiestas. Mi casa de la calle de Gracia... Mi palacio con su jardín...

CARMELA "LA EMPECINADA": Y no casca nada la señora.

D.ª FRANCISCA "LA APOSTÓLICA": Parece mentira, haber luchado tanto para destruir las clases, llegar aquí, luchando por la igualdad...

CARMELA "LA EMPECINADA": ¡Mientes! Estabas arruinada.

D.ª Francisca "La Apostólica": (La mira, simulando paciencia, de arriba abajo) Menos mal que una os comprende y que una tiene resignación. Querer ser como vosotras, y no querer comprenderme... ¿Qué hacer yo para convenceros? ¿Es poco estar encerrada en el beaterio? Yo juré la Constitución del año doce, cuando también la juró el rey Fernando, y sin embargo, no renuncié a mi jura, como renunció el rey. Por eso estoy entre vosotras. Y estoy con orgullo de estarlo.

Carmela "La Empecinada": Pues escribe en la "Gaceta" lo que dices. Ole ahí los pronunciamientos.

Chirrina "La de la Cuesta": (Acercándose coqueta e irónica a D.ª Francisca) Dame un poco de tu colonia. ¡Qué bien huele tu perfume! Han venido infantes nuevos y puede que esta noche... ¿Me lo darás?

D.ª Francisca "La Apostólica": ¿Mayor desvergüenza se ha visto..? No respetar a una señora.

Chirrina "La de la Cuesta": (Irritándose) ¿Señora? Aquí vienen las que estuvieron con muchos y les hicieron barrigas, y tienen que corregirse. Si fueras solamente presa política, te hubieran llevado a la cárcel baja. Anda y que se mueran los generales de aquélla. (Señala a Aniceta). Y los reyes y la aristocracia tuya. Anda y que se mueran los tejedores catalanes que llaman liberales y han venido a traficar en Granada. ¿De qué me sirven las ideas que me dieron, si hoy me encuentro en este beaterio, sin un poco de colonia para enamorar siquiera a esos soldados de infantería que nos guardan? Anda y que se pudran todos. ¿Para qué luché al lado de nadie? ¿Quién me salva ahora? Vengan matas de limonero también para mi pelo, y a vivir aquí, tan cercanas a la muerte y olvidadas de todo ese mundo que está alegre en los toros, y paseándose por las calles de los madriles de aquélla. (Vuelve a señalar a Aniceta). Y van a los toros como los que nada sienten. (Exaltándose). ¿Pero y esos liberales que están en las costas y no pegan ni un tiro? Pero, ¿por qué teniendo un fusil en la mano no pegan ni un tiro? ¿Pero qué pasa que nadie se rebela?

Aniceta "La Madrid": ¿Qué pasa con mis madriles y con mi general? Ay, Santa Piedad, no sé cuando váis a respetar lo mejor de mi vida.

Rosa "La del Policía": ¡Mis rozaduras!

Aniceta "La Madrid": ¡Calla de una vez! ¡Qué delicada es esta Rosa "La del Policía". Se ve que tu marido cobraba buenos sobresueldos y te tendría entre lujos, como buen policía del rey Fernando.

Rosa "La del Policía": Aparta de mi vista, vieja jarapatosa.

Aniceta "La Madrid": Deja lo de vieja. Que pronto te verás tú como yo. Aquí se envejece al vuelo. Los días son años.

Rosa "La del Policía": (En el mismo estado). No mentes más mi pasado. No quiero saber nada de mí. Como lo sigas nombrando, soy capaz, mientras duermes, de clavarte las argollas en la cabeza.

Aniceta "La Madrid": Bien atadas están tus manos. Que todos sabemos lo que hiciste.

Rosa "La del Policía": Lo hice porque soy liberal. Liberal y no me arrepiento como otras. Si esto se paga con este beaterio, que se pague. Así defiendo mi libertad.

Aniceta "La Madrid": (A las de abajo) ¿Sabéis que mató a su marido?

Rosa "La del Policía": ¿Y qué? Era un policía ladrón.

Aniceta "La Madrid": ¿Lo véis?

Rosa "La del Policía": Lo ven. Lo saben. Así se paga la libertad. (Va y golpea los hierros de las rejas con las argollas) ¡Y no me arrepiento de pagarla!

Aniceta "La Madrid": ¿Véis? Nadie puede quitarse de encima aquella quien fue. Ella miente. Daría su vida por no estar aquí y con esas argollas. Las ideas de libertad no liberan, sino condenan, como está ella, como estamos todas.

Rosa "La del Policía": (Abalanzándose a Aniceta) ¡Callarás para siempre!

Paula "La Militara": (Sujetándola) Quieta, Rosa, quieta.

Rosa "La del Policía": ¡Déjame!

Paula "La Militara": (Luchando con ella) Quieta.

(Rosa "La del Policía", va cayendo al suelo, gimiendo, vencida, sin fuerzas. Abajo se armó un gran alboroto, cerrando las puertas por temor a que las monjas intervengan, mientras dicen unas a otras)

CARMELA "LA EMPECINADA": Cerrar las puertas del pasillo de la capilla.

CHIRRINA "LA DE LA CUESTA": Que no comemos hoy caliente. Que me dan calambres en la panza.

CARMELA "LA EMPECINADA": Deja los platos, ayudanta y ponte a cerrar.

CHIRRINA "LA DE LA CUESTA": (Subiéndose en la mesa) Me subo y bailo, mientras aquellas callan. Y bailo con el trapo rojo que antes tiraron, que lo tenía en un escondite: en el cajón de la mesa.

(Una vez subida, se pone el trapo rojo por falda, de larga cola, se palmotea y empieza a bailar).

CARMELA "LA EMPECINADA": Allá voy yo también.

(Cantan y bailan para suavizar el miedo que se apoderó de todas ante la refriega de las de arriba. D.ª Francisca "La Apostólica" se encerró en su celda.)

CHIRRINA "LA DE LA CUESTA" y
CARMELA "LA EMPECINADA" (Cantando y bailando):

> Se dice por los madriles
> que las mujeres del rey Fernando
> son muy princesas,
> de muy alto rango.
> Muy delicadas, con gran finura
> bajan al Prado
> y suben penando.
> Ay, ¿qué tendrán?
> ¿Qué tendrán
> las mujeres del rey Fernando?

(Se bailotean con nervio y sale Carmela "La Empecinada" a cantar)

CARMELA "LA EMPECINADA":

> Los aires de los madriles
> pasan matando,
> a las reinas de España
> que se casaron,
> muy enamoradas
> del rey Fernando.

(Se vuelve a bailotear y cantan después las dos)

CHIRRINA "LA DE LA CUESTA" y
CARMELA "LA EMPECINADA":

> Ay, reyecito de España,
> si tus mujeres,
> entre los aires de Recoletos
> viven penando,
> ¿por qué no piensas
> en los secretos
> que las afligen?
> Que son palomas,
> con ojos almerienses,
> mirar hiriente
> y olor a rosas.

(Las demás arrecogías de abajo se contagiaron, juntamente con Aniceta "La Madrid" y Paula "La Militara", cantando y bailando todas, menos Rosa "La del Policía"", que está casi desfallecida en el suelo).

TODAS:

> Que en las costas españolas
> y olé,
> se derrumban los castillos,
> ole con ole, con ole y olé,
> porque no hay reyes de España,
> que contengan las hazañas,
> de Marino y Juan Martín,
> ole ahí.
> Que castillos grandes, grandes.
> derrumbados, dieren fin,
> y las costas españolas
> no contienen la avalancha
> de los gritos liberales
> que se lanzan
> desde Cádiz a Gibraltar,
> desde Castilla la Vieja,
> Ronda, Málaga y Granada,
> al otro lado del mar,
> ole con ole, con ole y olá.

CHIRRINA "LA DE LA CUESTA": Mirad.

CARMELA "LA EMPECINADA": ¿Qué pasa?

CHIRRINA "LA DE LA CUESTA": Están relevando a los centinelas.

CARMELA "LA EMPECINADA": Vamos a verlos desde las escaleras, pero tiraros al suelo.

(Se tiran al suelo y rastreando, van subiendo la escalera que da al corredor, donde al fondo, se ve la cancela enrejada de la primera guardia. Muy en neblinoso se ven las sombras de los de infantería. Paula "La Militara", muy intranquila y nerviosa, se vuelve a tirar al suelo intentando espiar y escuchar a las de abajo. Aniceta "La Madrid", sigue peinándose, y Rosa "La del Policía" gime muy en silencio. La escena toma un aire misterioso).

CHIRRINA "LA DE LA CUESTA": Así no nos verán.

EVA "LA TEJEDORA": (En secreto a las demás) Parece que Granada se ha llenado de guarniciones militares.

PAULA "LA MILITARA": (En secreto a las de abajo) ¿Oís qué dicen?

CARMELA "LA EMPECINADA": No. Pero hablan fino. Como de Valladolid. Como de Burgos...

PAULA "LA MILITARA": (Como soñando) ¡De Burgos..!

(En estos momentos, ha abierto la puerta de la celda, Mariana de Pineda. Reconocemos en su cara las huellas de los muchos días en vilo dentro del Beaterio de Santa María. La muerte lucha con ella y los huesos de la cara lo atestiguan, pronunciándose y comiéndose la belleza de la hermosa mujer granadina. El cabello encrespado, revuelto, descuidado, rubio, precioso a la vez, es testigo de las muchas noches en vela. Los ojos, soñolientos, pero con la triste mirada de las granadinas, cansados. Su último traje, de gran señora, sucio y jironado, se echa en el umbral de la puerta de la celda, como la que le deslumbra la hermosura del sol, o la que no estuvo viviendo y de pronto, se da cuenta que vive. Así escucha a las demás. Nadie notó la salida de Mariana).

EVA "LA TEJEDORA": Al principio, no había tanto militar.

CONCEPCIÓN "LA CARATAUNA": Pobres de nosotras, sin luces en nuestros sesos para escapar de aquí.

EVA "LA TEJEDORA": Habla bajo. Aunque se encerró D.ª Francisca "La Apostólica", puede estar escuchando. Alguien hay entre nosotras que le dice todo a las monjas.

RITA "LA AYUDANTA": ¿Por qué tanto soldado cercando el beaterio?

CONCEPCIÓN "LA CARATAUNA": No sé.

Rita "La Ayudanta": Hay refuerzos continuos.

Eva "La Tejedora": Oí decir al panadero que han matado a Manzanares en las serranías de Ronda.

Concepción "La Caratauna": ¿Y qué? No es nuevo. No pasan tres meses sin que fusilen o maten a un político o a un general.

Eva "La Tejedora": Pero es que dicen que Manzanares venía para unirse, aquí en Granada, con el capitán Casimiro Brodett.

Rita "La Ayudanta": ¡Casimiro Brodett!

Carmela "La Empecinada": (Sobresaltada) ¿Quién es ese capitán?

Paula "La Militara": (Que estaba deseando hablar) Si estuviera abajo, como vosotras, enamoraría a los centinelas, para que me lo dijeran todo.

Concepción "La Caratauna": Sí, ¿quién es ese capitán?

Chirrina "La de la Cuesta": Uno de los amantes que tuvo Mariana de Pineda.

Eva "La Tejedora": (Herida) Respeta ese nombre que acabas de decir

Chirrina "La de la Cuesta": ¿Por qué he de respetarlo? Las que entran aquí son como nosotras, y también las ahorcan con las medias colgando y aunque tengan capa de señoras, merecen la corrección. ¡Quién pudiera haberse llevado a la cama a los que Mariana se llevó, y morir en paz y gracia de Dios después!

Eva "La Tejedora": Cállate.

Chirrina "La de la Cuesta": No me da la gana. Aquí hemos venido a decir todo, a que nada se nos quede por dentro. Benditas confesiones. Soy granadina y lo sé todo. Granada es pequeña como un pañuelo.

Carmela "La Empecinada": Pero, ¿qué pasa con Casimiro Brodett?

Chirrina "La de la Cuesta": Tiene una historia turbia. Lo que sea, él solo lo sabe, pero es liberal y quiere traicionar a las tropas del rey. Con Torrijos y los de Bayona, formará el nuevo gobierno. Y es más. Acercaos. (Todas se acercan ansiosas de saber) Es el hombre para quien Mariana de Pineda bordó la bandera. (Como iluminada señala para los centinelas) Tal vez aquella sea su gente. Estoy casi segura que son, porque ella está aquí. Fuí bailaora y puta en Cádiz y lo sé todo. No se me escapa nada.

CARMELA "LA EMPECINADA": ¿No oís cómo hablan? No son andaluces.

CONCEPCIÓN "LA CARATAUNA": Uno ha dicho que es de Burgos. "La Ayudanta" lo sabe.

CHIRRINA "LA DE LA CUESTA": De Burgos venía Casimiro Brodett.

PAULA "LA MILITARA": Sí. Tienen la certeza. (Alzando la voz) ¿Tenéis la certeza de que han dicho que son de Burgos?

ANICETA "LA MADRID": Calla, que nos enteremos de lo que dicen.

PAULA "LA MILITARA": (Con gran nerviosismo) Pues eso quiero, enterarme. (A las de abajo y sin poderse controlar) Preguntarles si son los del Regimiento de Santa María de Burgos. Sí. Lo son. Tienen que ser.

ANICETA "LA MADRID": Si no callas, no podemos enterarnos. Chiquilla, que está Fermín Gavilán.

CHIRRINA "LA DE LA CUESTA": (A Aniceta) ¡Cállele usted la boca a esa!

PAULA "LA MILITARA": (Obsesionada) Ha tenido que venir Fermín Gavilán.

(Se levanta y va, desalentada, a un lado y otro de la celda, golpeando las paredes de enfrente, cogiendo los jergones y amontonándolos, como la que intenta mirar por los ventanucos de lo alto de las paredes. Las de abajo empiezan a inquietarse al oír los ruídos y el escándalo de "La Militara".)

EVA "LA TEJEDORA": ¿Qué le pasa a Paula "La Militara"?

RITA "LA AYUDANTA": No sé. Me da miedo de mirarla.

CONCEPCIÓN "LA CARATAUNA": Que vendrán las monjas, que ya acabaron los rezos.

EVA "LA TEJEDORA": (Con miedo) Sigamos poniendo la mesa.

CARMELA "LA EMPECINADA": Aniceta, ¿qué le pasa a la Militara?

ANICETA "LA MADRID": Que la estoy deteniendo, porque está golpeando las paredes. Y me araña. Que no puedo con ella. Rosa, ayúdame. Dale con las argollas en los sesos. Que está desvariando. Rosa, acude. Que no puedo con ella. (Llamando) Madres, Madres, Paula "La Militara" se está volviendo loca y me está arañando. ¡Madres!

(Suena un alarmante repiqueteo de campanas. Salen alarmadas las monjas por unos y otros corredores del Beaterio. Suben dos y abren la celda común. Una de ellas, muy joven y fuerte, es SOR ENCARNACIÓN. La otra es la REVERENDA MADRE MARÍA DE LA TRINIDAD. Intentan contener a Paula "La Militara". Esta corre, hasta quedar acorralada en una pared de la celda. Ls arrecogidas de abajo, se ponen delante de las escaleras que conducen a la galería de arriba para detener el paso de las demás monjas. Vemos en esos momentos sufrir a Mariana de Pineda, paseándose nerviosa.)

PAULA "LA MILITARA": No me toquéis. (Ha roto uno de los lebrillos y amenaza con un canto).

LA REVERENDA MADRE: Suelta eso.

PAULA "LA MILITARA": Fuera de aquí. (Mascullante y con odio) Pero, ¿por qué no sale mi juicio? ¿Es que quieren matarnos vivas?

LA REVERENDA MADRE: Suelta eso.

PAULA "LA MILITARA": No me da la gana.

(La Reverenda Madre mira a Sor Encarnación. En la mirada se le nota una orden. Sor Encarnación se abalanza a Paula "La Militara" y lucha con ella, hasta lograr quitarle el canto del lebrillo. En estos momentos, Rosa "La del Policía", da golpes de rencor, con las argollas, entre los hierros.)

ROSA "LA DEL POLICIA": ¡Está luchando con ella y la ha golpeado! ¡Que salgan nuestros juicios! ¡Vosotras, monjas de Santa María, hijas del pueblo, no hacéis nada por ayudarnos! Pero Dios os castigará. Que nos estáis dando la muerte en vida, que es la peor de las muertes!

(La Reverenda Madre intentó amordazar a Rosa "La del Policía". Las dos mujeres luchan con la dos monjas. Mariana de Pineda, en un arranque de valentía, y viendo que llegan más monjas con maromas, apartó a todas, subió aprisa, se metió en la celda común y la cerró, guardándose la llave. Antes de subir logró coger algunas maromas de las monjas que subían.)

MARIANA DE PINEDA: Dejarlas. ¡Dejarlas ahora mismo!

(Silencio. La Reverenda Madre la mira desafiante. Sor Encarnación está jadeante y aterrorizada, mirando sus manos sin saber

370

bien lo que hizo, pero la Reverenda Madre no suelta a Rosa "La del Policía".)

He dicho que no las toquéis. (Le da una maroma a Aniceta. Silencio) Somos cuatro mujeres en contra de dos. Y no estamos solas.

LA REVERENDA MADRE: (Soltando a Rosa) No están solas, acaba de decir D.ª Mariana de Pineda. Espero que eso se lo diga también a D. Ramón Pedrosa. Y es delito mayor esta amenaza.

MARIANA DE PINEDA: Ha llegado el momento de tomarnos la justicia cada una.

LA REVERENDA MADRE: Luego sabe, D.ª Mariana que su condena está muy cerca y segura. Sólo las que están a punto de ir al patíbulo, reaccionan y hablan así.

MARIANA DE PINEDA: Yo no iré a ningún patíbulo. Y no soy una presa. Ni una arrecogida. No hay delito comprobado que atestigüe ninguna de las dos cosas. Mire la Reverenda Madre lo que dice y lo que hace. De aquí se sale. La institución de Santa María Egipciaca, no tiene leyes en su código que autoricen el castigo físico. El Romano Pontífice ha de juzgar esta institución que se toma la justicia por su mano.

LA REVERENDA MADRE: Cumplimos las órdenes de Su Real Majestad, en momentos de extremada gravedad como es el que vivimos. Cumplimos la misión impuesta a la Orden de este beaterio de Santa María Egipciaca.

MARIANA DE PINEDA: Ni Su Real Majestad ni nadie puede consentir tales abusos. Son las monjas de Santa María Egipciaca de Granada quienes, por miedo, no saben regir su ministerio. A los seres humanos se les lleva la limosna acariciadora de la palabra de Dios.

LA REVERENDA MADRE: (Hablándole de tú, para hacerle perder categoría) Sal de esta celda.

MARIANA DE PINEDA: Hábleme, la Reverenda Madre, con respeto. Para hablar con D.ª Mariana de Pineda, hay que hacerlo con respeto. Nadie debe tomarse esas licencias.

LA REVERENDA MADRE: Las que llegan aquí son recogidas. Las presas políticas van a la cárcel.

MARIANA DE PINEDA: ¿Quién puede a ciencia cierta decir, lo que Vuestra Reverencia está diciendo?

LA REVERENDA MADRE: Suelta esas maromas. Nada tienes que hacer con ese arrebato de violencia. Será inútil.

MARIANA DE PINEDA: El mío no es arrebato de violencia. sino de justicia. Sé que han reforzado la guardia del beaterio. Pero, ¿tanto poder conceden a unas mujeres solas, privadas a la fuerza de su libertad?

LA REVERENDA MADRE: Tú misma dijiste que no estás tan sola.

MARIANA DE PINEDA: Desde que pisé el beaterio, lo estoy Y si no lo estuviera, sería la mayor sorpresa de mi vida. Mientras tanto, le pregunto a Dios qué debo hacer para aceptar la soledad que nunca quise.

LA REVERENDA MADRE: Si fueras la gran señora, que dice la Granada liberal que eres, la sola idea de Dios, en verdad, te llenaría. Pero la realidad es que eres una recogida más.

MARIANA DE PINEDA: ¡Reverenda Madre!

LA REVERENDA MADRE: Sí. Una recogida más que ha llegado a este beaterio y ahora empezamos a saber quien eres y quien fuiste. En todo momento tiene que verse el temple y la fortaleza cristiana de una señora. Te observamos y recogemos tu proceder, que es ahora cuando tiene que verse, cuando está tan cerca la hora en que vas a ser juzgada por el crimen de traición al Rey, Nuestro Señor.

MARIANA DE PINEDA: Ni la Reverenda Madre, ni el juez de infidencias, D. Ramón Pedrosa, ni el Rey pueden demostrar mi crimen de traición. Cuide y ordene sus palabras, que hay un Dios que castiga. Y si en verdad se vigilan mis actos me vais a ver cómo soy, cómo en realidad nadie me vio nunca. Salgan de esta celda. Salgan ahora mismo. Tira, Paula, ese canto de tus manos. (Paula lo tira) Yo también tiro estas maromas. Tira, Aniceta, la tuya. (Se agarra, con furia a los hierros de la jaula, para decir) Pero, ¿hasta dónde llega el terror impuesto que cada española se convierte en la suma justicia? (A las monjas) Tengan la llave de la celda. Y cuidado con tocar. ni aún rozar el vestido de D.ª Mariana de Pineda.

LA REVERENDA MADRE: (Cogiendo la llave) Tu sueño de gran dama se derrumbará pronto.

MARIANA DE PINEDA: Deme la Reverenda Madre luz, si es que no tengo. Y no vuelvan a rozar ni la punta del zapato de una mujer indefensa. Y si cumplen leyes del Rey, nosotras no las aceptamos. Tenemos la honra y el solo delito de ser liberales, pero no confundan nuestras ideas, con lo que cada una hizo de su cuerpo.

LA REVERENDA MADRE: No somos nosotras quienes tenemos que hablar. Pecamos al hablar. Ya te hablarán otros.

(Salen y cierran la celda. Mientras bajan, las arrecogidas cantan, primero a boca cerrada, con un dolor contenido, Rosa "La del Policía" se acerca a Mariana y le dice, misteriosamente, señalando con un gesto en la cara a las monjas que bajan.)

ROSA "LA DEL POLICÍA": Esa monja que ha venido acompañando a la Reverenda Madre, es hija de un tejedor. Acaba de entrar al convento. Hija de un tejedor perseguido, que se fue, de guerrillero, a los campos de Ronda, y está vigilada por las demás monjas. Y la dura prueba que le han impuesto a Encarnación la del guerrillero, que es esa que baja, con las manos encallecidas, de tanto tejer en los telares del Albaicín, es venir y castigarnos, golpear y amordazar a las suyas propias, que somos nosotras. Nada de lo que ha hecho ha sentido. Tiene el mismo terror que las demás. Mariana, esa monja es de las nuestras.

MARIANA DE PINEDA: Ay, Dios... ¡lo que han hecho en Granada!... (Con gran cariño Mariana va hacia las rejas de la jaula) Quiero hablar con Encarnación...

ROSA "LA DEL POLICÍA": (Dando con las argollas en las manos de Mariana) Jamás. No la salvarías entonces.

(Mariana esconde, desesperadamente, la cabeza entre los brazos, que los tiene cogidos a las rejas de la jaula. Todas las arrecogidas cantan ahora, casi salmodiando, suaves, serenas. Las monjas se fueron por diversas partes.)

TODAS: Mariana de Pineda ha llegado al beaterio...
Entre las paredes del viejo palacio,
va jironando su último vestido,
de fino encaje albaicinero...
A verla no llegan sus íntimos amigos,
ni los fieles enamorados.
Muchos días pasan de este mayo granadino
sin que ningún amigo se acerque a las puertas del beterio.
Mariana de Pineda vive con granadinas
que se enseñaron a desconfiar y a mentir...

y en sus ojos de plata rosada
como los mares de Almería,
brillan luces dislocadas
igual que las de las últimas estrellas,
que no quieren dejar al cielo en los amaneceres de Granada.
En el alma de Mariana de Pineda está amaneciendo.
El beaterio de Santa María Egipciaca le enseña,
el amanecer que nunca vio la hermosa.
Y la heroína,
quizá en los últimos días de su vida,
empiece a saber lo que nunca supo:
que ahora quiere comenzar a vivir.

(Mariana va levantando la cabeza. Las arrecogidas de abajo, unas están junto a los corredores que salen a la puerta de entrada; otras, sigilosamente, siguen preparando la mesa. Las de arriba, excepto Paula "La Militara", quedan soñolientas en diversos rincones, pero tanto unas como otras, mientras están en lo suyo, siguen alertas a la conversación de Mariana con Paula "La Militara".)

MARIANA DE PINEDA: (Obsesiva sin mirar a La Militara) ¿Qué intención tenías, Paula? Demasiado sabes que ni se puede ver ni salir de aquí.

PAULA "LA MILITARA": Ver a Fermín Gavilán.

MARIANA DE PINEDA: ¿Quién es Fermín Gavilán?

PAULA "LA MILITARA": Quien me denunció. Por él, por ser tan mío él, me pusieron el apodo de "La Militara". Estoy aquí encerrada por él. Y llevo años sin que salga mi juicio.

MARIANA DE PINEDA: ¿Fue tu amante?

PAULA "LA MILITARA": Más que amante. Mi todo. Mi locura. El me llevó al altar en una iglesia de Cádiz.

MARIANA DE PINEDA: ¿Y te denunció?

PAULA "LA MILITARA": Por masona.

MARIANA DE PINEDA: ¿Y cuál es la verdad?

PAULA "LA MILITARA": (Apoderándosele un terror se coge a los hieros y dice a unas y a otras) ¿Se puede hablar aquí?

(Las arrecogidas siguen sin alterarse, como si no se hablara con ellas, pero con un gran deseo de enterarse.)

MARIANA DE PINEDA: Si no quieres, calla. Estoy ya en tu celda y tendremos mucho tiempo para contarnos todo.

PAULA "LA MILITARA": Reclama la tuya. Puedes reclamarla. Tú eres una gran señora.

MARIANA DE PINEDA: Acaso seamos muy iguales, Paula.

PAULA "LA MILITARA": En tí confían los revolucionarios de Granada. En mí, nadie. Mi juicio ni saldrá. Y moriré sin ser juzgada y sin poder defenderme.

MARIANA DE PINEDA: ¿Por qué piensas esas cosas tan crueles?

PAULA "LA MILITARA": Porque en el tiempo que estuve aquí, ví a otras que les ocurrió igual, sacadas de esta misma celda, sin saber siquiera donde iban... ¿Puedes suponerte lo que es morir sin que te juzgue un juez? ¿Sin que te defiendas ante un juez?

MARIANA DE PINEDA: (Encandilando los ojos, presa de un terror) Lo supongo... Pero, ¿qué pasó entre tí y Fermín Gavilán?

PAULA "LA MILITARA": Que yo quise separarme de él. Fuí yo. Estaba harta de que quisiera al rey más que a mí. De querer él tanto al rey, tuve yo que odiar al rey. Le propuse un día que eligiera entre el Ejército o yo. Eligió a los absolutistas y huí de él. Antes le propuse que huyera con Torrijos a Gibraltar. Pero no me escuchó. No tiene sesos. No le gusta más que jugar a los dados, beber y cobrar la paga. A duras penas lleva unos galones. Unos galones que le quité un día, a bocados, peleando con él.

MARIANA DE PINEDA: ¿Y por qué odias tanto al rey?

PAULA "LA MILITARA": Porque mandó fusilar a mi padre junto a los muros de la iglesia de San Felipe Neri. Yo, que soy gaditana, lo ví desde un balcón y tuve que tragarme aquello. Me fuí entonces a Cartagena, a trabajar en el muelle, y me enteré que me denunció. Huí a Sierra Morena y me encontré con "El Empecinado" y su gente. Me uní a él, hasta que lo metieron en las jaulas y lo pasearon por las calles de Madrid. En la Puerta de Toledo pude besarlo por última vez. Mientras lo besaba, dentro de aquellas jaulas, le sequé con este pañuelo que no lo aparto de mí, (se saca el pañuelo del escote) todo el sudor de la cara. Entonces me detuvieron y me trajeron a este beaterio a corregirme, porque me vieron besarlo, pero yo; ¿sabes?, soy honrada. Entre los que me detuvieron estaba Fermín Gavilán y me denunció por masona. Y estoy esperando meses que salga mi juicio, porque si saliera (con rencor) iban a saber quien es Paula "La Militara". Tengo que arrastrar a Fermín Gavilán, por las calles, a pesar de tanto como le sigo queriendo. Lo tengo que ver morir en mis brazos.

MARIANA DE PINEDA: Calma, Paula. Es posible que todo llegue... Pero olvídate del militar que quisiste. Olvídate...

PAULA "LA MILITARA": Nunca. Le he oído hablar. Ha venido con esos de Burgos. Tal vez hayan reforzado la guardia porque ha llegado mi hora. ¡Verás el amanecer de mañana! Y no traerán un cura a confesarme, porque con la cruz le abriré los sesos a quien sea. ¡Si pudiera ver al rey!

MARIANA DE PINEDA: Puede...

PAULA "LA MILITARA": (Cogiendo a Mariana, nerviosa) ¿Puede? (Casi susurrante) ¿Sabes algo? (Misteriosamente) Yo sé que tú ayudaste a muchos presos para que se escaparan. Sé que tuviste, en tus manos, planos de las cárceles, y que los refugiados de Gibraltar, que tú ayudaste a escapar, vendrán a darte la libertad. (Cogiéndola más nerviosa y en el mismo misterio) seré una tumba para guardar tus secretos. Te daré... la mayor reliquia que conservo... (Se saca el pañuelo del escote) Mira: manchado, no sólo de sudor sino de la sangre del Empecinao... Su última sangre... Cuando lo ví en aquel montón de escombros... junto a unas tapias... Es sangre que quiso liberar a España...

MARIANA DE PINEDA: Guárdate eso, Paula.

PAULA "LA MILITARA": ¿Por qué? Algo sabes. Es que sabes que voy a morir y quieres que muera con el pañuelo, mi único consuelo. Mariana, oye a esta presa: algo tenemos que hacer unas por otras.

MARIANA DE PINEDA: ¿Por qué temías tanto que Fermín Gavilán estuviera entre la guardia?

PAULA "LA MILITARA": (En secreto) Porque he oído decir... que llegan tropas de Burgos a salvarte... Y si entre ellas llega Fermín Gavilán... la conspiración quedará destruida. Es espía de Generales realistas. Es más. (Se le acerca) Puede que haya venido al mando de las tropas... Casimiro Brodett.

MARIANA DE PINEDA: (Valiente con rencor contenido). ¿Quién es Casimiro Brodett?

PAULA "LA MILITARA": El hombre para quien tú bordaste la bandera...

MARIANA DE PINEDA: (En la misma actitud) Yo no bordé ninguna bandera.

PAULA "LA MILITARA": (Retirándose de ella) ¡Estás mintiendo! ¿Entonces por qué estás aquí? Entre las arrecogías se sabe todo.

MARIANA DE PINEDA: Nada puede saberse. Ni sé por qué estoy aquí.

PAULA "LA MILITARA": Estás mintiendo. Aquí ha llegado la hora de decirnos la verdad y ser como somos, porque no sabemos quien morirá mañana, si tú o yo. Por eso quiero, al menos, amistad. Lo de mi pañuelo, no lo sabe nadie, mas que tú.

ROSA "LA DEL POLICIA": (Que se fue acercando con coraje) Una señora no puede mentir de esa manera.

MARIANA DE PINEDA: No te permito esa libertad conmigo.

ROSA "LA DEL POLICÍA": Fui la mujer de un policía. En la calle de Gracia vivíamos, lindando con la calle del Aguila, donde tú vives. Desde nuestra casa oíamos las músicas de tus fiestas. Nos subíamos a la torre para ver los balcones de tu casa. Te veíamos en tus salones, entre aquellas orgías. Los políticos más rebeldes y más asesinos de Granada, acudían a tus fiestas. Te puedo decir uno por uno quiénes eran. Después, cuando la fiesta terminaba, cerrabas los balcones de tu dormitorio y siempre se quedaba un hombre contigo.

MARIANA DE PINEDA: (Mascullante) Fuera de aquí, Rosa. Sigue en tu rincón.

ROSA "LA DEL POLICÍA": ¿Has venido aquí a mentir a la hora de la muerte? Las fuerzas de la guardia se refuerzan y es por tí. Por tí, Casimiro Brodett viene a salvarte. Y a la hora de la salvación, serás tú la salvada y nadie se acordará de las demás.

MARIANA DE PINEDA: Rosa, vuelve a tu rincón.

ROSA "LA DEL POLICÍA": ¡Qué he de volver! Si te salvan, nos salvarán a todas, y si mueres, pediremos morir contigo. Que el espectáculo sea mayor en la Plaza del Triunfo.

(Las recogidas de abajo, en estos momentos, se alborotan, acosando unas y otras a Mariana).

CARMELA "LA EMPECINADA": ¿Quién bordó entonces la bandera?

CHIRRINA "LA DE LA CUESTA": ¿Quién salvó de la cárcel a Sotomayor?

ANICETA "LA MADRID": ¿Por qué está aquí encerrada?

ROSA "LA DEL POLICÍA": ¡Esos balcones de tu dormitorio cerrados con gente dentro! Son los políticos que te voy a señalar: (Mariana cree enloquecer y se tapa los oídos) Tu fiscal, don Andrés Oller, el coronel del cuarto de ligeros de caballería, vizconde de Labante, y hasta el alcalde de crimen de la Real Chancillería de Granada, subdelegado de Policía, don Ramón Pedrosa.

D.ª FRANCISCA "LA APOSTÓLICA": (Saliendo de la celda) ¡Quién pudiera arrancarte la lengua! Estás faltando, menos a Pedrosa, a la real nobleza de Granada.

ROSA "LA DEL POLICÍA": Mira que pronto salió de su agujero "La Apostólica".

CHIRRINA "LA DE LA CUESTA": Y dice D.ª Mariana que no conoce a nadie. Y se ha pasado encerrada los días en su celda.

CARMELA "LA EMPECINADA": Desde que la trajeron por esa puerta. ¿Es acaso del rey?

CHIRRINA "LA DE LA CUESTA": O está aquí por masona.

CARMELA "LA EMPECINADA": (Señalando a Mariana) ¡Tú bordaste la bandera de la libertad! ¡Esa bandera que se espera se revolotee por las calles de Granada!

D.ª FRANCISCA "LA APOSTÓLICA": No tenéis perdón. Es tan valiente, tan gran dama, que ni os puede hablar.

ANICETA "LA MADRID": Es una política. Y tiene las malas revueltas de todos los políticos.

MARIANA DE PINEDA: Tengo fiebre, Señor. Y pienso en mis hijos.

(Se oye cercana la música de los toros).

CARMELA "LA EMPECINADA": Ya irán por el cuarto toro.

CHIRRINA "LA DE LA CUESTA": (Burlona) Aquí no pasa nada.

ANICETA "LA MADRID": (Burlona) ¿Qué va a pasar porque se refuerce la guardia?

CARMELA "LA EMPECINADA": ¿Qué llevas ahí?

CONCEPCIÓN "LA CARATAUNA": Un trapo que encontré en la cocina. Mira como lo revoloteo. (Revolotea el trapo con mucho garbo. Eva "La Tejedora" y Rita "La Ayudanta" están asustadas). Así yo, Concepción "La Caratauna", llevé una bandera, Mariana, desde mi pueblo alpujarreño, hasta las tierras de Tarifa. Pero al llegar a las costas tarifeñas, nos cazaron. Yo fui la única que me salvé. Conmigo venía don Rodolfo de la Peña, maestro de escuela de mi pueblo. Yo era su fregantina. ¿Sabéis quién venía con nosotros y cayeron todos, uno por uno..? ¡Los niños de la escuela de don Rodolfo de la Peña! Y entre ellos (Llora), mi hijo Sebastianico. Pero, ea, ya no lloro, mira, en vez de llorar, revoloteo la bandera, y no me oculto de quien fui, y lo que quiero. Soy una fregantina y no una señora, pero no me oculto. (En un arranque se sube en lo alto de la mesa, revoloteando la bandera) Mi brazo es el palo que sostiene la bandera, que así está ya de seco; sostiene la bandera como por las costas de Tarifa la llevaba, mientras cantábamos con los niños.

MARIANA DE PINEDA: (Se fue arrodillando ante la reja de las jaulas y saca los brazos fuera de las rejas, deseando acariciar a Concepción) Ay, Concepción.

CONCEPCIÓN "LA CARATAUNA": Yo también tuve un hijo, Mariana. Por aquellas tierras cantábamos así: (Cantando con profunda nostalgia)

> Por las costas tarifeñas
> van llevando una bandera
> Don Rodolfo de la Peña
> y los niños de su escuela.
> De doce a catorce años
> es la edad de los muchachos.
> Son de tierra alpujarreña
> y ya sienten y pelean
> por la España liberal,
> pero al llegar a la arena,
> con tanto sol y cansancio,
> han dejado la bandera
> y están jugando en el mar.
> De entre rocas tarifeñas
> salieron ardientes balas,
> cobardes y traicioneras.
> Han matado al de la Peña
> y a los niños de la escuela.
> La bandera de la tierra
> ya nunca se volvió a izar,

los niños agonizaban,
pidiendo la libertad.
Tan sola y abandonada,
¿dónde fue aquella bandera
que el aire volando lleva
por las arenas del mar?

CARMELA "LA EMPECINADA": (Cogiendo rápida el trapo y jugueteando con las demás) Mirad lo que yo hago con los trapos de la cocina de este beaterio, pagados por el rey. Intenta, quizás conmovida por el cantar de Concepción, hacer trizas al trapo) Que lo hago trizas.

CHIRRINA "LA DE LA CUESTA": (Quitándole el trapo) Puede ser nuestra bandera, y es hermoso. (Lo revolotea).

CARMELA "LA EMPECINADA": ¡Dame la bandera!

CHIRRINA "LA DE LA CUESTA": (Corriendo con el trapo) Buen trapo. Para abanicarse. Mira Mariana, para lo que sirven las banderas. Mira como nos abanicamos sin miedo, dentro de estas caballerizas. ¿Quién te crees que somos? Estamos aquí por hablar claro, por no haber ocultado nunca quienes somos. Si hemos de morir, hagámoslo hablando con claridad. Rabia por no revolotearla tú, que para eso elegiste celda. Y rabia por no abanicarte con ella, que me es igual.

FRANCISCA "LA APOSTÓLICA": Disfrutar el revoloteo. Hay que saber disfrutar de lo que se tiene en sueños.

ANICETA "LA MADRID": (Que se incorpora a las rejas) ¿Pero qué hacen?

EVA "LA TEJEDORA": Que entre unas a otras se echan el trapo, porque quieren llevar la bandera. (A las de abajo) Sí, lograréis que nos dejen sin comer.

CARMELA "LA EMPECINADA": Bájate ya de la mesa, Caratauna. Y tú, Mariana, oye nuestras coplas.

(Cantan a veces burlonas; otras veces con furia, y simulan pantomimas de desfile y de rebelión. Cantan todas menos Mariana.)

CARMELA "LA EMPECINADA":
Por las calles de Granada,
viva que viva, que viva verdad,
bajan las abanderás.

(Desfilan bailando las pantomimas, mientras repiten todas.)

TODAS: ¡Viva que viva, que viva verdad!

CARMELA "LA EMPECINADA":
Las del beaterio
que mucho padecieron,
al llevar la bandera,
se enaltecieron,
y roncas de cantar,
van ·en las turbas primero.

TODAS: ¡Viva que viva, que viva el salero!

CARMELA "LA EMPECINADA":
Con un palo de caña
y arremangá,
la bandera lleva
Carmela "La Empeciná".

TODAS: (Respondiendo con bufa.)
¡Viva que viva, que viva verdad!

(Chirrina "La de la Cuesta" sale a bailar, espontánea, bailando y jaleándose ella sola, mientras las otras se hartan de reír.)

CHIRRINA "LA DE LA CUESTA":
Y arrancaron
con sudores
y temblores,
puertas,
rejas,
miradores
del beaterio
de Santa María.
Y las perdonó el Señor,
como a la Egipciaca
le dio su perdón.

ANICETA "LA MADRID":
(Secundándola, espontánea en el baile, cantando y jaleándose desde arriba.)
Porque a las arrecogías
nadie les quitó nunca
las alegrías.
Que son muy mozas

381

y muy airosas
cuando se envalentonan,
meten al que quieren
en la encerrona
del corazón.
Ay, Señor,
que todo el que lucha
merece un perdón.

(Cantan todas, ahora, frenéticas, con odio, La Empecinada marca los pasos del desfile y desfilan todas, las de abajo y las de arriba.)

TODAS: Ya está aquí la bandera,
la que se espera,
sin bordaduras,
sea revoloteada
por las calles de Granada,
rompiendo las ataduras
que nos afligen.

(Acentuando la furia.)

¡Aquí, aquí, aquí,
con sudores y bríos de muerte
echaremos nuestra suerte
por la libertad!
¡Viva que viva, que viva verdad!

CARMELA "LA EMPECINADA": (Tirando el trapo al aire) Toma, Aniceta, tú que estás en la jaula, puedes subirte por alguna parte y colgarlo, y que lo vean los de la calle.

ANICETA "LA MADRID": (Dando risotadas) Eso quisiera yo, mira qué pena.

CARMELA "LA EMPECINADA": D.ª Francisca "La Apostólica", que tanto moño tiene, que cuelgue el trapo en la ventana de su celda. Y que se lo traguen, colgado y revoloteando, los que pasen.

D.ª FRANCISCA "LA APOSTÓLICA": Yo lo llevaría por las calles a la hora de la verdad.

CHIRRINA "LA DE LA CUESTA": Callad.

EVA "LA TEJEDORA": ¿Qué pasa?

CHIRRINA "LA DE LA CUESTA": Que calléis.
(Va a espiar cerca de la escalera de la puerta de entrada)
Los infantes se amotinan y forman en la puerta.

CARMELA "LA EMPECINADA": Esta ve visiones.

CHIRRINA "LA DE LA CUESTA": Qué he de verlas. Que calléis.

RITA "LA AYUDANTA": Es verdad. Fijaos. Se oye cómo presentan armas.

CARMELA "LA EMPECINADA": Presas tenemos. Esconder el trapo.

EVA "LA TEJEDORA": ¿Es posible?

CHIRRINA "LA DE LA CUESTA": (Acercándose más a la escalera y con contenido coraje) Forman guardia como para darle entrada a un general.

CARMELA "LA EMPECINADA": (Con burla) Será el general Riego de aquella que viene para llevarla a los toros.

ANICETA "LA MADRID": ¡Culebrona!

CHIRRINA "LA DE LA CUESTA": Que calléis ¿No oís cómo forman?

EVA "LA TEJEDORA": Y es verdad. Forman.

(Se van convenciendo del extraño hecho y les empieza a llegar cierto miedo. Mariana y las de arriba, menos Aniceta, esperan impacientes. Las de abajo intentan seguir los preparativos desconfiadas, cuando hablan se les ve en el acobardamiento. D.ª Francisca se pasea tranquila, antes entró a la celda, sacó un vistoso abanico y se hace aire).

CARMELA "LA EMPECINADA": Preparemos la mesa de una vez. Y usted, la del abanico, vamos a la faena (D.ª Francisca le hace un desprecio y sigue abanicándose) Un tiro que le den a la rica. (D.ª Francisca vuelve a despreciarla).

CHIRRINA "LA DE LA CUESTA": Mira que mesa. Llena de los pisotones de aquella. ¿Y aquí vamos a comer? Trae un trapo que le saque brillo.

CONCEPCIÓN "LA CARATAUNA": Ahí va.

(Chirrina corrió subiendo la escalera y se tiró al suelo después, espiando. Paula se tiró también al suelo, a espiar. Mariana y Rosa están a la espectativa).

CHIRRINA "LA DE LA CUESTA": (Acentuando el misterio) Ha llegado un coche de caballos. He sentido las ruedas del coche y las pisadas de los caballos. Y siento los chirridos de un carro. Presas llegan.

EVA "LA TEJEDORA": (Con asombro) En un domingo como este...

CARMELA "LA EMPECINADA": (Mascullante mientras limpia la mesa) Que no paran de detener...

PAULA "LA MILITARA": (Mirando a Mariana) Algo más grave pasa. El juicio o la muerte de alguna se adelanta.

ANICETA "LA MADRID": Cuando los juicios se adelantan, también se adelantan las revoluciones. ¿No es así, Mariana? (Mariana no responde).

ROSA "LA DEL POLICÍA": Esto puede ser bueno para todas. Los políticos del rey se ve que temen demasiado. ¿No es así, Mariana? (Mariana no contesta).

PAULA "LA MILITARA": Están perdiendo, Mariana, seguro están perdiendo. ¡Si pudiéramos leer aquí la Gaceta!...

ANICETA "LA MADRID": Están prohibidos los periódicos en España, ¿o es que no lo sabéis? Las Universidades cerradas. Las cárceles, comisarías y cuarteles con presos de todas raleas, gitanos y castellanos, ¿no es así, Mariana?

MARIANA DE PINEDA: (Que ha ido conteniendo sus nervios y al fin estalla) ¿Por qué he de saberlo yo? ¿Por qué? Pero, ¿qué prudencia es la vuestra? Acaban de presentar armas y de llegar un coche... (Susurrante) Se puede perder por falta de prudencia. La guerra se hace de muchas maneras, y aún indefensas como estamos, se puede hacer la guerra y ganar. Hablar bajo todas... Ha llegado un coche y bien pudiera ser el de Pedrosa...

PAULA "LA MILITARA": (Con rencor) Quién pudiera echarse a la cara a ese Pedrosa. Si él fuera, qué ocasión...

MARIANA DE PINEDA: Qué ocasión. Pero no tendré esa suerte...

PAULA "LA MILITARA": ¿Qué vas a hacer?

MARIANA DE PINEDA: Por si acaso, peinarme... (A las de abajo) Y preparar unas ramas de limonero que tengan flor. Podría ser el gran día...

384

CHIRRINA "LA DE LA CUESTA": Abren el rastrillo.

ROSA "LA DEL POLICIA": Lo oí antes que tú.

CHIRRINA "LA DE LA CUESTA": Entra alguien...

(Vemos entrar a una niña gitana, lentamente, con las manos atadas, no le vemos la cara, porque llega avergonzada, mirando al suelo, con el pelo lacio y caído por la mayor parte de la cara. Baja la escalera en un estado de pudor, de miedo, silenciosamente.)

EVA "LA TEJEDORA": ¿Quién será?

RITA "LA AYUDANTA": No lo sé.

CONCEPCIÓN "LA CARATAUNA": (Enternecida) Es una niña...

EVA "LA TEJEDORA": Con las manos atadas...

CONCEPCIÓN "LA CARATAUNA": Y descalza...

EVA "LA TEJEDORA": Es gitana. Y trae los volantes del vestido rotos...

D.ª FRANCISCA "LA APOSTÓLICA": Y nadie con ella...

RITA "LA AYUDANTA": (Mirando las puertas) Nadie...

CONCEPCIÓN "LA CARATAUNA": Parece que tiene sed. Sí. ¿A ver tu cara, niña? ¿A ver? (La niña no se deja ver) ¿Quién eres? ¿Quién te ha traído? ¿Qué has hecho tú? Si eres una niña...

CARMELA "LA EMPECINADA": ¿Te apuntaron el nombre al entrar?

RITA "LA AYUDANTA": Tiene que ser de las revueltas de Cádiz.

CARMELA "LA EMPECINADA": O de las revueltas que se están dando cerca del beaterio.

CHIRRINA "LA DE LA CUESTA": (Contenta pero sin dejar el miedo que todas tienen) Yo la conozco. Es Rosa. Tú te llamas Rosa. Eres albaicinera. Vives en San Nicolás. Te he visto vender castañuelas y abanicos en la plaza Larga. Ahora... ahora eres bordadora.

dóndes vienes? Ay, si tiene las lágrimas saltadas.

CARMELA "LA EMPECINADA": Aparta, Chirrina. Niña, mírame ¿de
CONCEPCIÓN "LA CARATAUNA": (Cogiéndole la barbilla) Y es verdad. Hija mía, ¿por qué lloras?

Rosa "La Gitanica": (Con esfuerzo al hablar) Yo no sé bordar. ¡No sé bordar!

Concepción "La Caratauna": Ay, si no puede ni hablar.

Carmela "La Empecinada": ¿Qué tiene que ver eso para que llores?

Aniceta "La Madrid": ¿Qué dijo?

Carmela "La Empecinada": Que no sabe bordar.

Eva "La Tejedora": Ay, si tiene la boca seca como una ragüa. Traer un cazo con agua.

Rita "La Ayudanta": (Llevándolo) Toma, bebe.

(Rosa "La Gitanica" no puede coger el cazo).

Concepción "La Caratauna": Que no puede coger el cazo. Tiene que traer las calenturas. A ver que te tiente a frente y las manos. (Le coge las manos y se va horrorizando poco a poco) Pero si tiene los huesos de las manos rotos. ¡Asesinos!

Carmela "La Empecinada": Y es verdad. ¡Es verdad!

(De las arrecogidas se apodera un pánico colectivo. Rosa "La del Policía", sin control y casi enloqueciendo, estalla, golpeando con las argollas los hierros de las jaulas).

Rosa "La del Policía": ¡Asesinos! Sor Encarnación, ven y abre la puerta de esta jaula. Abre, abre. Trae las manos hechas añicos. ¿Dónde están sus asesinos? ¡Cobardes, inquisidores! Pero ¿qué hacéis todas sin hablar. Pero, ¿por qué no vienen a curarla? ¿Dónde están los liberales de Granada que tantos reaños tienen? ¿Dónde están los asesinos que la trajeron en la jaula? ¡Asesinos, cobardes!

(Golpea más y más. Todas las arrecogidas se contagian y golpean puertas y ventanas, gritando "Asesinos". En arrebato de pasión, cantan y danzan).

Todas:

Ay, para Rosa la gitanica se abrieron las puertas de Santa María. Llega descalza.
Ay, pies que tanto bailaron pisando la tierra.
Y ha dicho que no sabe bordar.
Las manos trae atadas con sogas.
No siente el dolor por el mucho dolor que padece.
Y sigue la tarde de toros en Granada.
Y está dando el sol en los hierros de estas jaulas.

Ay, qué mayo florido.
Ay, qué mal mayo florido.
Ya nunca volverán estas manos a coger hilos de seda.
Albaicinera, ¿qué será ahora de tu vida?
Rosa "La Gitanica" entró al beaterio
con la buena inocencia de sus quince años.
Trae descosidos los volantes de su falda de lunares
¿Quién descosería los volantes de su falda?
Y al entrar se avergüenza
al ver a las arrecogías de Santa María.
¿Qué dirán los que te vieron como nos ha tocado verte?
¡Trae las manos destrozadas! ¡Le quebraron los huesos!
(Acentuando la furia)
Morirá el rey Fernando
con la maldición de ir viendo su misma pudrición,
con la barriga abierta, viéndose los gusanos
en la cama de su palacio,
y palomas de odio nublarán los cielos,
pero nadie se acordará de las manos de Rosa.
Ay, ya no habrá flor que coja
Ay, ya no habrá caricia que haga.
Han quedado sus manos deshojadas,
como la adelfa seca en camino sin agua.
(Danzan con más furia, golpeando al suelo).
¡Trágala! ¡Trágala! ¡Trágala!
¡Muriendo y trágala!
¡Inciensos y pétalos de rosa, y trágala!
¡Palacios y conspiraciones, y trágala!
¡Trágala! ¡Trágala! ¡Trágala!

(En la puerta de entrada al beaterio está PEDROSA. Todas quedan como estatuas de odio. Pedrosa, alcalde del crimen de la Real Chancillería de Granada, subdelegado de Policía y Juez de Infidencias de su Real Majestad, Fernando VII, llega acompañado del escribano de la Real Chancillería, de padres franciscanos, con largas barbas y caras sombrías, de un piquete de guardia de la infantería española, y de la Reverenda Madre María de la Trinidad y otras monjas del beaterio. Una monja subió diligente a abrir la puerta de la celda de arriba. Mientras tanto, la voz de un pregonero sonó entre la mayor espectación: "Su Ilustrísimo Señor D. Ramón Pedrosa, Alcalde del Crimen de la Real Chancillería de Granada, subdelegado de Policía y Juez de Infidencias de su Real Majestad, el Rey nuestro señor, Fernando VII". Hay un silencio mientras Pedrosa baja serenamente las escaleras, mirando todo).

Ramón Pedrosa: (Con serenidad y contenida ironía y rencor) Preparaban la comida en el patio... Entre los limoneros. Da gloria oler el azahar de los limoneros... (Sigue analizando todo) No se está mal aquí. Llega un aire templado y agradable... Refresca la tarde. Se oye hasta la música de la plaza de toros... y está dando el sol en casi todas las celdas... No está mal todavía este palacio. Hay beaterios peores en Castilla... ¿A qué se debe el privilegio de comer en el patio?

La Reverenda Madre: A las vísperas de Corpus Christi.

Ramón Pedrosa: (Viendo a D.ª Francisca "La Apostólica" y haciéndole un saludo) D.ª Francisca...

D.ª Francisca "La Apostólica": (Abanicándose gentil y correspondiendo) Ilustrísima...

(Las arrecogidas se miran entre ellas, discretamente).

Ramón Pedrosa: (Fisgoneando la celda de D.ª Francisca) Buena celda. No le falta de nada.

D.ª Francisca "La Apostólica": (Abanicándose satisfecha) De nada.

Ramón Pedrosa: No olvidaré nunca los salones de su palacio, siempre abiertos a los forasteros. Qué amable hospitalidad esta de los granadinos.

D.ª Francisca "La Apostólica": Gracias, Ilustrísima.

Ramón Pedrosa: Abiertos y hospitalarios como los de D.ª Mariana de Pineda. Desde que llegué a Granada la hospitalidad más generosa se me fue ofreciendo. Pero por aquí baja D.ª Mariana de Pineda, mi amiga. (Carmela "La Empecinada" le da a Mariana una rama en flor de limonero). ¿Qué le da?

Mariana de Pineda: (Con gran serenidad) Una rama en flor de limonero. (Se la pone en el pelo) Yo tampoco puedo olvidar que hoy son vísperas de Corpus Christi, que es domingo, que es mayo... Me preparaba para la temprana cena de... las presas.

Ramón Pedrosa: Mi gran amiga Mariana de Pineda, mi gran señora. Al volverla a ver recuerdo aquella tarde que la vi en su casa. Inolvidable tarde. D.ª Mariana fue la primera, en Granada, que me abrió los salones de su casa.

Mariana de Pineda: Es difícil de olvidar la generosidad ajena.

Ramón Pedrosa: Sigue tan hermosa, D.ª Mariana.

MARIANA DE PINEDA: Gracias, Ilustrísima.

RAMÓN PEDROSA: Ahora su belleza ha tomado un aspecto más dulce y más profundo. Y está más serena. Los días en el beaterio de Santa María han tenido que hacerle reflexionar mucho. Sé que ha leído a San Pablo y otros libros piadosos que le habrán llevado a largas meditaciones.

MARIANA DE PINEDA: Siempre fueron largas y hasta torturantes mis meditaciones, dentro y fuera del beaterio. Granada es tierra ideal para pensar... Y nuestra situación actual, mucho más.

RAMÓN PEDROSA: ¿Y ha llegado a nuevas conclusiones fuera de esas que nos llegan de Francia y que algunos llaman "progresistas"? ¿La existencia humana ha de tener abismos y secretos más nobles que los que nos enseña la famosa "ilustración" francesa?

MARIANA DE PINEDA: Nunca fueron mis favoritos ni Rousseau ni Voltaire. No comprendo la "pasión" que está de moda, creo que conduce a la existencia a una grave crisis espiritual. Con la pasión se olvida la realidad. Lástima que en un momento tan crítico como éste, no pueda recapacitar y hacer memoria para poder expresar a su Ilustrísima mis nuevas ideas de la existencia humana.

RAMÓN PEDROSA: (Dejando escapar una escondida inquietud) ¿Quiere la señora que pasemos a la capilla y me explique sus nuevas ideas?

MARIANA DE PINEDA: ¿Cree D. Ramón Pedrosa que en un momento se puede hacer resumen de un cambio profundo?

RAMÓN PEDROSA: Quizá dentro de la capilla sea el lugar adecuado para un recogimiento sincero. (Mariana lo mira de arriba a abajo) Pero si la señora piensa que un humilde juez como yo, no es digno de escucharla, puede hacerle sus confesiones a algún reverendo padre de los que vienen conmigo.

MARIANA DE PINEDA: ¿Y por qué no intentar hablar delante de este auditorio que tanto desea oír?

RAMÓN PEDROSA: ¿La intimidad puede expresarse así?

MARIANA DE PINEDA: La intimidad con los míos, o delante de los míos, es más consoladora para mí.

RAMÓN PEDROSA: ¿Los suyos? Muy segura está la señora de que aquí están los suyos.

MARIANA DE PINEDA: ¿Acaso D. Ramón Pedrosa piensa que no están? (Se va acercando a él con odio contenido) Aquí y en cualquier esquina de Granada están los míos.

RAMÓN PEDROSA: Muy segura está.

MARIANA DE PINEDA: Muy segura.

RAMÓN PEDROSA: ¿Acaso han sido estas las conclusiones a que le han llevado las largas meditaciones?

MARIANA DE PINEDA: Mis meditaciones han ido más lejos.

RAMÓN PEDROSA: Qué interesante.

MARIANA DE PINEDA: Siempre interesaron mis palabras a su Ilustrísima. Tan gentil siempre. Qué pena de encontrarlo donde no soy la dueña. ¿Qué pasó de mi casa de la calle del Aguila? ¿De mis muebles, de los salones donde fue recibido su Ilustrísima la primera tarde que pasó en Granada? Mi abogado, ese pobre abogado de oficio que me nombraron, no me da norte ni guía... ¿Qué pasó de mis hijos? ¿Ha llegado a oídos de su Ilustrísima si me llaman al menos de noche, para pedirme que les alargue la mano antes de quedarse dormidos.

RAMÓN PEDROSA: Todo está seguro. Sólo que a su casa llegan, de vez en cuando, amigos, parece ser de Cádiz... tal vez de Gibraltar... tal vez de Bayona, porque alguno habla un cierto español matizado de francés, y claro, quedan desconcertados.. Pero le aseguro a D.ª Mariana que todo pasará pronto y que felizmente podrá volver a su casa.

MARIANA DE PINEDA: (Repitiendo con cierto presentimiento inseguro) Felizmente...

RAMÓN PEDROSA: Todo marcha bien. Por D.ª Mariana de Pineda se interesa todo lo mejor de Granada. Y hasta en las Cortes se habla de su notorio caso.

MARIANA DE PINEDA: ¿Y... noticias del rey?

RAMÓN PEDROSA: Pronto las habrá. El panorama nacional se está pacificando más de lo que se supone. Granada es una ciudad lejana donde los correos tardan en llegar y nos enteramos, por esta razón, los últimos, de lo que pasa en el país. El granadino es preocupado por naturaleza y ve montes donde no existen. Pero todo se tranquiliza. Ya sabrá D.ª Mariana que desde la muerte de Manzanares en las serranías de Ronda, Andalucía ha quedado muy tranquila. Sólo hay un foco de rebeldes en Gibraltar, capitaneados por el general Torrijos y otro pequeño foco, clandestino, claro, para el rey de Francia, en Bayona. Foco de ilusos, ¿qué pueden hacer unos pocos hombres tan solos y tan "románticos", como se los viene llamando ahora? El pueblo de Granada está con el rey. ¿No oye la música de los toros? La plaza está abarrotada. Pronto se oirá desde aquí la alegría de la salida de la gente.

MARIANA DE PINEDA: Pero... su Ilustrísima no fue a la corrida y tengo entendido que es muy amante de las corridas de toros.

RAMÓN PEDROSA: Sí, es cierto. Pero uno no es dueño de sí mismo. Cuánto siento haber perdido esta corrida. La lidian matadores de la escuela rondeña, sin embargo, la perdí, cuánto lo he sentido.

MARIANA DE PINEDA: ¿Y... fue la causa?

RAMÓN PEDROSA: Esa gitanilla que ve aquí.

MARIANA DE PINEDA: (Fría, tranquila) Tan niña... Apenas tendrá quince años.

RAMÓN PEDROSA: Apenas. Los gitanos no se dan ni cuenta de los años que tienen. Pasan la vida bailando y cantando y, tal vez, soñando.

MARIANA DE PINEDA: ¿Y no es bonito soñar en nuestra época?

RAMÓN PEDROSA: Muy bonito. Los granadinos son muy soñadores. Todo en ellos es motivo de dulzura y ensueño. Mi señora D.ª Mariana, soñando tal vez se puso esa rama de limonero en flor entre el pelo.

MARIANA DE PINEDA: Sí, soñando siempre. Hasta la muerte es preferible recibirla soñando, como sueñan en Granada las fuentes, el agua, los mirtos, las palomas, los atardeceres... Granada nos hizo ser así, soñadores. ¿Y por esta gitanilla su Ilustrísima no fue a los toros? (Se acerca a Rosa) Pobrecilla. Está casi temblando. (Mira a Pedrosa) Creo que con las manos no podrá ya, nunca más, secarse ni el sudor de la frente.

RAMÓN PEDROSA: Puede.

MARIANA DE PINEDA: (Fingiendo serenidad) ¿Qué le ocurrió, Ilustrísima?

RAMÓN PEDROSA: ¿No la conoce?

MARIANA DE PINEDA: Jamás la ví.

RAMÓN PEDROSA: ¿Ni tú, preciosa niña, viste a esta señora nunca?

(Rosa "La Gitanica" dice que no con la cabeza.)

MARIANA DE PINEDA: Si su Ilustrísima piensa hacer muchas preguntas, me temo que la niña no pueda responder, porque trae fiebre y está agotada. ¿Dónde martirizaron a estas inocentes víctimas?

RAMÓN PEDROSA: Nada importan las víctimas, sólo importa mantener unida la fe, bajo el mandato del rey, Nuestro Señor, quien sabe velar día y noche por sostenerla.

MARIANA DE PINEDA: ¿Acaso ella no tiene esa fe de la que su Ilustrísima habla?

RAMÓN PEDROSA: No la tiene.

MARIANA DE PINEDA: ¿Y de qué delito se le acusa? ¿Las leyes del reino autorizan a dejar inútil a un ser menor de edad?

RAMÓN PEDROSA: Ha cometido uno de los peores delitos: ha intentado bordar esta bandera:

(Un Padre Franciscano le da a Pedrosa la bandera, quien la muestra a Mariana).

MARIANA DE PINEDA: Es preciosa. Qué finura de letras. ¿Es acaso la bandera de uno de esos focos revolucionarios? Esas banderas siempre descubiertas y nunca enarboladas.

RAMÓN PEDROSA: ¿No conoce la señora esta tela?

MARIANA DE PINEDA: No, ¿por qué iba a conocerla? No sé ni qué tejido pueda ser.

RAMÓN PEDROSA: ¿Ni las bordaduras?

MARIANA DE PINEDA: No soy aficionada a bordar. No he visto jamás una prenda revolucionaria tan cuidada como ésta. Creo que para la revolución no hace falta más que hombres y armas. Cualquier trapo sirve de bandera. Qué modo de perder el tiempo bordando esta tela, ¿no cree su Ilustrísima?

RAMÓN PEDROSA: ¿Aunque la bandera se borde por amor?

MARIANA DE PINEDA: ¿Por amor, a quién? ¿Puede especificar su Ilustrísima?

RAMÓN PEDROSA: Tal vez por amor a algún hombre.

MARIANA DE PINEDA: Es muy poco el amor de un hombre para bordar una bandera con tanto primor. Creo que debe haber más altos destinos que el amor de un hombre, para bordar con tanto arte, y más, siendo la bandera que, según su Ilustrísima, está destinada a la revolución. (Intentando cambiar el tema y dirigiéndose a la Reverenda Madre) Pero, Reverenda Madre, esta niña está grave. Esta niña no puede quedar en este estado, mientras oye las amables conversaciones de su Ilustrísima conmigo. No es ley de Dios, que es la más importante de las leyes.

RAMÓN PEDROSA: Todo llegará. Veo que no se conocen. Que va a ser imposible que se conozcan.

MARIANA DE PINEDA: ¿Por qué iba a conocerla yo?

RAMÓN PEDROSA: ¿Acaso no fue ésta la bandera que se encontró en su casa?

MARIANA DE PINEDA: Puede. Creo que me detuvieron por esta causa, pero ante tanto sobresalto, yo no sé ni cómo es el color de aquel trapo.

RAMÓN PEDROSA: (Dejando asomar su rencor) Rosa Heredia, oye mis palabras: (Rosa "La Gitanica" queda inmóvil) Todavía puedes salir de aquí, si dices que esta mujer, llamada Mariana de Pineda, subió a tu casa del Albaicín y te dio a bordar esta bandera.

(Silencio).

ROSA "LA GITANICA": (Levantando poco a poco la cabeza) No... conozco... a esta señora.

(Rumor de todas las arrecogidas).

RAMÓN PEDROSA: Llegarás a conocerla. Tendrás que conocerla al fin.

(Silencio).

ROSA "LA GITANICA": (Con mucha humildad) No conozco a esta señora. Y yo nunca aprendí a bordar.

(Sufre ahora un leve temblor que le hace sentir miedo y corre hacia Sor Encarnación, suplicante).

No aprendí a bordar. Las monjas de Santa María la Real lo saben. Pueden preguntarle. Quisieron enseñarme, pero no aprendí. Yo sólo sé bailar, y por las mañanas, salgo a vender a la plaza. Pero yo no sé bordar. No sé. Por los clavitos del Señor, que me duelen mucho las manos. ¡Mis manos! ¡Mis manecicas!

(Rosa "La del Policía" intenta estallar, pero Aniceta "La Madrid" le tapa la boca).

RAMÓN PEDROSA: (Exaltándose, pero al mismo tiempo conteniéndose como puede) Tus manos, además de bordar la bandera, te sirvieron para acariciar al que ya no verás más.

MARIANA DE PINEDA: (Que va exaltándose también) ¿Se puede saber quién?

RAMÓN PEDROSA: (Aparentando tranquilidad e ironía) Mucho se interesa la señora.

MARIANA DE PINEDA: Mucho. (Haciéndole frente con bastante frialdad) Soy liberal.

RAMÓN PEDROSA: ¿Y supone que las últimas caricias fueron para un liberal?

MARIANA DE PINEDA: Lo supongo. Si no, no estaría aquí, inútil como la han dejado.

RAMÓN PEDROSA: ¿Y para qué quiere saber la señora el nombre?

MARIANA DE PINEDA: Para admirarlo y bendecirlo.

RAMÓN PEDROSA: Pues que muera sin las bendiciones de la señora. Que muera condenado en los infiernos. Sólo le diré (Levanta la cabeza con orgullo) Les diré a todas, que esta niña es la amante de un joven, a quien Dios tenía destinado por los caminos de la iglesia. Un joven que aborreció el sacerdocio, para hacerse amante de esta gitana. La ley es justa. Y esta niña entra a este beaterio como una recogida más. Las madres de Santa María Egipciaca le enseñarán el camino de la humildad y de la corrección.

MARIANA DE PINEDA: ¿El camino de la corrección, cuando lo que llama su Ilustrísima "justicia" la ha dejado inútil para siempre? ¿Qué corrección le puede enseñar ya a esta niña un gobierno absolutista y dictatorial que la ha dejado inútil para siempre? Será la corrección de saber odiar al rey.

ROSA "LA DEL POLICÍA": ¡Muera el rey!

MARIANA DE PINEDA: ¡Silencio! Todo el mundo tiene que guardar silencio. A ningún camino se llega con la violencia. El gobierno liberal de España, que desgraciadamente se tiene que ir formando en el extranjero, regirá con amor, con bondad, con humanidad y con comprensión. ¿En qué nos diferenciaríamos entonces los que juramos y somos fieles a la Constitución del doce, de aquellos cuyos poderes son la violencia y la sangre, el callar a la fuerza, el sometimiento injusto?

RAMÓN PEDROSA: El señor secretario tome nota de estas palabras.

MARIANA DE PINEDA: Palabras que serán leídas no solo públicamente en la Audiencia Territorial de Granada, sino también en las Cortes Españolas, si es que hay hombres y justicia.

RAMÓN PEDROSA: Ha venido a tí un súbdito del rey con la mayor de las prudencias.

MARIANA DE PINEDA: Y con la mayor de las prudencias intenté responder, pero a la vista de unos hechos asesinos, como son las manos de esta niña, no tengo más remedio que exaltarme. Claman los cielos. Pero entérate bien, Pedrosa; te he de llevar a declarar que esta bandera fue introducida en mi casa por tu misma policía. No tienes datos para atestiguar lo contrario. Me lo dijiste. (Mirando hacia arriba, desafiante a Rosa "La del Policía")... Sí, Rosa, me lo dijo una noche que yo le abrí el dormitorio de mi casa y cerré después los postigos del balcón que tú veías cerrar. ¿Sabes por qué lo hice? Para salvar a los míos. Y por darle la libertad a los demás, no se puede condenar a nadie. Pero jamás este hombre puso las manos en mi cuerpo, jamás. Sólo ha sabido de mis desprecios porque llegué a descubrirlo sin que lograra nada mío.

RAMÓN PEDROSA: Tú estabas descubierta muchos años antes.

MARIANA DE PINEDA: Nunca negué mi amor por la libertad. Me casé con un hombre que quiso ser libre. Fuí la mujer de un campesino. En este pedazo de tela a medio bordar, juraría que en él se concentran los ideales y sueños de más de media España, es la bandera liberadora. El sueño de muchos que esta niña ha pagado con sus manos.

RAMÓN PEDROSA: Y que tú pagarás con tu condena.

MARIANA DE PINEDA: Mucho cuidado con esa condena. Hablaré lo que tengo que hablar en la sala de la Audiencia.

RAMÓN PEDROSA: Hay quien puede juzgarte sin tu asistencia a la sala.

MARIANA DE PINEDA: No serás tú ni el rey. (Acercándosele con odio) Piensa que alguno de estos soldados que te guardan, puede clavar el machete de su fusil en tu cuerpo. Piensa que estas mismas monjas pueden ser tus peores enemigas. Piensa que al dictar mi sentencia, pueden, en esos momentos, traspasarte el corazón. Ni tú ni el rey estáis seguros. Estáis enloqueciendo de terror en esta época criminal. Tenéis enemigos por todas partes. Al salir por esta puerta, pueden asesinarte. Granada entera está conmigo y con estas arrecogías que no las dejais defenderse en públicos juicios. Pero entérate bien, me puse esta rama en flor pensando en tu muerte. (Arrojándosela) Toma la única flor que echarán a tu tumba. Sé que faltan pocos días para que salga mi juicio. Allí nos veremos, Ramón Pedrosa. Y cuidado con usar tus regios poderes de juez de infidencias. Mi juicio no puede resolverse secreto. Son muchos los que lo esperan. Y tengo fuerzas y poder para llevarlo no sólo a esas Cortes traicioneras y engañosas, sino ante los reyes de Europa.

RAMÓN PEDROSA: Llévalo, pero con los nombres que preparan contigo la descubierta conspiración. ¿Cuáles son esos nombres?

MARIANA DE PINEDA: Los que te asesinarán. Los que después de asesinarte darán la libertad a España. Ni en una sala inquisitorial me arrancarán los nombres. Ellos son mi orgullo. Mi orgullo de hembra granadina, que no ha llegado a perder la batalla que libra.

RAMÓN PEDROSA: (Haciéndole una arrogante reverencia) Nos veremos pronto, D.ª Mariana.

MARIANA DE PINEDA: Así lo espero... Pedrosa.

RAMÓN PEDROSA: (Aparentando tranquilidad) Y... (Cogiendo la rama) me llevo tu rama en flor...

(Recogen la bandera y sale Ramón Pedrosa con los demás que entró. Las arrecogidas han quedado en grave silencio, mientras ven salir a Pedrosa. Carmela "La Empecinada" siguió, casi en secreto, a la comitiva que sale. Hasta cerciorarse bien de que salieron. Entonces, dice, dejando escapar sus nervios, mientras se apodera de todas un gran nerviosismo).

CARMELA "LA EMPECINADA": Hasta salieron a las puertas a hacerle reverencia.

CHIRRINA "LA DE LA CUESTA": ¿Qué te parece? Condenadas sean todas las que comen las migajas del rey y de los ricos. Qué mendrugo de pan más mal comido. No lo quisiera para mí.

ANICETA "LA MADRID": Tanto inclinar la raspa para decirle adiós al inútil político, que se lo tienen que comer los gusanos. Pero yo sé bien el secreto de ese: de la nada llegó a político traidor. Mucho ha andado ese sin carroza por las calles de Madrid, con el traje roto y pidiendo limosna. (Exaltándose cada vez más) Pero lo acribillarán a balazos en una calle y nadie cogerá su cuerpo, porque ya no somos ni cristianos.

CARMELA "LA EMPECINADA": ¡Calla la boca! Hay que ver que vieja. (Volviéndose a todas) Ea, no tenemos reaños ni moños en la cabeza si nosotras mismas no le pegamos un tiro a ese tío y si consentimos que las monjas de Santa María nos den el caldo. Mirad qué manos llenas de callos, para echarse solas el caldo. Aquí en el suelo hago una cruz. Mirarla. (La hace y escupe) No consentiré que las manos de esas mujeres cojan mi plato, porque vieron las manos destrozadas de esta niña, y se van, y siguen haciendo reverencias.

CHIRRINA "LA DE LA CUESTA": (Saltando como una furia) Yo también hago lo que tú. (Lo hace) La victoria es nuestra. Si no había más que verle la cara a Pedrosa, para comprender el miedo que tenía. Tiene que vivir aterrorizado de miedo, como ha dicho (con burla) "la señora" D.ª Mariana. Juraría que hasta los centinelas que nos rondan son de los nuestros.

RITA "LA AYUDANTA": Y qué guapos son. Qué manos tan grandes tienen. Tienen que ser albaicineros.

ANICETA "LA MADRID": (En el nerviosismo de las demás, coge del escote a Paula "La Militara") Esta lo tiene que saber. Dinos si entre el piquete venía tu Fermín Gavilán.

PAULA "LA MILITARA": (Con asco) Si hubiera venido entre el piquete, a voces lo hubiera dicho, para que se avergonzara, descubriendo lo que es. ¿No me ves todavía que estoy temblando, porque no atiné a coger ni los hierros de la jaula, porque entre el piquete parecía que lo veía? Y he creído desmayarme. Y no era ninguno de ellos. No era. No era. No era.

ANICETA "LA MADRID": ¿Habéis oído? No hay que tener miedo. No puede haber conspiración en contra. Que por muy secretas que hagan las cosas los políticos, siempre se les ve venir y se descubren. Los centinelas son nuestros.

CARMELA "LA EMPECINADA": (A Mariana) ¿Y tu crees eso?

D.ª FRANCISCA "LA APOSTÓLICA": Dejarla. Ha dicho lo que tenía que decir. No sabeis tratar. Dejarla.

CARMELA "LA EMPECINADA": ¿No os lo decía? ¿Veis como entre ellas se defienden? (Burlándose) ¿No vísteis cómo D.ª Francisca, la de los juramentos, se saludó con Pedrosa?

CHIRRINA "LA DE LA CUESTA": ¿Y cómo meneaba el abanico, haciéndose aire? Qué buenas colas de pavos reales ha tenido que mover esta rica de tres al cuarto.

CARMELA "LA EMPECINADA": No, si esta está aquí de fiesta. (En un arranque se acerca a ella y le dice entre dientes) Pero oye, si esto es así, me llevo tu corazón, entre los dientes que me ves.

(D.ª Francisca le vuelve la espalda y se encierra en su celda, abanicándose con empaque).

CARMELA "LA EMPECINADA": (Yendo a la puerta de la celda de D.ª Francisca) ¿Me oyes, lechuza, con esa nariz ganchúa que tienes y esas colonias que te echas? Te voy a vigilar día y noche. (Dirigiéndose en el mismo estado a Mariana) Y a tí, la discursera, pico de oro, pico de cura en púlpito, y cómo sabes callarte las mejores.

MARIANA DE PINEDA: (Que estuvo oyéndolas sufriendo, dice sin poderse contener) Las manos de esta niña.

CARMELA "LA EMPECINADA": (Enfrentándosele rápidamente) Puede que esta niña sea una víctima tuya.

CHIRRINA "LA DE LA CUESTA": (Acosándola también) Puede que tú la mandaras a bordar la bandera.

CONCEPCIÓN "LA CARATAUNA": (Acosándola) Puede que haya fingido no conocerte.

CARMELA "LA EMPECINADA": (En el mismo acosamiento) Todas sabemos que tienes influencias por todas partes, tú misma lo has dicho, y que eres mujer que puede hacer temblar de miedo a un rey, porque sabes los secretos de muchos, que serán altos políticos, pero si tus influencias te van a servir para que te salves tú sola, deja de acordarte de las manos de esta gitana. No las toques siquiera, que estas manos son nuestras, como si hubieran sido nuestras propias manos, y nosotras solas queremos curarla.

CHIRRINA "LA DE LA CUESTA": (Que sigue en el acosamiento) De tí no nos hemos fiado desde que te vimos entrar por esa puerta, con ese vestido de encaje y esa cara afilada, descolorida y de mártir. Ya no estamos en tiempos de creer en las mártires. La gente no quiere más que salvarse a sí misma.

(Mariana, desafiándolas a la vez, como la que quiere confundirles, sin dejar de mirarlas, se desgarra un trozo del vestido).

MARIANA DE PINEDA: Que este trozo de mi vestido sea la primera venda para curar las manos de esta niña. Me dais lástima. Que tanto desconfiar unas de otras, nos va a llevar a la ruina y se van a acabar los liberales por tanta desconfianza. Los españoles no sabemos más que destruirnos vivos. Imposible nuestra liberación. (Imponiéndose a todas) Quien quiera, desde ahora, haga lo que yo con su vestido. No sé si algunas de las que aquí estamos, nos salvaremos o no. (Se enfrenta de nuevo a "La Empecinada" y a las más rebeldes) Los políticos no saben perder, como estamos perdiendo, que el hecho de estar aquí, ya supone perdición.

CARMELA "LA EMPECINADA": ¡Tú no has perdido!

MARIANA DE PINEDA: ¡Escucharme bien! Si han de colgarnos en las Explanadas del Triunfo por arrecogías y no porque luchamos por unas ideas, como intentan hacer creer, que nos vean las ropas así, y se digan: "Ahí las tenéis, ahorcadas con las ropas jironadas por las manos de tantos hombres como las tuvieron". Sí. De tantos hombres como hemos querido y queremos. Los que luchan escondidos, los de Ronda y Gibraltar, pero nuestros pedazos de ropa fueron para remediar un dolor. (Arrebatadamente coge a Rosa "La Gitanica") ¿Fuiste tú, hija mía, la que bordaste la bandera?

ROSA "LA GITANICA": (Casi desfalleciendo, mientras sonríe) Yo... sólo tuve el pedazo de trapo cogido en mis manos, para acariciarlo, como tantos lo tuvieron...

MARIANA DE PINEDA: (Abrazándola) Benditas sean tus manos que cogieron el trapo. (En el mayor arranque de rebelión) Ea, ¡otro jirón de mi ropa! ¡Y otro! ¡Y otro! ¡Y otro!

ROSA "LA DEL POLICÍA": (Sin poderse contener y alzando los brazos encadenados) ¿No hay quien quite las argollas de estas manos, para dar otro pedazo de vestido?

(Eva "La Tejedora" y Concepcón "La Caratauna" son las primeras en desgarrarse el vestido, las secundan las demás, diciendo con furia "y otro", "y otro". En estos momentos, todas cantan, al mismo tiempo que inician una danza, la cual se va haciendo violenta, mientras Mariana venda las manos de Rosa "La Gitanica".

Todas: (En profunda rebelión).
No hay patíbulo capaz de levantarse en ninguna tierra española
para cortar los vuelos de las arrecogías,
porque hasta la tierra pudrirá las maderas
de los patíbulos que se levanten.
Los capitanes generales de los cuarteles de España,
clamarán los primeros
por libertad a las mujeres de estos beaterios.
A las tropas las están acuartelando
y cada soldado sueña con vernos en las calles,
mientras saca brillos al cañón de su fusil.

(Entre todas cogen a Rosa "La Gitanica" y la alzan mientras
siguen cantando y danzando. Mariana se arrincona y sueña, con la
mirada perdida)

No se paga este sudor que tenemos con nada de este mundo.
Olemos ya a pudrición,
de dormir en los jergones de nuestras caballerizas,
donde nos pasamos las noches en velas y sigilos.
Y el aire callado de las noches granadinas
nos trae secretos lamentos de mucha gente que suspira.
Preguntamos al aire en las noches calladas,
y el aire nos descubre todos los secretos
así de alerta son nuestros cuidados.
(Con mayor furia)
Aquí tenéis a Rosa "La Gitanica" con los ojos encandilados.
¿Será el estado de sus ojos el comienzo de la muerte?
Pero Rosa "La Gitanica" sonríe,
que así es como sabemos morir, sonriendo.
Poco podremos haber remediado su dolor,
pero Rosa sonríe.
Cuidaremos sus manos
por si todavía pueden llegar a alzarse y bailar.
Que tiene que llegar el día
que se baile con la misma libertad que tiene el viento.

(Con gran cariño, van dejando a Rosa "la Gitanica" junto a la
pared de una celda. Esta, a duras penas se sostiene, pero sobreponiéndose mientras sonríe, va, muy lentamente alzando los brazos e
intenta bailar. Las arrecogidas empiezan a jalearla, primero bajito
y con un deseo de infundirle alegría y vida. Carmela "La Empecinada" le lanza un "olé" arrancado del alma. Mariana empieza a cantar-
le bajito, entre la admiración de las demás, mientras la niña, intenta
seguir bailando).

MARIANA DE PINEDA: Ay, el que tanto me gustaba
no abrió la cancelica
donde me custodiaban.
¿Cómo es posible, compadre,
que sepas que estoy aquí,
y queriéndote, como te quise,
me estés dejando morir?

(Se inicia un palmoterío de todas y Chirrina "La de la Cuesta"
sale a bailar y a cantar, con mucha alegría, tocándose las palmas
y queriendo contagiar de esta alegría a todas).

CHIRRINA "LA DE LA CUESTA":

El sereno de esta calle
me quiere trincar mi llave,
que alza que toma
que toma que dale.
Y esta noche me lo espero
para que no se me escape,
con facas y con revólver
de entre mi escote y mi traje,
que alza que toma
que toma que dale,
porque custodio la llave
de las arrecogías,
y las mujeres valientes,
sé que están dentro metías.
Que toma, sereno,
que toma el pañuelo,
que no te lo doy,
porque sí, porque quiero,
que estás de Santa María,
te tendrán en desvelo
sin que descanses ni noche ni día.

(La alegría se contagió y todas palmotean. De pronto al mismo
compás, golpean, taconeando. Todas las luces del teatro se encien-
den. Palmotean y taconean con violencia, desafiando al público. De
esta manera, se adelanta a cantar y a bailar Mariana, con el aire
de una campesina en derrota, ante la sorpresa de las demás. Todas
la jalean, teniéndola ya por muy de ellas. Los "olés" se escapan
por todas partes. Lolilla y las costureras así como los demás actores que estaban entre el público, se levantan interrumpiendo a la
gente, para salir a los pasillos a cantar y a bailar, convirtiéndose
todo el teatro en una gran fiesta, al mismo tiempo que tiran flores.
Mariana provoca al público, cantando y bailando, mientras Carme-

la "La Empecinada" la jalea diciéndole: "Anda ahí. la mujer del campesino").

MARIANA DE PINEDA: Las pisás de los caballos,
ya se escuchan por la sierra.

TODOS LOS ACTORES, LOS DE FUERA DEL ESCENARIO Y DENTRO, CANTANDO

TODOS: con el vito, vito vienen,
vienen pisando la tierra.

MARIANA DE PINEDA: Madre mía qué caballos,
qué pisadas, con qué fuerza,
qué herraduras les pusieron.
Vienen pidiendo la guerra.

TODOS: ¿Vienen pidiendo la guerra?

MARIANA DE PINEDA: Ya están cerca de Granada
los de la Ronda la llana.

TODOS: Con el vito, vito, vito,
con el vito, y con qué ganas.
Ya están aquí los caballos
de los hombres liberales,
sudando, con tierra encima,
sedientos, y qué cabales.

MARIANA DE PINEDA: En las Explanás del Triunfo
se pararon en las puertas.

TODOS: Con el vito, vito, vito,
con el vito de la guerra.

MARIANA DE PINEDA: Madre mía, qué arrogancia
traen caballos y traen hombres,
con el vito, vito, vito,
con el vito de sus nombres.

MARIANA DE PINEDA: Nadie arrancará los nombres
de estas lenguas que tenemos,
porque nos enamoraron
y por ellos padecemos.

TODOS: ¡Y por ellos padecemos!

MARIANA DE PINEDA: Porque el nombre de estos hombres,
desde Gibraltar a Ronda,
desde Bayona a Granada,
son gloria, fama y honra.

Todos: ¡Son gloria, fama y honra!

(Mariana va bajando las cuestas para salmodiar con furia)

Mariana de Pineda: Son los nombres de don nadie,
                      los que saben pelear,
                      a escondidas y en secreto.
                      y los que saben cantar
                      aunque arrinconados mueran
                      por el llano, por la sierra o por el mar.

Todos: Por el llano, por la sierra o por el mar.

(En estos momentos, las arrecogidas de las celdas de abajo, se adelantan, junto a Mariana, para salmodiar con la misma furia, mientras va bajando las cuestas y llegando a los pasillos del teatro, al mismo tiempo que se descuelgan del techo del teatro, simulaciones de barrotes de rejas de cárcel).

Todas: (Señalando al público)
                      Nadie arrancará sus nombres
                      de estas lenguas que tenemos
                      que son tuyos
                      ¡y tuyos!, ¡tuyos!, ¡tuyos!,
                      y las lenguas son de una.
                      ¡Aquí! ¡Aquí! ¡Aquí!
                      ¡Dentro del pecho los guardamos!
                      ¡Y tú! ¡Y tú! ¡Y tú!

(Suena una guitarra, sube la simulación de los barrotes que cayeron del techo de la sala. Todo se dulcifica. Las arrecogidas se vuelven a la misma vez, todas hacia el escenario, bailando, al son de la guitarra, vueltas de espaldas al público, cuando llegan al escenario, cantan serenas y con encanto).

Todas: ¡Ay, huertecicas floridas
                      de las orillas del río Genil,
                      mandad airecicos
                      fresquitos,
                      a los españolitos
                      de por ahí,
                      porque todos queremos vivir.

(Van cayendo las tapias del beaterio de Santa María Egipciaca. En estos momentos salen los músicos, tocando, con muchísima alegría las canciones de la obra, bajando por el pasillo de butacas. Un letrero que cae, dice:)

"HA TERMINADO LA PRIMERA PARTE DE ESTA HISTORIA"

SEGUNDA PARTE

(Los músicos van entrando por el patio de butacas. Volviendo a tocar, felizmente, las canciones de la obra, saludando al público quitándose los sombreros para saludar; otras veces saludan con las manos, y así, suben al escenario. En estos momentos vemos bajar un cartel, delante de las tapias del Beaterio que dice:

"Tienda de Modas de Madam Lolilla la del Realejo".

En la parte de la derecha del espectador y junto a las calles, baja un telón que simula la tienda de Lolilla, con maniquíes de muñecas, muy alegres. Estos maniquíes tienen puestos vestidos de moda napoleónica, con aire muy francés, con muchos colorines, pelucas versallescas, etc. Las costureras de Lolilla, están hartándose de reír con los músicos, palmoteándoles y saludándoles. Lolilla tiene puesto, a modo de prueba un vestido grotesco de gusto francés. En la cabeza lleva un enorme pelucón versallesco. Lolilla se finge maniquí. La vemos reirse de sí misma, palmotear y salir a bailar y cantar. Las costureras la jalean).

LOLILLA: No llamarme Carmela,
ni Paquita, ni Pilar,
ni tampoco me llaméis
lo que me queráis llamar,
que siendo granadina
y no aragonesa,
deseo que me llameis
la francesa.

(La jalean y sigue bailando, después canta).

Quisiera ser la novia
de rey de Francia,
para decirle al oído
las cositas que aquí pasan.

(La vuelven a jalear y ella se jalea).

Que ni pasan en Cádiz,
ni en la Corte, ni en Sevilla,
¿Quiere usted callar,
don Nicolás?
Mire usted qué maravilla,
qué gloria y qué esplendor.
Nada, nadita pasa
en las tierras del Sol.

(Sigue el jaleamiento)

Que no tenemos faroles,
porque nos sobra luz,
sí, "monsiur".
Que las fiestas en Granada
empezaron ya.
¿Qué quiere usted?
¿No las oye sonar?
Así somos, "monsiur",
cantamos, bebemos, bailamos
y olvidamos.

(Sigue el baile y el palmoterío. Lolilla, sin dejar de bailar, ha cogido un sombrero y se lo ha puesto).

Y mire usted qué maravilla,
Madam Lolilla la del Realejo
se ha puesto traje y sombrero
que no se gasta en Sevilla.
Qué avance,
compadre.
Y esa es la cuestión,
que las costureras de casa Lolilla,
están, con toda razón
al tanto de esas modas
que vienen y pasan,
pero llegan de Francia
y se aceptan sin rechistón.

(Sigue el jaleamiento y el baile).

Ay, que el rey Luis Felipe de Francia
se hizo amiguito
de los españolitos,
y con mucho salero y gracia
de las españolas que bailan y cantan.
Y esa es la cuestión,
"voilá":
con la falda arremangá
del traje de gran señora,
baila Lolilla, peinaora
y costurera que fue de su majestad,
reina de las Francias.
Qué elegancias.
Por eso aquí vendemos
corsés, pelucas y peluquines,
fajas de talle alto,

y los mejores vestidos de los figurines
del país de la Ilustración.
¿Qué pasó?
Ah.

(Lolilla sin dejar de bailar, se quitó el sombrero y cogió un hermoso abanico de colores rojos, abanicándose con garbo mientras sigue bailando y las demás costureras cantan ahora).

COSTURERAS: Fíjense en Lolilla la del Realejo,
morenilla,
pequeñilla,
como baila,
con qué garbo y qué salero
se vistió de señorona francesa,
y no le pesa.
ay, cómo mueve su abanico
de nácar y lentejuelas,
traido de los Versalles
para que calle.
Andalucía
que ni de noche ni de día
deja de cascarrear.
Esa es la verdad.
Tome usted,
para vender
al inglés
y al granadino.
Qué fino
el abanico de Lolilla.
Cómo lo mueve.
Cómo va y viene.
Con qué recelo.
Qué garbo en las manos y en el pelo.
¡Toma desvelo!
Lolilla,
morenilla,
pequeñilla,
¿Qué secreto llevará?
Y esa es la verdad.

(Todas palmotean y bailan con Lolilla. Dejan después a Lolilla sola, bailando, y las costureras le cantan).

COSTURERAS: Costurera y peinaora realejana,
arremángate el vestío.
antes de que venga el frío.

Da a este hombro una puntá
y un pespunte en el faldón,
todo con regla e ilustración.
Estas son las costureras de Lolilla
y cose que te cose, hasta la coronilla
del tío Fernando,
Mi tío carnal,
oiga usted,
seriedad, seriedad, seriedad.
Que toma la aguja,
que no te la doy,
que a las Alpujarras voy,
porque sí, porque quiero,
que son las fiestas
y nos espera el bolero.
¡Vaya salero!

(Antes de que terminaran el baile, vemos entrar por el patio de butacas, a unos títeres haraposos uno tuerto, otro con un muñón al aire, otro con una muleta dando cojetadas, y una calaña de gente semejante que les acompañan. Al frente viene una mujer, despeinada, como una leona, haciendo señas, como si estuviera muda y tocando un pandero. Otros tiran de un carromato y antes de subir las cuestas, se les oye decir:)

Los Títeres: ¡Eh, las del baile! ¡Eh, barrigas!

Lolilla: ¡Los feriantes! ¡Los feriantes!

El del muñón: (Cabreado) Sí. Los feriantes. Pero ¿dónde ponemos ahora el carromato?

Lolilla: (Chulesca) ¿A eso le llamais carromato? Qué poca monta.

El del muñón: ¿No es ésta la plaza Nueva?

Lolilla: Este es el barrio del Realejo.

El del muñón: Aquí todo el mundo nos engaña.

Lolilla: Nadie engaña a nadie. Vosotros que os habéis equivocado de camino. Si venís a las ferias, tenéis que volveros y seguir por la calle de Molinos, hasta a calle Reyes y subir después.

El del muñón: No sabemos las calles.

Lolilla: Vamos, que no habéis estado antes aquí.

EL DEL MUÑÓN: ¿Nosotros? en las fiestas de San Isidro de Madrid sí, pero en las granadinas no.

LOLILLA: Pues nos ha fastidiado. Vuelvan sus señorías a la Corte de los isidros. Pero, ¿qué ven mis ojos?, si además de "El del muñón", vienen cojos y tuertos.

EL DEL MUÑÓN: ¿Y qué pasa por eso?

LOLILLA: ¿Que qué pasa? Que no se me figura a mí, cómo podéis distraer y tener talante con vuestro carromato.

EL DEL MUÑÓN: Lo que verás, si vas a las ferias.

LOLILLA: (Con burla) ¿No he de ir a ver el espectáculo?

EL DEL MUÑÓN: Bueno, ¿nos guía?

LOLILLA: Guiándolos estoy. Seguir aquel camino y donde veáis la Audiencia, allí es.

EL DEL MUÑÓN: ¿Cómo vamos nosotros a saber dónde está la Audiencia, si no estuvimos aquí nunca?

UNA COSTURERA: (Lastimada) Y dicen verdad.

LOLILLA: Os prometemos ir a veros. ¿Qué hace esa que traéis, con su melena de la revolución francesa y ese pandero?

EL DEL MUÑÓN: Es muda.

LOLILLA: (Aparentando burla) ¿No te digo? El asilo de San Juan de Dios que llega.

EL DEL MUÑÓN: Volvamos. Que no tienen más que ganas de burlas. Quién le va a meter a éstas en la cabeza lo que somos y lo que fuimos.

LOLILLA: ¿Quién fuísteis, quién? ¿Acaso de la nobleza de Francia?

EL DEL MUÑÓN: (Escondiendo un rencor) O héroes de la guerra de la Independencia. Lo contrario que pensaste. Qué buena acertaora. ¿No nos ves? Lisiados de la Independencia.

LOLILLA: Y lo dicen con ese orgullo, sin temor a la policía, y sin pensar que están delante de la tienda de "Madam Lolilla", amiga de la nobleza de España y Francia. ¿Se puede ver cosa igual? Pero cá. Estos me los conozco bien. (Sigue la burla) ¿Y de la gloriosa guerra de la Independencia, habéis pasado al glorioso oficio de títeres?

EL DEL MUÑÓN: (Burlón) ¿Y qué remedio le queda aquí a los héroes?

LOLILLA: No te digo, San Antón. Será provocativo el señor. Vamos, ¿que sois héroes del Dos de Mayo?

EL DEL MUÑÓN: Y de muchos Dos de Mayo más.

LOLILLA: Lo que te digo, Salomé. Que éstos vienen escapados de las serranías de Ronda.

EL DEL MUÑÓN: ¡Benditas serranías!

LA MUDA: (Cogiéndolo del brazo) Vamos, Frasquito, déjalas. No te enfrentes. Nosotros encontraremos la salida.

LOLILLA: ¿Podéis ver cosa igual? ¿Qué te parece la de la cabeza parlante? ¿No era esa que habló, la muda que antes dijiste?

LA MUDA: Bueno, ¿es aquí o no es aquí? Porque no tenemos ganas de pronunciamientos, que no somos generales arrepentidos, porque si viniérais tirando del carromato desde las costas de Málaga, ya veríais lo que es tirisia.

LOLILLA: Tirisía tendréis de los trinques del camino. Que el del muñón viene con peleona, y (Enfureciéndose) además, desvergonzado y provocativo, faltando de rechazo a nuestras leyes. Gracias que no hay ahora clientela en mi tienda, si no, íbais a saber lo que es bueno.

LA MUDA: Dejemos a las remendonas. Que son las fiestas de estas granadinas (Burlona) putifinas, y están tan contentas. (Acentuando la burla). No sé a qué vienen esas alegrías, tía María.

LOLILLA: ¿Qué hablas tú, cabeza parlante? Esta es la casa de modas de madam Lolilla, la mejor y más honrada de Granada.

LA MUDA: (Con la ironía de una gallina en pelea) Ya se ve que sois muy francesas. Pues que os peguen fuego, con ese señorío vestiril, o serviril para las grandes damas de la calle de Gracia. (Intenta irse).

LOLILLA: Eh, tú, parlante. ¿No dices que eres de fuera, cómo sabes el nombre de esa calle?

LA MUDA: ¿Y quién no en España? (Burlona) La aristocracia, para la que coséis, da en esa calle sus reuniones "sonadas".

LOLILLA: Venid para acá.

LA MUDA: No nos da la gana. Que este que ves aquí, con el muñón fuera, tiene que descansar, para comer después, a la hora de la función, fuego, cogiéndolo con el muñón y echándoselo a la boca, y queremos descansar antes de que llegue la noche y empiecen estas fiestas granadinas, que según dicen no tienen par. (Con intención). Qué animación en esta Granada.

LOLILLA: Pues iros de una vez a tomar el fresco a la Fuente de la Bicha.

LA MUDA: (Remedándole) ¡Quítate ese pelucón que te veamos el pelo de costurera! Que hasta las costureras queréis ser hoy la Ilustración. Y eres una costurera. Y sansacabó.

LOLILLA: (Quitándoselo) Pues mira mi pelo. (Descubre una melena alborotada de león) ¿Qué pasa? Y si venís a la plaza Nueva, poneos bien pegados los oídos en las paredes de la Audiencia.

LA MUDA: Pero, ¿qué Audiencia dice?

LOLILLA: Esa que buscáis. Que ya os calé.

LA MUDA: (En un arranque de coraje) Vamos, Frasquito, a llegar a ellas, que voy a decirles unas cuantas cosas al oído. (Los títeres suben al escenario. La muda dice muy dispuesta) Este es el cojo del Puerto de Santa María, que baila el bolero con la pata coja, que le cortó de una cuchillada un francés tuyo, comercianta; sí, comercianta de ese rey Botella que pusísteis en el trono de las Españas.

LOLILLA: (Dando cara y en jarras) ¿Y a decir eso subiste hasta aquí? Pues mira la parlante, qué agallas tiene. Esta no teme entrar en la prevención.

LA MUDA: ¿En la prevención yo? No hay prevención ni cárcel para encerrar a ésta. Mira lo que tengo aquí. (Se remanga la ropa y enseña el muslo) Una cicatriz que me dejó la herradura de un caballo francés, que llegó a pisotearme, mientras yo defendía las puertas de Zaragoza. Que soy ya vieja, puta y sabia. Para qué lucharía en aquel tiempo en contra de los franceses. Que un caballo francés me pisó y me dejó aquí la reliquia que nadie me ha pagado nunca. Aquí, en mis carnes. Y ahora tú te llamas madam, te pones esa peluca y coses para la nobleza. Y nosotros, humillándonos venimos a estas fiestas organizadas por el rey en tiempos difíciles, por no morirnos de hambre.

LOLILLA: Si venís aquí a hablar de la política estáis muy equivocados. Marche. Marche. No quiero sermones de la política delante de mi tienda. ¿No bailáis y cantáis y sois títeres? Pues conformaos con lo que habéis dado lugar a ser.

LA MUDA: ¿Te parece poco venir a buscarnos la vida a estas ferias? Y libremente, mientras tú coses harapos para la aristocracia. ¡Y tener que venir a las ferias de Granada! (Con intención) Que así está Granada de forasteros. Mejor negocio y más limpio, ¿dónde?

LOLILLA: Pues iros de delante de mi puerta que voy a barrer. Que cualquier puente del río Genil es bueno para posada vuestra, independencieros.

UNA COSTURERA: Que no les hables más.

OTRA COSTURERA: Que sigan su camino.

OTRA COSTURERA: Que no tienes por qué perder clientes, si te ven hablando con gente de esta calaña.

OTRA COSTURERA: Que ya está la gente en los balcones. Vamos, mi aguja. Aquí hace falta otra puntada. Y aquí otra.

OTRA COSTURERA: Bueno, circular. Ya saben el camino.

LA MUDA: No nos da la gana. Y ahora nos vamos a sentar en este poyo, hasta que el cojo y el del muñón descansen.

LOLILLA: Que hagan lo que quieran. (Siguen cosiendo).

EL DEL MUÑÓN: Venga un cacho de pan.

LA MUDA: Ahí va.

LOLILLA: ¿A que dejan todo lleno de desperdicios?

UNA COSTURERA: Menudo coche viene.

(Se oye venir un coche de caballos. Las costureras quedan espectantes).

LOLILLA: Coche va, coche viene. Seguro va al beaterio de Santa María. Ni que las arrecogías fueran princesas. No he visto más carromatos que las visitan.

UNA COSTURERA: Cuando bajé esta mañana de la Calderería, había grupos rondando las puertas de la Audiencia.

LOLILLA: Y qué. Han instalado allí este año el ferial.

LA COSTURERA: Demasiados forasteros como esos. (Señala a los títeres). Lisiados de la Independencia.

LOLILLA: La del coche de caballos viene aquí. Y buena señorona que es.

UNA COSTURERA: Pues es verdad.

(Vemos llegar a una señorona, lujosa, con una peluca imperio y ataviada al gusto francés de última hora. Lolilla se dispone a recibirla).

LA SEÑORA: ¿Madam Lolilla?

LOLILLA: Una servidora.

LA SEÑORA: ¡Ah! (La mira de arriba a abajo) La creí mayor.

LOLILLA: ¿Por qué señora?

LA SEÑORA: Por su mucha fama. Usted estuvo en Francia aprendiendo costura.

LOLILLA: Sí, señora. (Silencio).

LA SEÑORA: ¿Puedo revisar los vestidos?

LOLILLA: Con muchísimo gusto.

LA SEÑORA: Vengo de Madrid.

LOLILLA: Mi sueño dorado es Madrid.

LA SEÑORA: (Analizando los vestidos) Qué buen gusto. Qué corte tan elegante. Ya veo que está al tanto de la moda. Y además, vende usted pelucas y telas... (Analizándolas) y telas riquísimas. Yo venía, sabe usted, a ver si fuera posible que me hicieran un vestido para el día de la Octava.

LOLILLA: De aquí a nueve días, señora. No sé que le diga. Hay tanto vestido por terminar.

LA SEÑORA: Lo pagaré a un precio mayor que el habitual.

LOLILLA: No es por eso, señora. Es el tiempo...

LA SEÑORA: Sabe, vine invitada a Granada y me aconsejaron que en su casa podrían satisfacer mi deseo, porque veo aquí un tafetán verde precioso... Y yo quisiera mi vestido verde, como este tafetán.

LOLILLA: (Mirándola de arriba a abajo). Se ve que tiene buen gusto, la señora.

LA SEÑORA: (Cogiendo el tafetán) Sí, es precioso. Se ha puesto de moda este color. ¿No lo sabe?

LOLILLA: No.

LA SEÑORA: Sí, se ha puesto de moda por ser el color de esas banderas que descubren a los rebeldes por cualquier rincón de España. Y voilá. He aquí la moda.

LOLILLA: (Sonriendo) ¿Vestirse las señoras de España del color de esas banderas?

LA SEÑORA: Es una manera de, ¿cómo le diría? de despreciar. Eso es, despreciar.

LOLILLA: ¿Y a qué rebeldes se refería la señora?

LA SEÑORA: A esos que llaman masones, liberales, persas o no sé qué más. Los focos esos de insurrectos que, en buena hora, se están terminando para bien de la paz y tranquilidad de todos.

LOLILLA: (Con profunda tristeza) ¿Acaso ha visto la señora alguna de esas pobres banderas arrinconadas o tal vez ensangrentadas, tiradas en cualquier rincón de cualquier calle?

LA SEÑORA: (Mirándola pensativamente) No ví. Pero sea lo que sea, reconozco que no deja de ser un acto de hermosura... (Sin dejar de mirarla) Pero dicen que Granada es un lugar tranquilo y pacífico. Qué agua tan tranquila la de sus fuentes, y qué pececillos de plata se ven entre las aguas... Gracias a Dios, podremos festejar las fiestas en paz... Dicen que esta tienda la frecuentó mucho esa señora que llaman Mariana de Pineda. ¿Es cierto?

LOLILLA: Cierto. Aquí se vestía. ¿Mucho le interesa a la señora?

LA SEÑORA: Tiene fama su elegancia y su belleza. Nadie diría que fue la mujer de un campesino, ni hija de padres desconocidos, tal vez granadinos, pues dicen que su belleza es algo así como nórdica, tal vez germana...

LOLILLA: ¿La vio alguna vez?

LA SEÑORA: No. Por las alabanzas que se hacen de ella, hablo de cómo es. Su éxito es grande entre los mejores políticos de la Corte y de Granada... (Mirándola con intención) tal vez tam-

413

bien de los refugiados de Gibraltar. Por todo, yo quisiera vestirme, una vez que vengo a Granada, en la casa de madam Lolilla. ¿Podrá hacerme el vestido de tafetán que digo? (Muestra un trozo de la misma pieza de tela) Es exactamente igual esta pieza de tafetán verde que yo traigo, que la que tiene usted.

LOLILLA: (Cogiendo rápidamente la pieza de tafetán) ¡Igual! (Con odio y mascullante) Igual que el de la bandera que tiene Pedrosa.

(Ha cogido de pronto unas tijeras grandes y amenaza al corazón de la señora).

¡Quieto! (De un tirón le arranca la peluca. Se descubre que es un hombre). ¡Atad las manos!

(Las costureras avispadas están atando las manos del hombre, mientras una le amenaza por la espalda con otras tijeras).

Que tu boca no rechiste. Traes los dientes podridos y noté tu olor a caballo de las caballerizas de Pedrosa, pero haces bien el papel de señora, propio de esos policías que esperan el sobresueldo de Pedrosa, aunque tengan que denunciar a inocentes. ¡Quieto!

(Vemos al Policía temblar levemente, hizo un intento de escapar, pero Lolilla y la otra costurera le acercaron más las tijeras).

Estas tijeras pueden clavarse en tu corazón. Mira que cerca las tienes. Y ya te diste cuenta de que somos muchos. Mira a tu alrededor. (Los títeres se han ido levantando y acorralando al policía). Sabía que ibas a venir. Nosotros también tenemos nuestros espías. Te estábamos esperando. Sí. El tafetán lo regalé yo. Yo, Lolilla la del Realejo. Que lo sepas bien. Ahora dime, ¿qué ha sido de ese juicio que acaba de fallarse esta mañana?

EL POLICÍA: (Sudando y en el mismo leve temblor) No sé... de ningún juicio.

LOLILLA: (Amenazándolo aún más con las tijeras) ¡Lo sabes! Has venido por éso. Estáis a ver si descubrís los móviles de la bandera. ¿Qué nombres de liberales salieron a relucir en el juicio? Y no es que me importe el mío, pero sí el de muchos.

EL POLICÍA: (En la misma actitud) No sé de ningún juicio.

LOLILLA: Qué sencilla va a ser tu muerte. Y mira. Mira a tu alrededor. Vuelve a mirar. Tienes gente por todas partes dispuestas a asesinarte. Todos esperan que digas un nombre. ¡Dí ya ese nombre!

EL POLICÍA: No sé de ningún juicio.

LOLILLA: ¿Qué pasó en la Audiencia? ¿Habéis condenado a D.ª Mariana de Pineda?

EL POLICÍA: (Apoderándosele un terror) No sé. No sé.

(Lo arrojan al suelo. Lolilla ante él le pone las tijeras en el cuello).

LOLILLA: Estás dentro de mi tienda y nadie de los tuyos puede verte. No importa un crimen más. Dinos, ¿habéis condenado a D.ª Mariana?

EL POLICÍA: (Perdiendo el control) Sí, sí, sí.

LOLILLA: ¿Y Mariana se defendió? (Silencio) Habla, habla.

EL POLICÍA: Mariana... no estuvo en el juicio. Se falló sin ella estar presente.

LOLILLA: ¡Canallas! Han fallado el juicio sin que ella se defienda. ¡Ea!, no se puede esperar más. (Levantándose) ¿Habéis oído? ¡Han condenado a Mariana sin que ella se defienda! ¡Han fallado el juicio de otra arrecogía sin que ella se defienda! ¡Criminales!

LA MUDA: (Al policía) ¿Y qué nombres sonaron en el juicio?

EL DEL MUÑÓN: ¿Qué nombres, dí, qué nombres?

(Piterío por todo el teatro. La Policía entra por el patio de butacas. La luz de la sala se enciende. Los títeres se enfrentan a la Policía, sacando cuchillos y pistolas. La gente, escondida entre las ventanas y balcones de las casas, encañonan con fusiles a la Policía. Estos, en principio, se dan cuenta y se detienen sin subir al escenario).

LOLILLA: Cuidado que nadie se acerque ni toque un tanto así de nuestra ropa. Ni a esta tienda que tanto bien hizo a muchos. De aquí salió la bandera. Y de aquí salieron los disfraces que hicieron salir a muchos presos de la cárcel. Ya sabéis un nombre más. El mío. El de Lolilla. El de la que regaló la tela de la bandera sin que nadie viniera a comprarla. Andad, venir por mí y hacerme arrecogía. (Tira las tijeras al suelo) Nada en mis manos. Y nadie disparará, porque no queremos sangre. Vosotros sois España también.

(La Policía hace intento de subir. Los demás encañonan dispuestos a disparar. La Policía vuelve a detenerse).

¡Que nadie dispare! ¡Ni nadie amenace! ¡Fuera esos fusiles! (La gente deja de encañonar) Pero sigamos alerta. Ya lo sabéis, en cada casa se esconde un liberal. Pero cuidado con que nadie delate a nadie. Sé que ni vosotros quisiérais ser lo que sois. Ea, retiraos. Iros retirando sin dejar de mirarlos. Nos vamos también a las serranías de Ronda.

(Lolilla y los suyos se van retirando, dando pasos hacia atrás y cantando bajito, mientras palillean con los dedos de las manos, sin dejar de mirar a la Policía y haciéndoles, de esta manera, frente. Puertas y ventanas se cierran al mismo tiempo. Mientras se van retirando, Lolilla y las Costureras).

Estas son las costureras de Lolilla,
y cose que te cose, hasta la coronilla
del tío Fernando.
Mi tío carnal,
oiga usted,
seriedad, seriedad, seriedad.
Que toma la aguja,
que no te la doy,
que a Ronda me voy,
porque sí, porque quiero,
que son las fiestas
y me espera el bolero.
¡Vaya salero!
Salero, salero, salero.

(Rápidamente se apaga la luz de la sala y la Policía irrumpe en el escenario, dando golpes en puertas y ventanas, abriendo la puerta de la tienda de Lolilla y entrando a saco en ella. Las campanas del Beaterio de Santa María repican a Gloria. Sube el telón de la tienda de Madam Lolilla, mientras los músicos pasan tocando, con mucha alegría, anunciando las fiestas con pancartas. Al mismo tiempo van subiendo las tapias del beaterio. El día es luminoso y espléndido. En los bebederos de las caballerizas de abajo, Carmela "La Empecinada", Chirrina "La de la Cuesta", Concepción "La Caratauna" y Eva "La Tejedora", se lavan a galfadas, y después se van poniendo al sol para secarse.

Rita "La Ayudanta" le da a la bomba del agua. Mariana se está peinando. D.ª Francisca "La Apostólica" se va a acicalarse dentro de la celda. Rosa "La del Policía" sigue con las manos atadas. Paula "La Militara" la está peinando. Aniceta "La Madrid" se lava los pies en un lebrillo. La música se oye tocar lejana).

ANICETA "LA MADRID": ¿Dónde será hoy el concierto? Vaya unos querubines tocando. Seguramente habrán estado ensayando en las cuadras de su casa. Yo no quiero más que a los músicos de mi Madrid. Esos sí que saben tocar.

PAULA "LA MILITARA": El concierto será en la plaza nueva.

EVA "LA TEJEDORA": ¡Qué alegría! Hoy es Corpus Christi.

CHIRRINA "LA DE LA CUESTA": Bandejas con pétalos de rosa, guardaba yo en mi alcoba, para tirar los pétalos al paso de la Custodia. Yo sí. A mí las cosas de las procesiones y de los santos me gustaron siempre. A veces salí con una vela y cantando en las procesiones. Además, yo creo mucho en Santa Rita. Me ha hecho ya dos milagros.

ANICETA "LA MADRID: A ver si santa Rita, la llorona, te saca de aquí.

EVA "LA TEJEDORA": Vaya una banda tocando. Parece que hemos amanecido en paz y en gracia de Dios.

PAULA "LA MILITARA": Corpus Christi, ¿qué quieres?

CARMELA "LA EMPECINADA": (Acercándose a Rita con misterio) Dinos Rita, ¿qué te dijo el panadero?

RITA "LA AYUDANTA": Que hay más forasteros que nunca.

CARMELA "LA EMPECINADA": ¿Y nada más?

RITA "LA AYUDANTA": Bueno, lo que os dije: que han visto pasar a un cura preso, porque habló mal del gobierno desde el púlpito.

CARMELA "LA EMPECINADA": ¿Y nada más?

RITA "LA AYUDANTA": ¿Y es que yo soy la Gaceta?

CARMELA "LA EMPECINADA": La Gaceta no, pero sí la que recoge el pan.

RITA "LA AYUDANTA": ¿Y qué?

CARMELA "LA EMPECINADA": Que puedes oír más cosas que ninguna.

RITA "LA AYUDANTA": Otro mes te tocará a tí.

CARMELA "LA EMPECINADA": ¿Pero hablaste mucho rato con el panadero? (Irritada) No te quedes más pensando y contesta.

RITA "LA AYUDANTA": (Dándole a la bomba) Pienso en Rosa "La Gitanica" que ya estará en el Hospital Real.

ANICETA "LA MADRID": Déjala que piense y que hable lo que quiera con el panadero.

Paula "La Militara": (A Aniceta) A ver si dejas ya el lebrillo, que podamos lavarnos los pies las demás.

Aniceta "La Madrid": Y el lebrillo tuyo, ¿qué?

Paula "La Militara": Este es para lavarnos la cara.

Carmela "La Empecinada": (En el mismo misterio, a Rita) ¿Por qué hablaste tanto rato con el panadero?

Chirrina "La de la Cuesta": Y dale, morena.

Rita "La Ayudanta": Porque me salió de donde yo sé.

Aniceta "La Madrid": Pero qué mal genio echó esta Rita "La Ayudanta".

Rita "La Ayudanta": Todo se pega.

Carmela "La Empecinada": Pero mírala ahí.

Concepción "La Caratauna": (A Chirrina) Como te sigas echando esas galfadas de agua, me voy a poner chorreando.

Chirrina "La de la Cuesta": Pues ponte. Que te hacía falta lavarte bien.

Concepción "La Caratauna": Eso es, y me quedo en enaguas, mientras se seca el vestido, y no voy a ir en enaguas a la iglesia.

Chirrina "La de la Cuesta": (Burlona) ¿Y qué importa que no vayas si nunca pones atención y miras al techo mientras dicen la misa.

Concepción "La Caratauna": ¿Y qué tiene que ver lo que una haya sido y sea para seguir creyendo en Dios.

Chirrina "La de la Cuesta": ¿Lo veis? Esta tiene que estar aquí por tonta.

Concepción "La Caratauna": A mí que no me quite nadie a Dios. No me lo pudieron quitar ni los de la Ilustración, que iban a mi pueblo a enseñarla.

Chirrina "La de la Cuesta": Se ve que no pudo ilustrarse la señora. (Mete la cabeza entera en la pila y el agua se derrama).

Carmela "La Empecinada": ¿No veis, chiquilla? Que cuando mete la cabeza en los bebederos, es como si la metiera una mula.

Aniceta "La Madrid": Como que tiene cabeza de león, con tantísimo pelo y tan largo.

CHIRRINA "LA DE LA CUESTA": (Sacando la cabeza y encarándose con Aniceta) O cabeza de bailaora. Que yo bailé en los cafés cantantes de Cádiz. Y todavía, mirad qué brazos tengo, duros como garrotes, con borbotones de sangre dentro que no saben para dónde tirar. Unos brazos como mis piernas y mis muslos. (Se remanga la ropa y se tira un pellizco en el muslo) Mirad, acero puro. A quien pisoteen estas piernas o ahoguen estos brazos, va a saber lo que es morir. (Se canturrea y taconea) "Que si quieres arroz, Catalina".

CARMELA "LA EMPECINADA": (Secándose al sol y acercándose otra vez a Rita) ¿Y qué más te dijo el panadero?

RITA "LA AYUDANTA": Déjame, empeciná. Respetad el día de hoy y no acordaros de las cosas políticas. Digo yo. Que hoy es el día más hermoso del año:

> Tres días tiene el año
> que relucen como el sol,
> Jueves Santo, Corpus Christi
> y el día de la Ascensión.

CARMELA "LA EMPECINADA": (Burlona) ¿No os digo que a ésta la llaman "La Ayudanta" por algo? Todo lo de la iglesia se le pegó.

ANICETA "LA MADRID": Deja de una vez a la pobre. ¿No veis que de aquí sale corregida para el claustro? Se está viendo. Si es tan buena... ¿por qué estás aquí, hija mía? ¿Te hizo una barriga algún liberal?

CONCEPCIÓN "LA CARATAUNA": Haga usted el favor de callarse, con esas preguntas de mala intención. Que me he puesto hasta colorada.

ANICETA "LA MADRID": (Desenfadada) Es que yo quisiera saber por qué está aquí.

EVA "LA TEJEDORA": Nadie tiene derecho a contar por lo que está, digo yo.

ANICETA "LA MADRID": (A Eva e irónica) Tampoco tu caso es claro.

EVA "LA TEJEDORA": Y yo ni lo predico ni os importa. Pero todas sabéis que fui tejedora, que me establecí en el Albaicín, y que hilaba en un telar de la Plaza Larga, que era mío, y que lo puse con muchas fatigas, después de haber trabajado mucho en Cataluña...

ANICETA "LA MADRID": ¿Y qué más?

EVA "LA TEJEDORA": Y que me enamoré de un liberal y sansacabó. Y que el liberal se fue a la sierra. Y que de la sierra se fue a los campos de Gibraltar. Y hace dos años. Y no me llegó ni una carta. Ni una noticia. Y tengo cuatro hijos de él. Y no sé si siguen en el telar, que ya con diez años trabajan. Y ni el abogado de oficio sabe de mis hijos ni de mi telar. Todo mi delito es haber querido y querer todavía un hombre que huyó. Y por las noches me desvelo, porque creo que me llaman mis hijos. No sé ni dónde estarán. El mayor tiene catorce años. Y salgo al patio, a media noche, a ver si el aire me trae alguna voz de ellos... Y nunca oigo nada.

CHIRRINA "LA DE LA CUESTA": ¿Lo veis? Los abogados de oficio que nos mandan, estan vendidos también. Quién hubiera podido comprarlos, con el dinero que gané bailándole a los franceses en las tabernas de Cádiz. Pero al traerme de arrecogía me quitaron hasta el pañuelo. Por estos muslos que tengo y por estas ancas se volvían locos los franceses de Pepe Botella. Y si hubiera querido, hubiera bailado en los palacios y hubiera enamorado hasta enloquecer al mismo Pepe Botella. Pero fui una desgraciá que no me supe quedar con el dinero. Mi baile valía más que el dinero. Hoy podría tener dinero para comprar a todos los abogados de oficio que vienen al beaterio. ¡Que también la justicia está vendida!

ANICETA "LA MADRID": Amigo y el más amigo,
y el más amigo la pega.
No hay más verdad que Dios,
y un duro en la faltriquera.

MARIANA DE PINEDA: Como acaso siempre haya estado vendida la justicia.

(Todas la miran espectantes).

CHIRRINA "LA DE LA CUESTA": Y si sabes eso, ¿por qué consientes hablar con esos apagavelas de oficio que nos traen, diciéndonos que son abogados?

MARIANA DE PINEDA: Los miro y no los escucho. No hablo con ellos. No puedo hablar. Les comprendo el engaño y a veces siento piedad. Pero veo en sus fondos y creo, entonces, saber por dónde anda todo. Sé esta injusticia, y la acepto como es. Pero yo también sé hacer la guerra a mi manera. Y los secretos de esta desgraciada sabiduría, si es preciso, me los llevaré a la tierra. A pesar de todo, todavía espero mucho. Mis esperanzas no terminan.

CHIRRINA "LA DE LA CUESTA": ¿Y no pueden saber tus compañeras de muerte, ni un poco de lo que tú sepas?

MARIANA DE PINEDA: Cada una hemos vivido una vida. Es ya imposible.

(Silencio. La atmósfera toma un aire grave y misterioso. Cada una sigue en su faena, Carmela "La Empecinada" se ha vuelto a acercar a Rita "La Ayudanta" que sigue al cuidado de la bomba de agua, para preguntarle).

CARMELA "LA EMPECINADA": ¿Y qué más te dijo el panadero? Se ve que no quieres decirlo.

RITA "LA AYUDANTA": Pero, ¿por qué he de saberlo yo? Pregúntale a esa (por Eva) que no duerme nunca y lo oye todo.

EVA "LA TEJEDORA": Nada sentí. Esta noche estuvo el aire callado. Todo callado. Y estaba el aire muy templado.

CHIRRINA "LA DE LA CUESTA": Pues buen jaleo que yo oí. Claro, sería la feria.

EVA "LA TEJEDORA": El jaleo se terminó pronto. Después ni el aire se levantaba. Yo sentí calor y me salí al patio. Y ví este capullo que nacía.

MARIANA DE PINEDA: ¿Un capullo? Qué milagro en el beaterio.

EVA "LA TEJEDORA": Sí. Este.

MARIANA DE PINEDA: Y es verdad.

EVA "LA TEJEDORA": (Con cariño) Quisiera... Mariana, que algunas mañanas me dejaras peinarte.

MARIANA DE PINEDA: Sí, Eva, sí. Cuánto te lo agradezco.

PAULA "LA MILITARA": ¿Es posible que no tengamos dónde secarnos? Ni mantas, ni sábanas en los jergones.

ANICETA "LA MADRID": Es que temen que te ahorques.

PAULA "LA MILITARA": ¿Dónde me seco ahora las manos? Aquí no llega el sol. (A las de abajo) Dichosas vosotras, las de la igualdad de clases, que tenéis el privilegio del sol.

CHIRRINA "LA DE LA CUESTA": Ya abrió el pico la militara.

PAULA "LA MILITARA": Vosotras que hasta tenéis rosales con capullos.

ANICETA "LA MADRID": Ya empezaron los pronunciamientos. Y en Corpus Christi.

PAULA "LA MILITARA": Me secaré en los barrotes, ea.

(Se seca y se peina después un pelo largo y negro, que le llega a la espalda).

ANICETA "LA MADRID": Menuda melena tiene ésta también, llena de piojos.

PAULA "LA MILITARA": Serán de los tuyos.

EVA "LA TEJEDORA": Si al menos nos dejaran que las familias trajeran cosas.

CARMELA "LA EMPECINADA": Mal tiene que andar todo.

CHIRRINA "LA DE LA CUESTA": Y nadie da la cara, ni las monjas.

RITA "LA AYUDANTA": Eso no digas, porque Sor Encarnación va y viene como la que quiere hablar con nosotras.

CHIRRINA "LA DE LA CUESTA": Pero se calla, como la que no se atreve a hablar.

ANICETA "LA MADRID": Alárgame el peine.

PAULA "LA MILITARA": ¿El de las tres púas?

ANICETA "LA MADRID": Ay, qué lástima de mis peinas. Quien tuviera siquiera una para darse un alisón.

PAULA "LA MILITARA": (A Rosa) Qué guapa te estoy poniendo. Mirad a Rosa, con la raya en medio y el pelo tirante, es hasta guapetona. Se acostumbró a las argollas y está hasta guapa desde que no llora. (Le toca la frente) Pero sí tiene las calenturas. A ver. (Le toma el pulso). Pero que muy caliente. Pero qué vejigas tiene en las muñecas. Si se le ven hasta los huesos. ¿A ver? Mira a ver tú, Aniceta.

ANICETA "LA MADRID": (Yendo descalza) Sí. ¿Y no te duelen? (Rosa no contesta) Si está ardiendo.

PAULA "LA MILITARA": ¿Y no querrán que ésta salga así a misa?

Aniceta "La Madrid": Quiá, hija. Esta se queda en la jaula. ¿No ves que puede darles con las argollas?

Rosa "La del Policía": (Soñolienta) ¿Hay misa hoy?

Aniceta "La Madrid": ¿Pero no ves cómo nos estamos lavando? Han mandado perfumarnos con el agua de la acequia gorda, para entrar lavadas y como Dios manda a la capilla. Es que estás soñolienta.

Rosa "La del Policía": No lo estoy.

Aniceta "La Madrid": Ay, hija, siempre nos traes sobresaltos.

Rosa "La del Policía": (Levantándose y yendo a los hierros, soñolienta, obsesiva) Nadie oyó lo que yo oí ayer. Serían las cuatro de la tarde.

Aniceta "La Madrid": ¿Qué se va a oír? Sólo música y forasterío.

Rosa "La del Policía": ¿No es demasiado el forasterío que está entrando?

Aniceta "La Madrid": No lo es. Estamos en fiestas.

Rosa "La del Policía": (Misteriosa) no es demasiada la música que suena.

Aniceta "La Madrid": Mira, déjanos en paz. Digo. Parece una pitonisa.

Rosa "La del Policía": Ayer, a las cuatro de la tarde, hubo redada. Y daban grandes golpes en las puertas de las casas.

Paula "La Militara": ¿Pero qué está hablando esta mujer?

Rosa "La del Policía": Hubo redada. Oí la alarma y los gritos. No he dormido en toda la noche y sé que no han dejado de entrar y salir al beaterio. He oído puertas abrirse y cerrarse, muchas veces. Y alguien quería hablar con alguna de nosotras.

Mariana de Pineda: Pues aquí estamos para que nos hablen. Rosa, te pido que te serenes. Ahora es la mejor hora para estar serenas. Yo también oí lo que tú. Pero hay que estar muy serenas. Y preparadas.

(Pasan y cruzan dos monjas, las arrecogidas se callan antes de salir de escena, las monjas abrieron las puertas de la capilla).

ANICETA "LA MADRID": (Mientras las monjas pasan) Qué alegría. ¿No oís la música y el forasterío? ¡Santísimo Corpus Christi!

MARIANA DE PINEDA: ¿A qué te referías, Rosa?

ROSA "LA DEL POLICÍA": Puede que tú lo sepas como yo.

MARIANA DE PINEDA: ¿A qué se haya celebrado algún juicio? ¿Los católicos del rey pueden celebrar juicios en fiestas tan hermosas como ésta? Todos estarán tranquilos. Apuesto que hay gente hasta de la Corte en Granada, y malagueña, y de las serranías de Ronda. (Esta última frase la ha dicho con misterio y esperanza) ¿A qué temes, Rosa?

ROSA "LA DEL POLICÍA": Habla, Eva, habla tú que estás desvelada siempre. Te he visto sin poder dormir, ahí abajo.

EVA "LA TEJEDORA": Ya he dicho lo que oí.

ROSA "LA DEL POLICÍA": Estás mintiendo por algo. (Cogiéndose a los hierros asustada) Ay Dios. ¿Habrán venido hombres de las Alpujarras o de Ronda y los habrán detenido?

CONCEPCIÓN "LA CARATAUNA": (Asustada) ¿Acaso mi juicio pueda haberse fallado? (Muy nerviosa se dirige a Mariana) ¿Sabes algo sobre esto, Mariana?

MARIANA DE PINEDA: (Conteniendo sus sentimientos) Os pido tranquilidad. Seguir arreglándoos. Un padre franciscano nos va a confesar, y no podemos oler mal al entrar a la capilla. (Con mucho cariño a La Caratauna) Vamos a tomar la Comunión después. No puede haber en la tierra miedos tan grandes como para fallar y dictar juicios en estos momentos tan hermosos. No podemos tener miedo. Ya suena la segunda llamada. A misa todas, y muy tranquilas. Que nadie se dé cuenta de nuestro miedo, porque se alegrarían.

ANICETA "LA MADRID": Anda, Chirrina, que vamos a entrar con tus santos, que quiero verte con el rosario en las manos y pidiéndole a Santa Rita.

(En estos momentos sale D.ª Francisca "La Apostólica" con una peluca francesa y adornada espléndidamente. Todas la miran).

CARMELA "LA EMPECINADA": (Con burla a D.ª Francisca) ¿Qué, a la iglesia?

424

D.ª Francisca "La Apostólica": Digo. Y con mi velo. (Se pone un velo riquísimo y brillante en lo alto de la ridícula peluca) Africano. Fabricado en Melilla.

Chirrina "La de la Cuesta": (Haciendo reír a todas) Digo, la peluca que se puso con tantos caracoles la de los sermones constitucionales.

D.ª Francisca "La Apostólica": (Sin soliviantarse) ¿Acaso voy mal? Una es joven todavía.

Chirrina "La de la Cuesta": Casi en los sesenta estará la señora, aunque se quita diez de golpe.

D.ª Francisca "La Apostólica": ¿Y qué? Todavía puedo enamorar.

Chirrina "La de la Cuesta": (Acercándose con coraje) ¿Enamorar? ¿A quién?

D.ª Francisca "La Apostólica": A quien pueda ser.

Carmela "La Empecinada": (Con coraje) Digo, la peluca que se puso la constitucional. ¿Y dice que no es de la aristocracia? ¿Veis cómo no podéis dejar las lacras que arrastrais? Las lacras y las dañinas grandezas es vuestro mundo inútil, que nos está llevando a la ruina.

D.ª Francisca "La Apostólica": (Muy serena) ¿Por qué? ¿Por qué una es mujer y sepa ponerse los postizos y vestirse como Dios manda?

Carmela "La Empecinada": (Cabreada) Pues eso es de rica. Pues eso es que quieres ser rica todavía.

D.ª Francisca "La Apostólica": Soy una mujer, y joven, aunque os pese.

Carmela "La Empecinada": Y yo otra. Y mira mi melena colgando. Y si tan constitucional eres, quítate ahora mismo esa peluca para entrar en la iglesia, vamos, que te la quito de un tirón. Entra como nosotras, con los pelos colgando, rotas las ropas y hasta descalzas, que la guerra nos espera y no las fiestas.

Chirrina "La de la Cuesta": Carmela, déjala.

Carmela "La Empecinada": Es que me subleva. Parece que va de fiesta la señora. Y yo sé bien por qué, porque ella, como Rosa y las demás, ha oído la redada y se alegra.

D.ª Francisca "La Apostolica": (Muy serena) Si me alegrara, ¿cómo iba a estar aquí contigo?

Carmela "La Empecinada": Háblame de usted, que yo también fuí señora.

D.ª Francisca "La Apostólica": ¿En qué quedamos, pues? ¿Acaso hasta las pobres aspiran a ser señoras?

Carmela "La Empecinada": (Muy irritada) Pues, ea, con esas ínfulas y con esa peluca no entras a la capilla con nosotras. Y no te pronuncies, porque soy capaz de cagarme en mis muertos. Y deja ya tanto fingimiento, que algo malo pasa en Granada y alguien de las que estamos aquí nos vende. Y yo, que no me desvelo tan fácilmente como éstas, y duermo como un lirón, que no extraño jergones ni piojos, sin embargo he oído esta noche lo que ninguna: dar los martillazos que dan cuando un patíbulo se alza. ¿Quién puede negar que no ha oído esos martillazos?

Concepción "La Caratauna": (Tapándose los oídos) ¡Qué te calles ya!

Eva "La Tejedora": El tercer toque.

(Se oyen, acercándose, rezos de monjas, van desfilando madres y hermanas del beaterio y entran en la capilla. Unas hermanas suben y abren la celda de arriba. Salen, muy damas y altaneras, Aniceta "La Madrid" y Paula "La Militara". Va a salir Rosa "La del Policía" y las hermanas la dejan dentro, cerrando la cancela).

Rosa "La del Policía": (Aterrorizada) ¿Por qué yo no?

(Las hermanas no le responden y bajan. Aniceta y Paula, sospechando, se hacen las retraídas).

¿Pero por qué yo no?

(Todas las arrecogidas sienten un gran pánico y se miran unas a otras).

Mariana de Pineda: (Atajando a las monjas antes de que acaben de bajar) ¿Se puede negar la misa a una presa? (Las monjas sin responder intentar seguir su camino, pero Mariana vuelve a interponerse) ¿Quiénes sois vosotras, ni el beaterio entero, ni la diócesis granadina en pleno para prohibir un mandato de Dios?

(Las monjas, sin responder entran en la capilla).

ROSA "LA DEL POLICÍA": (Desesperada) Se ha fallado mi juicio, Mariana. Se ha fallado mi juicio. No me dejéis sola, por Dios. Necesito a Dios. Necesito hablarle en la capilla. No me dejéis sola, que pueden llevarme mientras vosotras estáis oyendo la misa. Mariana sube. Sube por Dios.

(Rápidamente sube Mariana y abraza a Rosa y la acaricia entre los hierros de la puerta de la celda. Mariana, después, en un momento de cólera, dice desde el barandal).

MARIANA DE PINEDA: ¡Que no sigan entrando en la capilla! ¡Y que salgan las que entraron. Y que no entre ninguna arrecogía sin que antes no hayan abierto la puerta de esta celda. ¡Que nadie tenga valor de celebrar la misa sin Rosa! ¡Y de oír la misa sin Rosa!

(Las recogidas se han detenido, indecisas, aterrorizadas. Mariana baja rápida y va a cerrar la puerta de la capilla. Al momento aparecen soldados rodeando el patio, con fusiles y machetes en ristre. Mariana les dice en la mayor serenidad).

No tenemos miedo. Ningún soldado nos asusta, por muy relucientes que enristren los machetes. Ninguno. Y que ningún soldado se mueva de donde está. Sé que no tendreis valor de moveros. (Se pone delante de la capilla para que nadie entre) Lo que haya de pasar todas queremos saberlo. (A las monjas que han ido saliendo de la capilla) Vengan las llaves, o venga la sentencia, que todas la oigamos.

(Sor Encarnación sale por la puerta que conduce a la escalera que da al rastrillo, con un oficio en la mano. Tras ella, unos padres franciscanos).

SOR ENCARNACIÓN: Aquí está. (Lee copia del oficio. Un tambor redobla). "En virtud del decreto de uno de octubre de 1830, aplico el artículo siete del decreto a D.ª Mariana de Pineda, natural de Granada, viuda, de veintisiete años de edad, que dice: "Toda maquinación en el interior del reino para actos de rebeldía contra mi autoridad soberana o suscitar conmociones populares que lleguen a manifestarse por actos preparatorios de su ejecución, será castigada en los autores y cómplices con la pena de muerte. Y ha quedado demostrado que la susodicha señora ha cometido uno de los actos criminales de mayor gravedad. El de haberse encontrado en su propia casa el delito más horroroso y detestable, como es el encuentro y aprehensión del signo más decisivo y terminante de un alzamiento contra la

427

soberanía del Rey Nuestro Señor". Firmado, el fiscal de la Audiencia Territorial de Granada, D. Andrés Oller".

(Al terminar de leer la sentencia ha llegado un grave silencio. Las monjas vuelven a entrar a la capilla, entonando suaves y bellos cantos gregorianos.

Las arrecogidas y Sor Encarnación están quietas y silenciosas. Mariana se sobrepone y se adelanta hacia el centro del escenario, sin decir palabra, con la mirada perdida en el vacío. De pronto, es Carmela "La Empecinada" la que rompe el fuego).

CARMELA "LA EMPECINADA": (Gritando y señalando a la capilla) ¡Yo no entro ahí! (Se apodera de todas una histeria y gritan)

TODAS: ¡Ni yo! ¡Ni yo! ¡Ni yo! ¡Ni yo!

(Los soldados intentan avanzar. Carmela "La Empecinada" es la primera que les hace frente)

CARMELA "LA EMPECINADA": ¡Quietos! ¡Un juicio se ha fallado en la mayor de las traiciones!

ANICETA "LA MADRID": ¡El mundo se enterará de esta traición y los despreciará siempre!

CARMELA "LA EMPECINADA": ¿Cómo es posible que enristreis vuestros machetes? ¡Maricones! ¡Serviles!

(Intenta abalanzarse sobre uno, pero Aniceta "La Madrid" la detiene).

ANICETA "LA MADRID": ¡Qué vas a hacer, desgraciada! ¡Qué nadie ponga las manos encima de nadie!

CHIRRINA "LA DE LA CUESTA": ¡Tranquilas todas! ¡Y a cantar!

(Todas cantan, menos Mariana, que sigue en su mundo aparte, con la mirada perdida)

TODAS: (Danzando, al mismo tiempo amenazantes)
Ay, qué día tan grande en el beaterio,
que hasta a las piedras haría llorar.
Hemos oído el martilleo de un patíbulo que levantan.
¡Qué temblor y qué miedo tendrán las manos de los hombres
¡Si en esos momentos pudieran hablar!   [que martillean!
No culpeis a los hombres que mandan a levantar patíbulos.
¡Piedad! ¡Piedad para todos!
Por eso ni el aire se oye sonar.
Ni una paloma pasa por el cielo.

Y hasta las paredes de este beaterio, mudos testigos, llorarían.
¡Qué saben estos soldados lo que nos tocó vivir!
¡Qué saben ni quienes fuimos!
Si los estamos viendo temblar,
con las gargantas secas,
y brillando sus ojos como el acero de los machetes.
Y en el brillo se ven contenidas lágrimas.
Ay, podrían ser hijos de alguna arrecogía.
Y no hay hijo en la tierra que sepa como se mata a una padre.

(Todas danzan muy unidas y cantan, ahora, muy líricas y suaves)

Qué día tan triste en Granada,
que a las piedras hacía llorar,
al ver que Marianita se muere
en cadalso, por no declarar.

(Las arrecogidas quedan silenciosas, unidas, arrinconadas. Mariana, en el mayor silencio y dando la impresión que vive en otro mundo, se dirige a sor Encarnación)

MARIANA DE PINEDA: Sor Encarnación: la presa de arriba tiene que bajar. (Se miran mutuamente) Pida la llave de la celda. (No le responde) Pida la llave. Es la voluntad de una condenada a muerte.

(Sor Encarnación hace una leve indicación a unas monjas que se quedaron retraidas en la puerta de la capilla. Una de estas monjas le lleva la llave a Mariana. Mariana sube, abre la puerta de la celda y deja salir a Rosa "La del Policía". Mariana la ayuda a bajar. Al llegar al patio, la recogen entre las demás. Las monjas inician ahora rezos dentro de la capilla. Rosa, sobreponiéndose, se suelta de las demás y entra la primera. Detrás entran las otras, humilladas, vencidas).

MARIANA DE PINEDA: (A sor Encarnación) Tengo la fortaleza cristiana suficiente para no desmayar ante mi condena. Si la dejaron aquí para consolarme, sobra todo consuelo. Lo que pueda ser yo, lo sabe Dios. Pero sepa, sor Encarnación, que mis esperanzas siguen siendo infinitas.

(Sor Encarnación hace una leve señal y los franciscanos y la tropa se retiran. Mariana se vuelve e intenta entrar a la capilla. Al verse sola, siente un vahído y se apoya en una columna del patio, sor Encarnación, que no se movió de donde estaba, y mira ir a Mariana, con un cariño que sorprende, dice:)

SOR ENCARNACIÓN: Mariana.

MARIANA DE PINEDA: (Con intimidad) Encarnación...

SOR ENCARNACIÓN: ¿Puedo... ayudarte?

MARIANA DE PINEDA: Ya va pasando. (Cantan las monjas) La misa empieza.

SOR ENCARNACIÓN: (Con lágrimas en los ojos) Perdóname, Mariana...

MARIANA DE PINEDA: Cumpliste con tu deber. Con el deber que te impusieron. Y te agradezco que hayas sido tú la que has leído la sentencia.

SOR ENCARNACIÓN: Lo sabía. Por eso rogué y pedí leerla yo.

MARIANA DE PINEDA: (Acariciándole suavemente la cara) Hija mía. ¿Qué sabes de tu padre?

SOR ENCARNACIÓN: Nada. Lo que tú sabes de los tuyos, nada. Vivimos sin saber nada. Y no duermo, como vosotras. Y hasta en el coro, en vez de cantar, maldigo...

MARIANA DE PINEDA: ¡Encarnación!

SOR ENCARNACIÓN: Maldigo, Mariana. Y quisiera salir a la calle y encerrarme en una iglesia, sin querer comer ni beber, y así, que pasaran días, y que llegara a oídos de Su Santidad mi rebeldía. Y que la gente se preguntara: ¿qué puede pasarle a esa monja, que se encierra en una iglesia a morir de hambre? ¡Ha pedido tu sentencia de muerte, quien fue tu mejor amigo, el fiscal don Andrés Oller!

MARIANA DE PINEDA: ¡Mi mejor amigo!

SOR ENCARNACIÓN: Nos han conducido a desconfiar, a mentir, a perder los grandes amores de la vida...

MARIANA DE PINEDA: Pero yo perdono a mi fiscal. Te confesaré, en secreto, que muchos en Granada, para salvarse, si es que la revolución no triunfa, cosa que dudo mucho, firmarían, en estos momentos, mi sentencia de muerte.

SOR ENCARNACIÓN: ¿Y así puede ser la humanidad? ¿Y eso puede ser cariño a la revolución, Mariana?

MARIANA DE PINEDA: Sí. Mucho cariño. De esta manera, ellos seguirán viviendo y podrán llegar a hacer el bien que yo, desgraciadamente, tal vez no pueda hacer ya.

SOR ENCARNACIÓN: Dices ¿tal vez? ¡Cómo respiro!, porque yo también lo creo.

MARIANA DE PINEDA: Confiemos.

SOR ENCARNACIÓN: (Con una alegría grande) Tu sentencia tiene que llegar al rey y tal vez puedan detener al correo por el camino. O tal vez puedan asesinar al rey mientras la firma...

MARIANA DE PINEDA: ¿Cómo puede pensar así una monjica granadina como tú? ¿Hasta la vida de recogimiento es posible que llegue a tales pensamientos? ¡Qué desengaño y qué asombro. A veces pensé que la vida religiosa, podría salvar todas las apetencias del mundo que la vida da. Hubiera querido, entonces, llegar a ser religiosa como tú. Y aislarme en esa dulzura que tiene que dar el recogimiento y la búsqueda de Dios, pero si la búsqueda de Dios, nos desengaña también... Qué espanto, entonces, de pensar en la existencia humana.

SOR ENCARNACIÓN: Es que yo llevo dentro de mí una lucha muy grande.

MARIANA DE PINEDA: ¿Y qué lucha es la tuya?

SOR ENCARNACIÓN: La iglesia unida al rey me enseña un sentido no puro de la vida que busco. Y me desencanto. Por eso, hincada de rodillas delante del Santísimo, le pregunto: ¿es acaso éste el castigo, la prueba o la mortificación, Señor mío, que me das? Y el silencio, en respuesta, que escucho, después de la pregunta, me estremece y me rebela. Y entonces pienso...

MARIANA DE PINEDA: ¿Qué, Encarnación?

SOR ENCARNACIÓN: Quitarme la toca y los hábitos y pisotearlos.

MARIANA DE PINEDA: Encarnación, piedad. Te pido que no blasfemes.

SOR ENCARNACIÓN: No blasfemo. Sólo pienso. Nadie puede quitarme el poder de pensar.

MARIANA DE PINEDA: Ten humildad.

SOR ENCARNACIÓN: (Mirando fijamente los ojos de Mariana) No puedo. ¿De qué sirve la humildad en estas condiciones, obedeciendo leyes injustas?

MARIANA DE PINEDA: Será esta tu prueba.

SOR ENCARNACIÓN: Pues si mi prueba es esta, mira. (Se va quitando la toca).

MARIANA DE PINEDA: ¿Qué haces?

SOR ENCARNACIÓN: ¡Seguir los mandatos de Dios! (Al quitarse la toca descubrió una hermosa mata de pelo. Después se desgarró los hábitos).

MARIANA DE PINEDA: ¡Encarnación..!

SOR ENCARNACIÓN: Eso. Encarnación. Que así me juzguen: Encarnación, la monja granadina, que por amor a los suyos, rasgó sus hábitos un día. Los hábitos de Santa María Egipciaca.

MARIANA DE PINEDA: No puedes hacer eso.

SOR ENCARNACIÓN: ¡Una arrecogía más! Que me juzguen donde quieran. Diré lo que ví y lo que siento, pero prefiero morir arrecogía.

MARIANA DE PINEDA: (Abrazándola) Encarnación de mi alma, no puedes hacer eso. Sálvate.

SOR ENCARNACIÓN: Me estoy salvando.

(Los cantos de monjas, dentro de la capilla, subieron de tono, hasta inundar todo el teatro de "la Salve". Hay un oscuro en el beaterio. Enseguida se oye tocar una guitarra por alegrías. Y los taconeos de Lolilla y las costureras. Salen bailando y cantando, por la calle, disfrazadas, con otras pelucas y tapadas con mantillas, que abren y cierran con el juego del baile).

LOLILLA: Aquí están aquellas.
             Las que sabéis.

(Se descubren las seis y vuelven a taparse).

             ¿Nos conoceis?
             Sin penas y sin quejas.
             Sin rechistar
             y a callar.

(Cantando y bailando).

             Que son las una,
             que son las dos,
             penas ninguna,
             señor Juan de Dios.

(Se bailotean y sale de nuevo Lolilla a cantar, cambiando de cante y de baile.

LOLILLA: Los campos de Ronda la vieja
             se quedaron sin caballos
             y sus jinetes pelean
             valientes y sin desmayos.

TODAS: Que son la una,
          que son las dos,
          penas ninguna,
          señor Juan de Dios.

LOLILLA: Para llegar a la hora señalada,
          donde en la plaza de toros
          del reino moro de Granada,
          se va a torear.
          Qué claridad,
          que las tapadas en Ronda,
          no teníamos que hacer ná.

   (Todas bailan).

          Ay, dicen que las corridas en Cádiz
          se están terminando,
          porque los gaditanos,
          entre sus mares de plata,
          se están apenando.

TODAS: (Cantando y bailando muy alegres).

          Pero oiga usted,
          serán los viejos,
          secos y pellejos,
          que no pueden venir
          a las corridas de toros
          que se dan aquí,
          y que no se dan
          en el viejo y alegre Madrid.
          ¡Toma ahí!
          Que en los viejos madriles,
          todo es seriedad,
          aquí, en esta Andalucía,
          alegría y claridad.

   (Bailan todas mientras Lolilla canta).

LOLILLA: Penas ninguna
          que dieron la una,
          que dieron las dos,
          señor Juan de Dios.

TODAS: (Cantando).

          Si los relojes se paran
          es que el toro a alguien pilló,
          pero Frasquito y yo,

seguimos en reunión,
uno junto al otro,
como en la grupa de un potro,
como en las doce
las manecillas del reló,
una con otra
y sansacabó.

(Palmoteando y baile de todas. Sale Lolilla a cantar).

LOLILLA: Penas ninguna,
que dieron la una,
que dieron las dos,
que sale el rejoneador,
y cerca de la barrera
se le espera.

TODAS: Aquí estamos
y esperamos.
Toma ahí,
Zacatín.
Zacatín arriba,
Zacatín abajo,
la cabeza alta
y mucho desparpajo.
Valentía,
Alegría.

(Se vuelven a destapar. Mientras bailan y cantan).

TODAS: ¿Nos veis?
Así somos.
Fieles
con nuestros quereles.
Y la vida se juega,
sí señor,
cuando hay que jugarla
por amor
o rencor.
Que toma Asunción,
Que no quiero compasión,
que quiero desvelo,
desvelo, desvelo, desvelo,
y glorias y obras
ganás para el cielo.

434

(Sale Lolilla a cantar mientras las otras bailan).

LOLILLA: Y así estamos,
desveladas
en las veladas
de las fiestas granadinas.
¿Quién dijo lo contrario?
Finas
y sin descanso,
en Ronda,
en la sierra,
en los mares,
en Bayona,
y en a tierra mora
que es aquí:
la del Zacatín.

TODAS: Zacatín arriba,
Zacatín abajo.
Penas ninguna,
que dieron la una,
que dieron las dos,
que mira Frasquito
sentándose al sol,
y gira, gira, girasol.
Girasol amarillico,
mira y mira
para el sol.
Zacatín arriba,
Zacatín abajo.
la cabeza alta
y mucho desparpajo.

(Se metieron dentro cantando y bailando. La guitarra y el palmoterío siguen, fundiéndose ahora con las palmas que toca Chirrina "La de la Cuesta" que, dentro del beaterio, parece que siguió los compases de las tapadas. Se iluminó de nuevo el beaterio de Santa María Egipciaca, está dando el sol de pleno.

Son las tres de la tarde de aquel mismo día de Corpus Christi. La puerta de la capilla está abierta de par en par. Las tres arrecogidas de arriba siguen en la celda común. Mariana y las demás arrecogidas de abajo, están en distintos lugares. Vemos a Eva "La Tejedora" sentada en un poyete, junto a Mariana, pensativas ambas. Chirrina "La de la Cuesta" se toca las palmas y se bailotea por bajines, junto a una portezuela que conduce arriba, disi-

mulando que está al acecho de algo; a su lado está Concepción
"La Caratauna", inquieta, D.ª Francisca "La Apostólica" está en
su celda, acicalándose. Las tres arrecogidas de arriba. También se
ven inquietas, nerviosas. Paula y Rosa van y vienen, paseándose,
Aniceta lava ropa blanca en un lebrillo. Se ve tan nerviosa como
las demás, aunque disimula. Carmela "La Empecinada" lava también ropa blanca, en los bebederos, junto a Chirrina, lava y vigila
más que ninguna. Rita "La Ayudanta" no está).

CARMELA "LA EMPECINADA": Vaya gotas de sudor. Hasta por el
canal de las tetas me caen.

ANICETA "LA MADRID": Pues yo, ya lo veis, ni que sea Corpus ni
que no sea lavo porque fuí muy limpia siempre. Y no me quejo.
¡Pues no lavé yo ropa en el río Manzanares! Y no me quejé
nunca. Y sudo lo que tengo que sudar, como siempre sudé.

CARMELA "LA EMPECINADA": ¿Y el tendedero, qué?

ANICETA "LA MADRID": ¿Te parece poco tendedero los barrotes de
esta jaula?

CHIRRINA "LA DE LA CUESTA": (Que no deja de palmotearse) O
las ramas de los limoneros, así la ropa olerá a limón.

CARMELA "LA EMPECINADA": Si al menos se pudiera tender en la
torre.

ANICETA "LA MADRID": (Señalando a la celda de D.ª Francisca)
¿Quién lavará a la de la peluca francesa los harapos?

CHIRRINA "LA DE LA CUESTA": (Irónica) Tiene lavandera particular.

CARMELA "LA EMPECINADA": Pues desuello esta ropa en los bebederos y la retuerzo así (la retuerce) como a algunas quisiera
retorcerle el gaznate.

CHIRRINA "LA DE LA CUESTA": Que salta el agua.

CARMELA "LA EMPECINADA": Así te bañas, qué calor hace. Ay, qué
gotas de sudor me caen. ¿Quién diría que estamos en el mes
de mayo? (A Chirrina) ¿Quieres dejar de tocar esas palmas?

CHIRRINA "LA DE LA CUESTA": ¿Le molesta a la señora? Menudo
palmoterío llega de la feria.

ROSA "LA DEL POLICÍA": (Que sigue en su nerviosismo, pregunta
asustada) ¿Bajó ya?

CARMELA "LA EMPECINADA": ¿Quién? Pero, ¿de quién habla aquélla? (A Chirrina) Coge la ropa de estos picos, que vamos a tender.

CHIRRINA "LA DE LA CUESTA": (Antes de cogerla, sigue tocándose las palmas, cuando la coge, se canturrea).

CARMELA "LA EMPECINADA": (Al acercarse Chirrina se le pregunta en secreto) ¿Qué?

CHIRRINA "LA DE LA CUESTA": (Contesta en el mismo secreto) Muchos menos.

(Sigue tocándose y canturreándose y bailándose y así, se acerca a Mariana y a Eva y les dice en el mismo secreto).

Muchos menos. (Cantando) "Toma ahí, porque sí". No sé cómo podéis estar sentadas en ese poyete, con tanto sol cayendo de plano. Y la puerta de la capilla sin cerrar. Y la lámpara del Santísimo encendida.

CARMELA "LA EMPECINADA": Abierta como la dejamos. Alguna sentirá arrepentimiento, digo yo. Y volverá a entrar a pedir.

D.ª FRANCISCA "LA APOSTÓLICA": (Saliendo) En la Constitución se juró que la religión de España, sería siempre la Católica.

CARMELA "LA EMPECINADA": ¿No veis? Está en todo. Qué gana tengo de meterle mano. Y parecía que se estaba rizando los caracoles de la peluca.

D.ª FRANCISCA "LA APOSTÓLICA": (Sin hacerle caso) Sí. Eso se juró. Y si yo pudiera hablar a cabezas, como son algunas de las vuestras, hablaría.

CARMELA "LA EMPECINADA": (Burlándose e irritada) Pues no hables tanto. Y lávate la ropa si eres tan liberal. Quién fuera su señoría para no tener que lavar.

D.ª FRANCISCA "LA APOSTÓLICA": ¿Lo veis? "Quién fuera su señoría", ha dicho. Las pobres de España están siempre deseando ser ricas. Esos son sus únicos sueños por los que no saben ni luchar.

CARMELA "LA EMPECINADA": (En un arranque) Que le tiro esta ropa a la cabeza.

CHIRRINA "LA DE LA CUESTA": (Sujetándola) ¡Carmela!

CARMELA "LA EMPECINADA": Si es que da coraje.

D.ª Francisca "La Apostólica": Coraje, ¿de qué?

Carmela "La Empecinada": Pero mírala ahí, chiquilla, ¿no ves? Qué buena arpía. Siempre está de punta como una escopeta.

D.ª Francisca "La Apostólica": Es que está muy mal hecho lo que habéis hecho.

Carmela "La Empecinada": ¿Qué es lo que está mal hecho?

D.ª Francisca "La Apostólica": Ese salirse a destiempo de la capilla; ese no querer confesar y no tomar la Sagrada Comunión. Esa humillación y ese abuso que habeis cometido con las pobres monjas de este beaterio.

Paula "La Militara": (Que estaba oyéndolas y sin poderse contener) Es que viendo lo que vemos, preferimos morir en pecado mortal, antes de confesarnos en esa capilla. Hasta confesándonos, podrían traicionar nuestra confesión. Cualquiera perdería la fe. No comprendo ese catolicismo. Quieren salvarnos con la Comunión y nos condenan al mismo tiempo. ¿Pero qué modo es este de entender?

Carmela "La Empecinada": (Irritada) No he querido confesar, porque me hacen cumplir una orden injusta, como dice aquella de lo alto. Y esto tiene que arreglarse. Y a las pobres, como tú nos llamas, no se nos mete esto en la cabeza. ¿Digo yo que algún día habrá salida para arreglar las cosas?

Chirrina "La de la Cuesta": (A D.ª Francisca) ¿Qué querías? ¿Qué confesáramos? ¿Se puede confesar con gente que se hace partícipe de la condena de seres inocentes?

D.ª Francisca "La Apostólica": Eso es tergiversar los pensamientos. Por esos tergiversamientos, nos vemos donde nos vemos. No sabemos cumplir ni leyes humanas ni divinas. Ni entenderlas. Hace falta una claridad y una humildad grande para comprender.

Carmela "La Empecinada": (Acercándosele rebelde) Las humanas no existen. Las divinas no son cumplidas por los humanos que deben cumplirlas. Y ha llegado el momento de no creer en nada, y más aún que cuando vemos que los que deben creer, no creen. Todo el mundo pacta con la mentira. Se vive como si Dios no existiera, aunque se presuma de lo contrario.

D.ª Francisca "La Apostólica": ¿Qué tiene que ver todo eso que dices con tu conciencia? ¿Acaso cuando viste morir al Empecinado, no te acordaste de Dios?

CARMELA "LA EMPECINADA": Me acordé. Y me acuerdo a solas, porque soy creyente de verdad. Dentro de la iglesia es donde menos puedo acordarme. Imposible el recuerdo.

(En estos momentos, unas monjas cruzan muy nerviosas, aunque conteniendo sus nervios, las arrecogidas callan y las ven cruzar).

CHIRRINA "LA DE LA CUESTA": Así andan.

CONCEPCIÓN "LA CARATAUNA": Y peor andarán.

CARMELA "LA EMPECINADA": ¿Qué sabes?

CONCEPCIÓN "LA CARATAUNA": Lo que sabeis.

ROSA "LA DEL POLICÍA": (En el mismo estado anterior) ¿Bajó ya?

CARMELA "LA EMPECINADA": Contente y calla de una vez, Rosa.

ROSA "LA DEL POLICÍA": ¿Por qué he de callar? Si todo está visto como la luz del día.

CHIRRINA "LA DE LA CUESTA": (Bailando y cantando para interrumpir la tensión nerviosa creada) "Alegría, que dieron la una, que dieron las dos". (Así se va acercando a la puerta del rastrillo, para decir triunfante) ¡Menos!

(Mariana, Eva y las demás, se acercan también, con disimulo, a la puerta del rastrillo).

CHIRRINA "LA DE LA CUESTA": ¿Lo ves, Mariana?

MARIANA DE PINEDA: Lo veo.

CHIRRINA "LA DE LA CUESTA": (Triunfante) Los están acuartelando. Los balazos que sonaron antes, han hecho que los estén acuartelando.

ROSA "LA DEL POLICÍA": (En su obsesión) Que baje esa mujer ya.

CARMELA "LA EMPECINADA": Taparle la boca a esa. (A Chirrina para despistar) Y a tí te digo que no sonaron balazos, que fueron cohetes de la feria.

EVA "LA TEJEDORA": Yo también los oí: eran balazos, porque me zumbaban los oídos y el eco se perdía por el río. Os juro que sonaron balazos.

(Vuelven a pasar unas monjas aprisa).

CARMELA "LA EMPECINADA": ¿A dónde irán?

CHIRRINA "LA DE LA CUESTA": A la sala de visitas.

CARMELA "LA EMPECINADA": ¿Cómo sabes eso?

CHIRRINA "LA DE LA CUESTA": ¿Es que estoy aquí por gusto? Mirar al fondo, a la puerta aquella que tanto se abre y se cierra.

CARMELA "LA EMPECINADA": Esa puerta no da a la sala de visitas.

CHIRRINA "LA DE LA CUESTA": Da. Y estoy segura que el Vicario y los curas de la Curia han venido a hablar con ellas. Conozco las voces de los curas que confiesan y echan sermones en el púlpito de la Catedral. Y he oído bien esas mismas voces.

EVA "LA TEJEDORA": (Intentando acariciar a Mariana, poniendo una mano en el hombro de ésta) Mariana...

MARIANA DE PINEDA: (Aparentando serenidad) No temas.

EVA "LA TEJEDORA": Pero dí algo. Necesito oír un consuelo tuyo.

MARIANA DE PINEDA: Hay que esperar.

EVA "LA TEJEDORA": Ni yo puedo vivir. No sé cómo puedes vivir tú, con esa serenidad.

MARIANA DE PINEDA: Confiando. Todo llegará donde ha de llegar.

CARMELA "LA EMPECINADA": (Enfrentándose a Mariana) Dí lo que sea, porque hasta yo, que no temblé nunca y que hice las guerrillas, tengo un temblor dentro de mí, que me va a matar.

MARIANA DE PINEDA: ¿Puedo yo saber lo que pueda pasar? Sólo sé que tengo fe.

CARMELA "LA EMPECINADA": (Rabiosa) ¿En qué?

MARIANA DE PINEDA: En la espera.

CARMELA "LA EMPECINADA": La espera mata los nervios de cualquiera. No sé qué puedan intentar esas monjas con tanto pasar y cruzar.

MARIANA DE PINEDA: Tienen el mismo miedo que tú.

ROSA "LA DEL POLICÍA": (En su estado casi delirante) ¿Bajó ya?

MARIANA DE PINEDA: Eso esperamos. Pero calla. Si saben que subió a la torre para ver y contarnos después, no la dejarán subir nunca más. Perderá la confianza de las monjas y ya no contará nadie con Rita "La Ayudanta".

Rosa "La del Policía": (Con profundo rencor) Bueno, callo. Callo.

(Se pasea, como Paula "La Militara" casi perdiendo el control de los nervios, como fiera hambrienta).

Eva "La Tejedora": Sí, es cierta una cosa: que hay menos centinelas que ayer y que esta misma mañana.

Mariana de Pineda: Cierto. Pero también llega, de pronto, un silencio que sobrecoge. Y lo que dice Chirrina es cierto: aquella puerta es la de las visitas y hubo muchas en estas cinco horas que pasaron.

Concepción "La Caratauna": ¿Te refieres a las cinco últimas horas que pasaron?

Mariana de Pineda: Me refiero a las cinco últimas horas que falta de aquí Sor Encarnación.

Concepción "La Caratauna": Es verdad. No la vi pasar ni cruzar. Ni entrar en la capilla.

Eva "La Tejedora": ¿Y esto qué es? (Descubre la toca) Una toca tirada. (La huele) ¿Acaso la toca de Sor Encarnación? (Nadie responde) ¿Qué ocurrió, Mariana? ¿Por qué no entró en la capilla?

Mariana de Pineda: No sé. No sé. Yo no sé como es nadie. Dejarme y no crispeis mis nervios, que tengo que pensar. Que quiero tener valentía para pensar. Que no quiero derrumbarme en estos momentos. Que no quiero ser débil en ningún momento.

Concepción "La Caratauna": (Apoderándosele un terror) Tú lo sabes, Mariana, y no quieres decirlo por piedad. Pero sabes que la revolución habrá empezado, y que en venganza nos matarán a todas juntas, sin juzgarnos, como no te juzgaron a tí. Dí, Eva, los ruidos que has escuchado esta madrugada.

Eva "La Tejedora": No oí ningunos ruidos. Se terminó la feria; serían las dos y no oí ni cantar a nadie. Ni a borrachos pasar por las calles.

Concepción "La Caratauna": Sí oiste. No mientas.

Eva "La Tejedora": Pero si no puede ser. Mis sospechas no son claras. Están muy lejos de aquí las Explanadas del Triunfo.

Concepción "La Caratauna": Pero tú oiste como si hombres con carros pasaran por delante de esta puerta, acarreando bestias, a eso de las cuatro de la mañana, y dijiste que cayeron tablas de los carros al suelo, porque una bestia se ringuió de tanto peso. Las tablas las llevaban hacia la calle Reyes, camino de las Explanadas del Triunfo.

EVA "LA TEJEDORA": (En su terror) Estoy muy nerviosa y no sé lo que digo. Y ni quiero comer. No puedo ni comer. Me estoy poniendo enferma. No os volveré a contar nada. Son mis oídos que oyen lo que no existe. Creo que hay peligro donde no hay. Esto es debido a mis trastornos propios de enferma.

CHIRRINA "LA DE LA CUESTA": (De pronto) Callad.

EVA "LA TEJEDORA": ¿Qué?

CHIRRINA "LA DE LA CUESTA": Baja.

(Todas se aproximan y se apiñan en la portezuela que conduce a la torre para ver bajar a Rita "La Ayudanta". Esta baja con una canasta de ropa blanca. No habla. Mira a unas y a otras y hay un gran silencio. Todas miran puertas y ventanas. No ven a nadie. Mariana coge a Rita y la lleva aparte, y le pregunta casi en un susurro)

MARIANA DE PINEDA: Dí.

RITA "LA AYUDANTA": (Desconfiando) Poco puedo decir.

(Todas vuelven a mirar a unos lados y a otros. Rita va sacando la ropa de la canasta)

¿Me ayudais a doblar la ropa?

(Todas van. La escena toma tonos aún más misteriosos)

MARIANA DE PINEDA: (Mientras dobla la ropa con ella) ¿Qué?

RITA "LA AYUDANTA": (Mira a D.ª Francisca. D.ª Francisca le sostiene la mirada, le brotan, entonces, unas lágrimas que deja caer. Todas se dieron cuenta. D.ª Francisca se seca las lágrimas. Eva vuelve a mirar, misteriosamente, a unos lados y a otros, disimulando doblar ropa) La iglesia de San Antón está acorralada por la tropa.

MARIANA DE PINEDA: (En el mismo tono de terror y misterio) ¿Qué estás diciendo?

RITA "LA AYUDANTA": He podido oir lo que pasaba.

(Todas doblan la ropa, disimulando, pero alertas a lo que dice Rita)

Mariana de Pineda: Dinos, por Dios.

Rita "La Ayudanta": Sor Encarnación se encerró en esa iglesia. Otras mujeres, al saberlo, se encerraron con ella. Son veinte mujeres las que se han encerrado. Eso oí. Alguien que pasó por la calle lo dijo adrede para que lo oyera. Y desde la torre de la casa de enfrente, una mujer me tiró este papel, atado con una piedra. Tiene el papel un escrito, como no sé leer, no sé que dice.

Mariana de Pineda: ¿A ver? Trae. (Lo lee) "Veinte mujeres se encerraron en la iglesia de San Antón dispuestas a morirse de hambre, con Sor Encarnación al frente, y no saldrán de allí sino asesinadas o muertas por el hambre". (Besando el papel) Benditas sean las manos que escribieron este papel y benditas Sor Encarnación y las mujeres valientes.

Rita "La Ayudanta": La tropa acorrala la iglesia. Por eso faltan centinelas.

Mariana de Pineda: No hay por qué temer.

Rita "La Ayudanta": Hay más.

Mariana de Pineda: Dime.

Rita "La Ayudanta": Unos hombres han formado una barricada en la Puerta Real, junto al portón de una casa. Los vecinos han bajado colchones, sillas, mesas y están haciéndole frente a la tropa. Y nadie se atreve a disparar.

Eva "La Tejedora": (Abrazándose a Mariana) ¡Mariana!

Mariana de Pineda: Calma. Ahora más que nunca, calma. La victoria puede ser nuestra, si sabemos contenernos hasta la hora justa. Porque (Se tapa la cara con las manos) ¡Ay Dios!, pudieran venir refuerzos de otros lugares.

Eva "La Tejedora": ¿Dónde vas, Mariana?

Mariana de Pineda: A la capilla. Necesito a Dios.

Concepción "La Caratauna": (Abrazándose a Mariana) Están ahí. Nadie morirá.

D.ª Francisca "La Apostólica": (Interponiéndose en el camino de Mariana con gran esperanza) Nadie morirá, Mariana.

MARIANA DE PINEDA: (Cogiendo a unas y otras con cariño) Serenidad.

D.ª FRANCISCA "LA APOSTÓLICA": La tengo.

EVA "LA TEJEDORA": (Yendo también a abrazar a Mariana) Tengo hasta la garganta seca, por el mucho miedo; pero nadie morirá.

CARMELA "LA EMPECINADA": (Interponiéndose violenta) ¿Cómo puedes entrar a esa capilla, donde entran los cómplices de los que quieren asesinarnos? Dices que necesitas a Dios ¿Es que dudas?

MARIANA DE PINEDA: Se duda siempre. Se duda aún hasta cuando está la muerte delante de nuestros ojos.

CARMELA "LA EMPECINADA": Sabes mucho más que nosotras. Se ve en tus ojos, de pronto, una alegría y hasta una emoción que me extraña. Y tus labios están secos de emoción. Y tus manos (Las tienta) tienen un sudor frío...

MARIANA DE PINEDA: Déjame pasar.

CARMELA "LA EMPECINADA": (Interponiéndose más al paso) No te dejo. Porque el rato que estés en esa capilla, estaremos sufriendo. Algo esperabas que te hace tener ese gozo que se te ve. Dinos qué.

(Se miran. Carmela mira a las demás que están expectantes.)

MARIANA DE PINEDA: (Con humildad y encanto) El... tiene que estar en Granada...

CARMELA "LA EMPECINADA": ¿El? ¿Quién es él?

MARIANA DE PINEDA: El más grande héroe de la guerra de la Independencia. El más grande héroe de la libertad.

CARMELA "LA EMPECINADA": ¿Quién es?

MARIANA DE PINEDA: El capitán Casimiro Brodett. El lleva adelante la revolución y el gobierno que ha de venir. El y muchas tropas de España juntas.

CARMELA "LA EMPECINADA": ¡Era!

MARIANA DE PINEDA: Es la salvación. (De pronto parece desfallecer.)

CARMELA "LA EMPECINADA": ¡Cogerla conmigo!

MARIANA DE PINEDA: (Se recupera) Ya pasó. Dejarme entrar. ¿Veis? Tranquila. Con los pasos firmes.

(Entró en la capilla y enseguida se amotinan todas con gran revuelo.)

ANICETA "LA MADRID": Por eso pasan y cruzan las monjas descompuestas.

EVA "LA TEJEDORA": (Que no sale de su asombro) Se fue Sor Encarnación...

CONCEPCIÓN "LA CARATAUNA": Mariana lo sabía y no habló.

ROSA "LA DEL POLICÍA": ¡Quién pudiera en estas horas encañonar un fusil!

PAULA "LA MILITARA": ¡Quién pudiera estar en la iglesia con las veinte!

ROSA "LA DEL POLICÍA": Yo bien lo sabía y lo dije. Es nuestra. Encarnación la del guerrillero es nuestra.

CHIRRINA "LA DE LA CUESTA": Benditas sean las granadinas que tan valientes saben encerrarse en las iglesias.

CARMELA "LA EMPECINADA": Y benditos sean los hombres valientes de Granada. (A D.ª Francisca) ¿Qué dices ahora?

D.ª FRANCISCA "LA APOSTÓLICA": Lo que quisiera decir me lo guardo. Me lo guardo. Pero entérate bien: (Mascullante) sé manejar el fusil mejor que vosotras. Tuve maestros de caza que me enseñaron el manejo del fusil. Y si Dios hubiera hecho el milagro de que yo me encontrara entre esas veinte mujeres, haría frente a un ejército. Para eso me sirvió y fue útil el dinero. No hay paloma que pase por este cielo, a quien yo disparara y fallara mi puntería. Pero me habeis de ver por las calles de Granada, utilizando mi maestría en el arte de matar.

CARMELA "LA EMPECINADA": (Endemoniada) Dinos ya, aristócrata. ¿Por qué estás aquí?

D.ª FRANCISCA "LA APOSTÓLICA": (Respondiendo con brío) Yo también me muerdo la lengua y no delato a quien aquí me trajo. Pero confórmate con esto: me trajo un conde capitán general de los ejércitos del rey. Un conde que juró también la Constitución del año doce. Un conde que ama la libertad como la amais vosotras, como la amo yo. Un conde que no puede hablar sobre lo que siente pero tiene que seguir donde está. En cambio yo, por amor a él, hablé delante del rey, lo que él ni nadie se hubiera atrevido a hablar. La nobleza también sabe rebelarse.

CARMELA "LA EMPECINADA": Cuando no tiene dinero, como tú. Cuando quiere más dinero. Que tu dinero lo tiraste en lujos, que estabas arruinada.

D.ª FRANCISCA "LA APOSTÓLICA": Tan arrecogía soy como tú, que voy a hacer lo que esperas.

(Se abalanza al cuello de Carmela. Luchan, y Chirrina las separa.)

CHIRRINA "LA DE LA CUESTA": ¡Quietas! ¡Y callad! (Silencio) Que salen. (Todas se aproximan a espiar en la puerta del rastrillo.) ¿Veis, la Curia?

EVA "LA TEJEDORA": Juraría que quieren llevar a la monja a la Inquisición.

ANICETA "LA MADRID": No se atreverán. El escándalo sería grande.

CHIRRINA "LA DE LA CUESTA": Lo sabría todo el mundo. Y los ánimos revolucionarios tomarían más vuelos.

PAULA "LA MILITARA": Y el extranjero hablaría también.

ROSA "LA DEL POLICÍA": Y Roma. El Santo Padre de Roma. Y eso es muy peligroso.

D.ª FRANCISCA "LA APOSTÓLICA": Los católicos tendrían que juzgar a una monja católica que se rebela en contra de los mismos católicos de España.

CHIRRINA "LA DE LA CUESTA": (A Rita) Dame la llave de la torre.

RITA "LA AYUDANTA": Imposible. Me matarían. Se terminaría el poco consuelo que puede traeros.

CHIRRINA "LA DE LA CUESTA": Pero no podemos estarnos aquí quietas. Que me des la llave.

ANICETA "LA MADRID": Eso es una locura. Hay que esperar.

ROSA "LA DEL POLICÍA": (Paseándose nerviosa) Esperar. Esperar. Esperar.

Paula "La Militara": Hasta salió el sol con más brío que nunca.

Rosa "La del Policía": ¡Veinte mujeres unidas!

Paula "La Militara": En plena luz del día.

Concepción "La Caratauna": Oigo pasos.

Eva "La Tejedora": Yo también.

Concepción "La Caratauna": Son pasos cansados.

Chirrina "La de la Cuesta": Callar todas.

(Silencio.)

Paula "La Militara": De un momento a otro pudieran empezar a...

Chirrina "La de la Cuesta": Calla. Los pasos se encaminan hacia aquí.

Eva "La Tejedora": Sí.

(Intentan espiar más.)

Aniceta "La Madrid": ¿Quién es?

Chirrina "La de la Cuesta": Un soldado solo.

Paula "La Militara": ¿Un soldado solo?

Chirrina "La de la Cuesta": Solo.

Eva "La Tejedora": (Asombrada) Y desarmado...

Concepción "La Caratauna": (Asombrada) Y ensangrentado... ¡Dios mío!

(Se van retirando de la puerta, asustadas, dando pasos hacia atrás.

Vemos entrar a un militar casi moribundo, ensangrentado con las manos atadas, jironada la ropa, arrancadas las insignias de la guerrera. No podemos distinguir su clase militar. La cara tampoco se le distingue bien, herida, tostada por el sol, sudorosa, con los cabellos cayendo por la frente hasta cerca de los ojos. Sin embargo, podemos observar la presencia de un militar arrogante, fuerte y todavía joven. Al llegar al quicio de la puerta, se echa sobre la pared y mira, con gran cansancio, todo: La celda común de arriba, las celdas de las caballerizas, los limoneros, el empedrado.

En estos momentos, las monjas salen, fisgonean a unas y a otras de las arrecogidas, buscando a Mariana. Una, aprisa, mira dentro de la capilla.

Mariana sale y ve al militar que llega. Y quiere como reconocerlo y no puede. De pronto, parece que lo reconoce y ahoga una emoción, que sabe bien contener.

Las monjas, cumpliendo una orden, que fácilmente puede apreciarse, entre leves murmullos y balbucientes palabras de "Vamos, vamos", van arrinconando a las arrecogidas hasta llevárselas del patio, por una de aquellas puertas, e igualmente ocurre con las arrecogidas de arriba, pues salieron monjas por una puerta trasera, y se las llevaron de la celda común. Las arrecogidas, antes de salir, estuvieron viviendo entre un terror y un desconcierto, sin saber qué hacer. Al salir, el silencio se hace estremecedor en el beaterio.

Mariana se va acercando al militar. El militar ni puede apenas mirarla. Tiene los labios entreabiertos y secos. Mariana, al llegar le acaricia suavemente la frente, la cara, y los labios, los brazos, mirando y mirando. En el mayor asombro, cariño y misterio le pregunta:)

MARIANA DE PINEDA: ¿Quién eres? (El militar no responde) ¿Quién eres? (El militar con la cabeza, hace un gesto de cansancio) Ya veo. Estás cansado y tienes sed. Te daré agua.

(Coge un cazo y lo llena de agua y le da de beber. El militar bebe, al parecer, sediento.)

¿De qué ejército eres? (El militar no responde) ¿Eres acaso soldado? (Lo va analizando) ¿Soldado? Arrancaron tus gradaciones, se ve claro. Destrozaron los puños y las hombreras de tu guerrera. (Acaricia puños y hombreras) ¿De dónde vienes?

(El militar sin responder, va entrando, se detiene en el centro del patio, y alza de cabeza, mirando a un lado y a otro. Mariana lo sigue.)

¿Qué puedo hacer por tí? (El militar tiene la mirada perdida y no responde) ¿Qué esperan que pueda hacer por tí? (Ha dicho esto con intención. Después, ha sentido un terror y se pone delante del militar) Quiero ver tu lengua.

(El militar, apenas sin poder, entreabre débilmente, la boca. Mariana dice en el mayor dolor y asombro.)

¡Quemada!

(Va cayendo, en el mismo dolor, abrazada al militar, hasta seguir abrazando sus piernas, mientras cayó al suelo. El militar, con gran esfuerzo, intenta acariciar la cabeza de Mariana.)

No puedes tú, pero te acaricio yo. (Entre suaves lágrimas) ¿No me ves? (Lo está acariciando con la cabeza) Y beso tu uniforme que huele a tierra, a tu sudor, a tu sangre, a tu cuerpo. Huele a tí, mi amor...

(El militar hace el esfuerzo de querer hablar, no puede y siente espanto.)

No. Es mejor así, de nada sirve ya lo que me dijeras. Y si oyera tus palabras, mis gritos clamarían al cielo. Y hay que contenerse y morir, si es preciso, conteniéndose mucho. Sólo la tierra y yo. Sólo la tierra y tú, pero juntos los dos en la tierra. Mi capitán, lucero de mi vida. (Le besa las manos, los brazos, la frente) Los labios no. No. Pudieran mis labios hacer daño a los tuyos. (Desconfiada, mira a un lado y a otro del beaterio, intentando descubrir el espionaje) Habrá un fusil encañonando a través de cada boquete del beaterio. Así es de grande el temor que te tienen, por lo valiente que siempre fuiste. (Acariciándole las manos) Pobres manos atadas y sin defensa. Manos que fueron mías. Estas manos que tanto sintieron el temblor de mi sangre cuando me acariciaban. Están ardiendo, como si tuvieran fuego. El fuego de la vida que derramas. Adivino la traición. (Vuelve a mirar todo el rededor, sintiendo el deseo de desafiar) Pero nada lograrán. (Le coge la cara y mirándolo fijamente le dice casi en un susurro) Nuestro amor irá a la tierra, como vino, en el mayor de los secretos, sin descubrirlo a nadie, para hacerlo más nuestro. Héroe mío. (El militar acaricia ahora, con la cara, la cara de Mariana) Que nadie crea que destruyó al héroe que eres. Al contrario, más héroe te hicieron al traicionarte. No te vencieron. Ni te vencerán.

(El militar vuelve a intentar a hablar y lanza como un sonido gutural. Mariana le pone los dedos en los labios, suavemente, y dice con cariño.)

Sé lo que quieres preguntarme. Pero ni sé yo donde está. Y me da tanto miedo hablar de él, que ni lo nombro. Lo guardo tan dentro de mí, que apenas sabe nadie de nuestro hijo, de tanto temor como tengo de que le hagan el daño que han podido hacerte a tí... (El militar queda pensativo) ¿Qué piensas? Quiero mirarte mucho, para poder adivinar lo que puedas pensar, aunque nunca me hicieron falta tus palabras para saber de tí. (El militar derrama unas lágrimas) ¡Dios! (Se tapa la cara) Cómo no será tu daño, que Casimiro Brodett, el capitán, el héroe de la Independencia, derrama unas lágrimas, cosa que nunca ví en tus ojos, ni aún cuando saliste a las puertas de

Burgos a darme el último adiós, el día que tuve que alejarme de tí para siempre.

(Casimiro Brodett parece que desespera, quiere volver a intentar hablar, y lanza unos sonidos llenos de angustia.)

¡Piedad para tí! No esfuerces tu garganta y tu lengua. No me dejes en el sufrimiento de verte en la tortura de no poder hablar. Sé que ni mis cartas llegaron a tus manos, porque a las mías tampoco llegó ninguna tuya, pero la gente me traía tus palabras. Y sé que quieres saber de mí, no por lo que te dijeron, sino por lo que yo te diga. Pero ya no me importa hablar por tal de consolarte.

CASIMIRO BRODETT: (Niega con la cabeza intentando que Mariana no hable).

MARIANA DE PINEDA: (Empezando a tener cierto desequilibro) Sé que no necesitas consuelo. Que las palabras te sobran. Y qué fuerza tiene todavía tu sangre que puedes sentir esos arranques tan valientes. Pero ¿quieres que te hable?

(Casimiro Brodett queda a la expectativa, casi conteniendo la respiración.)

¿Quieres saber de mí? (Silencio) ¿Quieres saber de mí por mí misma, desde el último adiós que me diste a la salida de Burgos?

(Pierde la serenidad, se separa de Casimiro, mira a unos lados y a otros del beaterio y desafía, como la que está cierta de que la están escuchando.)

¡Le habéis traído por eso! ¡Asesinos! ¡Lo habéis traído moribundo, con la lengua quemada, para que Mariana de Pineda hable, al ver el mayor mundo de su vida derrumbada!

(Casimiro Brodett jadeante y casi enloqueciendo se acerca a Mariana, intentando hablar, echando espumarajos por la boca, y colocando la cabeza en el hombro de Mariana, para impedir que ella hable.)

(Le coge la cabeza, en el mismo estado de valentía y desafío, nerviosa y desequilibrada) Mi amor. Van a saber una historia más para sus remordimientos y sus propias condenas.

(Casimiro Brodett niega con más fuerza. Mariana rehuye de él, se adelanta y dice desafiando a unos lados y otros del beaterio. Casimiro Brodett, en un impulso de cólera, cae a suelo y golpea con los puños, intentando impedir la compasión de Mariana.)

(Desafiante y con orgullo) Sabed, que los políticos del rey, y el rey, quisieron que el capitán Casimiro Brodett renunciara a sus ideas liberales antes de casarse conmigo. Y fuí yo, yo, Mariana de Pineda, quien me negué a casarme con el hombre que quería, antes de que él renunciara a sus ideas. Y consentí ser su amante y no su esposa. Y me tuve que ir de Burgos, como una ramera, cuando el ejército se enteró, de que yo era la amante de Casimiro Brodett. Quiso seguirme y renunciar al ejército, pero le hubiera despreciado entonces para siempre, porque tenía que quedar allí, en su puesto militar, defendiendo ese uniforme que trae destrozado, pero en ese destrozamiento, está su mayor gloria.

(Se tira a suelo y cogiéndole la cara a Casimiro en un estado de desesperación, le sigue diciendo.)

Y en este sudor, y en esta sangre. No hay amor tuyo ni mío que tenga la grandeza de tu resistencia, de tu uniforme roto, y del sudor y la sangre que dejas en las piedras de este beaterio. (Seca el sudor y la sangre, muy nerviosa con las mangas de su vestido) Y las seco. Así. Y la beso. Que tu sangre quede en mi vestido. Y la llevaré conmigo a la muerte. Así moriré contigo. (Lo coge entre sus brazos, en el mismo estado) ¿Sabes qué hizo después en Granada, aquella Mariana de Pineda, ramera que llegó de Burgos?

(Casimiro Brodett, en un nuevo impulso, logra soltarse de los brazos de Mariana, signo de no querer saber, y cae de bruces al suelo, cubriéndose los oídos con los brazos.)

¿Sabes qué hizo? Me refugié en la mayor soledad, para sentir el mayor de los consuelos, salvando a los demás. (Se levanta y vuelve a desafiar con gran ira) Era una manera de consolarme, uniéndome al dolor de aquellos que sufrían como yo. (Silencio. En su desafío da, ahora, unos pasos) Y abrí los salones de mi casa para dar grandes fiestas a los políticos de Granada. Y después de aquellas fiestas, abría las puertas de mi dormitorio a los políticos y a la nobleza, para traicionarlos. ¿Queréis saber nombres? (Silencio) Repito que si queréis saber nombres. (Silencio) Si esto queréis saber, repasar la lista de vuestros propios capitanes generales, de vuestros condes y duques, de vuestros políticos, de todos aquellos que metí entre las sábanas de mi cama, para que me firmaran pasaportes falsos, para que me dieran planos de cárceles. Y salvé a todos los presos que quise. Y huyeron a los campos de Bayona y de Gibraltar. ¡A cambio de mi cuerpo salvé a muchos hombres! ¡Muchos hombres que os acechan! ¡Y no maldigo lo que hice delante del gran amor de mi vida, que es éste guerrero, que en plena vida habéis dejado mudo para siempre, y me habéis dado la gloria de traerlo, a que por última vez lo vean mis ojos, ante una muerte cierta!

(Casimiro Brodett se levanta, despacio, profundamente herido en el alma, y camina hacia la puerta del rastrillo, sin querer despedirse, ni volver a mirar a Mariana.)

MARIANA DE PINEDA: Casimiro... (Casimiro Brodett se detiene sin mirarla) ¿Así se despide un liberal de la mujer que más quiso? (Casimiro Brodett queda yerto, sin mirarla) ¿Es que un liberal sabe luchar solamente por el débil amor humano de una mujer? (Va rápida y se pone delante de él) ¡Mírame! (Casimiro Brodett la mira frío y contenido. Adivinándolo) ¿Qué te han herido mis palabras? (Casimiro Brodett sigue sin reaccionar) ¿Qué una confesión tan desgraciada, tan llena de verdad, te ha herido a tí, que has venido a las puertas de Granada con más altos ideales que el amor mío? (Casimiro Brodett sigue sin reaccionar) ¿Puede el amor humano ser tan débil? (Se le abraza con todos los bríos) Casimiro de mi alma, no derrumbes todo el mundo mío. ¡Qué importa el cuerpo ni la carne! Somos desperdicios humanos. ¿Sabes bien mi asco y mi dolor cada vez que tenía que salvar a alguien con mi cuerpo? ¿Sabes que después me abrazaba a un crucifijo y sabía que Dios me tenía que perdonar? ¿Sabes el odio tan grande que hay que llevar dentro para cometer actos semejantes? ¿Sabes el remordimiento que sentía, en contra de mí misma, porque en mí quedaban las traiciones y la ruindad de los que gobiernan? (Casimiro Brodett se contiene cada vez con más fuerza) ¿Acaso tu deseo de venganza, tu deseo de llegar a las puertas de Granada a la hora de mi condena, era sólo por salvar a una mujer? ¿El amor humano puede estar por encima de la libertad de todo un pueblo? (Casimiro Brodett sigue sin reaccionar) ¿Y un hombre no perdona a la mujer que quiso, sea como haya sido ésta? Pero qué ideas del honor, tan cobardes, que destrozan toda la libertad del pensamiento. ¿Qué importa la honra de una mujer, ni los medios de que se vale, cuando se sacrifica por salvar de la muerte a muchos que humillaron, que traicionaron, como a tí y a mí, frustrando para siempre nuestra vida? ¡Puertas de Santa María de Burgos, como juré ante ellas mi venganza a costa de mi honra y de mi vida! ¡Qué día aquel de enero..! ¿Qué sabes tú de mi largo camino..? Y llevaba a tu hijo conmigo. Y al llegar a Madrid, le dije: "Cuando seas hombre, huye de aquí".

(Casimiro Brodett en un impulso de furia, lanza ahora unos sonidos guturales, donde parece entenderse la palabra "fe")

(Respondiéndole con el mismo impulso) Dí fe a los que no la tenían. ¿Qué más puedes desear? Pero quise quitarle la fe a mi hijo. Una fe en la que me han hecho no creer. (Casimiro Brodett quiere seguir su camino. Sintiendo miedo) No puedes dejarme así a la hora de la muerte. Ay, no, Casimiro, no. Piensa que acaso sean estos nuestros últimos momentos. Piensa que no puedes dejarme así, en una despedida como ésta. ¡Casimiro! (Se le abraza y va cayendo delante de él de rodillas) El amor humano también es débil. Mírame aquí, suplicándote, necesito el último beso tuyo, aunque tus labios se dañen, aunque me mientas al besarme, pero no me dejes en este desamparo, que entonces, Mariana de Pineda, se arrepentirá de todo lo que hizo en su vida, y despertará, al fin, a una realidad cruel: la realidad de saber que todas nuestras luchas y que todos nuestros esfuerzos, son inútiles...

(Casimiro Brodett parece no oír la súplica, se deshace de ella y sigue el camino)

(Sin mirarlo ir) No quiero verte ir. Verte ir por última vez. Vete solo, mi amor, sin mis miradas últimas, pero llévate el consuelo de que te quise y te quiero. Así, como te vas, se van los hombres valientes. Se van los héroes... (Profundamente débil y arrodillada, sin mirarlo) No me has comprendido. Nunca me comprenderás ya. Quizá yo me equivoqué...

(Un piquete de soldados sale a custodiar a Casimiro Brodett, y otro piquete, al mismo tiempo, sale custodiando a Pedrosa, quien ordena)

RAMÓN PEDROSA: Que aún espere.

(El piquete detiene a Casimiro Brodett. En estos momentos, empezamos a sentir golpes, en son de protesta, primero suaves, por unos sitios y otros de las puertas y ventanas cerradas del beaterio, como una rebelión amenazante y secreta. Intuimos que las arrecogidas están acechando por distintos lugares y son las que golpean. La amenaza se va haciendo más intensa.

Pedrosa mira todo, e intenta localizar el golperío, pero imposible, suena más y más por todas partes.

Mariana se levantó como una diosa en derrota, pero sobreponiéndose, con valentía, con odio. El vestido jironado, el pelo en desorden, cayendo tras la espalda y delante de la cara. Todo en ella lleva un tono de amenaza y de guerra. De esta manera, queda esperando a Pedrosa.

Pedrosa baja despacio la escalera del beaterio, mirando a Mariana. Los golpes dejan de sonar).

Ramón Pedrosa: (Sereno e irónico) ¿Es ésta D.ª Mariana de Pineda? ¿La que supo siempre cuidar con galanura su clase de gran señora?

(Silencio. Pedrosa va analizando a Mariana, dando la vuelta alrededor)

¿En tan pocos días la señora ha perdido tanta serenidad, tanto equilibrio y tanto dominio de sí misma? La miro y no creo lo que veo: el vestido hecho trizas, el sudor, la respiración jadeante, como a torrentes de la que quiere dejar escapar la vida, el pelo que cubre los ojos, en cuyos ojos se puede distinguir una ira que eclipsa la hermosura de la mirada. Podría pintarla ahora mismo, para gloria de los liberales, el pintor más realista. Qué gran cuadro de odio y de ira en una figura humana. Y qué del pueblo, y qué hembra esperando inútilmente la revolución... (Sin dejar de analizarla) De cuántas inútiles esperanzas están hechas las vidas de nuestro país.

Mariana de Pineda: (Habla sin mirarlo, serena y ocultando la ira) ¿Y es éste, su Ilustrísima, D. Ramón Pedrosa, político astuto, juez de infidencias, que tanta serenidad finge, y se ve tan claro el fin gimiendo, en horas tan graves como éstas, donde la amenaza se cierne alrededor de toda Granada? Qué seguro parece estar de lo que dice y qué miedo se le ve en los ojos.

Ramón Pedrosa: ¿A qué amenaza se refiere la hermosa dama y a qué miedo?

Mariana de Pineda: A la amenaza y al miedo que Pedrosa bien sabe.

Ramón Pedrosa: (Sin dejar la ironía) Tendré que pensar que también D.ª Mariana padece estos días alucinaciones o delirios. Que a esto llegue aquella dama elegante... hasta perder virtudes y control de sí misma. Escombros somos.

Mariana de Pineda: ¿No será mi falta de lucidez ceguera de su mente?

Ramón Pedrosa: Puede ser. Necesitamos tanto tiempo para desengañarnos de las cosas. Nuestros desengaños llegan tan tarde... y tan sin remedio. Pero haré memoria. ¿A ver? (Finge reflexionar) ¿A qué amenaza y a qué miedo se refería antes? No se referirá a esas mujeres que se han encerrado en las iglesias... Sepa que el ejemplo de Sor Encarnación fue seguido por más mujeres de Albaicín Alto. Y en las iglesias de San José y San Nicolás, hay encerrados varios grupos más. Todas acabarán solas y señaladas. Pobrecillas. Con qué terror vivirán cuando salgan de las iglesias. (Silencio. Sigue analizándola) ¿O acaso se refiere D.ª Mariana a la conspiración descubierta de este capitán que fue el amor... o uno de los muchos amores de D.ª Mariana?

(Casimiro Brodett ha querido abalanzarse sobre Pedrosa, pero lo contiene el piquete de soldados)

(A Casimiro) Veo que aún tiene fuerzas y arranque nuestro glorioso capitán ¡Lo que hablaría si pudiera hablar! No habló, y por eso el estado de su lengua. Con él se irá a la tierra todo lo que sabe. (Se va retirando sin dejar de mirarlo) Yo, que antes de ser el pobre político que soy, sin carrera civil ni militar, tuve aficiones a la pintura me gustaría poder pintar a dos héroes, como vosotros, en derrota y ante la muerte.

MARIANA DE PINEDA: ¿Derrota? ¿Muerte? ¿De qué habla D. Ramón Pedrosa?

RAMÓN PEDROSA: De lo que nunca la romántica D.ª Mariana, podrá ver. Quién pudiera estudiar sus pensamientos con el riguroso criticismo del siglo pasado. Qué extraños pensamientos, o qué hermosos pensamientos tiene que haber dentro de su cabeza, que no ven, o no pueden ver, el deplorable estado a que llegó.

MARIANA DE PINEDA: ¿Deplorable estado o triunfal estado? No sabemos quién es aquí el derrotado, ni el que morirá para siempre.

RAMÓN PEDROSA: Helo aquí, digo, utilizando un galicismo que me hicieron aprender. La señora sigue confiando aún. (Se le acerca) Me gustaría saber tanto de lo que pensó en estos días...

(Arranca una rama en flor de limonero y distraidamente juega con ella, sin dejar de mirar a Mariana)

Sé que ha leído la historia de Santa María Egipciaca y las confesiones de San Agustín. Todo lo que lleva al arrepentimiento Sus ideas son siempre paradógicas. Es curioso las excusas que siempre buscan los vencidos. Seguramente, la señora será muy querida por las arrecogidas de este beaterio, mujeres que quieren, a la fuerza, justificar sus propios engaños.

MARIANA DE PINEDA: ¿Engañadas por qué y por quién? ¿Acaso Pedrosa no se engaña?

RAMÓN PEDROSA: Quizá... (Deja la ironía y deja escapar tonos de rencor) Escuché tu confesión, Mariana. Tu confesión a este capitán que ha dejado de pertenecer a los Ejércitos de España. (Sigue con la ironía) ¿Está bien mi definición? ¿Ve? No vengo agresivo.

(Reflexiona de pronto, como sobrecogido por un sentimiento que no espera y deja la ironía y se le ve hondamente preocupado)

Quizá mi piedad sea mayor de lo que pueda pensarse. Una piedad en la que yo ni creo, porque me sorprende a mí mismo. Una piedad que acaso nunca será comprendida. (Venciéndose) Permítase también, a un súbdito del rey, tener piedad y razones por las que lucha. Razones que pueden ser tan verdaderas como las contrarias (Sus palabras van tomando verdaderos acentos humanos) Escuché tu historia, Mariana, que ya sabía. La historia de tu propio engaño. Yo, Ramón Pedrosa como un hombre más que quiso ser tu amigo, indagué, con celos, en la vida íntima de la mujer que también supo enamorarme... (Vuelve la ironía) Y he aquí la cuestión: el liberalismo de D.ª Mariana de Pineda empezó ante la historia amorosa de un hombre llamado Casimiro Brodett, a quien el ejército hizo que renunciara a sus ideas liberales, antes de casarse con D.ª Mariana. Entonces, ella, quiso vengarse de todo lo divino y humano. ¿Eso es amar el otro costado de España?

MARIANA DE PINEDA: Ramón Pedrosa olvida que, Mariana de Pineda, no quiso casarse con este capitán y prefirió ser su amante, antes de que él renunciara a sus ideas. Ramón Pedrosa olvida que nací de una mujer del pueblo a quien traicionaron y que fui la mujer de un campesino. (Va perdiendo su equilibrio y mira a Pedrosa) ¡No me engañé jamás! Ni las arrecogías son unas engañadas. Nuestras causas son más profundas que las que Ramón Pedrosa ve. Y nos da una pena grande de ver a hombres como Ramón Pedrosa, que no ven, que están ciegos.

RAMÓN PEDROSA: Qué interés tiene lo que dice. (Haciéndole frente, con rencor) Ahora, hubiera dado lo que no tengo, por estar junto a tí, en estos días últimos. Y que, como un hombre que te quiso y que te quiere, me hubieras ido confesando lo que piensas.

MARIANA DE PINEDA: (Desafiando igualmente) Y yo hubiera dado lo que no tengo por tenerte. Por hablarte en la intimidad. Cogiéndote con mis propios brazos, para convencerte de tu pobreza y de tu ceguera.

RAMÓN PEDROSA: ¿Y no puedo oír algunas de estas confesiones?

MARIANA DE PINEDA: Mira primero las manos de esos soldados que empuñan el fusil.

RAMÓN PEDROSA: Miro.

MARIANA DE PINEDA: ¿Y nada más?

RAMÓN PEDROSA: ¿Qué puedo ver?

MARIANA DE PINEDA: El hambre de esos soldados.

RAMÓN PEDROSA: ¿Y dónde se ve el hambre?

MARIANA DE PINEDA: En las manos, que apenas pueden sostener el fusil.

RAMÓN PEDROSA: Será por el peligro en que ellos mismos se encuentran. Será por la emoción de verte. Estos soldados son el refuerzo que ha venido de Málaga y de Córdoba para cohartar la conspiración de Casimiro Brodett. (Lo señala) Este capitán fue, exprofeso, enviado por el rey para terminar en Granada con él.

MARIANA DE PINEDA: Te vuelvo a decir que mires las manos de esos soldados. Los teneis amenazados y hambrientos. Habéis tenido que gastar mucho dinero para pasear a los cien mil hijos de San Luis por las tierras de España, para hacer ver que los reyes absolutistas de Europa, están con el rey Fernando. Y nadie está con él. Y tú, defendiendo este engaño, quieres llevar al país a que viva de limosnas. Hoy vive de las limosnas de Francia, mañana vivirá de las limosnas de otro país. ¿De quién será la derrota antes? ¿Quién morirá antes, si yo con mi condena, o tú con tu ceguera? Sé que te desvelas de miedo. Y sé, lo sé, que tú hubieras sido otro más de los que firmaron pasaportes falsos o echaron de la cárcel a quien yo pedía. ¡Cobarde!

RAMÓN PEDROSA: No solamente habré vencido, sino que el pueblo de Granada se habrá liberado con tu muerte. Tu muerte será la libertad y la alegría para tantos como temen que hables. No existen ideas, ni amores a héroes, sino defensas al pan que cada cual se come. Y cuando te lleven al cadalso, podrás comprobarlo. Cuando las argollas te las aten al cuello, comprenderás la única realidad. Y todos se alegrarán.

MARIANA DE PINEDA: Si ese momento llega, huye de Granada, porque podrás ser arrastrado por las calles.

(Vuelven los golpes a las puertas y ventanas, amenazantes, hasta sonar violentos. Pedrosa mira a unos lados y a otros, Mariana queda como una reina que vence, porque en el mirar de Pedrosa, se observa cierto pánico.

Casimiro Brodett va mirando también. Un momento de terror se apodera de todos.)

RAMÓN PEDROSA: (Se adelanta y dice con firmeza) Es necesario que todas esas arrecogías escuchen lo más importante de tu historia. Y que ellas te juzguen. Tu juicio lo vas a tener aquí, públicamente. (Dando la orden) ¡Abran las puertas!

(Las puertas se abren. Van saliendo las arrecogidas serenas, lentas, con una ira contenida, tanto las de arriba como las de abajo, con un mirar inquietante. Las monjas salen después y quedan retraidas. Toda la luz del teatro se enciende. La tropa se refuerza, entrando por la sala del teatro.

Una vez que salen, empiezan nuevamente a golpear despacio, incitantes, sin dejar de mirar a Pedrosa.)

RAMÓN PEDROSA: (Intentando serenarse. Terminan los golpes) Según D.ª Mariana de Pineda, el juez de infidencias, Ramón Pedrosa, un hombre que llegó al poder, como tantos, a base de traiciones. Un hombre que es juez y alcalde de la sala del crimen, sin haber pertenecido a la nobleza ni al ejército, ni a ninguna clase digna. Un hombre del pueblo que no quiso morir de hambre. Un hombre más que quiso a esta mujer. He querido salvarla por encima de los turbios políticos de Granada, pero me he visto obligado a firmar su sentencia de muerte, sin juicio público, y enviar esta sentencia al rey, bien sabe Dios, que no por mis propios deseos, sino porque sus amigos me obligaron a ello.

(Se acerca a Mariana, le aparta el pelo de la frente y la mira. Mariana también lo mira y queda como la que no tiene ni respiración ni aliento.)

Mariana de Pineda, tu juez te pregunta:

(Mariana se retira de él, dando unos pasos hacia atrás y sin dejar de mirarlo.)

¿Conoce D.ª Mariana a D. Diego de Sola, alcalde de la cárcel de esta corte? (Mariana no responde) ¿Conoce Mariana a D. Fernando Gil, gobernador de las salas del Crimen de la Real Chancillería de Granada, conoce al fiscal D. Andrés Oller, conoce al conde de los Andes, capitán general de Granada...?

MARIANA DE PINEDA: A todos. Y a todos quise por igual.

RAMÓN PEDROSA: ¿Sabe D.ª Mariana lo que traigo en este pliego?

MARIANA DE PINEDA: Lo puedo adivinar. Mi sentencia de muerte.

Ramón Pedrosa: Tu sentencia de muerte, pero en este otro traigo tu indulto. Tú elegirás. Traigo una duda grande, Mariana. Mi duda es la siguiente: si estos amigos tuyos, que no dudo que sean liberales, pueden salvarse con tu muerte. Y siento una gran tristeza de que los hombres liberales, por terror a la muerte, renieguen de sus ideas, y sean capaces de firmar, en momentos precisos, la sentencia de muerte de una mujer como tú. Qué grande es mi tortura y qué grande mi desengaño. Y qué miseria la de los hombres que fueron tuyos.

(Casimiro Brodett lanza angustiosos sonidos guturales y encolerizado, cae de rodillas al suelo, y golpea con el ansia de querer hablar. Nadie lo mira.)

Ramón Pedrosa: (A Mariana) Tienes que sacarme de esta duda: ellos firmaron antes de que tú hablaras, para hacer ver al rey que desean tu muerte, a sabiendas de que son culpables de la revolución que en Granada se preparaba, y son los que te firmaron los pasaportes falsos y son los que te dieron los planos de las cárceles, y son los que dejaron en libertad a los presos que tú quisiste. (Silencio) Contéstame, Mariana. (Silencio) Puedes salvarte tú y él (Señala a Casimiro) si declaras delante de tu juez y de estas arrecogidas, que los hombres que firmaron tu sentencia de muerte, son y fueron los más infieles y traidores al rey.

Mariana de Pineda: (Se le va acercando silenciosamente y con gran frialdad dice) Ramón Pedrosa: ellos, solo fueron mis amantes.

(Casimiro Brodett llora como un niño, queriendo ocultar las lágrimas. Mariana sigue sin alterarse, mirando a Pedrosa.)

Ramón Pedrosa: Estás mintiendo, Mariana.

Mariana de Pineda: (Con la misma frialdad) No sé mentir. En estos momentos menos que nunca. Fueron y son, los que me condenan, mis amigos y mis amantes. Y los considero hombres tan valientes, como para después de haberme querido, haber firmado mi sentencia de muerte. Tú bien lo sabes, Ramón Pedrosa: me trajiste aquí como una arrecogía más. Eso soy: (Entre lágrimas) una arrecogía más. Una arrecogía profundamente sola. La soledad es lo único que me queda. Y después de esta soledad, no me importa ya la muerte.

Carmela "La Empecinada": (En un arranque de cólera) ¿Qué estás hablando de soledad? ¡Has mentido!

CHIRRINA "LA DE LA CUESTA": (Rápidamente se pone delante de Mariana) ¿Unas lágrimas tú? (Exaltándose) ¡Somos como tú! ¡Somos de carne y hueso como tú! Mira mi mano cogiendo la tuya. Tienen el mismo sudor nuestras manos. Son manos amigas. (Volviéndose a Pedrosa) ¡El sí que está solo! ¡Traidor!

CARMELA "LA EMPECINADA": ¿Cómo ser partícipes de este juicio, si nos habéis hecho desconfiar de nuestra sombra? (Gritando) ¿Dónde puede estar la verdad?

CHIRRINA "LA DE LA CUESTA": (En la misma actitud que Carmela) ¡El hubiera sido capaz de traicionar al rey por tenerte! ¡El se hubiera convertido en otro de los que firmaban pasaportes falsos, si tú hubieras querido.

EVA "LA TEJEDORA": ¡Todas seremos testigos de lo que ha dicho!

ANICETA "LA MADRID": ¡Nos tendrán que oír!

PAULA "LA MILITARA": ¡Se sabrá en las Cortes!

CARMELA "LA EMPECINADA": ¡Que se abran las puertas de la Audiencia de Granada y que el juicio se vea delante de las personas que han firmado la sentencia! ¡Que se vean cara a cara con Mariana! ¡Y que todas vayamos a ese juicio! ¡Y que sea público y que entre la gente que desee oírlo! ¡Y que nos dejen hablar a nosotras! ¿Qué contestas, Pedrosa?

RAMÓN PEDROSA: Que tu ceguera es más grande que la que yo pueda tener, y que en tí veo la derrota de eso que llamais liberalismo. Imposible el entendimiento y la comprensión.

CARMELA "LA EMPECINADA": (Como una fiera) ¿Es que no comprender es querer indagar sobre la justicia?

CHIRRINA "LA DE LA CUESTA": (Cogiendo de la ropa a Pedrosa) ¿A que tú eres de los nuestros? ¡Pobre miserable que de la nada has llegado a donde estás! ¡Matando a los tuyos!

(Chirrina "La de la Cuesta" le escupe. Se abalanza al cuello de Pedrosa. Lucha con él. Rápidamente un soldado con un machete en ristre se adelanta y quiere traspasar la espalda de Chirrina "La de la Cuesta". Todas gritan y Mariana se interpone.)

MARIANA DE PINEDA: ¡Quieto!

(Las arrecogidas se arrinconan con terror. La tropa espera órdenes de Pedrosa. Este, mientras va rehaciéndose y con un gesto, manda retirarse al soldado.)

CHIRRINA "LA DE LA CUESTA": (Jadeante) Te hemos dicho la verdad. Hemos pedido la verdad.

TODAS LAS ARRECOGIDAS: ¡Hemos pedido la verdad!

CHIRRINA "LA DE LA CUESTA": ¡Nuestros juicios tampoco saldrán! ¡Nos condenarán como a ella! ¡Si hemos de morir, ahora! ¡Desarmadas! ¡Sin nada en nuestras manos! (Desafiando a los soldados se hinca de rodillas y extiende los brazos diciendo) ¡Queremos la muerte!

CONCEPCIÓN "LA CARATAUNA": (Secundando a Chirrina hincándose de rodillas y extendiendo los brazos) ¡Yo llevé una bandera por las costas de Tarifa!

ROSA "LA DEL POLICÍA": (Haciendo igual) ¡Y yo maté a un hombre con mis propias manos!

(En un griterío desbordante y de histeria colectiva, todas las arrecogidas, menos Mariana, se van hincando de rodillas, pidiendo la muerte, con los brazos extendidos y diciendo.)

TODAS LAS ARRECOGIDAS: ¿Qué esperais? ¿Qué esperais? ¿Qué esperais?

(En este estado, mientras gritan, se van aproximando a los soldados. Los soldados permanecen firmes y mirando al vacío. Pedrosa ordena con un gesto. Un piquete de soldados se lleva a Casimiro Brodett. Otro piquete se lleva a Mariana. Mariana grita llamando a Casimiro. Casimiro lucha, entre el piquete por acudir a Mariana. Parece que tiene el intento de darle el último beso que ya no puede ser, mientras van saliendo, las arrecogidas, gritan golpeando.)

TODAS LAS ARRECOGIDAS: ¡Mariana no! ¡Mariana no! ¡Mariana no!

(Se apaga la luz de la sala mientras van cayendo las tapias del beaterio de Santa María Egipciaca y suenan unos redobles de tambores. Estos redobles de tambor son apagados por el palmoterío y la alegría de los músicos que salen tocando, por las calles la música de las canciones. Toda la luz vuelve a encenderse. Salen Lolilla y las Costureras con grandes abanicos alpujarreños, cantando y bailando. Se abren puertas y ventanas y vemos aparecer gente, contagiada de alegría, ante la música y los bailes.)

LOLILLA: Penas ninguna,
que dieron la una
que dieron las dos,
señor Juan de Dios.

TODAS: Que no tenemos faroles
          porque nos sobra luz,
          si "monsiur".
          Que las fiestas en Granada
          empezaron ya.
          ¿Qué quiere usted?
          ¿No las oye sonar?
          Así somos, "monsiur"
          cantamos, bebemos, bailamos,
          y olvidamos.

(Lolilla se adelanta bailando sola y baja a la sala a bailar. Mientras baila, las otras cantan.)

TODAS: ¡Fíjense en Lolilla "La del Realejo",
          morenilla,
          pequeñilla,
          cómo baila
          con qué garbo y salero.
          Ay, cómo mueve su abanico
          de nácar y lentejuelas
          traidas de los Versalles
          pa que calle
          Andalucía
          que ni de noche ni de día
          deja de cascarrear
          esa es la verdad.
          Tome usted,
          pa vender
          al inglés
          y al granadino.
          Qué fino
          el revuelo de Lolilla,
          cómo se mueve,
          cómo va y viene,
          con qué salero,
          qué gracia en sus manos y en su pelo.

(Bailan las de arriba, Lolilla canta y baila sola abajo.)

LOLILLA: El sereno de esta calle
          me quiere trincar la llave,
          que alza que toma
          que toma que dale.
          y esta noche me lo espero

para que no se me escape,
con facas y con revólver
entre mi escote y mi traje,
que alza que toma
que toma que dale.
Que toma, sereno,
que toma el pañuelo,
que no te lo loy,
Porque sí, porque quiero,
que toma salero,
Salero, salero, salero.

(Arriba siguen tocando los músicos, las costureras bajan a cantar y bailar entre el público.)

TODAS: Zacatín arriba
Zacatín abajo.
Penas ninguna,
que dieron la una,
que dieron las dos
que mira Frasquito
sentándose al sol.
Zacatín arriba
Zacatín abajo
La cabeza alta
y mucho desparpajo.

(Mientras la alegría de la fiesta continúa, baja un cartel con unas letras grandes que dicen:)

"Esta historia ha terminado".

(Ellas siguen bailando y repitiendo canciones.)

TELON

BODAS QUE FUERON FAMOSAS DEL PINGAJO Y LA FANDANGA

JOSÉ MARÍA RODRÍGUEZ MÉNDEZ

EL PINGAJO, soldado repatriado de Cuba.
LA FANDANGA.
EL PETATE, ex presidiario, padre de la Fandanga.
LA CARMELA, madre de la Fandanga.
LA MADRE MARTINA, beata y correveidile.
EL SALAMANCA, compadre de El Petate.
EL TUERTO, tabernero.
EL TENIENTE, que pertenece al Cuerpo de Húsares de Pavía.
LA AGÜELA.
LA COMADRE.
UN BARQUILLERO.
UN SARGENTO.
SOLDADO 1.º.
SOLDADO 2.º.
SOLDADO 3.º.
EL CENTINELA.
CESANTE 1.º.
CESANTE 2.º.
EMPLEADO 1.º, del Casino.
EMPLEADO 2.º, del Casino.
EMPLEADO 3.º, del Casino.
TRES DE LA POLI SECRETA.
UNA MUJER.
OTRA MUJER.
OTRA MUJER.
OTRA MUJER.
UNA MUCHACHA.
GUARDIAS CIVILES.
SOLDADOS.
NIÑOS Y NIÑAS.
PUEBLO GENERAL.

La acción en Madrid, por los años de desgracia de 1898.

De bellotas y cascajo
se va a armar la bullaranga,
que se casa el tío Pingajo
con su novia la Fandanga.

La madrina será la Cibeles
el padrino el Viaducto será;
los asilos del Pardo, testigos,
y la iglesia, la Puerta Alcalá.

Copla Popular Madrileña

ESTAMPA PRIMERA

Arrabales del Madrid de la Regencia. Afueras por donde "Las Ventas del Espíritu Santo": casuchas, barracas y aduares gitanescos. Ropa tendida y oreada por el viento de la meseta, gallinas picoteando en la basura. En un altozano, bajo la pureza casi primaveral del cielo madrileño, se levanta "La Venta del Tuerto, Vinos y Aguardientes". Afuera bajo un encañizado, juegan a la rana cuatro bigardos, uno de ellos con uniforme de rayadillo que lleva el brazo sujeto a un pañuelo anudado al cuello, la manga de la guerrera flotante al aire. La pieza de metal, al caer en la boca de la rana, deja oír un sonido alegre y metálico que contrasta con el canto dulce y melancólico de las niñas que juegan al corro en la quieta tarde madrileña.

CORO LEJANO DE NIÑAS: En la era patatera
yo le dije al conductor:
que toma la Nita y Nita,
que toma la Nita y No.
Ay, sí; ay, no...

Es ahora el sorche de rayadillo quien tira las piezas a la rana. Los otros tres contemplan la tirada. Aquel Pingajo humano tiene su apéndice libre, con ademanes de jugador avezado, hacia la boquita de la rana, que parece mirarle con burla...

LAS NIÑAS: Estaba la Nita y Nita
sentadita en su balcón,
ay, sí; ay, no...
esperando que pasara
el segundo batallón.
Que toma la Nita y Nita, etc.

El sorche ha hecho cinco aparatosas dianas en el orificio bucal de la rana ante el asombro de los otros compadres que le miran como si ante ellos estuviera el mismo maestro Lagartijo en persona, tal es su admiración.

EL SALAMANCA: (Tiene talante de sacristán y lleva gafas de miope.) Mi madre..., ¡qué tío! Si no se ve, no se cree...

EL PETATE: (Un viejo agitanado.) Vaya un brazo fino que tié el gachó. Pa que se o hubián malograo en la Perla e las Antillas...

EL PINGAJO: (Que así llaman al sorche del brazo en cabestrillo.) Por estos no es na. Hubián tenío que verme ustés hace un año pa San Isidro, antes que los del almirante Sempson nos las hicián pasar morás en la manigua; entonces, compadres, si de treinta envites erraba uno, lo hacía pa no dejar mal a la concurrencia...

EL PETATE: (Emocionado.) Hijo, ¿y la misma puntería tenías allá en Ultramar con el chopo?

EL PINGAJO: (Muy digno.) Alto ahí, compadre. Que uno no ha nacío pa matar cristianos.

EL SALAMANCA: ¡Ele..! Así se habla, sí señor...

EL PINGAJO: (Muy ceremonioso.) Bueno..., y ahora. Tratos son tratos. (Se vuelve hacia el Petate.) ¿Me se adjudica la doncella?

EL PETATE: (Muy serio.) Te se adjudica. Testigos son estos caballeros (Señala a los otros dos: El Salamanca y El Tuerto, que no salen de su asombro.) Apuestas son apuestas. Y zanjao el expediente. Mi Fandanga es pa tí... Y en mejores manos no pueo dejar a la hija de mis entrañas. Mejor novio no lo habrá en toa la faz de la tierra. (Volviéndose a los otros.) Mejorando lo presente...

EL TUERTO: (Tabernero y propietario del negocio bebestible.) Habría que regar estos esponsales. Y la primera convidá pertenece al novio...

EL PINGAJO: Como no me fíes, compadre... Me deben los pluses de campaña.

EL PETATE: Esta convidá pertenece al pae de la novia... (Autoritario, al Tuerto.) Anda allá y saca un frasco, Tuerto. Y arrima unas tajás de bacalao de Bilbao... Y que no se diga que aquí el compadre Pingajo ganó a mi chica con mala traza, sino con fuero de nobleza, y ustés habéis sío testigos...

El Salamanca: Y así lo atestiguamos como lo que semos... (El Tuerto entra en la venta.)

El Petate: ¡Ea..! (Abriendo los brazos al Pingajo.) Y ahora dame un abrazo, yerno e mi alma. Abraza a tu suegro que lo es, que me se está saliendo el alma por la boca. (Se abrazaron los dos compadres y el Salamanca parece el testigo de esta alternativa taurómaca. Luego del abrazo, el Petate, apoyado en la cachava, se yergue como un patriarca y sermonea al futuro yerno.) El azar del juego ha hecho que vayamos a emparentar, compadre. El azar es voz de la sabiduría. Tampoco hubiá estao mal que la ruea la Fortuna se hubiá inclinao hacia cualquiá de los otros dos pretendientes, u séase, el Salamanca, aquí presente, u el Tuerto, que hace de buen samaritano. Con cualquiá de vosotros tres se hubiá sentío feliz este que lo es, y feliz hubiá sío por consiguiente la hija e mis entrañas, u séase la Fandanga. Pero ya que la caprichosa suerte a io a dar en tus manos, tan finas pal envite del juego como habrán de serlo pa las caricias, deja que me congratule y lo celebre. (Con voz llorosa.) Dame otro abrazo, compadre e mi alma...

El Pingajo: (Abrazando a medias a su compadre.) Un semi-abrazo te pueo dar, pero tómatelo como entero, compadre...

El Petate: (Ha sacado un pañuelo una vez terminado el largo abrazo. Y se seca una lágrima.) Te llevas el tesoro más grande de este mundo, Pingajo e mi alma. Lo más fino del mujerío de too Madrí. Educá como una señorita, que lo puén decir las Mares Agustinas de Canillejas, que la han educao... como eso, como una señorita.

El Salamanca: (Asintiendo.) Bien verdad es que tu Fandanga podría poner los pingos en el señorío de los madriles...

El Petate: (Elevando los brazos como haciendo un conjuro.) Y te la entrego intazta, como si fua una reliquia. Pero ya sé que a mejores manos no pue ir: manos finas pal tapete verde y pa los billetes de banco. Manos que se negaron al chopo y al machete en la manigua; hechas pal percal de la muleta y el restallar de los "pitos". ¿Hay mejores manos en too Madrí? Que no, ea... Y déjame que llore, que un padre tie que llorar a la fuerza... (Sale de la tasca el Tuerto con el vino y el bacalao a tiempo de contemplar el planto lacrimoso del Petate.)

El Tuerto: ¿En esas nos andamos, compadre? ¿Llorando? Más tenía que llorar un servidor y aquí el Salamanca, que nos habíamos hecho ilusiones vanas. Y en lo respective a menda ya pensaba que la soleá de estos últimos años se iba a ver aliviá con el buen ver de una moza como tu Fandanga. Pero a lo hecho, pecho, y la Fortuna es ciega. A manos del compadre, ha io a parar y de hombres es allanarse. (Al Salamanca) ¿Que no, compadre?

EL SALAMANCA: Y ustez que lo diga... (El Tuerto, mientras tanto ha ido escanciando el vino y coloca los vasoso sobre una banqueta, así como las raspas del bacalao. Se sientan todos en el banco, excepto el Petate, que permanece erguido, llevándose el vaso a los labios mientras parece contemplar las lejanías, por donde todavía llega el quejido musical de la "Nita y Nita").

EL PINGAJO: (Luego de beber.) Menda es el primero en lamentar que tan gustoso bocao no puean compartirlo ustés...

EL TUERTO: Ahora los perdeores habemos de ahogar las penas en el vino y pensar en otras cosas. Que si nos detenemos a pensar en nuestra esgracia no habría español que se atreviera a echar una copla en estos malos años de nuestras esgracias. Por eso, al mal tiempo buena cara. Y en lo respective al casorio del Pingajo y la Fandanga, soy de la humilde opinión que esa boda tie que ser tan soná como se merece... (Al oír esto, el Petate sale de su contemplación y se vuelve a ellos lleno de orgullo.)

EL PETATE: ¿Cómo sonás? Sonás y resonás van a ser las bodas del Pingajo y la Fandanga. Por éstas. (Besa la cruz que forma con los dedos.) Pos estaría de ver que la hija del Tío Petate se casara así como así con este héroe de la manigua, que pa mi como si fuá general. Brazo fino tié pa general el gachó. Pues sus digo que ni la boda del Alfonso, que en gloria esté con la Tisiquita, va a ser tan soná como ésta. Pa que vea el mundo entero que en nuestra España no falta alegría ni majeza. Capaz será este que lo es de asaltar el Banco España, o cuando no, de arrancar toas las dentaduras postizas de la aristocracia e los madriles. Pos estaría bueno...

EL PINGAJO: Ele... Así se habla, compadre. Que entuavía quea oro de las Américas...

EL SALAMANCA: Las bodas tien que ser como las merece el pueblo. (Al Petate.) Aquí ties estos "dátiles" (Señala la mano.) Que se han quedao un poco agorrotaos después de pasar veinticinco años de paz en la trena, pero su dueño los va a poner en funcionamiento de moo y manera que no va a haber cartera que los resista.

EL TUERTO: Un servidor de ustés apostará to el vino que haga falta pa que nenguno quede sediente...

EL PINGAJO: Ele..., si señor. Así se habla. Que los amigos son pa las cercunstancias. (Levantando el vaso.) ¡Y viva España y que mueran los yanquis...!

EL TUERTO: (Correspondiendo al brindis.) Ahí va este trago. ¡Por el Pingajo y la Fandanga...!

LOS OTROS: ¡Por el Pingajo y la Fandanga! (Palmotean al sorche, que, palpitante de felicidad, se deja acariciar.)

EL PINGAJO: Menúo salto... De beber orines y dormir sobre boñigas a acostarse con la Fandanga en tiempos de paz... (Levantando la cabeza de pronto.) Y a too esto, ¿qué hora es, compadres?

EL SALAMANCA: Las cuatro sonás son...

EL PINGAJO: (Levantándose.) Mi madre... Tengo que pirármelas, que se ma había ío el santo al cielo...

EL PETATE: ¿Que te tiés que pirar? ¿Es que vas a dejar a la concurrencia?

EL PINGAJO: Porque tengo que ir a asistir a mi tiniente...

EL PETATE: ¿A asistir tú? Pero, bueno... ¿Dónde cuando un héroe de las Antillas tie que cepillar las botas de naide?

EL PINGAJO: (Muy confuso.) Es que lo manda la ordenanza...

EL PETATE: Ni hablar, chavea. Tú te queas hoy aquí. Nosotros te revelamos del servicio...

EL PINGAJO: (Echándose la mano libre a la cabeza.) ¡Mi madre.., que me afusilan...!

EL PETATE: ¿Qué ices? ¿Y nosotros pá qué estamos? ¿Pa qué estamos aquí mi compadre el Tuerto y este que lo es, que fueron los reyes del Hacho Ceuta cuando la flor y la nata de la majeza española estaba confiná en aquellos amenes? Que no hables más, que me desilusionas, chavea...

EL PINGAJO: ¿Quien, yo? ¿Desilusionar?... Pero si mi señorito no tie una patá en el..., y hace lo que yo le mando. Yo le decía porque le tengo voluntá; si no, de qué... (Al Tuerto.) Ponga otra ronda y me queo...

EL SALAMANCA: ¡Ele los valientes!... Y esta corre de mi cuenta... ¡Y vivan los novios!... (Beben risueños y alegres los compadres.)

EL PETATE: (Hablando con solemnidad.) Tres cosas na más hay en este mundo que me tiran a seguir viviendo, y son por este orden: la franela del maestro Lagartijo, (Al decir esto se quita la gorra y baja la cabeza), el vino de mi compadre, (Hace una reverencia el Tuerto) y el brazo fino de mi yerno mi alma pal juego la rana... Y a ver quién pue mentar otras tres maravillas...

EL SALAMANCA: Las estocás de Frascuelo.

EL TUERTO: (Interviniendo.) Bueno, no empecemos. No empecemos ya... Que hoy no va a ser día de disputas...

EL PETATE: (Sigue hablando sin hacer alusión a la mala salida del Salamanca.) Y mire usté por dónde hoy tenemos aquí dos maravillas del mundo: el tintorro y el brazo del gachó de ultramar, que decía que iba a limpiar las botas a su tiniente. Anda allá... ¿De dónde, chavea? ¿Esos brazos finos van a emplearse en menesteres serviles? Cuando entoavía ties traza pa plantar cara al maestro la tauromaquia y, cuando no, pa acariciar billetes en los salones de la mesa verde del Círculo Bellas Artes, pongo por caso...

EL PINGAJO: Pero también le tira a uno la melicia, compadre. Y la buena voluntá a sus superiores.

EL PETATE: No me vengas con sentimentalismos ahora, yerno e mi alma. Que toos sabemos el respeto que se tie a ese uniforme. Y que a nuestros oídos ha llegao el porqué del mote que te pusieron en las Antillas.

EL PINGAJO: (Que se yergue muy fiero.) ¿De qué mote está usté hablando? ¿De qué mote? Me lo puse yo mismamente cuando me tiraba el cerrao..., pa que se entere. Que poco me importa que los bureles me echaran pa arriba como un pingajo...

EL PETATE: Y yo te creo... Pero mira si hay malas lenguas en el cuartel, que dicen que el mal nombre de Pingajo te viene de lo siguiente: de que, como no servías pa na en el combate, te plantaban con los brazos abiertos delante los mambises pa que se asustaran al ver tu jeta... (El Pingajo da un paso a él en actitud amenazadora, y él retrocede y rectifica.) Que yo no lo digo, compadre y yerno; que son las malas lenguas del cuartel. Que te lo digo pa que no tengas tanto respeto a la melicia. Que yo te idolatro, yerno. (Aminora el otro su fiereza mientras el Tuerto escancia más vino.)

EL TUERTO: Haiga paz, hombre, haiga paz... ¿A santo e qué tenéis que sacar ahora investigaciones de mote más o menos? Aquí no hay más que el soplar y planear la verbena de la boda... Arriba con el tintorro... (Beben. El Petate se limpia el morro y escupe, sonríe torvamente mirando al mozo de rayadillo.)

EL PETATE: ¡Ay compadre de mi alma,, y qué jechuras tie el gachó! Cómo se me subleva... Pa pensar en lustrar botas a un señorito... Tú ties que llegar aonde te mereces, y yo tengo que ayuarte, como aquí mis compadres, que pa eso estamos emparentando... (Llega en este momento una mujeruca vestida con hábito morado del Nazareno. Lleva prendidos en el pecho toda clase de escapularios y estampas de Lagartijo y Frascuelo. En la mano, unos cuantos folletos de profecías, gozos y milagros.)

LA MADRE MARTINA: (Con cantinela.) Las profecías de la madre. Rafols. La llegada al mundo del Espíritu Santo y el fin de la barbarie antirreligiosa. Por quince centimitos las vendo, pa los pobres de San Bernardino... Tengo también escapularios benditos del Sagrao Corazón y la Inmaculá...
(Los hombres dejan de hablar y la contemplan con malicia. La Madre Martina, cambiando el tono y con sonrisa picaresca.) Y también tengo a los maestros Lagartijo y Frascuelo, a dos céntimos la estampa...

EL PETATE: Haber espezao por ahí...

LA MADRE MARTINA: Tengo pa toos los gustos... Escapularios del Carmen y la Purísima... (Al Tuerto.) ¡Ay!, sácame una copita e cazalla pa ver si me se pasa esta angustia que llevo...

EL TUERTO: Ya va... Y hoy sales convidá, mae Martina, que estamos de celebración... (La Madre Martina demanda con gestos un rincón del banco y se sienta sofocada.)

LA MADRE MARTINA: ¡Ay, hacedme un sitio..., que la cuesta m'ha dejao sin resuello!... ¿Y qué se celebra?

EL PETATE: (Muy ceremonioso.) Esponsales... (El Tuerto entró por la copa de cazalla.)

La Madre Martina: (Fingiendo extrañeza.) ¿Esponsales? Y de quién, si pue saberse?

El Petate: De mi Fandanga e mi alma con aquí el melitar....

La Madre Martina: (Persignándose.) Ave María Purísima... ¿Que vas a casar a esa criaturita de Dios?

El Petate: ¿Por qué te asombras, beatona?

La Madre Martina: ¿No me voy a asombrar? Si entoavía es un angelito...

El Petate: Hizo los trece por San Cayetano...

La Madre Martina: ¿Y lo sabe la Carmela? (Cogiendo la copa que le trae el Tuerto.) Gracias, hijo; que Dios te lo pague...

El Petate: ¿Y qué contra le importa a la Carmela? El padre es quien decide...

La Madre Martina: (Echándose la copa al coleto.) Pos a la saluz del matrimonio... (Luego de beber.) Madre Santísima de la Esperanza... La Fandanga... Cuando una l'ha tenío en los brazos... ¡Ay, cómo pasa el tiempo! (Al Pingajo.) Que te aproveche, mozo... (Se levanta.) Y ahora me voy... A ver si me estreno...

El Salamanca: ¿Ya te vas?

La Madre Martina: A ver si la Virgen Santísima quié que me estrene...

El Tuerto: ¿Pos no venías tan cansá?

La Madre Martina: Los probes no poemos descansar...

El Petate: Lo que vas es a correr el cuento por el barrio... Mia por donde ya tenenmos pregonero...

La Madre Martina: (Volviéndose cuando ya salía.) Voy a hacer un mandao en ca de unas señoritas de bien... A la Cuesta San Vicente...

El Petate: (Riendo con mala intención.) ¿Y qué mercancía llevas a esas señoritas? ¿Polvos del pae Claré? (Risas de los otros.)

La Madre Martina: (Muy enfurecida.) Tus hígaos envenenaos, compadre... Tu lengua, que debía estar en la boca e los perros... Llegará un día en que tengáis que ir rezando el rosario por las calles... Aquílo dice un santa de estos tiempos... ¡Ay, quién pudiá verlo!... (Los otros siguen la burla.)

EL PETATE: Pero vuelve acá, beatona... Tómate otro trago...

LA MADRE MARTINA: (Ya desde fuera.) Te la metes aonde te coja, camastrón, guaja... (Crecen las risas.)

EL SALAMANCA: Tie chiste la vieja...

EL PETATE: Esa... Es más lista... Tie guardaos doblones de los de América. Esa, ésa...

EL TUERTO: Nos da ciento y raya a nosotros...

EL PETATE: Yo estoy siempre de broma con ella... Ahora va con el cuento a la Carmela. Pa eso la convidamos... (Guiñando un ojo al Tuerto.) ¿No es así, compadre? (El Tuerto asiente guiñando otro ojo. El Petate coge un vaso y se lo lleva al Pingajo.) Echa otro trago, Pingajo e mi alma... Y no amurries la jeta, gachó..., que muchos quisián estar en tu pellejo... Vas a ver qué migas te adereza mi Fandanga y cómo te vas a chupar los dátiles. S'acabó el cucharón y paso atrás... Ni sonás que las vamos a hacer... Con capa esclavina y revueltas colorás y pantalón ajustao quiero verte... O cuando no, si te tira el uniforme, de brigadier con entorchaos... Lo vas a ser, por mi madre... Te lo juro que lo vas a ser... Si en este año de mil ochocientos noventa y ocho s'ha acabao nuestro poderío melitar, según dicen los papeles, en este año también va a empezar el reino de Jauja en la tierra... ¡A vivir; que la vía es corta! ¿Y que viva la España irridenta!...

LOS TRES: (Levantando el vaso y con mucha sorna.) ¡Viva!... (Las risas enlazan con el canto de la "Nita y Nita" infantil, mientras se hace el oscuro.)

ESTAMPA SEGUNDA

Interior de la cueva. Al fondo, la entrada que tapa una cortinilla de estera. Paja y jergones. Sartenes y cacerolas. A la izquierda una anafre de donde sale un tufo de gallinejas fritas. Objetos heterogéneos. En la pared terriza, estampas de la Virgen del Carmen y de Largartijo.

La Carmela cose sentada en una desvencijada silla de paja, junto a la puerta, aprovechando el hilillo de luz que atraviesa la cortinilla. En el rincón, junto a la anafre, el bulto negro de una bruja, avienta las brasas con un soplillo. Llega desde fuera el continuo canto de la "Nita y Nita", que se acompasa a los suspiros de la vieja guisadora. Se alza de pronto la cortinilla de la entrada y aparece la visión mística de la Madre Martina, la de los escapularios, la embajadora de la venerable Madre Rafols. A la Carmela se le ilumina el rostro.

LA MADRE MARTINA: Ave María Purísima...

LA CARMELA: Sin pecado concebida sea por siempre. Amén... Pasa, madre, y sosiega un ratito... Aquí estoy de costura... (Entra la beata y busca donde sentarse, haciéndolo en un montón de sacos destripados.)

LA MADRE MARTINA: (Dirigiéndose a la bruja que guisa.) Buenas tardes dé Dios a la agüela...

LA AGÜELA: Grmmmmm.

LA CARMELA: ¿Qué traes de bueno por estos andurriales?

LA MADRE MARTINA: A darte los parabienes vengo.

LA CARMELA: ¿Parabienes dices? Si así llamas a la miseria que nos envía Dios Nuestro Señor, razón llevas...

LA MADRE MARTINA: ¿Y no habían de ser parabienes los que te ha de traer el casorio de tu chica?

LA CARMELA: (Deja de coser.) No te he oído bien... ¿Quieres hablar más alto?

LA MADRE MARTINA: Te estoy hablando del casorio de tu chica, la Fandanga.

LA CARMELA: ¿Qué casorio?

LA MADRE MARTINA: A ver si no vas a estar diquelá de lo acontecío...

LA CARMELA: Por mis muertos te juro qué no sé de qué me hablas... (Como quiera que el freír de las gallinejas y un canturreo espeso de la bruja, que da cabezadas junto al hornillo, dificulta las palabras, la Carmela, sin levantarse, arrastra su silla hasta pegarse a la beata.)

LA MADRE MARTINA: Pues en la venta el Tuerto anda tu Petate celebrando el compromiso. A mí me convidaron a aguardiente.

LA CARMELA: Pero. ¿Qué compromiso? Explícate, mujer... (Se vuelve a la bruja.) ¿Está usté oyendo, Madre? (La Agüela gruñe de nuevo y avanza lenta hacia las dos mujeres.)

La Madre Martina: (Habla con suavidad monjil muy estudiada y artera.) Pues otra cosa no te sabré decir, sino que tu hombre acaba de decirme que ha comprometío en matrimonio a tu Fandanga con uno que lleva uniforme de sorche y al que dicen, por mal nombre, el Pingajo... (La Carmela levanta la cabeza asombrada.)

La Carmela: ¿Oye usté esto, madre? ¿Está usté oyendo? Aluego dirá que no me conformo con mi suerte y ando maldiciendo la tierra y el cielo con este hombre que me eché que me está empujando a la fosa... (La voz se le quiebra de dolor.) Lo que se le ocurre ahora a ese presidario: no escuchar consejo de madre, pa entregar a la hija de mis entrañas al primer guaja que encuentra por esas tascas... (Se mesa el cabello.) Pero, Virgen Santa de la Paloma, ¿por qué no me llevas contigo? ¿Por qué?

La Madre Martina: Hija, cálmate... Pues sí creí que estabas tú al tanto de lo acontecío... ¿Iba yo a venirte con cuentos si no hubiá creío que ya diquelabas en la cuistión? Así resulta que el tío Petate te busca las vueltas pa hacer de su capa un sayo, sin pararse a mirar con los hijos de Dios. Es una señal de los tiempos bárbaros que corren. Bendita sea la Madre Rafols, que ya anuncia el final de esas desgracias... (La beata tose atragantada por el humazo de las gallinejas que se queman en la sartén.)

La Carmela: ¡Ay mi hija de mis entrañas! Que quien robármela... ¿Qué dice usté, madre?

La Agüela: (Clavando sus ojos en la beata.) ¿Hay parneses por el medio?

La Madre Martina: ¿Parneses dice usté, agüela? El novio es un melitar sin graduación, por lo que han visto estos indinos ojos. Chiste tendría que un pillo de ésos tuviá parneses, cuando no los tie ni el mismo general Veiler, al decir de los que saben... (Angustiada la madre, salió de la cueva y volvió abrazando a una chiquilla de trece años, mugrienta, que se lleva un pirulí a la boca.)

La Carmela: (Presentando a su hija a las mujeres, forma la figura de un tapiz medieval y patético.) Mirad, mirad y decidme si esta criatura de Dios merece que la deshojen tan temprana, como un capullito en flor... (Da grandes besos a la pequeña, que se debate asustada.) Miren si no habrán de pasar por encima de mi cadáver antes de que consienta semejante crimen... (La beata mueve la cabeza cariacontecida, mientras la bruja permanece meditabunda.)

LA FANDANGA: (Debatiéndose entre los brazos de su madre.) Déjeme ir a jugar, madre...

LA CARMELA: (Besándola enloquecida.) Hija e mis entrañas... Paría con tanto dolor y miseria.

LA MADRE MARTINA: Mujer..., que vas a asustar a la chica...

LA FANDANGA: Güeno, madre..., que me suelte... (La chica chupa el pirulí y mira con bobotes ojos de pepona de feria.)

LA CARMELA: No salgas, mi vía. Quéate aquí dentro a jugar, no sea que te vaya a coger el sacamantecas. ¿Es que no has oío hablar del sacamantecas? (La Carmela se ha dejado caer en la silla, sin dejar de sujetar a la pequeña, que gimotea.)

LA MADRE MARTINA: Hija, pero quién sabe si tus temores van a ser infundados, ni tampoco si la Divina Providencia ha querío encaminar el casorio pa bien...

LA CARMELA: ¿Cómo va a ser pa bien? ¿Cómo va a hacer algo a derechas mi Petate? ¡Ay madre mía, mi hija...! (Al echarse las manos a los cabellos para mesárselos de nuevo, la niña escapó y se fue a cantar la "Nita y Nita." Hija... (Se vuelve ahora a la bruja.) ¿Qué hacemos? ¿Qué hacemos? Aconséjeme, mi madre... (Se vuelven las dos a mirar a la vieja.)

LA AGÜELA: Unas hierbas malas aderezás pal que consintió eso...

LA MADRE MARTINA: (Persignándose.) Ave María Purísima... Bendita madre Rafols, pon tu mano poderosa... (La vieja, después de otro gruñido, se fue a echar una mano a las gallinejas, que se quemaban. Removiéndolas, la vieja habla sola.)

LA AGÜELA: Un zumo e beleño en el caldo y el "gori-gori" a las doce el Angelus...

LA CARMELA: (Llena de fiereza.) Capaz soy de darle a mamar esas hierbas al creminal que me ha hecho desgraciá si mantiene su palabra. ¡Por éstas! (Besa la cruz que forma con sus dedos.)

LA MADRE MARTINA: (Que se vuelve a persignar.) ¡Ay tiempo de desgracias y bien de desgracias, que por un lao cañonean nuestros barcos y por otro nuestra honrá! Así va nuestra España dando tumbos a la fosa común, aonde iremos toos a parar...

LA CARMELA: (Llorando inconsolable.) Casar a mi Fandanga, a mi Fandanguita, con el primer guaja que se le ha venío a las manos. ¿Y qué pinta esta tarasca aquí, que ni consejo tie que dar pa la felicidad de su chica? ¿Es que no la parí yo? ¿Es que no tuve que apretar un pañuelo de yerbas en la boca, madre, cuando me vino aquel trance? ¿Y pa esto tie una que sufrir y malcomer, y pedir de puerta pa las Madres agustinas de Canillejas, que la enseñaban labores finas como si fua una señorita de la cae el Arenal? No hay Dios. Lo que pasa es que no hay Dios...

LA MADRE MARTINA: (Levantándose y tapándose los oídos.) Calla, calla mujer, que no temes al Señor... No me hagas oír esas blasfemias. (Elevando los ojos a cielo.) Señor, en reparación y desagravio: Padre Nuestro, que estás en los cielos, santificado sea tu nombre, vénganos el tu Reino, hágase tu voluntad así en la tierra como en el cielo...

LA AGÜELA: El pan nuestro de cada día... (Sigue en tono bisbiseante. La Carmela sigue sollozando y mesándose los cabellos.)

LA CARMELA: Pus no lo voy a consentir. ¡Ea! No consentiré que se lleven a la hija e mis entrañas. Pasarán antes por mi cadáver. ¿Pa qué quiero vivir, si he de ver a la hija e mis entrañas en el lupanar?

LA MADRE MARTINA: Pero hija, ten calma y mira primero si no será la mano del Señor la que marca el camino a esa tierna ovejita...

LA CARMELA: No hay Dios... No hay Dios...

LA MADRE MARTINA: Ave María Purísima... (Empezaba ya de nuevo con el rezo, cuando se levanta la cortinilla para dar paso a los tres granujas: el Petate, el Pingajo y el Salamanca, que llegan suficientemente "ajumaos" como para no percatarse de la situación. Traen botellas de vino en la mano. El tío Petate está en medio, apoyándose en la cachava como un patriarca bíblico. Es él quien percibe enseguida a la beata.)

EL PETATE: (Señalando con la cachava a la de los escapularios.) ¿No sus lo dije? Ahí la tenéis... Ya vino con el cuento, la beatona. U séase que no hay más que añadir... Pasar y acomodarse como queráis... (A la Carmela.) ¿Aónde anda la chica? (La Carmela se lanza como una leona contra su hombre e intenta arañarle.)

LA CARMELA: ¡Creminal, canalla, hijo e mala madre..! (El tío Petate, que no se mantiene muy derecho, vino a tambalearse ante la acometida de la hembra, y tienen que sujetarle los compadres. Una vez rehecho, enarbola la cochava y corre tras de la mujer, que asustada va a hacerse un ovillo en el rincón, junto a la vieja. Ante los horrorizados ojos de los que contemplan la escena, el borracho levanta la cachava para partirle la cabeza.)

LA CARMELA: ¡Socorro..! ¡Que me mata..! ¡Socorro..! (Oportunamente la bruja se interpone entre el hombre y la mujer, blandiendo la sartén llena de sebo ardiente y dispuesta a quemarle la cara al agresor.)

LA AGÜELA: Ahora te dejo ciego, hijo e satanás... (El rufián tiene que retroceder. Disfraza su impotencia con una sonrisa.)

EL PETATE: Habrase visto la Genoveva de Brebante esta... Esperarse, que ya la cogeré a solas y aprenderá la licción. Por reverencia a su anciana madre, lo dejo pa luego. (Mientras tanto la beata se deslizó fuera y la vieja volvió a su guiso, mascullando maldiciones... El Petate, a los compadres, que siguen en la puerta.) Pero pasar y sentarse aonde podáis y no sus estéis ahí como pasmarotes. Otra cosa no tengo que ofreceros...

EL SALAMANCA: Estás cumplío, hombre... (El Pingajo y el Salamanca se sientan donde pueden y dejan las botellas de vino en el suelo.)

EL PETATE: Me cachis en mi negra suerte con la leona esta que me eché... (Enarbola de nuevo la cachava, y la vieja la sartén. Al punto, el uno baja la cachava y la otra vuelve al fuego la sartén.) ¿Y aónde está la chica? La quiero ver aquí en seguía. ¿Me estáis oyendo? (Levanta la cortinilla y llama.) ¡Fandanga..! ¡Fandanga..! (Aparece al fin la beata, llevando de la mano a la Fandanga.)

LA MADRE MARTINA: Aquí ties a la chica... No grites tanto, que no somos sordos... (El Petate acaricia a la pequeña, que sonríe. La Carmela, en el rincón llora apesadumbrada, mientras la vieja sigue con su guiso.)

EL PETATE: Ven aquí, entrañas mías. Que ya sabes que tu pae te quie más que la niña e sus ojos... ¿Y tú quies a pare?

LA FANDANGA: Chiiii...

LA MADRE MARTINA: ¿A quién quieres más: a padre o a madre?

LA FANDANGA: (Sonriendo y con picardía.) A padre... (Suben de tono los sollozos de la Carmela. La beata va ahora a consolarla. La otra se vuelve de espaldas, rabiosa.)

EL PETATE: (Llevando a su hija hasta el sorche.) Anda, da un beso a este señor, que te quie mucho y te va a llevar con él...

LA CARMELA: No..., no... (La beata procura tranquilizarla.)

LA FANDANGA: (Mirando al Pingajo.) ¿Quién es?

EL PETATE: Un señor que te quie mucho... (El Pingajo saca del bolsillo un pirulí y se lo ofrece sonriente. La niña lo coge enseguida.) ¿Cómo se dice?

LA FANDANGA: Gracias...

EL PETATE: Anda, ahora dale un beso. ¿No quies darle un besito? (La niña acuciada por su padre, da un beso en la mejilla al Pingajo, que le planta otro. La Carmela, al ver aquella ternura, parece calmarse un poco.)

EL PINGAJO: Dime, ¿cómo te llamas?

LA FANDANGA: Conchuelito Marqués, pa servil a Dios...

EL PETATE: (Interrumpiéndola.) ¿Qué es eso de Conchuelito? ¿Cómo te llamas de verdad?

LA FANDANGA: (Sonriendo y con la boca llena.) Fandanga... (El padre se la come a besos. Luego le recoge el pelo con su manaza.)

EL PETATE: Te vamos a vestir de novia y vas a estar muy guapa, reguapa...

LA MADRE MARTINA: ¿Es que la vas a casar por la Iglesia?

EL PETATE: (Soltando una ruidosa carcajada.) Amos, anda... ¿Qué te has creío..? Por la vicaría los gatos, como se han jecho siempre los casorios de mi linaje... Rompiendo el puchero... (La Madre se persigna horrorizada. La Carmela parece ya más calmada y se limpia las últimas lágrimas con la esquina del delantal.)

LA CARMELA: (En voz queda, a la beata.) Pos el chico paece fino...

LA MADRE MARTINA: ¿Lo estás viendo? Too no van a ser desgracias...

EL PETATE: (Al Pingajo, que contempla a su presa como la víbora al pajarillo.) Pos aquí ties lo que te toca, compadre. Y delante estos testigos, que son el Salamanca y la mare Martina, te la ofrezco pa esposa pa toa la vía... Ya ves tú qué rosita temprana te llevas, compadre. Mira lo que trae el juego. Mia cómo tu habilidaz en el juego e la rana se ve recompensá con estas carnes prietas y esta piel de nieve, que parece mismamente requesón fino e la sierra. Pa ti pa toa la vía. Pa que veas quién es tu compadre el Petate. Y ahora sólo falta concertar el día del casorio. Y, entre tanto, amos a festejarlo en esta casa que lo es... Po ahí suena el rumor de un fritura e gallinejas, y vino no falta. Tos estáis convidaos. He dicho. (La Carmela se había levantado de su rincón y se acercó al sorche para contemplarlo. Parece no disgustarla del todo.)

LA CARMELA: (Al Pingajo, mientras acoge a la niña en su regazo.) Es tan inocente la pequeña entoavía... Anda con las monjas e Canillejas. Pero bien se ve que usté procede de buena cuna. (Llora ahora lánguidamente.) Lo que pasa es que una madre es una madre...

EL PETATE: (Con sorna.) Genoveva e Brebante... (Volviéndose a la vieja.) Usté: a ver esas gallinejas... Y poéis ir poniendo los manteles...

EL SALAMANCA: (Que ha sacado de debajo de su blusa un frasco de aguardiente.) Mia lo que mangué en la venta, compadre...

EL PETATE: ¡Ele..! Así se entra con buen pie. Tampoco tú hubiás sío mal yerno, compadre... (Coge la botella de anís y se la muestra a la vieja.) Anisete del que a usté le gusta, agüela... La vieja se relame, y con ello se derrumba esta última defensa patriarcal. La Carmela muy diligente, prepara una mesa con cajones y la vieja da la última vuelta a las gallinejas.)

LA CARMELA: (A la beata.) No te vayas, madre. Prueba antes las gallinejas. Pa que te se quite el sofoco... (La Madre Martina hizo un mohín y se sentó. La vieja coloca sobre la mesa improvisada la sartén de gallinejas. Al Pingajo:) De haberle conocío en de nantes, me hubiá ahorrao la sofoquina... Sus ojos dicen que es usté un alma buena...

EL PETATE: Lo condecoraron en las Antillas sin disparar un tiro...

LA CARMELA: (Cruzando las manos.) Madre mía de los Dolores, si tendrá mérito...

EL PINGAJO: (Modestamente.) En el cuartel me señalan paga e sargento...

La Carmela: (A la beata.) Ahora comprendo que Dios es misericordioso, y yo lo negaba. Pecaora de mí, que lo negaba. (El Petate levanta ahora, aunque en son de broma, la cachava, y simula un golpe en la cresta de su mujer. La vieja se apodera de la botella de anís y se echa un gran lingotazo, mientras se hace oscuro.)

ESTAMPA TERCERA

Zaguán del cuartel. Un centinela, apoyado en el fusil cabecea somnoiento. Espatarrados en un banco, dos o tres sorches de la guardian fuman, dormitan y cuentan chistes. La luz sucia de las paredes agiganta sus siluetas. En el cuerpo de Guardia, el señor Teniente, arrellanado en la butaca, se ha quedado dormido. El sable, como un rayo de plata, cae hacia un costado. En el regazo las hojas abiertas del novelón de Luis de Val. Sólo sus bigotes tiemblan al unísono de los ronquidos.

El Pingajo llega, arrugado, tambaleante y lleno de hipo, hasta donde están los soldados, sin que el centinela repare en él. Los soldados le reciben con chunga.

Soldado 1.º: La madre que me parió... Guipar cómo viene ese gachó...

El Pingajo: (Saludándoles con sorna.) A las órdenes de vuecencia mi general... ¡Plam! (Se queda firme, tambaleante, con la mano puesta en la sién, como mandan las ordenanzas. Los soldados se desperezan, relamiéndose de gusto ante aquel entretenimiento.)

Soldado 2.º: (Siguiendo la farsa.) Baje usted la mano, coronel...

¿De qué casa e zorras viene usted a estas horas de la madrugá?
El Pingajo: D'en ca mi novia, paisano general...

Soldado 3.º: La ley que me dieron, tú... ¿Habéis oído la noticia? Que el gachó se ha echao novia... ¿Y quién es la agraciá, si pue saberse?

El Centinela: (Chistando a los soldados.) ¡Chisss..! A ver si sus callais, que han tocao silencio... (Las voces se hacen susurrantes.)

Soldado 2.º: Ven acá, Pingajo... A ver, dinos: ¿Cómo asustabas a los mambises? Abra los brazos... ¡Ar!

El Pingajo: Que los abra la púa e tu madre, so mamón...

Soldado 1.º (Al soldado 2.º): Déjale, que está ajumao...

Soldado 2.º: Por eso... (El soldado 2.º abre los brazos imitando al espantapájaros y da vueltas alrededor del Pingajo diciendo: ¡Huuhh! Los otros le imitan, y los tres granujas envuelven en sus revoloteos de murciélago al pobre Pingajo, que intenta dirigirles un puñetazo sin éxito, para acabar cayendo al suelo entre las rodillas de sus compañeros.)

El Centinela: ¡Qué sus calléis, me cau en la leche..., que me van a pelar, y sus pelo yo antes..! (Les encara con el fusil. Los soldados se divierten con el pobre Pingajo. Le arrancan el bonete de la chola y le dan coscorrones muy divertidos.)

Soldado 1.º: (Canturreando.) Quinto levanta, — tira de la manta; — quinto cabrón, — tira del mantón...

Soldado 3.º: ¡Ayyy..! (Este chillido largo proviene del mordisco que le ha dado en el tobillo el Pingajo. El mordido se lanza sobre el mordedor, y los otros le ayudan a darle de puñadas sin respeto al brazo roto. El Pingajo chilla. El pobre centinela no sabe qué hacer, y parece dispuesto a disparar el arma. Afortunadamente, llega de improviso un Sargento con el uniforme arrugado, las cartucheras aplastadas y la cara boba de quien sale del sueño. Lleva en la mano un correón doblado y casi sin abrir los ojos ni reparar en quién da, empieza a suministrar zurriagazos a granel, mientras el Centinela, con un suspiro, vuelve a su puesto muy tieso. Aún tardan un rato los contendientes en sentir los escozores del cuero. Pero cuando ven ante sí al Sargento se ponen firmes. Sólo queda en el suelo el Pingajo, que se tapa la cabeza con su brazo sano para evitar los golpes del Sargento, que ahora caen sobre él.)

El Sargento: (Pegándole.) ¿Otra vez tú, so calamiá? ¿Otra vez tú..., Pingajo y Repingajo? (Los otros se ríen contemplando esto. En su guarida despertó el señor Teniente, y acude a ver lo que sucede.)

El Teniente: ¡Eh..., sargento..., sargento..!

El Sargento: (Dejando de pegar y cuadrándose ante el Teniente.) A las órdenes de usté...

El Teniente: (Señalando al Pingajo.) Tráeme a ese sujeto ahora mismo...

El Sargento: (Dando un puntapié al Pingajo.) Por ahí te llaman... (El dolorido Pingajo se levanta, restregándose la cara, y muerto de miedo, se cuadra ante el Teniente, mientras los otros sonríen divertidos.)

485

EL TENIENTE: (Al Pingajo.) Ven acá, pollo, que te tengo que dar un recaíto a la oreja... (El Teniente coge por la oreja al Pingajo y lo arrastra dentro. Los otros soldados se acercan con ánimo de asistir a la escena, pero el Teniente enarbola el sable y les da un mandoble.) ¡Fuera..., fuera de aquí..! Que no sus vea a tres leguas... Tú (al Sargento) espántame las moscas y que haiga orden...

EL SARGENTO: A sus órdenes... (Dicho esto, el Sargento se lanza contra los otros, enarbolando el zurriago y sacudiéndoles leña hasta llevárselos por delante. Los zurriagazos se emparejan a las risas que los mismos soldados intentan sofocar.)

EL TENIENTE: (Que ha arrastrado al Pingajo hasta el cuerpo de guardia, se planta en jarras ante él.) ¿De dónde vienes a estas horas, pimpollo?

EL PINGAJO: (Señalando el brazo en cabestrillo y con voz llorosa.) M'han vuelto a partir el brazo...

EL TENIENTE: Pos ahora te voy a quebrar yo el otro, sinvergüenza, golfante... ¿A tí te parece bonito abandonarme estando de servicio pá marcharte por ahí de naja, como si fuas el general?

EL PINGAJO: (Al ver cómo el Teniente se remanga lentamente.) La culpa de too la tien las mujeres, mi tiniente...

EL TENIENTE: (Interesado.) ¿Las mujeres? ¿Así te has andao de zorreo por ahí, so guaja? (Pausa.) (Ha dejado de remangarse.) ¿Y cómo estaba la prójima?

EL PINGAJO: (Relamiéndose.) De rechupete, mi tiniente...

EL TENIENTE: Pos ya me poías haber traío un peazo pa probarla, so egoísta.

EL PINGAJO: (Arrastrándose a esta tabla de salvación.) Se la traigo mañana. Trece abriles, mi tiniente...

EL TENIENTE: (Que se ha aplacado lentamente, se sienta.) Que puñetero... Cuenta, cuenta...

EL PINGAJO: Apretaíta de carnes, apretaíta, mi tiniente, que da gusto verla... Intazta, pero intazta...

EL TENIENTE: (Vuelve a montar en cólera.) ¿Y no te da vergüenza suministrarte a una chavaliya así, granujón?

EL PINGAJO: Si me la da su padre...

EL TENIENTE: (Asombrado.) ¿Que te la da su...?

EL PINGAJO: (Con orgullo.) Me la gané jugando a la rana...

El Teniente: (Totalmente enfurecido.) ¿Será trolero el tío? Y la jumera que trae, y entoavía me toma por tonto y yo me lo voy a creer... Te voy a eslomar...

El Pingajo: (Retrocediendo.) No..., no..., que mañana la ve usté. Se lo juro por toos mis muertos... Que mañana se la traigo...

El Teniente: Es que si mañana no me la traes, doy parte por escrito pa que t'afusilen por desertor... Mia éste...

El Pingajo: Mañana la tie usté en su casa, como que me llamo...

El Teniente: (Interrumpiéndole y con sorna.) Pingajo...

El Pingajo: (Bajando la cabeza.) Sí, señor... como que me llamo Pingajo. (El Teniente se sonríe, relamiéndose de gusto ante aquella perspectiva. Pero al instante vuelve a enfurecerse.)

El Teniente: Pero, bueno..., y eso de dejar abandonao a tu teniente too el día, ¿qué?

El Pingajo: (Suplicante.) La culpa la ha tenío esa mujer...

El Teniente: ¿Esa mujer? Pos primero soy yo, tu superior y tu amo... Espera, que no te vas a ir de rositas...

El Pingajo: (Lloriqueante.) No me pegue usté, que tengo el brazo partío...

El Teniente: No te preocupes, que no te daré en el brazo... (Señala un lugar de la pared.) Anda..., tráeme el código de Justicia Melitar... ¿Me has oío? (El Pingajo va a la pared y descuelga el "código de justicia militar", que no es otra cosa sino una buena fusta:) Amos a ver si eres tan macho aquí como con las chavalas de trece primaveras... Abajo la chola... (El Pingajo obedece y se coloca en posición, presenta sus redondas posaderas al Teniente.) Amos a ver cómo suena este tambor que ya hace tiempo que no lo habemos oío... (Empieza a descargar los fustazos en el pompis del Pingajo.) Ram..., rataplam..., ran..., ratapan..., plam..., plam...,plam... (El Pingajo aguanta la tunda guiñando los ojos. El Teniente, luego de descargar los golpes:) Bueno...; por hoy basta... Firmes... Ar... (El Pingajo se yergue y no puede por menos de llevarse la mano a la parte dolorida, mientras el Teniente sonríe y cimbrea el zurriago.) Qué..., ¿pica?

El Pingajo: (Bromeando.) Regular...

El Teniente: ¡Que chulapo eres!... La otra ración te la dejo pa mañana si no me traes ese bombón...

El Pingajo: Se la traigo... Por mis muertos que se la traigo...

EL TENIENTE: Júramelo...

EL PINGAJO: Que me quede muerto aquí mismo si no se la traigo...

EL TENIENTE: (Que sigue amenazador. Agitando la fusta.) Es que si no me das ese gustazo, me daré to el gusto de darle al tambor... ¿Estás?

EL PINGAJO: Sí, mi tiniente... Descuide usté...

EL TENIENTE: (Entregándole la fusta.) Ahora vuelve a su sitio el código de justicia melitar... (El Pingajo obedece de buen grado.)

EL PINGAJO: (Con un suspiro de satisfacción.) Que se quede colgao pa toa la vía...

EL TENIENTE: Ya te se ha pasao la jumera. No hay otra cosa que cure mejor que el palo. Si en los ejércitos hubiá más palo, no nos habrían zumbao los yanquis...

EL PINGAJO: Y usté que lo diga.

EL TENIENTE: (Ha vuelto a sentarse. El Pingajo, en pie delante suyo.) Bueno; ahora prosigue... ¿Está apretaíta?

EL PINGAJO: Mañana le rompemos el virgo entre usté y yo... (El Teniente ha sacado una botellita de aguardiente y se echa un trago.)

EL TENIENTE: (Luego de beber y ofreciéndole al asistente.) Anda, echa un trago, y así empalmas una con otra...

EL PINGAJO: (Muy chulón.) Se agraece... (Se echa un lingotazo.) Qué bueno es usté...

EL TENIENTE: (Guiñando un ojo.) Eso está mejor que el código... Bueno. Ahora asiéntate y amos a hablar como buenos amigos... (El Pingajo obedece pero al sentarse no puede evitar un estremecimiento, que provoca la hilaridad del oficial.) Qué delicao eres de trasero, chavea...

EL PINGAJO: Menda es mu sensible...

EL TENIENTE: (Que se ha echado otro trago.) ¿Así que mañana me traes la hembra?

EL PINGAJO: Mañana sin falta...

EL TENIENTE: (Ofreciéndole el frasco.) Bebe... (El otro bebe.) ¿A qué hora?

EL PINGAJO: Sus papás me la dejan pa que la lleve a paseo por el Retiro. Dempués la traigo, la subo a su cuarto y...

EL TENIENTE: (Relamiéndose.) Hummmmm... ¿Has dicho que tié intazto...?

EL PINGAJO: Este servior lo ha comprobao...

EL TENIENTE: Primero, yo...; luego, tú...

EL PINGAJO: Naturaca.

EL TENIENTE: La poemos colocar de cantinera...

EL PINGAJO: Figurará como mi esposa...

EL TENIENTE: (Incrédulo.) ¿Te vas a casar con ella?

EL PINGAJO: Tendré que pedir licencia...

EL TENIENTE: Vaya un pájaro... Vaya un perdis que estás hecho... Anda bebe, granuja... (Bebe y se van animando.)

EL PINGAJO: Me he comprometío a llevarla al altar por la Vicaría e los Gatos... Usté, mi tiniente, no sufra, que está en buenas manos...

EL TENIENTE: Tú deja que la pruebe y luego pa tí toa tu cochina vía... Yo con probar... En mi pueblo probé toas las mozas... y en Camagüey, ¿t'acuerdas las negritas?

EL PINGAJO: (Riéndose.) Ja, ja... ¿Y aquel día que se confundió?

EL TENIENTE: (Amoscado.) ¿Quién? ¿Yo me confundí? Fuiste tú... Y más respeto, a ver si hablas con mas respeto, que ahí está el Código de Justicia Melitar...

EL PINGAJO: (Atragantándose con la risa.) Usté perdona y desimule... Fuí yo el que se equivocó con aquel negrito...

EL TENIENTE: Mari... nerazo estás hecho... (Contemplando al trasluz la botellita de aguardiente.) Pos esto s'acabó y hay que llenarlo...

EL PINGAJO: Traiga usté...

EL TENIENTE: Quita... ¿Vas a ir tú? Llama a uno de la guardia...

EL PINGAJO: (Sale y llama.) Uno e de la guardia... (Aparece al punto un mozo somnoliento y envuelto en una manta, quien al ver al Pingajo le hace un gesto obsceno.)

EL TENIENTE: (Impaciente.) ¿Qué pasa? ¿Viene o no viene?

SOLDADO 2.º: (Asomándose a la puerta y saludando.) A la orden de usté, mi tiniente...

EL TENIENTE: Haz lo que te mande ése...

EL PINGAJO: (Muy autoritario, entregándole la botella.) Que traigas una botella de cazalla de la mejor calidá...

SOLDADO 2.º: Está cerrá la cantina...

EL PINGAJO: Lo pintas...

SOLDADO 2.º: Amos, anda allá... ¿Quién eres tú?

EL PINGAJO: Es orden del tiniente...

SOLDADO 2.º Me lo paso por...

EL TENIENTE: (Levantándose.) ¿Qué pasa ahí?... Dí a ése que entre... (Ante la sonrisa maligna del Pingajo, que ahora se toma la revancha, entra el sorche muy humilde.)

SOLDADO 2.º: Es que, mi tiniente..., que... la cantina está cerrá...

EL TENIENTE: (Encolerizado.) ¿A mí que leñe me cuentas? Haz lo que te manda. Oye, Pingajo, dale una buena patá en el culo... (El Pingajo obedece con todas sus ansias, y el Soldado escapa corriendo, en una mano el frasco y con la otra protegiéndose el trasero.) Valiente panda e golfos estáis hechos... (Al Pingajo.) Anda, asiéntate y cuenta... ¿A qué hora me la vas a traer?

EL PINGAJO: Pa la anochecía...

EL TENIENTE: (Con maligna sonrisa.) Yo la recibiré con un ramo de flores...

EL PINGAJO: Paece una niña del hospicio..., de las que van en procesión...

EL TENIENTE: La madre que la parió.

EL PINGAJO: Pero tie unas tetitas, mi tiniente, apretaítas, apretaítas...

(El Teniente mira con ojos relucientes la mano apretada del Pingajo, que marca la forma del seno.)

EL TENIENTE: ¿Y cómo se llama?

EL PINGAJO: La llaman la Fandanga...

EL TENIENTE: (Rompiendo a reír.) Vaya pareja: el Pingajo y la Fandanga... Me relamo de gusto... ¿Seguro que me la traes?

EL PINGAJO: Palabra...

EL TENIENTE: Si no me la traes, prepárate... Te suministro una soba y te largo al calabozo... Dejas de ser mi asistente y te dejo baldao...

EL PINGAJO: No llegará la sangre al río...

EL TENIENTE: Estás advertío. Cualquiá se confía en tí con lo marrano que eres. Estás mu mal enseñao. Te mimo demasiao... ¿Por qué no la has traío hoy?

EL PINGAJO: Porque mañana empieza el noviazgo...

EL TENIENTE: Me hace falta una hembrita así... Llevo demasiao tiempo viendo tu jeta na más. Y tú no eres mi tipo. (En la puerta aparece el Soldado 2º con el frasco.)

SOLDADO 2.º: ¿Da su permiso?

EL TENIENTE: Pasa...

SOLDADO 2.º: A sus órdenes... La cazalla...

EL TENIENTE: (Agarrando la botella.) Largándote... (El Soldado 2.º sale corriendo. Ansioso, el Teniente se echa un lingotazo y al punto escupe lo que bebe y se retuerce en horribles visajes. Casi no puede hablar.) ¿Pe..., pe..., pero qué porquería estaaaa...?

EL PINGAJO: (Muy asustado y cogiendo el frasco, luego de olerlo.) ¡Madre mía..., si esto es amoníaco...!

OSCURO

ESTAMPA CUARTA

Tarde primaveral en el Retiro. Barquilleros, mozas y soldados. Un músico ambulante y melenudo desparrama desde su violín acordes de "La Marcha de Cádiz". En los bancos dormitan los cesantes o dejan vagar su mirada por el estanque, donde guajas y mozalbetes bogan a bordo de las barcas nuevas y recién pintadas. Algunas damiselas, envueltas todavía en sus pieles, pasean lentamente, dejándose acunar por las recién leídas rimas de Baudelaire. El organillo hace la competencia al violinista bohemio. Se entremezclan las notas de unos y otros formando una sinfonía agreste y bullanguera. Aparece el Pingajo llevando de la mano a la Fandanga, que ha sido vestida pudorosamente por su madre con volantes, calcetines blancos y lazos azules en el pelo. El sorche, con el brazo en cabestrillo, torpón y palurdo, con la niña remilgada, parecen la figura del asistente y la hija del oficial.

EL PINGAJO: ¿Quiés barquillos? ¿Te gustan los barquillos, chatuja?

LA FANDANGA: (Haciendo un mohín con la cabeza.) Chiii...

EL PINGAJO: (Haciendo una seña al barquillero.) Eh, maestro...

EL BARQUILLERO: (Acercándose lentamente con el instrumento colgado a la espalda.) ¡Barquiyooo finooo...!

EL PINGAJO: ¿A cómo va la tirá?

EL BARQUILLERO: A perra chica, paisano.

EL PINGAJO: Ele... Viva Sierra Morena en los Madriles...

EL BARQUILLERO: Y tú que lo digas, chavea... (Va ha hacer mutis con su pregón.) ¡Barquiyooo...!

EL PINGAJO: Espera, gachó...

EL BARQUILLERO: (Depositando el envase en el suelo). ¿Vale?

EL PINGAJO: Toma... (Le entrega la perra chica.) ¿Está el armatoste en condiciones?

EL BARQUILLERO: (Dando un giro garboso a la rueda.) Prueba... (Mientras el Pingajo impulsa la rueda, el Barquillero tararea un ritmo de guajiras.)

EL PINGAJO: (A la Fandanga, que mira con ojos embobados la ruleta popular.) Déjame..., primero tiro yo y luego tú... Mira cómo se hace, chata... (Impulsa la rueda.) Diez, pa empezar...

EL BARQUILLERO: (Mirando altivamente la cifra y parando en su canturreo.) Jozú...

EL PINGAJO: (Nueva tirada.) Y otros diez, que hacen veinte...

EL BARQUILLERO: Arma mía...

EL PINGAJO: (Otra tirada.) Y otros diez, que hacen treinta... (La Fandanga salta y ríe, divertida.)

EL BARQUILLERO: (Al Pingajo). Oye. Tú que lo paras con el codo...

EL PINGAJO: ¿Qué paro yo?... No te... joroba...

EL BARQUILLERO: Si te estoy guipando.

EL PINGAJO: Amos, calla ya... (A la Fandanga.) Tira tú ahora, preciosa... Despacito, despacito... (Le coge la mano y la lleva a la ruedecilla, mientras ella salta, alborozada.)

EL BARQUILLERO: Deja a la chiquiya sola, que ya es mayorcita...

EL PINGAJO: La asesoro...

EL BARQUILLERO: (Dándole un manotazo.) Que la dejes sola, te digo...

La Fandanga: (Dando saltitos.) Chola, chola, chola...

El Pingajo: (Luego de hacer un gesto ofensivo al Barquillero.) Tira suavecito, maja... Que ya llevamos las treinta el ala... (La Fandanga tira tan suavecito que apenas se mueve la rueda.)

El Barquillero: (Con sorna.) Dos...

El Pingajo: (Con chulería.) Que con treinta hacen... (Al Barquillero.) ¿Has ío tú a la escuela?

El Barquillero: La mare que me echó con el sorche... Ley voy a... (Viendo que el Pingajo vuelve a dirigir el brazo de la Fandanga.) Que no le empujes el codo, te estoy diciendo... Pero ¿es que hablo el chino? Me cauen la mar salá con el guaja...

El Pingajo: (Muy ofendido, a la Fandanga.) Déjame, maja. Ya has tirao tú una vez. Ahora tiro yo la última. No vayamos a jeringarla...

La Fandanga: (Iniciando una pataleta.) No... Yo..., yo..., yo..., yo... (El Pingajo no le hace caso. Tira de nuevo y saca otro diez.)

El Pingajo: (Al Barquillero.) Ahí tiés otros diez..., pa que te chinches... y con limpieza... calla, niña...

El Barquillero: Qué lástima que no te hubián roto el otro brazo, gachó.

El Pingajo: A callar y a poquinar, que son cuarenta y dos aquí y en mi pueblo...

El Barquillero: (De mala gana va sacando los barquillos y enlazándolos unos con otros hasta formar varias torres, ante los ojos atónitos de la Fandanga.) Pos le va a dar a la chavala un cólico barquillero como se zampe too esto...

El Pingajo: Tú calla y apoquina... (A la Fandanga.) Mía lo que hemos ganao, Fandanguilla...

La Fandanga: (Dando saltitos.) Ole, ole, ole...

El Barquillero: (Entregándole las torres de barquillos.) Ya verás; como tu señorito se entere por un casual de que emborrachas a la niña de barquillos, los coscorrones que te vas a llevar...

El Pingajo: (Cogiendo las torres de barquillos.) A ver si te vas a llevar tú uno antes de tiempo...

El Barquillero: (Agresivo.) Vas a dar tú...

El Pingajo: (Tirando de la niña.) Abur...

EL BARQUILLERO: (Muy chulón.) No te... joroba... (Reaccionando con admiración.) Vaya mano fina que tié el gachó... (Se echa la barquillera a la espalda y sale pregonando.) ¡Barquiyooo finooo..! (Muy contentos, el Pingajo y la Fandanga se apoyan en el barandal para contemplar las barcas, mientras comen los barquillos.)

EL PINGAJO: A ver si te van a hacer daño...

LA FANDANGA: (Comiendo vorazmente.) No, no... Más, más... Dame más.

EL PINGAJO: Toma... pero que no te hagan daño... Están ricos, ¿eh?

LA FANDANGA: (Mirando la torre de barquillos que sostiene el otro.) Huy..., cuántos...

EL PINGAJO: Muchos, muchos... ¿Tú sabes contar?

LA FANDANGA: (Luego de un signo afirmativo y en tono cantarín como en el colegio.) Diez..., Veinte..., Treinta..., Cuarenta...

EL PINGAJO: (Interrumpiéndola.) Mira, mira las barquitas... ¿Quiés que montemos?

LA FANDANGA: (Luego de mirar.) No.

EL PINGAJO: ¿Por qué?

LA FANDANGA: Me da mieo...

EL PINGAJO: (Metiéndole una mano por el escote y haciéndole cosquillas.) Cobardica…, cobardica…, cobardica… (La chicuela se retuerce de risa.)

LA FANDANGA: No me hagas cosquiiiyas...

EL PINGAJO: Dime, oye: ¿Verdad que ya no tiés miedo de mí?

LA FANDANGA: No... Dame un bechito... (El Pingajo está a punto de besarla en la boca, pero como la tiene llena le da un beso en el carrillote.)

EL PINGAJO: Ahora un "bechito" tú a mí... (Ella acerca su boca, repleta de barquillos, y le besa.) Ay, que me muerdes... (Ella se ríe. Permanecen un rato apoyados en el barandal, dando cuenta de los barquillos. El Pingajo la observa y de pronto se le ensombrece la vista.) ¿Qué te gusta más? ¿Ir al "cole" o salir de paseo con tu novio? (La chica parece dudar, se sonroja.) Anda, dí...

LA FANDANGA: Salir a paseo.

EL PINGAJO: Oye, ¿quiés venir conmigo a mi cuartel? Veremos a los soldaditos de verdá. ¿Vas a venir luego?

LA FANDANGA: (Palmoteando.) Chi, chi, chi...

EL PINGAJO: Ya verás, ya verás... Veremos los soldaítos, oiremos tocar la trompetita...

LA FANDANGA: (Entusiasmada.) Chi, chi, chi... Amos, amos...

EL PINGAJO: No, entoavía no... luego, luego...

LA FANDANGA: (Lloriqueando.) No, ahora. Yo quiero ahora...

EL PINGAJO: Luego, chiquilla, luego... Ya verás, hay un señor general que te quiere mucho y que te dará "caramelos"...

LA FANDANGA: Yo quiero ir...

EL PINGAJO: Bueno; ahora vamos... Pero mira, primero jámate esos barquillos.

LA FANDANGA: No quiero más...

EL PINGAJO: Los guardaremos pa luego... (Estruja los barquillos y se los guarda en el bosillo de la guerrera.)

LA FANDANGA: (Lloriqueante.) Yo quiero ir a ver los soldaítos...

EL PINGAJO: Ahora, ahora vamos... Mira, ¿quiés un molinillo? (Para aplacar a la criatura se acerca al hombre de los molinillos, le compra uno y se lo entrega a la Fandanga, que parece aplacarse mientras sopla el molinillo. Limpiándose el sudor de la frente.) Amos a descansar un poquitín en ese banco y luego nos marcharemos al cuartel, a ver ese señor y a los demás soldaítos... (La Fandanga, entretenida con el molinillo, sigue al Pingajo, se sientan en un banco, donde hay dos cesantes que dormitan y conversan alternativamente. El Pingajo mira ceñudo al horizonte, como si le asaltara una enorme preocupación. La pequeña sopla en el molinillo y ríe.)

CESANTE 1.º: Pobre España... pobre... (Pausa larga.) Pobre España... pobre...

CESANTE 2.º: (Gritando a la oreja del cesante 1.º) ¿Ha ido usted a ver "La marcha de Cádiz"?

CESANTE 1.º: (Moviendo afirmativamente la cabeza.) Eso, eso estaba diciendo, que pobre España... pobre... (El Cesante 2.º mueve la cabeza, impotente, y se queda otra vez dormido.) Pobre y bien pobre... (El Pingajo se ha puesto a palpar los muslos de la Fandanga, lo que provoca la risa de ésta.)

EL PINGAJO: (Mientras palpa.) Estás mu gordita..., mu gordita...

495

La Fandanga: Que me estás haciendo cosquiiiyas...

El Pingajo: ¿Si?

La Fandanga: Chi, chi... (Sopla el molinillo de papel. El Pingajo vuelve a su mutismo, observa la inocencia boba de La Fandanga y se da una palmada en la frente.)

El Pingajo: ...Maldita sea mi negra suerte... (El Cesante 2.º hace un rato que contempla los "manejos" del Pingajo y no pierde ojo, incluso da con el codo a su compañero.) ¿Sabes que te vamos a vestir de novia?

La Fandanga: ¿A mí?

El Pingajo: Sí...

La Fandanga: ¡Qué bonito..! Yo quiero, yo quiero...

El Pingajo: Claro, porque eres mi novia y te vas a casar conmigo...

La Fandanga: (Entusiasmada) Chi, chi... Amos a jugar a eso...

El Pingajo: ¿A jugar..? Ja..., menúo juego...

La Fandanga: Con un velo mu largo, mu largo..., como la reina...

El Pingajo: Como la reina... Vas a estar reguapa, reguapa... Luego te vienes conmigo y...

La Fandanga: Y nos vamos de paseo... Toos los días de paseo...

El Pingajo: Toos los días venimos aquí a jugar a los barquillos...

La Fandanga: (Dando palmadas.) Ole, ole... (Pausa. El Pingajo observa a la chica y se rasca la cabezota.)

El Pingajo: (Para sí.) En la que me he metío sin darme cuenta... (En la tarde, amustiada, se oye un coro de niñas que canta aquello de "Viva la reina Isabel, madre de los españoles".) Buena la he hecho..., buena. ¿Y qué hago yo ahora?

La Fandanga: ¿Nos amos al cuartel? Yo quiero ver los soldaítos...

El Pingajo: No hay cuartel... cállate ya... Anda, ¿por qué no te vas a jugar con esas niñas?

La Fandanga: Porque ya soy mayor. Yo lo que quiero es ir al cuartel... (Lloriqueando.) Yo quiero ir al cuartel...

El Pingajo: ¿Te vas a callar? ¿Quiés que nos vayamos a casa y se lo diga a tu padre pa que te zumbe?

La Fandanga: (Callando su lloro) ¿Qué?

El Pingajo: Si no te callas, se lo diré a tu padre. ¿Te zumba tu padre?

La Fandanga: Chiii...

EL PINGAJO: Pues eso...

LA FANDANGA: Y a tí, ¿te zumba tu padre?

EL PINGAJO: (Ceñudo.) No, porque ya soy mayor... (Baja la cabeza, apesadumbrado.)

LA FANDANGA: (Luego de una breve pausa, vuelve a la rabieta.) Yo quiero ir al cuartel. Yo quiero ir al cuartel...

EL PINGAJO: (Enfadado.) Que te he dicho que no..., que no vamos al cuartel... Ya no vamos al cuartel... Ni hoy, ni nunca. Por caprichosa... Ea, no te llevo al cuartel. Que no te llevo...

LA FANDANGA: (Le mira un poco asombrada y luego redobla su lloriqueo.) Pos si habías dicho que íbamos al cuartel, a ver los soldaítooos... (Llora.)

EL PINGAJO: Mecachis en... ¿Te vas a callar ya? Niña caprichosa... antojadiza...

LA FANDANGA: (Con rabia.) No... Yo quiero ir al cuartel...

EL PINGAJO: (Fuera de sí.) Te voy a dar una que te voy a eslomar, como sigas así... Te he dicho que no te llevo...

LA FANDANGA: (Dándole puntapiés y puñadas.) Mentiroso..., mentiroso..., feo..., feo..., malo... uuuhhh. (Le saca dos palmos de lengua.)

EL PINGAJO: (Cogiéndola del brazo y sacudiéndola.) ¿Te quiés estar quieta..? ¿Te quiés callar? ¿Te callas? ¿Quiés que te sacúa? Que ahora el que manda soy yo, ¿eh? Que te zumbo... Que nos vamos pa casa... hale, a casa con tu madre... Y caliente, además... (Al decir esto le arrea dos azotazos en el trasero y la empuja delante de él. Salen. Los gritos de la Fandanga se oyen en la puerta de Alcalá. Los cesantes, que han observado con mucha atención la escena, los miran alejarse.)

CESANTE 2.º: (A gritos en la oreja del otro.) ¿Ha visto usté? Yo no sé cómo dejan a los chicos en manos de los asistentes. Primero, le mete mano, porque le ha metido mano, que yo lo he visto... Luego, le pega... y los padres estarán tan tranquilos en el teatro. Con tal de quitarse preocupaciones... ¿Ha visto usté..?

CESANTE 1.º: (Afirmando con la cabeza.) Lo que yo digo: pobre España..., pobre España... (El Cesante 2.º resopla y vuelve a quedarse dormido.) Pobre y bien pobre... (En la atardecida el organillo desgrana un pasodoble. Los remos chapotean en el estanque. Se oye el rumor de los pasos en el florido arenal.)

OSCURO

Calleja céntrica y de poco tránsito, situada tras la elegante calle de Alcalá. Lugar de citas de tapadillo por donde circulan pausadamente cerrados coches simones. Dos guajas de gorrilla secretean pegados al quicio del portal.

EL PETATE: Amos a ver quién es Pingajo. Su bautismo e fuego. Y que ya no pue tardar, si las cosas salen a derechas... ¿Tú ties too el material en orden?

EL SALAMANCA: Too a punto, compadre... Los pañuelos, los cordeles, la herramienta, por si viene el caso... Too a punto...

EL PETATE: Güena se presenta la noche... Y primaveral que está... (A una dama que pasa esquivando el piropo.) Y vaya planta que tie la noche... (Volviéndose al Salamanca.) Pos como te estaba diciendo: la cosa está que ni pintá. El portero e la salía escape cegao con el parné que tú me suministraste ayer...

EL SALAMANCA: No me hables, compadre e mi alma. Ca vez que pienso los apuros que pasé pa aquella sustración. Figúrate el tranvía así... (Aprieta los dedos.) Y un guindilla pegao a mi espalda, que mismamente paecía mi siamés y la tía apretando el bolso en los pechos. Que se necesita haber nacío en Valladoliz y haber aprendío bien el oficio pa hacerme con aquel bolso. Pero lo que no consiga el Salamanca...

EL PETATE: Y yo no te he negao nunca el mérito, compadre, y bien sabes que si la suerte hubiá fallao a tu favor, el novio en estas bodas ibas a ser tú, que yo bien te aprecio...

EL SALAMANCA: Si de eso estoy al cabo e la calle... Pero que también tie su guasa que pa celebrar una boda te se haya metío en la chola limpiar na menos que el casino más aristocrático e los Madriles...

EL PETATE: Chisss. Queo..., que vie un guindis... (Se acerca el guindilla, que se limita a mirarles con el rabillo del ojo.)

EL SALAMANCA: (Fingiendo.) Que está mu remaja la noche, pero que mu remaja... Gusto de llenar los pulmones con este aire de abril, que paece de Sevilla... (Saludando al guardia.) Con Dios, señor guardia... (El guardia se aleja, más bien asustado y huyendo de responsabilidades.)

EL PETATE: (Con un suspiro.) Ya pasó... No vendría mal una copa e cazalla. Si no fua porque no conviene que lo guipen a uno ahora. Pero mañana será otro día... Y este gachó que se retrasa. Pa chasco sería que hubiá tenío un tropiezo a última hora... ¡Dita sea la..!

EL SALAMANCA: No seas agorero, compadre...

EL PETATE: Es que el Pingajo en estos históricos momentos es más importante respective a nosotros que el mismo Lagartijo (Se quita la gorrilla.) O que Cánovas...

EL SALAMANCA: ¿Pos tan difícil se presentaba la operación?

EL PETATE: Quiá... juego e chavea. Total: birlar el uniforme de su tiniente, cosa que, pa quien tiene la llave del cuarto y conoce las entrás y salías del propietario, no tie vuelta de hoja. Pero como el Pingajo está ahora desertao, desde el día que su señorito el tiniente le arrimó una tollina e bandera...

EL SALAMANCA: ¿Que le zumbó el tiniente? Y yo que no sabía na...

EL PETATE: Ni yo. Ni tampoco me lo había dicho el interfecto, sino que nos vino iciendo que ya no quería servir a naide y que había obtao por la deserción; pero de lo que no se entere el Petate... La verdad es que la otra noche el tiniente zumbó al Pingajo de moo y manera que lo debió dejar las asentaderas como las de la mona el Retiro...

EL SALAMANCA: ¿Y too por qué?

EL PETATE: ¿Por qué? Caprichos... Que había tomao cuatro copas e más... Tiés ca pregunta, gachó. Como si fua pecao el beber. Ya se sabe, por cualisquiá cosa te dan en la cresta...

EL SALAMANCA: Es verdad. Too es cuistión de mala suerte. A menda también le han calentao cuando menos lo merecía y entodavía me escuecen los verdugones que me hicieron el mes pasao en la Delega por piropear a una marmota...

EL PETATE: ¿Por piropear a una marmota? Anda allá, Salamanca, que too se sabe. Por piropearla y "piropearla" el bolso, que too se sabe... (Deteniéndose de pronto.) Chiss, queo..., que paece que viene un pez gordo... (Asustados, los guajas se estrechan en el quicio de la puerta, cuando aparece un rutilante teniente de húsares en traje de gala, lleva el brazo en cabestrillo, el ros ladeado, muy chulón, pica las espuelas con garbo y señorío militar. Es el Pingajo.)

EL PINGAJO: (Plantándose ante ellos.) Caballeros..., hagan el favor de acompañarme a la Delegación pa una pequeña diligencia... (Los tres sueltan a risa.)

EL PETATE: (Admirándole.) Gachó con el tío... El susto que nos has dao... y mía que yo me lo esperaba porque sabía que tenía que presentarse así... Pos si le sentará bien el uniforme que lo he tomao mismamente por un melitar de graduación...

EL SALAMANCA: Mi madre, y cómo te sienta el uniforme...

EL PINGAJO: (Dándose una vuelta para que los otros le contemplen maravillados.) Me han saludao toos los quintos. Y en el tranvía me han cedío el asiento. Me han tomao por un herido glorioso...

EL PETATE: Y herío glorioso eres...

EL PINGAJO: Y cuando iba de sorche pelao con el brazo en garabitas, naide se apercibía... Lo que no haga el uniforme...

EL PETATE: Pero cómo estás, chavea... Si has nacío pa eso, pa mandar... Tiés que hacerte un retrato. Mañana, que tenemos posibles, nos acercamos a Campúa pa que te retraten como a los infantes de sangre... Tú has nacío pa picar alto, ¿que no?

EL SALAMANCA: Había que verlo pa creerlo...

EL PINGAJO: Con deciros que me paece que lo he llevao toa la vía... Y que me sienta como propio...

EL PETATE: Ni hecho a medía...

EL SALAMANCA: Güeno... Ahora amos a empezar la operación...

EL PINGAJO: (Autoritario.) Que el tiempo apremia... A ver si las cosas salen como es debío y no hay precipitaciones... ¿Estamos? (Los otros escuchan respetuosos.) Ahora yo entro por la puerta prencipal y sus preparo el terreno. Vosotros esperáis junto a la puerta trasera... En cuanti que yo suelte este silbío. (Silba.) Así... ¿eh?..., así (vueve a silbar.), entonces entráis y al avío...

EL PETATE: Que sí... Que ya está too eso metío en la chola...

EL SALAMANCA: Hablar más queo que me paece que se oyen pasos... (Escuchan con algún miedo los tres.)

EL PETATE. (Al Salamanca.) A ver si te va a dar canguelitis a tí ahora...

EL SALAMANCA: Paecía que...

EL PINGAJO: Bueno... Yo me acerco pa allá. Los puntos ya deben ir de retirá... Detrás, vosotros... Y suerte... Abur...

EL PETATE: (Saludándole militarmente.) A las órdenes e vuecencia... (Los dos contemplan el paso jacarandoso de Pingajo, que se aleja.) Y cómo se mueve, con qué soltura... Si nació pa eso. Y la vía le desvió...

EL SALAMANCA: (Persignándose.) Que Dios nos asista...

EL PETATE: (Idem.) Y la Virgen Santísima. Amén... (Salen silenciosos y acechantes.)

OSCURO

ESTAMPA SEXTA

En el departamento de la caja fuerte del Casino, los empleados van formando fajos de billetes, luego de contarlos de prisa con cara de sueño y ganas de marcharse a casa. Hay una luz verdosa de garlito. Los hombres están en mangas de camisa y trabajan de una manera mecánica, sin dar importancia al asunto. Procedente de la sala de juego llega un Teniente de Húsares en traje de gala.

EMPLEADO 1.º: (Señalando hacia fuera.) Es a mano izquierda mi Teniente. La tercera puerta...

EL PINGAJO: (Se finge un poco borracho.) ¿Qué puerta dices?

EMPLEADO 1.º: La tercera a la izquierda. Saliendo a mano izquierda. No tiene pérdida, oficial. (El Pingajo, al verse tratado con aquella deferencia, se complace en prolongar su papel de ilustre militar.)

EL PINGAJO: Gracias, caballeros... Es la primera vez que pongo los pies en este casino. Acabo de llegar repatriado. Después de aquella campaña, uno no acaba de hacerse a estos refinamientos.

EMPLEADO 2.º: (Mientras cuenta los billetes.) Buena nos la han jugao los yanquis.

EMPLEADO 3.º: ¿Procede usted de La Habana?

EL PINGAJO: De allí mismo vengo...

EMPLEADO 3.º: Entonces, tal vez conocería por un casual al comandante Manacho, uno que mandaba el fortín...

EL PINGAJO: Creo recordarlo. Barba así..., ¿entrecana?

EMPLEADO 3.º: El mismo. Es pariente de mi mujer. ¿Está con vida?

EL PINGAJO: Cualquiera sabe. Ojalá se lo pudiera atestiguar. Después del desastre cada cual se fue por su lao... Yo estaba en el hospital. Me hice cargo de aquello. Les hicimos frente... Pero me ordenaron la retirada. Si por nosotros hubiá sío... Pero quien manda, manda... Ahora con proponerme pa la Medalla Individual estoy pagao. Maldita sea la estampa de los politicastros...

EMPLEADO 1.º: Y usted que lo diga, mi teniente.

EL PINGAJO: (Señalando los montones de billetes.) Y mientras tanto me deben toos los pluses de campaña. Cuando aquí se tira el dinero. Ustedes son testigos...

EMPLEADO 1.º: (Con un resoplido.) Está usted diciendo verdades como un templo.

EL PINGAJO: (Con cierta exaltación.) Pero no pasará mucho tiempo sin que el honor del Ejército resplandezca...

EMPLEADO 2.º: La política, la política...

EMPLEADO 1.º: Ya ve usté... Unos servidores manejando el dinero del vicio y con una paga de treinta reales. Mantenga usté mujer y tres hijos..., dice usté bien, mi teniente: arrastraos tenían que ir todos... Si no nos salva el Ejército no sé quién nos va a salvar...

EL PINGAJO: (Que se va acercando a la mesa y manosea los billetes.) El Ejército es el único que puede poner fin a tanto latrocinio. Y lo pondrá, señores. Ah, no lo duden un momento... Se está fraguando una..., se está fraguando una más gorda... (Al decir esto entona el silbido que antes había marcado a los dos guajas.) Ya verán la que se va a armar... (Por una puerta contigua a la caja fuerte entran con el rostro tapado con un pañuelo, el Salamanca y el Petate, que avanzan cautelosos tras los funcionarios. En este punto el Pingajo saca un pistolón y los encañonan.) De momento, aquí se acabó el vicio. Hacerse la cuenta que el golpe militar ha empezao. Firmes, mar... (Los empleados quedan tiesos y asombrados. Por detrás, los granujas le echan una mordaza en la boca y luego les atan las manos por detrás con cordeles. El Pingajo cierra la puerta que comunica con el salón y se frota las manos. Al Salamanca y al Petate.) Ajajá... Poner a los tres en el rincón. Así... (Llevan a los tres empleados al rincón.) Lo siento señores. Me debían los pluses de campaña. Con el permiso de ustedes, me los cobro... (Empieza a guardarse fajos de billetes en los bolsillos de la guerrera, ante los ojos atónitos de los tres funcionarios.) Y vosotros (a sus compinches.) Ir recogiendo lo de dentro. (Los cómplices van guardando en un saco los billetes de la caja fuerte, El Pingajo sigue, por su parte, atiborrándose los bolsillos.), Pues sí, señores. Las cosas no pueden seguir como están. Habrá que implantar una dictadura. Pero una dictadura fetén, y ya habrá quien la imponga, pa acabar con tanto ratero, tanto desaprensivo como circula por estos Madriles. Ca vez que me acuerdo de lo morás que las pasábamos en aquella manigua y aquí too eran francachelas. Dita sea la... Se tie que acabar y se acabará...

EL PETATE: (Cuadrándose ante el Pingajo.) A la orden, mi teniente Sin noveá...

EL PINGAJO: Pues vamos... (Antes de salir, dirigiéndose a los empleados.) Y lo dicho, señores... El Ejército dejará a salvo su honor. No lo duden. (Saluda con una leve inclinación de cabeza y sale muy erguido y marcial, seguido de sus compinches.)

OSCURO

ESTAMPA SEPTIMA

La misma decoración de la primera estampa. Jubilosa mañana primaveral. El lugar está engalanado con cadeneta y flores de papel según el arte popular madrileño. Se masca el humo de la fritanga de churros. Frente a la Venta del Tuerto hay colocada una larga mesa capaz de servir a buen número de comensales. Se ve entrar y salir de la venta a algunos marmitones con grandes paellas en un rincón amontonados, grandes pellejos de vino. Parece como si la verbena de San Isidro hubiese trasladado sus reales desde la Pradera del Corregidor a aquellos andurriales de la miseria. Se oye música de organillos que desparraman músicas zarzueleras y pasodobles. Pandas de niños berrean canciones alusivas a la fiesta. Es como si aquel fabuloso Camacho de las bodas hubiese descendido de las tierras manchegas a convidar a la gente humilde de los Madriles.

CORO DE NIÑOS: (Utilizan como instrumentos musicales ralladores, almireces y cacerolas.)

503

De bellotas y cascajo
se va a armar la bullaranga,
que se casa el tío Pingajo
con su novia, la Fandanga.

La madrina será la Cibeles
el padrino el Viaducto será,
Los asilos del Pardo, testigos,
y la iglesia, la Puert'Alcalá.

EL TUERTO: (Tapándose los oídos para no escuchar la algarabía y palmoteando a sus ayudantes.) Amos, vivo, vivo..., que nos va a coger el toro... (A los marmitones.) Tú, aviva el fuego con ramas de pino. Tú, cuida que el caldo no se consuma... ¿Y quién trasvasa el vino? Naide... Claro, naide... Tú, ¿qué miras ahí, bobo? (Le da un puntapie en el trasero y el agredido se cuela de rondón en la venta.) Que nos coge el toro..., y cuando yo digo que nos coge el toro... (En un rincón, la vieja de los escapularios se hace cruces ante aquella barahúnda y pega la hebra con una comadre que espera la limosna del banquete.)

LA MADRE MARTINA: Jesús, Jesús, Jesús, que desenfreno... Qué bodorrio... Se necesita, amos que no me diga usté... Casarse por la Vicaría los Gatos. Rompiendo el puchero como si fua gitanos... Claro que cualquiá saben lo que son...

LA COMADRE: No diga eso. Pa mí, como si fuán mismamente príncipes de la sangre. Más que los reyes de España son. ¿Cuándo se ha acordao la realeza de los probes? ¿Cuándo? Yo estoy emocioná...

LA MADRE MARTINA: Vosotros, en rellenándoos la andorga, os importa poco que se contradiga la ley de Dios... Ay, venerada madre Rafols, cuándo será el día que...

LA COMADRE: (Extasiada.) Vino y paella pa too el barrio... Y de regalos huy de regalos. A la Carasucia le han regalao un espejo que fue de la propia reina Isabel. Y a la Carmela un costurero de raso pajizo con diamantes que mismamente paecen estrellas de la verdad... ¡Madre mía! Si parece que se han traío too el dinero de las Américas. Qué lujo...

LA MADRE MARTINA: Pos si vieras lo mal que me huele a mí too esto... Mu mal me huele... Másime cuando se rumorean ciertas cosas. Vaya usté a saber de aónde habrán sacao too ese dinero. Más vale no pensarlo, conociéndoles como se les conoce...

La Comadre: A mí, plim... Menda se piensa hartar de paella y empinar el codo. Un día es un día, pa sacar el estómago de mal año. Dí lo que quieras; pero a mí, plim...

La Madre Martina: Oye, ¿y por qué no vas va echar una mirá a la cirimonia?

La Comadre: Ya he estao. Pero me he venío pa acá corriendo y coger buen sitio. Luego, cuando vengan las fieras, cualquiá se aproxima a la mesa. Y una tie ya muchos, muchos pa andar a brazo partío con la gente...

La Madre Martina: (Muy cotillona.) ¿Y qué has visto? ¿Qué has visto?

La Comadre: ¿Y por qué no vas a verlo tú misma? Si es ahí en el barranco a dos pasos...

La Madre Martina: (Ofendida.) ¿Yo? ¿Te crees que yo voy a ir a una ciremonia impía? No quiero condenarme. Estoy confesada...

La Comadre: Allá tú...

La Madre Martina: Lo que es una indizna servidora, si en su mano estuviera, pondría fin a ese escándalo. ¿Es que ya no hay temor de Dios? (Afirmando categórica.) Que no hay ley de Dios. (Transición.) ¿Y la novia irá mu guapa?

La Comadre: (Entornando los ojos.) Uh...

La Madre Martina: ¿Y es verdad que el novio va vestío de tiniente de Húsares?

La Comadre: Uuh...

La Madre Martina: Y dicen también que la Carmela lleva un mantón de la China que vale más de cien mil reales y pendientes de brillantes...

La Comadre: Qué sé yo...

La Madre Martina: Y dicen tamién que va a venir a la boda; güeno, a bodorrio, el mismo maestro Mazzantini...

La Comadre: Pue...

La Madre Martina: Cuentan y no acaban... Fíjate que quitando algunos chiquillos, too el mundo está allí... ¡Qué escándalo, qué escándalo..! Luego dicen del señorío. Ya quisián éstos tener las buenas formas del señorío... Lo que es una serviora en cuanti que se planten aquí me voy pa la iglesia a hacer un acto de reparación de gracias...

La Comadre: Tú te lo pierdes. La paella, el lechazo, las natillas, los pasteles, las pelaillas y el tintorro... ¡Ay madre mía! Me se hace la boca agua. De aquí no me muevo. En cuanti que toquen a rancho, ¡pum! Ahí tiés a la Gavina metiendo el morro en la paellera...

La Madre Martina: Pues yo voy a ayunar en reparación...

La Comadre: Tú te lo pierdes...

La Madre Martina: Lo ganaré en el cielo. Lo dice el Evangelio: el que pierde, gana...

La Comadre: (Sonriendo chulapona por la nariz.) Sí..., pa tu agüela, que aquí no cuela...

La Madre Martina: Y no quiera Dios que too se termine como el rosario la aurora...

La Comadre: Después de llenar la andorga, venga el deluvio...

La Madre Martina: Porque no sé si sabrás que los papeles traen una noticia. ¿No la sabes? Pues que antié asaltaron la caja fuerte del Casino los Madriles... No quiero pensar mal...

La Comadre: A mí, plim...

La Madre Martina: Luego no vengas diciendo que no te aviso... Enterá estás...

La Comadre: Pos vaya una monserga que mestás dando... Pos si lo sé me quedo allí... Menúa lata...

La Madre Martina: Jesús, y qué trabaos están los tiempos... (Se levanta enfadada y va a fisgonear los preparativos del Tuerto. Al Tuerto.) Vaya un convite...

El Tuerto: (Apartándola.) Deja, no me marees, que tengo mucho trabajo...

La Madre Martina: ¿Y quién paga el gasto, compadre?

El Tuerto: Tu tía la del pueblo, comadre...

La Madre Martina: ¿Y no estás diquelao de lo del atraco? Cómo se han cubierto el riñón estos granujas...

El Tuerto: Gente de cirebro... Que los echen un galgo (A un Mozo.) Que no se vierta el vino, que hay demasiaos gaznates sedientos pa que se lo chupe la cochina tierra...

La Madre Martina: Yo lo que digo es que cómo van a pagar too esto...

El Tuerto: Con dineros y palabras...

LA MADRE MARTINA: ¡Qué despilfarro! Habiendo tanto asilo necesitao y tantas monjitas que no puen llevar una cucchará de sopa a sus acogíos... Dios no lo tenía que consentir. No conocen a Dios, si lo conocieran... Bondá infinita; pero librémonos de su ira...

EL TUERTO: (Dándola un empujón.) Anda, vete con tus monsergas a otra parte y déjanos tranquilos...

LA MADRE MARTINA: Sí, sí... Ojalá no tengás que venir muy pronto diciendo: Madre, y qué razón llevabas... (Se oye un rumor de gente.) Huy, sí; me voy. Porque ya está ahí toa esa patulea... (Se escabulle la beata cuando entra una tropilla de chavales haciendo cabriolas y cantando aquello de "Las Bellotas y el cascajo". La chiquillería llega a tiempo de rodear a la beata que consigue salir con trabajos. A continuación, llega el cortejo de la boda: mujeres ataviadas con pañuelos de Manila y las greñas brillantes de aceite, con flores en la cabeza; los hombres, con camisas limpísimas y pantalones ajustados con faja de seda y tocados con catite andaluz. El novio viste traje de Húsares en gran gala. La novia, materialmente cubierta de alhajas y entre organdíes blancos, que "mismamente" parece una pepona de feria ataviada a la oriental. La madre de la novia va también deslumbrante, así como el padre, el Petate, que lleva chistera y todo. Se advierte enseguida que el deseo recóndito que cada cual tenía respecto a la indumentaria lo ha satisfecho a capricho. Hay moza que lleva un mantón de Manila deslumbrante y alpargatas. Arman un tremendo alboroto de "vivas y olés". La vieja comadre salta en seguida a la mesa y ocupa un lugar estratégico para no perderse ni una migaja. Nada más entrar en escena, se colocan todos en corro y palmotean, iniciando el baile popular de la "Jerigonza". Los organillos lejanos subrayan el ritmo con sus notas alegres.)

EL PETATE: Primero, la novia... Que baile primero la novia... (La Carmela y su abuela empujan a la pobre Fandanga al centro del corro.)

TODOS: (Con ritmo.) Que lo baile, que lo baile, que lo baile, que lo baile...

LA FANDANGA: (Compungida.) ¡Ay, madre..!

LA CARMELA: Anda, chica. No seas sosona... (La Fandanga se coloca en medio del corro y se levanta las faldas con mucho garbo y empieza el baile, coreado por las palmas y el canto de los otros.)

Coro: La señá Fandanga
ha entrao en el baile...
Que lo baile, que lo baile, que lo baile.
Y si no lo baila,
medio cuartillo va,
que lo pague,
que lo pague,
que lo pague.
Que salga usté,
que la quiero ver bailar,
saltar y brincar,
las faldas al aire.
Con lo bien que lo baila la moza,
déjala sola, sola en el baile...

(La Fandanga, siguiendo el ritmo del baile, se acerca al Pingajo y lo empuja al centro del corro. Bailan juntos.)

El señor Pingajo
ha entrao en el baile.
Que lo baile, que lo baile, que lo baile... etc.

(Al decir "déjalo solo en el baile", la Fandanga deja a su marido y se incorpora al coro. En este viejo baile popular madrileño, especie de seguidillas manchegas, cada uno improvisa el baile sin perder el ritmo y van sacando sucesivamente a las parejas. Así el Pingajo irá sacando al Petate, éste a la Carmela, etc. Mientras esto sucede ha aparecido la Madre Martina, seguida por tres individuos con una pinta de "polis" que no se lamen. La beata y los tres de la Secreta contemplan el baile sin que nadie repare en ellos. Cuando le toca salir al Salamanca y terminado su número, cuando el coro dice "Que salga usted", el Salamanca va derecho a uno de los "polis" y lo arrastra al centro del coro. El Poli, que ha salido a regañadientes, tiene que bailar su número. Al ver aquel tipo extraño el coro dice:)

El señor barbitas
ha entrao en el baile..., etc.

(El Poli, terminado el sofoco y para vengarse de sus compañeros, que se ríen, saca a otro de ellos. El coro, aludiendo a las gafas del nuevo introducido:)

El señor cuatroojos
ha entrao en el baile..., etc.

(Este a su vez saca al tercer Poli, que por cierto, como único rasgo distintivo lleva un flamante sombrero hongo. El coro al salir el del hongo:)

El tío del hongo
ha entrao en el baile... etc.

(Naturalmente éste, a su vez, saca a la Madre Martina, que es recibida con gran alborozo. Las faldas de la vieja flotan con garbo y salero.) (Coro a la Madre Martina:)

Doña Celestina
ha entrao en el baile... etc.

(Terminado el baile de la vieja, ella y los tres desconocidos se escabullen como gatos escaldados entre las chacotas de los otros.)

POLI 1.º: Que se diviertan, que se diviertan... En cuanti que estén toos reuníos en la mesa y lleguen los tricornios..., ¡zas!, a la trampa...

LA MADRE MARTINA: (Sofocada y persignándose.) Que Dios me perdone, que Dios me perdone...

POLI 2.º: Será mejor ahuecar el ala...

POLI 3.º: Sí, de naja... Ya están controlaos... El novio, el primero; el padrino, después y el gachó que nos ha tomao por la mona el Retiro, detrás. De momento, aire... (Salen los cuatro en el momento en que el Tuerto empieza a dar horrísonos golpes en una paellera vacía con un gran cucharón.)

EL TUERTO: (Una vez hecho el silencio y con voz de pregonero.) Se hace saber a la distinguida concurrencia... que la paella está a punto... y que se va a pasar... (Todos corren con alborozo a la mesa.)

VOCES: ¡Vivan los novios..! ¡Viva la mare e la novia..! ¡Viva su pare..! ¡Viva yo..! ¡Viva la Pepa..!

EL PETATE: (Tratando de poner orden.) Primero, la novia. Que se siente primero la novia y aluego el novio. A ver si hay cultura y formalidaz...

EL SALAMANCA: Los novios, en el lugar de honor. En la presidencia... (Ahora van unos cuantos y cogen en hombros a los novios y antes de sentarlos "en el lugar de honor" les dan la "vuelta al ruedo". Todos aplauden, agitan pañuelos y cantan.)

Coro: Estaba la Nita y Nita
sentaíta en su balcón.
Que toma la Nita y Nita,
que toma la Nita y No.
¡Ay, sí, ay no..! etc.

Un Gracioso: Que les den la oreja, que les den la oreja... (Por fin sientan a los novios y todos los demás ocupan sus sitios. Los marmitones traen las paellas y jarras de vino. Los chiquillos se sientan en el suelo. Hay una gran alegría. En este momento entran, picados por la curiosidad, los tres polis y la vieja. El primero que les "guipa" es el Pingajo.)

El Pingajo: Eh, madre Martina... ¿qué hace ahí lechuceando? ¿Es que nos vas a despreciar? Estás convidá tú también... Y la concurrencia... Que la paella está pa chuparse los dedos...

Voces: Que se sienten..., que se sienten...

La Madre Martina: (Persignándose.) Dios me libre... Me iba yo a sentar en una mesa de salvajes...

Poli 1.º: (Que hace un rato que husmeaba con la nariz el sabroso aliento de la paella.) Pues menda sí que va a probar una tajaíta, ya que los del tricornio se hacen esperar. El olorcillo de la paella me aviva el apetito. (A los otros.) Ustedes hagan lo que les plazca. (Se sienta con un saludo.) Saluz pa celebrarlo muchos años, señores... (Mete la cuchara que le dan en uno de los paellones cercanos.)

Poli 2.º: Pues un servior también se une a la fiesta... Que con esta brisa se me aviva el apetito... (El Poli 3.º se añade sin añadir más.)

La Fandanga: Venga mare Martina, que no se lo diga...

La Carmela: No seas tonta, mujer...

El Petate: (Mientras roe un hueso de pollo.) A lo mejor está desganá...

La Madre Martina: (Que se ha acercado tímidamente a la mesa.) Y tan desganá que estoy. Las penas me quitan el hambre. Gozo me da veros comer así. Quien pudiera... Probaré una tajaíta pa que no digáis que lo desprecio. (Se sienta en un extremo de la mesa y coge pulcramente una tajadita de pollo. Las gentes comen con entusiasmo.)

EL PETATE: Dijo que iban a ser sonás las bodas del Pingajo y la Fandanga, y las sonás lo están siendo...

EL PINGAJO: Y espera, compadre. Que pue que lo sean más entoavía...

EL PETATE: Que no se quede naide del barrio sin comer hoy. ¿No oyes Tuerto?

EL TUERTO: (Que se ha añadido al convite, aunque va y viene constantemente.) No te preocupes, que ya están las órdenes pertinentes. Ya se han llevao las paellas correspondientes pa los ancianos e impedíos y pa las madres lactantes. Aquí no es como en el Congreso, que naide se entiende. Aquí too está bien organizao...

EL SALAMANCA: Ayer nos pasamos too el día de Dios haciendo listas y ni un gato se va a quedar sin su raspa... (Gritando.) ¡Viva el Pingajo y la Fandanga!

TODOS: ¡Viva!

POLI 1.º: Pues la paella está superior...

POLI 2.º: En su punto...

UN PATOSO: Comer, compañeros. Comer y beber; llenar bien la andorga, que ya vendrán malos días...

EL PETATE: Acordaros del refrán: Tripa llena, Dios alaba...

LA MADRE MARTINA: (Dejando de comer y persignándose.) ¡Ay, que Dios me perdone! (Cierra los ojos y se traga la tajada. En este momento aparece una rueda de guardias civiles que se sitúan en puntos estratágicos, encarando el arma hacia los comensales.)

UN GUARDIA: Ténganse todos y dense presos...

POLI 1.º: (Levantándose repentino y señalando con el dedo al Pingajo, al Petate y al Tuerto.) Esos son, guardia. Esos son los culpables... (Gran silencio. Todos han quedado como petrificados, algunos con el manjar al nivel de la boca. Los tres polis se separan de la mesa, y se unen a los guardias. La Madre Martina, avergonzada, se escapa sigilosamente.)

VOCES: (Después del estupor.) Vaya broma pesá... ¡Qué esaboríos! Es una broma..., etc. (Pero los guardias civiles y los policías han ido hasta donde están los tres y relucen las esposas. Los demás guardias siguen encañonando a los invitados.)

LA FANDANGA: (Abrazándose a su novio.) No, no...

LA CARMELA: Si no hemos hecho na... ¿Es que no puen celebrar las bodas o qué?

EL PINGAJO: (Resignado y ofreciendo sus muñecas a los guardias, junto con los otros dos.) Pero ¿no podríamos terminar de comer? Y ustés, señores guardias, no quieren brobar bocao? (La gente empieza a escabullirse. Algunos intentan arrastrar con ellos alguna paellera, pero los guardias les cierran el paso.)

UN GUARDIA: (Deteniendo a los fugitivos.) De aquí no se mueve ni Dios... (Empieza a levantarse un coro de lamentos. La Carmela abraza a su marido.)

LA CARMELA: Que no se los lleven, que no se los lleven... Si no han hecho na... (Los guardias civiles han apretado el cerco y agrupan a todos en el centro de la escena. Los tres culpables están ya esposados.)

EL TUERTO: Sí entoavía no habíamos hincao el diente al lechazo... El lechazo, señores, que está pa chuparse los dedos...

LA CARMELA: (Estallando en grandes exclamaciones, coreada por las demás mujeres.) ¡Ay, qué desgracia tan grande!... ¡Ay, qué suerte tan negra!... ¡Y tan sonás que van a ser las bodas!... (Se mesa los cabellos, los guardias siguen encañonando a todos. Los tres policías que habían compartido el pan y la sal bajan la cabeza avergonzados, mientras el sol de la tarde aureola la figura de los tres delincuentes.)

OSCURO

EPILOGO

Afueras de Madrid. Suaves y tétricas lomas castellanas. Agrietado cielo de amanecer. Un corro de mujeres envueltas en mantones se agrupa alrededor de una hoguera. Son las que se sentaban al banquete de las bodas. En el centro del corro, la vieja de los escapularios termina de dirigir el rosario.

LA MADRE MARTINA: (Luego de persignarse y quedar en actitud de recogimiento.) En cuanti que traigan al probecito, rezaremos la recomendación del alma. (Pregunta con acento monjil.) ¿Saben si ya confesó?

UNA MUJER: Y tanto que confesó. El y los otros. En la "Delega" confiesan toos...

La Madre Martina: ¡Ay, válgame Dios! Lo que yo pregunto es si hizo confesión general con sacerdote...

Otra Mujer: Eso, allá él con su conciencia... Pobre Pingajo, y lo bien que le sentaba el uniforme de Húsares...

Otra Mujer: Mismamente paecía propio. Dicen que se retrató en Casa Campúa como los infantes de sangre real.

Otra Mujer: Y un príncipe era, que se acordó siempre de los suyos, lo que no hacen los de veras... ¿Y qué mujeres como nosotras que no lo defendimos con las uñas y los dientes?

Una Mujer: Bien de improviso que nos pillaron con las manos en la paella. El chasco nos cortó la respiración... Pues ¿y el pobre tío Petate?... Un hombre tan cabal y tan señor...

Otra Mujer: Pues mira que esa criaturita que enviuda tan joven... ¡Qué desgracia tan grande!...

Otra Mujer: Y esa pobre suegra...

Otra Mujer: ¡Ay, qué desgracia, Dios mío!...

La Madre Martina: Nosotras, pobres de nosotras, no podemos hacer otra cosa que rezar por su alma...

Una Mujer: Ya está amaneciendo. No puen tardar...

Otra Mujer: Mia que si nos habemos equivocao y no los fusilan aquí...

Una Mujer: Aquí afusilan a toos... Pos no han visto pocos estos ojos que se han de comer la tierra...

Otra Mujer: ¡Ay, pobrecito Pingajo!...

La Madre Martina: Los hombres que se ciegan por los dineros...

Una Mujer: Y dicen que no lo han dejao ver a la viuda ni a la suegra...

Otra Mujer: ¡Ay, probe Carmeliya, que ayer ajustician al marío y hoy al "nuero"!...

La Madre Martina: Líbrenos Dios de todo mal...

Una Mujer: Hay que ver con qué entereza murió el Tío. Petate... Era too un hombre...

Otra Mujer: Cómo abrazó a los Hermanos de la Caridad y cómo se despidió de toos y qué tranquilo estaba cuando le pusieron el anillo y con qué resinación cerró los ojos...

Una Muchacha: Paecía mismamente que dormía...

UNA MUJER: Y Mañana le toca al Salamanca, ¿no?

OTRA MUJER: Ese no me dá lástima. Era un zángano...

OTRA MUJER: Pos a mí me regaló unos pendientes...

LA MADRE MARTINA: Al probe Pingajo lo ajustician entre dos ladrones, como a Cristo Nuestro Señor. Venturoso él...

UNA MUJER: A él lo afusilan por el aquel del fuero militar.

UNA MUCHACHA: En eso sale ganando, porque dicen que es muerte de honra.

UNA MUJER: Habrá que verlo morir. Como un húsar...

OTRA MUJER: Tendría chiste que no lo trajeran acá...

OTRA MUJER: Aquí va a ser, que me lo dijo un mi compadre que es sargento de Pavía.

LA MADRE MARTINA: Aquí esperamos nosotras, pa rezarle la recomendación del alma...

UNA MUJER: Pos también tendría chiste que no habían sío ellos los del atraco...

UNA MUCHACHA: Tampoco sería la primera vez...

OTRA MUJER: Porque en esta España nunca ha habío justicia con el pueblo. Ni justicia, ni vergüenza, ni na...

UNA MUJER: Lo que yo digo es que no somos mujeres y que ya no quean riñones en los Madriles, sino que habíamos tenío que tirarnos a ellos y hacerles trizas la piel, que pa eso Dios nos dio las uñas.

LA MADRE MARTINA: Dios lo ha querío de otro modo. En el cielo le esperará la gloria...

OTRA MUJER: Ya está casi amanecío y no se oye ná... Mia que si tenemos que irnos por donde habemos venío...

UNA MUJER: Pos más vale así, porque yo no sé si cuando lo vea entre los fusiles no me tiro a ellos y los desgracio.

OTRA MUJER: Bien se ve que no conoces la ley marcial, porque si no, no hablarías así.

UNA MUJER: (A la otra.) ¿Y tú conoces esa ley?

OTRA MUJER: Mi compadre el sargento me lo ha explicao. Hazte cuenta que si das un grito tan sólo, te colocan a tí también en el paredón...

UNA MUJER: Esa es la justicia de España...

UNA MUCHACHA: Callen un momento. ¿No oyen? (Escuchan todas. Se oye lejano toque de diana en el cuartel próximo.)

OTRA MUJER: El toque de diana. Ya mismo lo traen... El pobrecito...

OTRA MUJER: A mí ya me tiemblan las piernas.

OTRA MUJER: Yo siento un ahogo en el pecho...

UNA MUJER: ¿Aónde está la bandera? ¿La tenéis ahí?

OTRA MUJER: (Sacando de debajo del manto un envoltorio con colores nacionales.) Aquí la tengo yo...

OTRA MUJER: Bien merece el pobre que lo envolvamos en la bandera como a los soldaítos que mueren en campaña...

OTRA MUJER: Ma le valía haberse quedao en la manigua...

OTRA MUJER: Pos no sé si dejarán envolverlo en la bandera... Mi compadre el sargento debe saberlo...

UNA MUJER: Estaría de ver que no lo pudiéramos enterrar como queremos...

LA MADRE MARTINA: Cristianamente es como hay que enterrarlo...

UNA MUJER: Y envuelto en la bandera, señora; envuelto en la bandera...

UNA MUCHACHA: Se oyen pasos... Deben ser ellos... (Las mujeres, asustadas, escuchan.)

UNA MUJER: Paece que ya están aquí. ¿Y cómo no suena el tambor?

OTRA MUJER: La ley marcial no tie tambor...

UNA MUCHACHA: (Que se había separado del grupo para otear el horizonte.) Sólo veo dos bultos... No son ellos...

UNA MUJER: ¡Ay, si paece la Carmela!...

UNA MUCHACHA: Es la Carmela y la Fandanga...

UNA MUJER: ¡Ay, me alegro que el pobrecito tenga algún pariente suyo en el último momento, ya que también tie la desgracia de ser hospiciano... (Entran la Carmela y la Fandanga envueltas en mantos negros.)

La Carmela: (Llorando.) ¡Ay, madre de mi alma...! Ayer vi morir a mi marío y hoy tengo que ver al marío de mi hija... ¡Ay, qué desgracia la mía!... (Va abrazando y besando a las mujeres.) ¿Qué habremos hecho en el mundo? Retrocede al ver ante sí a la Madre Martina.) ¿Tú tamién, zorrona? Júas Iscariota... ¿Entoavía quiés besarme, cuando fuiste tú la que chivaste a la Poli?... Marrana...

La Fandanga: (Llorando.) ¡Ay, madre!...

Una Mujer: (Apartando a la beata.) Aparte, mujer... (A la Carmela.) Cálmate, Carmela, y deja esta cuistión, que con eso no vas a arreglar naa. Y si chivateó ésta o no chivateó, no lo sabremos nunca... Lo que ties que hacer es calmarte... Ven aquí. (A las otras.) ¿Quea una miaja e recuelo?

Otra Mujer: Por ahí anda el puchero... (Unas cuantas mujeres se lleva a la chica donde hay puchero a la lumbre. Las otras contemplan con recelo a la beata.)

Una Muchacha: (Reconviniendo a la Madre Martina.) Tamién usté...

La Madre Martina: Pero si son calurnias. Calurnias... Yo no sabía na, y que Dios me castigue si miento... Lo que pasó fue que en saliendo de la venta me encontré con aquellos hombres, que me preguntaron si se celebraba una boda y yo les dije que sí. ¿Qué iba a decirles? Ni qué sabía yo si eran de la Policía o no lo eran... Que me quede aquí muerta, si miento... (Conforme hablaba, se volvía a unas y otras. Pero todas le vuelven la espalda y se agrupan en torno a las atribuladas Carmela y Fandanga. La beata se sienta aparte y vuelve a sacar el rosario.)

Una Mujer: (A la Carmela, ofreciéndola el puchero.) Bebe un sorbito e café... (A la Fandanga.) Y tú tamién, pequeña... ¡Ay, pobrecita, y qué ojos de pena ties, que mismamente paeces la Dolorosa!...

Otra Mujer: Ties que perdonarla, mujer...

La Carmela: Tengo unos nervios que no sé lo que hago... Ayer vi morir a mi Petate e mi alma... Lo vi hasta el último momento, y se despidió de mí con una mirá que lo decía too, too... (La Fandanga irrumpe a llorar con grandes sollozos.) Calla, hija; calla, hija mía. Huérfana y viuda en pocas horas... ¡Qué desgracia la nuestra!...

UNA MUJER: Cálmate, mujer, cálmate... Mira, habemos traío la bandera pa envolverle, como se hace con los gloriosos... (Extienden ante ellas la bandera española. La Carmela coge una punta del paño y se la lleva a la mejilla. En este momento empieza a oírse el lejano toque de tambor; que va acercándose.)

UNA MUJER: El tambor..., el tambor... Ya vienen... Ya vienen... (Las mujeres corren a un lado para ver llegar la comitiva y abandonan a las dos atribuladas que sostienen la bandera con sus manos.)

UNA MUJER: Ahora sí que son... Ave María Purísima....

LA MADRE MARTINA: Vamos a rezar la recomendación del alma... (Nadie le hace caso.)

UNA MUCHACHA: ¡Cuántos vienen!... Paece un batallón...

LA CARMELA: (Se levanta, seguida por la Fandanga. En el suelo queda el jirón de la bandera nacional, que empieza a iluminar el sol.) Yo quiero verlo... Yo quiero verlo... Quiero verlo... (Las mujeres la apartan.)

UNA MUJER: Ten calma...

LA CARMELA: Un beso... Que nos dejen darle un beso...

UNA MUCHACHA: Ya lo veo. Lo estoy viendo. El probe. Mirad, mirad...

VOCES: Probe..., ¡qué pálido está!... ¡Cuánto debe sufrir! etcétera...

LA CARMELA: (Se agita nerviosa. Tiene a la Fandanga agarrada a su cintura.) Pero ¿aónde está? ¿Aónde? Si estoy como ciega... Si es que no veo na... No veo na... (El estruendo del tambor alcanza un grado ensordecedor. Las mujeres se apartan arrastrando a la Carmela y a su hija, mientras la beata sigue inconmovible su rezo.)

VOZ DEL OFICIAL: Alto... (La voz ha sonado cerquísima. El chocar de los talones coincide con el enmudecimiento del tambor. Las mujeres se agrupan sollozando. Aparece el Teniente de los bigotes, ya conocido, con el sable en alto, que les impide avanzar. Retroceden las mujeres asustadas ante el relampagueo de la hoja.)

EL TENIENTE: (Llamando.) Sargento..., sargento...

EL SARGENTO: (Apareciendo.) A laz órdenez de uzté...

EL TENIENTE: (Señalando con el sable una divisoria ante las mujeres.) Ponga aquí una escuadra de hombres y que no se acerque naide a una legua... Venga... (A las mujeres.) Apartarse..., apartarse... Da en el aire un mandoble con el sable. Gritos de las mujeres. Una de ellas rueda por el suelo. Cinco soldados las van haciendo retroceder.)

LA CARMELA: Quiero verlo... Quiero darle un beso... El beso de despedida... (A la Fandanga.) Grita..., grita tú también. (La Fandanga llora.)

SOLDADOS: Venga, retirarse.., retirarse, que no se pue estar aquí... Retirarse, coño... (Las empuja hasta el otro extremo de la escena.)

UNA MUJER: Tener compasión de una madre y de una esposa...

SOLDADOS: Que sus apartéis. Si lo vais a ver bien toas... Desde aquí lo poés ver, leche... (Han apartado también a la beata, que vuelve a arrodillarse junto a las mujeres.)

EL TENIENTE: (Moviendo el sable.) Más atrás..., más atrás... (Los soldados vuelven a empujar.)

LAS MUJERES: Tener compasión de una madre... No lo matéis..., no lo matéis..., no lo matéis... (Esta frase la van diciendo de una manera rítmica, mecánica y escalofriante. El Teniente recorre el espacio libre a grandes zancadas. Tropieza con el paño de la bandera y le da un puntapié, apartándolo hacia donde están las mujeres. Una de ellas sale de la fila de los soldados y lo recoge, apretándolo contra el pecho. Vuelven las mujeres a cantar aquello de "No lo matéis" que suena como una especie de oración.)

EL TENIENTE: (Gritando.) El reo. (Traen entre dos soldados al Pingajo, pálido y ojeroso. Lleva el uniforme de gala de soldado raso. Naturalmente, sin insignias ni hombreras. Los brazos, atados codo con codo. Al aparecer, aumenta el clamoreo de las mujeres. El Pingajo distingue a la Fandanga y a la Carmela, que llaman a gritos. Se yergue muy solemne y las mira con ternura. Al Sargento.) Dispón el cuadro. Vivo, que hace un frío que pela. (Al Pingajo, que tiembla de frío y de miedo.) A tí no te pregunto cuál es tu última voluntá, porque ya se sabe que me vas a decir una de tus majaderías y no estoy pa líos. Quien mal anda, mal acaba, muchacho... Yo lo único que te digo es que hice too lo posible pa salvarte y que lo siento... (Se echa mano al bolsillo trasero del pantalón y saca una botella de aguardiente.) Así que échate un trago y a ver si te portas como los hombres. (Le pone la botella en la boca como si fuera un biberón y el reo bebe ávido. Parte del líquido se derrama en su pechera.) Bebe, bebe más, a ver si no te enteras de na... (El otro bebe con avidez. Cuando termina le relucen los ojos.)

EL PINGAJO: (Con voz ronca.) Gracias... A su saluz...

EL TENIENTE: (A los soldados que lo custodian.) Vamos... Camina delante de ellos con el sable al hombro. Se detienen y señala un lugar con el sable.) Aquí..(Luego, a patadas, apaga la hoguera que habían encendido las mujeres, avienta las brazas, da una patada al puchero, que rueda hacia las mujeres. Coloca al Pingajo dando frente al piquete que se supone fuera de la escena. El Pingajo vuelve la cara hacia las mujeres. El teniente ordena a sus soldados, con un gesto, que se incorporen al piquete. Antes de dejar solo al reo, saca un cigarrillo, lo enciende y se lo pone en los labios al Pingajo) Anda, fuma... (Le da una palmada en la espalda y se retira. El Pingajo se queda solo, como un auténtico pingajo, medio escoreado hacia un lado, con la cabeza colgando y el cigarrillo colgando del labio. Tiene los ojos extraviados.)

LAS MUJERES: No lo matéis..., no lo matéis... (Desaparece el Teniente.)

VOZ DEL TENIENTE: Rodilla en tierra... ¡Ar! (Pausa. Estallan los chillidos de la Carmela.) Carguen... ¡Ar..! se oye el ruido de los cerrojos al cargar el arma y el pobre Pingajo que ha cerrado los ojos se desploma en el suelo. Aparece el Teniente enfurecido y avanza hacia el caído Pingajo.)

EL TENIENTE: ¡Será gili este tío..! ¿Pos no se ha desmayao? (Llamando.) Sargento... (Viene corriendo el Sargento.) Mande usté firmes, no sea que esos cafres nos asen a tiros. (Desaparece el Sargento y se oye su voz de mando.) Venga aquí otra vez, sargento... (El Sargento vuelve de nuevo.) Amos a ver si le hacemos volver en sí. Me cauenn... (Le agitan entre los dos. Le dan cachetillos en la cara. El Pingajo abre los ojos asombrado y les mira como si ya estuviera en el otro mundo.) Venga, levántese... (Le levantan entre los dos. El Pingajo está desorientado.) Aquí no hay una mala estaca donde atarle. Ni una mala tapia... Mira que tengo dicho veces que éste no es sitio pa fusilar... (Al Pingajo.) Y a ver si no estás tan atontao tú. A ver si eres hombre. Que paeces una mujercilla tú también.

Hasta que no oigas el disparo no te ties que mover. Quieto ahora. (Le deja bien colocado, como si fueran a hacerle una fotografía, y vuelve de prisa a desaparecer.)

Voz RÁPIDA DEL TENIENTE: Carguen... ¡Ar..! Apunten... ¡Fuego..! (El Pingajo ha empezado a caer a la primera voz. Pero la descarga le coge de rodillas y rueda por el suelo.) Descarguen... ¡Ar..! (Entra y cruza la escena a grandes zancadas. Se coloca ante el bulto del Pingajo. De espaldas al público y abriendo bien las piernas, le da el pistoletazo de gracia mirando para otro lado. El bulto se sacude de nuevo. El Teniente cruza de nuevo la escena mientras ordena.) Vamos, sargento, armas al hombro y desfilen. (Los soldados que contenían a las mujeres se retiran también. El tambor vuelve a batir. El Tambor se va alejando. Las mujeres han quedado petrificadas sin moverse. Se arrodillan. Dos mujeres cogen el paño de la bandera y avanzan hacia el cadáver. Detrás van las otras llevando abrazadas a la Carmela y a la Fandanga. Cubren al cadáver con la bandera cuidadosamente y se arrodillan alrededor, mientras cae el telón.)

INDICE

I. TEORIA E HISTORIA

II. ESTUDIOS SOBRE TEATRO CONTEMPORANEO

III. CREACION